생철학과 현상학

쇼펜하우어, 딜타이, 베르그송, 메를로-퐁티, 후설

최환열 지음

창조와 지식

생철학과 현상학

최 완 열

머 리 말

서양 현대철학사는 크게 넷으로 분류되는데, 그것은 실존주의(생철학과 현상학 포함), 구조주의, 분석철학, 및 실용주의철학이다. 여기에 굳이 하나를 더 이야기하자면 사회주의 철학이 있는데, 이것은 기존의 인식론적 전통에서 벗어난 철학으로서 순수철학은 아니다. 한편, 실존주의와 구조주의는 대륙권에서 유행하는 철학이며, 분석철학과 실용주의철학은 영미권에서 유행하는 철학이다.

생철학-현상학-실존주의의 관계

실존주의 철학은 칸트-헤겔의 전통을 이어받았다. 칸트의 철학은 순수이성비판과 실천이성비판을 통해 우리의 이성이 어떻게 작용하고 있는 지를 논증한 것이었다. 특히 순수이성비판은 우리 안에 선험적으로 내재되어 있는 범주적 기능이 어떻게 자연법칙을 발견하고 더 나아가서는 산출해내고 있는 지를 논증한 것이었다. 칸트는 우리 안의 범주의 작동원리만을 말한 것이었다. 그는 또한 이와 더불어 우리 이성의 한계를 말하였다. 우리는 형이상학적 실체인 물 자체에 대해서는 알 수 없다는 것이었다. 헤겔은 여기에서 더 나아가 정신이 어떻게 현상하며 작동하는지를 설명했다. 그러면서 그는 우리의 이성 혹은 정신이 절대정신으로 고양될 수 있다고까지 말하였다.

실존주의 철학은 칸트와 헤겔의 논의를 기반으로 하고 있다고 볼 수 있는데, 실존주의로 이행하기 전에 그 전단계로서 생철학과 현상학을 말할 수 있다. 생철학은 인식론과 관련하여 이들의 철학적 대상은 우리 자아의 본질이었다. 그리고 이 자아에서 어떻게 의식이 생성되며, 어떻게 작동하고 있는지를 고찰하였던 것이다. 따라서 이들의 철학적 대상은 인간의 삶 혹은 생 그 자체였다. 이 생철학의 대표자는 쇼펜하우어, 딜타이, 그리고 베르그송이다.

현상학은 이제 이 의식보다 더 깊은 자아에 대한 추적을 하게 되는데, 이에 대한 접근방법을 말한 것이 현상학이다. 이 현상학의 대표자는 후설인데, 메를로-퐁티도 이 현상학자의 범주에 넣을 수 있겠다.

생철학 : 쇼펜하우어, 딜타이, 베르그송

쇼펜하우어는 칸트의 순수이성비판을 그의 철학의 출발점으로 삼고 있는데, 칸트는 "감성(인식)-오성-이성"의 결과 개념과 이념이 출현한다. 쇼펜하우어는 우리의 인식 안에 감성과 오성과 이성을 모두 집어넣고, 인식과 의식을 동일하게 간주한다. 이때 인식하는 우리의 의식은 주관과 객관으로 분류된다. 즉 인식 혹은 의식의 이면에 그것과 위치를 달리하는 주체로서 정신이 있고(주관), 객체로서 사물이 있는 것(객관)이다.

이때 객관은 정신과 같은 주체로부터 충분근거율이 나와서 인식 혹은 의식을 형성한 것이다. 우리의 의식 속에서 주관과 객관이 뒤섞여 있다. 그리고 존재론적으로 보았을 때, 주관에 의해서 객관은 얼마든지 가공될 수 있다. 더 나아가서 정신이 물질보다 존재론적으로 우선이다. 그 결과 쇼펜하우어는 칸트가 말한 그 순수이성의 주체는 우리의 정신이며, 더 나아가서 그 정신과 맞닿은 어떤 절대적인 존재로서 물 자체이다. 그것이 우리 안에서 의지로 나타난 것이다. 따라서 이 의지가 바로 물자체이며, 우리의 의지도 또한 이것으로 말미암는다. 그는 이것을 합리적으로 논증을 하였던 것이다. 그리고 이에 의하면, 이 세계는 의지로 말미암은 세계이다. 그에 의하면, 나의 육체도 의지의 표상이며, 자연세계도 또한 의지의 표상이다. 물론 이 의지는 절대자의 의지일 것이다. 그는 여기에서 스피노자와 버클리의 관념론을 수용한다.

한편, 의지의 본성은 무엇인가? 그는 이것을 욕망이라고 표현한다. 이 의지에 대한 긍정과 부정이 있는데, 이 의지의 부정은 금욕으로 이어진다. 여기에서 그에게 참된 자유가 있다고 말한다. 생철학은 여기에서부터 시작되었다.

딜타이의 철학도 또한 칸트를 극복하기 위해 나타난 철학이다. 그는 자연과학과 정신과학은 그 방법론이 다르다고 말한다. 그러면서 정신과학은 삶의 체험으로부터 인식론이 시작된다. 이 체험이 시간적으로 기록된 것이 자서전이며 전기이다. 더 나아가 이 개인의 역사가 그 개인의 생명이다. 우리는 어떤 전기에 대한 추체험과 추형성을 통하여 그 시대의 역사의 보편자를 이해할 수 있다.

딜타이의 해석학은 이와 같이 두 가지 측면을 가지고 있다. 본질적으로 중요한 것은 삶에 대한 이해를 통해 역사와 자아의 본질을 추구하는 것인데, 우리는 이것을 자서전이나 전기와 같은 문헌을 통해서 접하게 된다. 딜타이는 이러한 전기를 하나의 예술작품처럼 간주하여 그곳에서 이해와 추체험과 추형성을 시도하는 것이다.

딜타이는 이때 나타나는 보편자를 객관정신이라고 말하는데, 이것이 바로 헤겔의 절대정신이라는 것이다. 그는 칸트의 순수이성과 같이 우리 안에는 이와 같은 역사의 본질을 이해하는 역사이성이 존재한다고 말한다.

베르그송은 '생철학'의 완성자로 유명하며, 그의 철학은 들뢰즈에 의해 활용되어 구조주의 철학의 선구자이기도 하였다. 베르그송은 칸트의 정태적 시간 개념을 동태적 시간 개념으로 발전시켰다.

인간에게 과거는 고스란히 의식 속에 쌓여서 현재를 변화시키며 구성하고 있다. 베르그송의 '순수 지속' 혹은 '무의식'은 과거의 쌓인 경험을 기반으로 하여서 생성행위를 한다. 그렇다면, 그것은 닫힌 행위이다. 순수지속이 산출하는 새로운 생성이 아무리 새로운 창조일지라도, 그것은 기존의 경험에 포함된 요소를 극복할 수는 없다. 따라서 이것은 근본적인 의미에서의 '창조'는 아니다. 그것은 '창조적 진화'라야 한다.

우리의 존재론은 '정신-이미지-물질'의 삼위일체론적인데, 여기의 이미지는 '인간의 의식으로서의 이미지'와 '물질에 있는 이미지'가 같다. 이때 인간 안에는 '정신'과 같은 '무의식적 장소'가 존재하며, 그곳에는 과거가 '순수지속'으로서 현재의 '이미지'에 영향을 미치며, 결국 '물질'에 영향을 미친다. 결국 베르그송은 인간은 '물질'에 대한 '제작자'이다는 것을 논증한 것이다. 인간의 '의식' 속에서 끝없는 생명과 생성이 솟구쳐난다. 이것이 모든 '생명체'와 '물질'에 대한 '창조적 진화'를 주도하고 있다.

현상학 : 후설과 메를로-퐁티

후설의 현상학은 원래 모든 학문의 기초라고 할 수 있는 '순수 논리학'의 일환으로 진행되었다. 그러다가 이 논리학의 '개념' 등에 관한 정의에 있어서 '사태 자체'로 돌아가기 위한 일환으로 '순수 인식론'이 요청되었다. 그 결과 나타난 것이 '현상학'이었다.

후설은 우리의 대상에 대한 개념을 분명하게 하기 위해 우리의 가진 일반적 심리학적인 개념을 판단중지하고, 그 개념의 근원을 추구하였다. 이러한 연구로서 '의식의 본질'에 관한 연구가 진행되었는데, 그 결과 우리에게 주어진 '의식'은 사물을 향한 '정신의 시선'이었으며, 이 '의식'에는 '심리적 요소'와 '물리적 요소'가 중첩하여 있었고, '심리적 요소' 안에 있는 지향성이 사물을 향하여 전진하고 있었다. 이것이 '사태'의 본질이었다.

후설의 '의식'은 결국 우리의 '순수 자아' 혹은 '정신'의 존재를 증명해 주고 있다. 우리의 의식은 '정신의 시선'이라는 것을 입증하고 있기 때문이다. 또한 '의식'은 정신과 사물의 결합체이다. 여기에서 정신과 사물의 중간 매체가 발견되며, 정신과 사물의 통일성이 확보된다.

후설의 '사태 자체'로 돌아가기 위한 '판단중지'는 도리어 그 존재자의 내부로 들어와서, 그 어떤 존재의 근원을 밝혀주는 역할을 하였다. 그는 우리의 자연주의적 태도에서 나오는 '개념'을 판단중지 함을 통해서 '순수 자아'의 존재를 발견하였다. 그 결과, 우리에게 주어진 '의식'은 사물을 향한 '정신의 시선'이었으며, 이 '의식'에는 '심리적 요소'와 '물리적 요소'가 중첩하여 있었고, '심리적 요소' 안에 있는 지향성이 사물을 향하여 전진하고 있었다. 이것이 '사태'의 본질이었다. 후설의 '의식'은 결국 우리의 '순수 자아' 혹은 '정신'의 존재를 증명해 주고 있으며, '의식'은 정신과 사물의 결합체이고, 여기에서 정신과 사물의 중간 매체가 발견되어 정신과 사물의 통일성이 확보된다.

메를로-퐁티는 '몸의 철학자'로 불리는데, 그것은 신체적인 체험을 최초의 체험이라고 보기 때문인데, 머리의 사유보다 먼저 신체적인 체험이 가장 먼저의 체험이고, 그것을 체험하는 '나'가 근원에 있는 나, 세계에 접촉해 있는 나이기 때문이었다. 메를로-퐁티에 의하면, 내 신체의 감각에는 정신 혹은 의식이 함께 있다. 내 정신이 그곳에서 실제로 활동을 하고 있다. 그의 진정한 의도는 '신체화 된 정신'이었다.

따라서 몸이 곧 대자의 역할을 한다. 그 몸 속에는 실존적 세계도 감각으로 들어와 있다. 이것은 곧 즉자의 역할이다. 그리고 몸 속에 있는 대자로서의 정신은 이 즉자로서의 감각을 변화시킨다. 이 감각으로서의 대상은 또한 실제의 대상과 연결되어 있다. 몸이 세계와 하나이기 때문이다. 궁극적으로 우리의 몸은 세계에 변화를 초래한다. 이에 따라 그는 형이상학도 또한 사물에 대한 '감각'을 통해서 추구하자고 말한다. 이것은 획기적인 사고였다.

이러한 철학적 주체에 대한 태도의 변화는 무의식의 기억들도 모두 현재의 공간 위에 세울 수 있게 되었다. 즉 정신이 육체의 이면으로 숨는 것이 아니라, 육체와 함께 공간 위에 드러나기 때문이다. 따라서 그는 신비의 장소를 사물로 잡음을 통해서 사물 위에 빛나는 로고스와 신비를 발견한다. 그는 이러한 신비가 종교의 탄생을 불러왔다고 말한다.

실존주의 : 키에르케고어, 야스퍼스, 하이데거, 샤르트르

헤겔의 체계를 가장 탁월하게 비판한 사람이 키에르케고어이다. 헤겔은 정신의 구조에서 '정신의 무한성과 가능성'만을 고려하였으며, '육체로서의 유한성과 필연성'은 고려하지 않은 채 그의 변증법을 전개하였다. 그래서 커다란 신학체계를 이루기는 하였지만, 반쪽만의 진리를 가지고 정신의 세계를 추론한 셈이 되어 버렸다. 헤겔이 그의 체계에서 죄의 현실을 간과한 원인은 어디 있는가? 키에르케고어의 입장에서 볼 때 그 원인은 본질과 실존을 동일시한 데 있다. 그래서 그는 '현실의 실존'과 괴리된 '개념의 실존'을 기술하였을 뿐이다. 사유와 존재는 헤겔이 말하듯이 일치하는 것, 따라서 종합될 수 있는 것이 아니라 오히려 칸트가 의미하듯이 실존으로 인하여 괴리되어 있다. 실존주의는 이에 대한 인식에서부터 시작되며, 이것을 가장 먼저 논증한 사람은 키에르케고어였다.

키에르케고어는 모든 '실존'이 가지고 있는 기본적인 정서는 '불안'이라고 한다. 이것이 있어야 우리의 진정한 실존이 깨어난다. '체념'과 '믿음'이라는 정서는 '불안'을 기본바탕으로 하지 않고는 성립될 수 없는 개념이기 때문이다. 키에르케고어는 이러한 측면에서 '불안'이라는 기본적 정서를 긍정적이고 유익한 것으로 받아들인다. 그는 아브라함의 이야기에서 '이삭 번제'라는 '죽음'과 같은 상황의 본질은 '불안'이며, 이것이 우리의 실존이다.

우리의 '의지'는 이러한 상황 속에서 '결단'을 하게 되는데, 이를 통해 '자기'는 '더 나은 자기'를 찾게 된다. 특히 실존유형 중에서 '아브라함'은 종교적 유형에 속하는데, 이때 '의지'는 '체념과 믿음'을 통해 '타자(신)'를 이 관계 속에 끌어들여 '인간 한계'를 극복한다. 이렇게 '진정한 자기'를 찾게 해주는 그러한 의식은 '의식'과 구분하여 '자기의식'이라고 한다. 이때 '자기'는 '더 나은 자기'가 되는 '종합'은 '의식'이 수행하는데, 그것은 오직 '신과의 관계'를 통해서만 수행될 수 있다.

인간의 '의식'은 극단에 이르게 되고서야 비로소 진지한 결단이 나오게 된다. 인간은 기본적으로 신에는 모든 것이 가능하다는 것을 믿는다. 이제 그의 의식은 이 '신'을 믿을 것인가, 말 것인가를 결정해야 한다. 이것은 의식적인 행위이다. 여기에서 '믿음'을 선택한다는 것은 '오성상실'을 전제로 하여야 한다. 이에 의하면, 신에게로 갈 수 밖에 없다. 그 믿음은 "체념과 (하나님에 대한)믿음"으로 구성되어 있다. 이것은 기복적 믿음이 아니라, 신에 대한 믿음이었다. 키에르케고어의 이 이야기는 모든 실존주의자들이 다루는 실존에 대한 내러티브가 되었다. 그리고 실존주의자들은 의식을 다룬다.

칼 야스퍼스에 의하면, 우리 모든 인간에게는 "나 자신은 누구인가? 나는 어디에서 와서 어디로 가는가?"라는 '나 자신'에 관한 원초적이고 본질적인 질문이 있다. 이것은 살아가면 살아갈수록 물음은 깊어진다. 이것은 존재를 찾는 물음인데, 우리에게 주어진 존재에 대한 단서는 '상황'이 유일하다. 따라서 우리의 철학함은 상황을 밝히는 것으로 출발해야 한다. 그런데, 그렇다고 해서 이에 대한 검토를 통해서 그 존재가 밝혀지는 것은 아니다. 그에 의하면, 오히려 그 존재를 인식하는 방법은 초월함이었다.

이와 같은 실존은 분명히 비대상적인 것이지만, 우리가 그것에게 나아갈 때, 그것도 또한 대상화된 것이라고 말해야 한다. 이와 같이 우리의 사유는 실존을 객체로 만들어낸다. 그것은 실존이 실제로 존재하기 때문에 그렇다. 그러나 '실존'은 개념이 아니라 모든 대상성 너머를 지시하는 지표이다. 칼 야스퍼스에 의하면, 실존철학의 본질적인 방향은 형이상학이다. 그리고 실존철학의 방법은 조명을 통한 철학이다. 빛이 던져지는 곳을 사유함을 통해서 성립된다.

그에 의하면, 우리 안에 '철학적 근본작용'이 있는데, 그것은 우리 자신이 어떤 실존적인 사건을 만났을 때, 스스로 자신을 발견하기 위해서 대상적인 것으로부터 비대상적인 것에로의 사유의 전환을 수행한다는 것이다. 그리고 이러한 사유가 발생하는 이유는 우리의 의식 안에는 '포괄자'의 여러 양태가 내재해 있기 때문이다. 이것은 초월자가 세계 내의 모든 존재를 포괄하는 포괄자이기 때문이다.

인간은 이와 같이 '지평선 너머에 존재하는 포괄자'를 한계상황에 직면하여 좌절할 수 밖에 없을 때, 존재에의 길을 얻을 수 있는 근본충동을 가져온다. 한계상황이 이것을 불러온다. 그리고 인간은 초월자를 향하며, 영원화를 추구한다. 이때 초월자의 암호가 들려온다. 그러므로 좌절은 암호 자체이다. 우리는 좌절의 암호를 상세하게 해독하여야 한다.

초월자의 암호해독을 통해서 실존을 해명하고자 하는 것이 철학적 신앙이고, 철학적 신앙은 은폐된 신에 대한 신앙이다. 철학적 신앙은 초월자가 존재한다는 사실을 자유롭게 체득하고자 하는 신앙이다. 그렇다고 해서 이 초월자의 암호가 해석된다는 것은 있을 수 없다. 그러나 우리 유한적 현존은 철저한 좌절의 경험 속에서 초월자의 존재를 붙잡을 수 있다. 우리는 현실상황에 있어서 불안을 떨쳐버릴 수 없었다. 그러나 존재를 이와 같이 만나면, 신기하리만치 불안이 떠나간다. 존재의 심적 상태가 우리 안에 실현된다. 야스퍼스는 이것을 '불안에서 안심에로의 비약'이라는 말로 표현한다. 이 실존적 만남은 신화나 신앙으로 비약하기도 한다. 모든 신화나 신앙은 이러한 실존적 만남에서 유래하였다.

하이데거의 주요 사상은 후설의 현상학을 철학의 체계 속에 올려놓은 것이었다. 특히 그는 우리 의식의 본질을 밝힌다. 다만 그의 철학은 우리의 무의식이나 정신의 단계에 까지 이르진 못한다. 그의 철학은 오직 의식에만 집중한다. 먼저, 하이데거는 후설의 현상학을 우리의 의식 속에 반영하여, 의식을 중심으로 한 존재론을 발전시켰다.

우리의 모든 생각들을 괄호로 칠 경우, 그 의식의 본질이 등장을 하는데, 그것은 곧 염려였다. 그리고 이 염려 속에는 모든 과거와 현재와 미래가 다 한 자리에 모여 있었다. 그리고 그것이 우리 현존재의 본질이었다. 이와 같이 시간이 우리의 의식을 지배할 경우, 우리의 최종적인 미래는 죽음이며, 이것을 향한 기획투사를 통해 우리 존재의 본래성이 드러난다.

우리의 의식 속의 염려가 우리를 미래로 이끈다. 이때 우리의 죽음을 결의하고, 이것을 경험함을 통해서 우리의 본래적인 실존을 회복한다. 한편, 이때 하이데거는 기독교의 세례와 유사한 이야기를 한다. 궁극적으로 우리의 결의성에 따라 미래가 현재화 된다. 결국 하이데거는 베르그송의 시간 개념을 그의 철학 전개에 깊이 도입한 것으로 보인다. 즉, 시간을 차원을 달리한 공간으로 본다. 그래서 현재 위에 과거와 현재와 미래가 모두 존재한다. 이와 같이 하이데거는 미래를 현재로 끌어와서 죽음에 기투를 함으로써 우리의 실존을 극복한다.

사르트르의 실존주의는 무신론적 실존주의라고 불리는데, 그는 우리의 대자 존재가 '무'라고 설정한다. 그리고 우리가 여기에 무엇을 채우느냐에 의해 우리의 실존이 결정된다는 것이다. 그런데, 이것은 존 로크의 경험이론과 크게 다르지 않다. 로크는 우리의 정신은 백지 상태라고 하였다. 여기에 경험을 통해서 우리를 구성한다고 말하였다. 사르트르는 이와 크게 다르지 않다. 그는 로크의 '정신'을 '무'로 대체하였을 뿐이다. 사르트르는 헤겔이나 스피노자의 정신의 기능을 '무'로 대체하려는 시도를 하였는데, 그 논의는 전개하면 할수록 그의 '무'는 '정신'을 그렇게 해석하려고 의도하였다는 의미 밖에 주지 않는다. 그의 '무'는 '정신'으로 대체될 필요가 존재한다. 한편, 그는 '심적 시간성'을 말하였는데, 이것은 베르그송의 시간개념을 원용하여서 즉자존재를 대자존재의 의식 속으로 끌고 들어왔다.

생철학과 현상학 그리고 실존주의 철학의 주제

근세 이후의 철학은 인식론적 접근을 하고 있다. 위의 내용들에 의하면, 생철학, 현상학, 그리고 실존주의 철학도 또한 중요한 인식론적 흐름을 형성하고 있음을 알 수 있다. 생철학은 우리의 정신의 본질을 밝히고 있는데, 이 정신은 객관정신(혹은 절대정신)과 연결되어 있다. 우리는 여기에서 칸트와 헤겔의 종합을 보는 것이다. 그리고 우리 정신의 존재가 생철학에 의해 밝혀진다. 특히 이 정신의 나타남은 우리의 의식(이미지)인데, 우리의 의식 속에서는 정신적 요소와 물질적 요소가 병존하여 있다. 그러면서도 이 정신적인 이미지가 물리적 이미지를 변화시키고 있다. 자연법칙 산출자로서의 칸트의 순수이성의 본질이 다시 한 번 드러난 것이다. 이것은 현상학을 통해서 또 다시 확인된다. 그리고 실존주의는 우리의 의식을 우리가 어떻게 관리할 것인가를 다루었다. 키에르케고어로부터 샤르트르에 이르기까지 모두 우리의 실존을 죽음 혹은 무라고 말하며, 이 죽음을 극복하는 방법으로서 죽음에의 결단을 촉구하고 있다. 이때 유신론적 실존주의자들은 이것이 바로 절대자와의 만남의 장이라고 말한다. 그리고 우리의 실존은 이와 같이 극복된다고 말하고 있다.

책 저술의 방법

오늘날 많은 철학을 강의하는 사람들이 원서에 충실하지 않은 경향을 보이고 있으나, 독자의 입장에서는 먼저 원저자의 의도를 알고 싶어 한다. 그래서 이 책은 철학자들의 의도를 분명하게 이해하기 위하여 원서(번역본)와 논문들을 요약하여 기술한 책이다. 그리고 원래 책제목이 "생철학-현상학-실존주의"였는데, "생철학-현상학"과 "실존주의"를 구분하였다.

2023. 12.

신학박사 최 환 열

<제 목 차 례>

1장 쇼펜하우어

2장 딜타이

3장 베르그송

4장 후 설

5장 메를로-퐁티

1장 쇼펜하우어

1절 아르투어 쇼펜하우어의 생애(1788-1860)

1. 쇼펜하우어의 생애

가. 초기생애

쇼펜하우어는 1788년 프로이센 단치히에서 태어나서, 그가 5세인 1793년에 함부르크로 이사하였다. 그는 15세때 부모와 함께 1년 동안 벨기에·영국·프랑스·스위스·오스트리아 등을 여행했다. 그의 아버지는 쇼펜하우어에게 상업을 가르치고 싶어 했으며, 여행 후 유명한 상인의 집에서 견습생으로 일을 하기도 했다. 그래서 그는 늦은 나이에 공부를 하게 되었다. 1805년(17세) 4월 아버지가 갑자기 죽자, 그의 삶은 결정적인 변화를 맞았다. 그 후 그의 어머니와 여동생은 바이마르로 이사하였으며, 그도 또한 1년후 바이마르에 이르렀다.

쇼펜하우어는 부유한 상인 하인리히 플로리스 쇼펜하우어와 나중에 소설·수필·기행문 등을 써서 유명해진 요하나의 아들로 태어났다. 1793년 단치히가 프로이센 지배 아래로 들어가자 가족과 함께 함부르크 자유도시로 이사했다. 쇼펜하우어는 가정교사로부터 교육을 받았다. 그후 사립직업학교에 들어가서 계몽주의 정신을 익혔고 인간의 서약에 민감한 경건파적 태도를 접했다. 1803년에는 부모와 함께 1년 동안 벨기에·영국·프랑스·스위스·오스트리아 등을 여행했다. 1805년 4월 아버지가 갑자기 죽자, 그의 삶은 결정적인 변화를 맞았다.
어머니와 여동생 아델레는 바이마르로 이사했으며 어머니는 그곳에서 시인 J. W. 폰 괴테와 독일의 볼테르라 불리는 크리스토프 마르틴 빌란트의 사교 모임에 들어갔다. 쇼펜하우어는 1년 남짓 함부르크에 남아 있을 수밖에 없었지만, 그 덕분에 예술과 과학에 몰두할 자유를 좀더 얻을 수 있었다. 1807년 5월 마침내 함부르크를 떠났고 그후 2년 남짓 고타와 바이마르에서 지내면서 대학 입학에 필요한 학과 공부를 했다. (쇼펜하우어, 『다음백과』)

나. 학업

쇼펜하우어는 1809년(21세) 늦은 나이에 괴팅겐대학교 의학부에서 입학허가를 받아 주로 자연과학 강의를 들었다. 그러나 겨우 2학기 만에 인문학부로 옮겨 우선 플라톤과 이마누엘 칸트를 열심히 공부했다. 1811~13년 베를린대학교를 다녔고 여기서 J. G. 피히테와 프리드리히 슐라이어마허의 강의를 들었으나 별다른 감명을 받지는 못했다. 1813년(25세) 여름 동안에 루돌슈타트에서 박사학위논문을 완성하여 예나대학에서 철학박사학위를 받았다.

> 1809년(21세) 가을 괴팅겐대학교 의학부에서 입학허가를 받아 주로 자연과학 강의를 들었다. 그러나 겨우 2학기 만에 인문학부로 옮겨 우선 플라톤과 이마누엘 칸트를 열심히 공부했다. 1811~13년 베를린대학교를 다녔고 여기서 J. G. 피히테와 프리드리히 슐라이어마허의 강의를 들었으나 별다른 감명을 받지는 못했다. 1813년 여름 동안에 루돌슈타트에서 박사학위논문을 완성하여 예나대학에서 철학박사학위를 받았다. (쇼펜하우어, 『다음백과』)

다. 우파니샤드 철학과의 접목

1813년 박사학위를 취득한 후 괴테와 함께 여러 가지 철학적 주제를 놓고 토론했다. 이 시기에 동양학자 프리드리히 마이어는 그에게 고대 인도의 가르침들에 관해 알려주었다. 뒷날 쇼펜하우어는〈우파니샤드〉가 플라톤 및 칸트와 더불어 자신의 철학체계를 수립하기 위한 기초를 이룬다고 생각했다. 그는 이러한 사상을 기반으로 1819년(31세)〈의지와 표상으로서의 세계〉를 저술하였다. 쇼펜하우어는 그의 어머니의 바람기 때문에 서로 불화하였고, 1814년 어머니와 헤어졌다.

> 1813년 겨울 바이마르에서 지내면서 괴테와 함께 여러 가지 철학적 주제를 놓고 토론했다. 같은 시기에 요한 고트프리트 헤르더의 제자인 동양학자 프리드리히 마이어는 그에게 고대 인도의 가르침들(베단타 철학과 베다의 신비주의)에 관해 알려주었다. 뒷날 쇼펜하우어는 〈우파니샤드 Upaniṣads〉(베다 경전의 일부로 철학서)가 플라톤 및 칸트와 더불어 자신의 철학체계를 수립하기 위한 기초를 이룬다고 생각했다(인도철학).
> 1814년 5월 평소 못마땅하게 생각하던 어머니의 경박스런 생활방식 때문에 어머니와 다툰 후 사랑하던 바이마르를 떠났다. 그후 1818년까지 드레스덴에서 살면서, 때때로 〈드레스데너 아벤트차이퉁〉의 필진들과 교류했다. 쇼펜하우어는 아

이작 뉴턴에 반대하고 괴테를 지지하는 논문 <시각과 색에 관하여〉(1816)를 완성했다.
그후 3년 내내 주저〈의지와 표상으로서의 세계 Die Welt als Wille und Vorstellung〉(1819)를 준비하고 저술했다. (쇼펜하우어, 『다음백과』)

라. 베를린대학교의 교수

쇼펜하우어는 그의 어머니와의 소송을 통해 아버지의 상속재산의 일부를 물려받을 수 있었기 때문에 생계에 대한 걱정은 없었다. 그는 장기간에 걸친 첫 번째 이탈리아 여행을 마치고 헤겔과의 논쟁을 성공적으로 끝낸 이후인 1820년(32세) 베를린대학교에서 교수자격을 취득했다. 그후 24학기 동안 재직했지만, 제대로 된 강의를 하지 못했다. 헤겔에게 모든 학생들이 쏠렸기 때문이었다.

쇼펜하우어는 장기간에 걸친 첫 번째 이탈리아 여행을 마치고 헤겔과의 논쟁을 성공적으로 끝낸 이후인 1820년 3월 베를린대학교에서 교수자격을 취득했다. 24학기 동안 교수로 재직했지만 강의라고 할 만한 것은 첫 강의뿐이었다. 왜냐하면 그가 강의 시간을, 많은 학생이 듣고 있고 게다가 수강생이 점점 더 늘고 있던 헤겔의 강의 시간과 같게 잡았기 때문이고 또 그 시간을 고집했기 때문이다. 그가 끊임없이 진보하는 철학에 도전해서 성공할 수 없었던 것은 자명한 일이었다. 그의 책도 별다른 주목을 받지 못했다.
쇼펜하우어는 1년에 걸친 2번째 이탈리아 여행을 떠났으며, 그 뒤 뮌헨에서 1년 동안 병을 앓았다. 1825년 5월 베를린에서 마지막으로 다시 한 번 강의를 시도해보았으나 실패했다. 그후 주로 번역을 하면서 이차적인 일들에만 몰두했다. (쇼펜하우어, 『다음백과』)

마. 프랑크푸르트에서의 학문적 은둔

쇼펜하우어는 1831년(43세) 베를린을 떠나 프랑크푸르트에서 살았는데, 콜레라를 피해서 온 것이었다. 이때부터 그는 28년 동안 이곳을 떠나지 않았다. 결국 그는 대학교수직을 포기하고 은둔생활을 했던 것이다. 이 시기에 그는 특히 자연과학에 몰두하였다.

그후 28년 동안 그는 프랑크푸르트에서 살았는데, 그곳이 콜레라의 위험에서 벗어난 곳이라고 생각했기 때문이었다. 그는 잠시 동안 외에는 그 도시를 떠나지 않았다. 결국 그는 대학교수직을 포기하고, 연구(특히 자연과학)와 집필에 몰두한 채 은둔생활을 했다. 후대에 이르러 처음으로 밝혀진 바에 따르면, 그즈음 그의 삶은 하루하루 똑같이 정해진 생활, 칸트를 모범으로 삼은 금욕주의적인 생활양식, 유행에 뒤떨어진 옷차림, 몸짓이 많이 섞인 독백 등으로 이루어져 있었다. 그러나 이 은둔기를 한가롭게 보낸 것은 아니었다. 1836년에는 19년에 걸친 '말없는 분노' 끝에〈자연 속의 의지에 관하여〉라는 소책자를 출간했다.

그의 주저〈의지와 표상으로서의 세계〉는 결국 베를린의 한 이름 없는 서적상이 고료 없이 원고를 받아들였다. 세계적으로 인정을 받는 시발점이 된 이 책에서 그는 그때까지는 그의 저술의 틀 안에서 개별적으로 다루지 않았던 중요한 주제들을 다루었다. 6년에 걸친 작업 끝에 에세이와 주석들을 모아 〈소품과 단편집 Parerga und Paralipomena〉(1851)이라는 제목을 단 2권의 책으로 출간했다. 〈소품〉에는 철학사와 관련된 단편들이 실려 있다. 가령 〈대학 철학에 관하여〉라는 유명한 논문과, 심오하고 수수께끼 같은 〈개별자의 운명에서 직관적 의도에 관한 초험적 사변〉·〈영시(靈視) 및 그와 관련된 것들에 대한 시론〉(초심리학에 관한 최초의 탐구, 분류, 비판적 반성)·〈삶의 지혜에 관한 격언〉 등은 그의 오랜 삶을 통해 얻은 선명하고 빛나는 설명들이다.
〈단편집〉, 또는 쇼펜하우어가 부르는 대로 하자면 "여러 가지 주제에 관한 별개의, 하지만 질서가 잡힌 사상들"에는 글쓰기와 문체, 여성, 교육, 소음과 소리를 비롯한 수많은 주제에 관한 에세이들이 실려 있다.(쇼펜하우어, 『다음백과』)

바. 말년

그의 생애 말년은 자신의 저작 대부분을 마무리 손질하는 기간이었다. 1873년말 프라우엔슈테트는 쇼펜하우어의 첫 번째 전집을 6권으로 출간했다. 이 기간에 쇼펜하우어의 실제적인 영향이 널리 퍼지기 시작했다.

생애 말년에는 그의 저작 대부분에 마무리 손질을 했다. 〈의지와 표상으로서의 세계〉제3판이 자신 있는 서문을 달고 1859년에 나왔고, 1860년에는 〈윤리학

Ethics〉 재판이 나왔다. 쇼펜하우어가 갑작스럽게 고통 없이 죽은 후 얼마 지나지 않아서 율리우스 프라우엔슈테트가 많은 수고(手稿)를 담고 있는 〈소품과 단편집〉의 증보신판(1862)을 비롯해 〈4가지 근원에 관하여〉(1864)·〈자연 속의 의지에 관하여〉(1867)·색깔에 관한 논문(1870)·〈의지와 표상으로서의 세계〉(제4판, 1873)를 냈다.
1873년말 프라우엔슈테트는 쇼펜하우어의 첫 번째 전집을 6권으로 출간했다. 이 기간에 쇼펜하우어의 실제적인 영향이 널리 퍼지기 시작했다.(쇼펜하우어, 『다음백과』)

2절 충분근거율의 네 가지 뿌리

1. 『의지와 표상으로서의 세계』의 출발점

칸트는 코페르니쿠스적 전회를 하였다. 즉, 우리의 '순수이성' 속에는 자연만물의 법칙을 이해하는 능력(특히 인과율)이 선험적으로 존재한다는 것이었다. 그리고 이 기능은 계속적으로 작동하여서 이 세계 속에서 모든 사물들을 새롭게 창조해내고 있었던 것이다. 이것이 바로 과학의 발견이었다. 그렇다면, 존재론적으로 우리가 자연만물보다 뒤에 있었다고 할지라도, 우리의 순수이성으로서의 정신은 선험적이라는 측면에서 그렇지 않다. 그렇다면, 이 세상의 만물은 우리 정신에 예속된 것이고, 정신으로 말미암았다. 이러한 가치체계의 전도를 가져온 것이 칸트의 『순수이성비판』이었다. 이제 쇼펜하우어는 이 철학을 이어서 자신의 '의지의 형이상학'을 전개하고자 하는 것이다. 그의 초판 서문에서 한 다음의 말은 이것을 지칭하고 있다.(필자해설)

나는 이미 초판의 서문에서 나의 철학이 칸트철학에서 출발했으며, 따라서 독자가 칸트철학을 철저히 알고 있다는 것을 전제로 삼는다고 설명했는데, 이런 사실을 여기서 다시 되풀이하고자 한다. 칸트의 철학은 그것을 파악한 모든 사람들의 머리를 근본적으로 변화시키는데, 그 변화가 너무 커서 정신적인 재탄생이라고 일컬을 만하다. 말하자면 유일하게 그의 철학만이, 태어날 때부터 부여받은, 지성의 원래의 규정에서 비롯되는 실재론을 정말로 제거할 수 있는데,이런 일은 버클리나 말브랑슈도 제대로 해내지 못했다.

(*Die Weltals Willeund Vorstellung I*, Erster Teilband - 이하W I 으로 표기, 20 -『의지와 표상으로서의 세계』)

쇼펜하우어는 자신의 『의지와 표상으로서의 세계』를 이해하기 위해서는 먼저 자신의 박사 논문 "충분근거율의 네 가지 뿌리에 대하여"를 먼저 이해해야 한다고 말한다. 이 논문은 칸트의 '순수이성비판'에서 인식하는 주체를 더욱 깊이 탐구하였다. 그리고 나타나는 것이 그의 '의지의 형이상학'인 것이다.

2. '충분근거율'의 법칙

가. 칸트의 순수이성에서 쇼펜하우어의 의지에 이르기까지

쇼펜하우어의 의도를 먼저 한 번 살펴보자. 칸트에 의하면, 우리의 순수이성에는 범주적인 기능이 있다. 그리고 이 범주 내에서 인식한 사물들이 개념화되는데, 이때 인식한 사물들 각각에 대해 인과율이 작동을 하여 하나의 문장 혹은 개념을 이룬다. 이때 쇼펜하우어는 이 인과율을 이해하는 이러한 모든 범주적인 기능들을 우리의 정신의 고유한 기능으로 끌어온다. 즉, 우리는 인식과 더불어서 이 기능이 작동하고 한다는 것이다. 혹은 이 기능이 존재하여서 인식이 발생한다는 것이다. 쇼펜하우어는 오히려 후자를 택한다. 우리의 정신에는 선험적으로 '충분근거율'이 존재하는데, 오히려 이 법칙에 대한 주체이다. 그렇다면, 모든 인식은 이 근거율에서 나온다. 그리고 정신은 이 근거율의 주체이다. 우리가 사물이 우리보다 먼저 존재해서 그것에 이 근거율이 예속된 것 같지만 그렇지 않다는 것이다. 이 근거율이 우리 안에 먼저 있었고, 그 다음에 사물들이 생성된 것이다. 그리고 이 근거율은 우리의 의지에 의해서 작동된다. 그렇다면, 모든 사물들은 우리의 의지에 의해 생성된 것이다. 더 나아가서 모든 사물들이 이렇게 생성되는 것이라면, 물자체는 곧 우리의 정신 혹은 우리의 의지인 것이다. 그리고 이것이 쇼펜하우어의 생철학인 것이다. 이것을 이해하고 다음의 '충분근거율'을 살펴보아야 한다.(필자해설)

나. '충분근거율'이라는 법칙 하에서의 인식

쇼펜하우어는 인식의 충분근거율을 정신 혹은 이성이 "인식할 때의 인식형식"이라고 말한다. 그는 "이것은 판단이 떠받치거나(stutzen) 의거하는(beruhen)어떤 것이므로, 독일어 명사, 근거(Grund)는 적절하게 선택되었다."(G,121)고 말한다.

쇼펜하우어에 의하면, 표상의 세계는 경험과 과학적 지식(학문)의 대상으로서 주관의 인식 능력에 의한 "충분근거율"이라는 법칙 하에서 인식이 가능하다. 그는 칸트의 범주 안에 있는 '인과율' 이해의 선험적 능력을 인간의 정신 혹은 이성의 고유한 능력으로 부각시킨다. 인식 후에 범주적인 기능에서 이것이 작동하는 것이 아니라. 인식에서부터 이 기능이 작동하고 있다는 것이다.

표상의 세계는 경험과 과학적 지식(학문)의 대상으로서 주관의 인식 능력에 의한 "충분근거율"이라는 법칙 하에서 인식이 가능하다. 쇼펜하우어에 따르면 학문이란 단순한 인식의 축척이 아니라 결합된 인식의 전체며, 인식의 작용들을 규정하는 근거율로부터 결과 되는 필연성에 대한 인식이다. 따라서 모든 이론적인 지식을 가능하게 하는 근거율은 주관에 의해 선천적으로 주어진 인식을 위한 공통적인 표현인 것이다. 쇼펜하우어는 근거율의 뿌리에 대해서 다음과 같이 설명하고 있다.
"외적인 내적인 감성(수용성), 오성, 이성이 출현하는 우리의 인식하는 의식은 주관과 객관으로 분리되며, 그 이외의 어떤 것도 내포하지 않는다. 주관을 위한 객체와 우리의 표상은 같은 것이다. 모든 우리의 표상들은 주관의 객체들이다. 그리고 주관의 모든 객체들은 우리의 표상들이다. 그러나 모든 우리의 표상들은 형식에 따라 선천적으로 규정이 가능한 법칙적인 결합에 서로 놓여 있다. 이러한 형식에 의해서 어떤 것도 독자적이며, 개별적으로 분리된 것이 아니라, 우리를 위해 있게 된다. 이러한 결합은 보편성을 지닌 충분한 근거율로서 표현된다."
쇼펜하우어는 여기서 주관을 위한 표상들을 선천적이며 보편적으로 결합시키는 형태들을 바로 근거율이라고 칭한다. 여기서 인식을 가능하게 하는 주관의 능력을 쇼펜하우어는 "인식하는 의식"으로 칭한다. (공병혜, '쇼펜하우어의 미학 사상', 시지푸스의 사색노트 in 다음카페)[1]

다. 인식하는 의식의 구분

칸트는 인식 후에 이것에서 나타난 인상을 기반으로 하여 감성, 오성, 이성이 작

1)충분이유율의 네 겹의 뿌리에 관하여, 시지푸스의 사색노트, 다음카페
http://cafe.daum.net/hurkle97

동을 하는데, 쇼펜하우어는 인식하는 의식에 칸트의 감성, 오성, 이성을 모두 집어넣는다. 이 인식하는 의식은 감성, 오성, 이성으로 이루어져 있다. 이 인식하는 의식이 표상을 일으킨다. 따라서 그 표상 안에는 이미 감성, 오성, 이성의 작용이 다 완료되어 있다. 즉 의식 내의 감성과 오성 및 이성이 감응과 직관으로 작용하여 표상을 일으킨 것이다.

인식하는 의식은 외적, 내적인 감성, 그리고 오성과 이성으로 나누어지며, 거기서 또한 감응과 직관이 서로 구분된다. 오성은 감성에 의한 감응의 내용을 작업하여 대상에 대한 직관을 가능하게 하며, 개념과 판단이라는 사고의 추상적 작용에 관계하지 않는다. 추상적 인식은 이성에 의한 2차적 자료로서의 개념과 단어의 매개에 의한 활동이다.(공병혜, '쇼펜하우어의 미학 사상', 시지푸스의 사색노트 in 다음카페)

이때, 이러한 인식하는 의식에 의해 표상이 나타날 때 근거율이 작동하는데, 그것은 대상과 주관을 결합하는 선천적인 원리이다.

근거율은 바로 이러한 인식하는 의식에 의해 표상으로서의 대상과 주관을 결합하는 선천적인 원리인 것이다. 여기서 전개된 표상 이론은 「충분 근거율에 대한 4가지 뿌리에 대하여」에서만 중요한 의미를 가지는 것이 아니라, '의지와 표상으로서의 세계'라는 전체적인 사고의 건축물을 지탱하는 사고이기도 하다.
쇼펜하우어는 표상들이 결합하는 다양한 방식에 따라서 근거율을 네 가지 형태들, 즉 네 가지 범주로 나눈다. 이것은 '의지와 표상으로서의 세계'에서 경험과 학문의 대상으로서의 주관에 의한 표상으로서의 세계를 이해하기 위한 선천적 원리인 것이다.(공병혜, '쇼펜하우어의 미학 사상', 시지푸스의 사색노트 in 다음카페)

라. 충분근거율의 주체와 개념

칸트는 "감성(인식)-오성-이성"의 결과 개념과 이념이 출현한다. 쇼펜하우어는 우리의 인식 안에 감성과 오성과 이성을 모두 집어넣고, 인식과 의식을 동일하게 간주한다. 이때 인식하는 우리의 의식은 주관과 객관으로 분류된다. 즉 인식 혹은 의식의 이면에 그것과 위치를 달리하는 주체로서 정신이 있고(주관), 객체로서 사물이 있는 것(객관)이다. 이때 정신과 같은 주체로부터 충분근거율이 나와서 인식 혹은 의식을 형성한 것이다. 따라서 우리의 의식 속에서 주관과 객관이 뒤섞여 있다. 그리고 존재론적으로 보았을 때, 주관에 의해서 객관은 얼마든지 가공될 수 있다. 더 나아가서 정신이 물질보다 존재론적으로 우선이다.(필자해설)

이 충분근거율의 결과 나타난 것이 우리의 표상이다. 우리의 모든 표상은, 합법칙적이며 형식에 있어서 선천적으로 규정될 수 있는 결합 안에 서로 뒤섞여서 놓여 있다는 사실이 발견된다. 이 결합에 의해 어떤 것도 그것 자체로서 존재하는 것이거나 독립적인 것이 아니며, 또한 개별적이고 분리된 어떤 것도 우리에게 객관이 될 수 없다. 쇼펜하우어는 이 충분근거율의 개념을 다음과 같이 정의한다.

> 외적 내적 감성으로서(수용성) 그리고 오성과 이성으로 나타나는, 인식하는 우리의 의식은 주관과 객관으로 나누어지고, 그 외의 어떤 것도 함축하지 않는다. 주관에 대해 객관이라는 것과 우리의 표상이라는 것은 동일하다. 우리의 모든 표상은 주관의 객관이고, 주관의 모든 객관은 우리의 표상이다. 그러나 이제 우리의 모든 표상은, 합법칙적이며 형식에 있어서 선천적으로 규정될 수 있는 결합 안에 서로 뒤섞여서 놓여 있다는 사실이 발견된다. 이 결합에 의해 어떤 것도 그것 자체로서 존재하는 것이거나 독립적인 것이 아니며, 또한 개별적이고 분리된 어떤 것도 우리에게 객관이 될 수 없다.(G, 41)

쇼펜하우어에게 있어서 우리의 모든 표상은 주관에 의해 객관이 성립된 것이다. 따라서 표상은 항상 인식하는 주관과 객관이 나누어져 있다. 그리고 이러한 주관과 객관 사이의 관계를 결합하고 규정하는 법칙이 충분근거율이다. 그런데 표상에 나타난 사물은 그 자체 독립적인 것이 아니라, 주관의 선천적 형식에 의해 결합된 것이다. 그러므로 표상은 다른 것에 의해서, 즉 상대적으로 존재하는 것이다.(김현주, “쇼펜하우어의 의지의 형이상학 연구,” 16.) 이런 의미에서 쇼펜하우어는 다음과 같이 말한다.

> 근거율의 일반적인 의미는, 대체로, 언제 어디서나 각각의 사물은 오직 다른 것에 의해 있다는 사실로 소급된다. 그래서 이제 근거율은 현존하는 모든 사물의 전체, 즉 세계가 처해있는 우리의 지성을 포함하는 세계에 적용될 수는 없다. 왜

냐하면 선천적 형식들을 통해 나타나는 그와 같은 세계는 바로 그로 인해 단순한 현상이기 때문이다. 따라서 단지 바로 이 형식들 때문에 세계에 적용되는 것은, 세계 자체에는, 즉 그 안에서 나타나는 사물 자체에는 적용되지 않는다.(G, 175)

충분근거율은 표상들의 관계들을 규정하는 법칙이다. 즉 충분근거율은 표상으로서의 세계에 적용되는 법칙인 것이다. 그러므로 충분근거율은 주관과 독립해서 존재하는 사물 자체에는 적용되지 않는다는 것이다. 여기서 쇼펜하우어는 칸트의 선험적 관념론을 따른다. 즉 그는 현상을 사물 자체가 아니라 단순한 표상으로 간주한다.(G, 47) 즉 실재적 사물의 존재라는 것은 철저하게 표상에 지나지 않는데, 그 표상으로서의 세계는 충분근거율에 제약된 세계이다.[2]

3. 인식을 위한 네 가지 뿌리

쇼펜하우어는 충분근거율을 네 가지로 구분하는데, 생성、인식、존재、행위의 충분근거율이다. 먼저 생성의 근거율은 표상들을 인과적으로 결합시키는 원리이고, 인식의 근거율은 표상들을 개념적으로 결합시키는 원리이다. 존재의 근거율은 표상들을 공간적 시간적으로, 행위의 근거율은 표상들을 동기에 의해 결합시키는 원리이다.(김현주, "쇼펜하우어의 의지의 형이상학 연구," 16.) 쇼펜하우어는 자신의 논문 "충분근거율의 네 가지 뿌리"의 21절과 43절이 자신의 전체 형이상학의 '초석'(Grundstein)이라고 밝힌다. 충분근거율에 관한 다음의 내용은 43절의 내용이다.

먼저, 인과율은 자연과학에서 원인과 결과가 필연적으로 결합되어 있다는 원리이다. 자연과학에 있는 이 원리가 인간의 정신 안에 내재해있다. 그래서 우리는 인과율을 이해한다. 그런데, 이때 이 인과율의 존재가 정신에서 먼저 존재하고, 물질에 존재하는 인과율이 사후적이라면, 이것은 모든 사물들의 생성의 이유가 정신 안에 있는 '생성의 충분근거율' 때문이라고 말할 수 있다. 그리고 인간은 정신적인 존재이다. 이것이 쇼펜하우어의 의도이다.

두 번째, 논리학적 인식은 전제와 결론을 필연적으로 결합시키는 원리에서 출현한다. 이 원리에 따라 생성된 표상들이 배열이 된다. 이것이 '인식의 충분근거율'이

---

2) 김현주, "쇼펜하우어의 의지의 형이상학 연구," 제주대학교대학원 석사(2012), 17.

다.

세 번째, 모든 존재는 시간과 공간 속에서 존재 하는데, 사실 시간과 공간은 인과율의 표현이다. 시간은 인과율이 순서적인 측면에서 전개된 것이며, 공간은 존재자들 상호간의 인과율이다. 이것이 곧 '존재의 충분근거율'인 것이다.

마지막으로, 행위의 충분근거율은 표상들을 동기에 의해 필연적으로 결합시키는 원리이다.

이러한 인과율의 주체로서 인간이 존재한다. 인과율에 따르는 자연만물이 먼저 존재한 것이 아니라, 이것의 주체로서 정신이 먼저 존재하는 것이다. 그렇기 때문에 정신을 가진 우리가 인식의 주체가 되며, 사물은 이 주체에 대한 대상이 되는 것이다. 이 세계 속에서는 인간이 이 인과율을 주도하고 있다.(필자해설)

가. 생성의 근거율 - 인과 법칙

쇼펜하우어가 여기에서 주목하고 있는 것은 이 생성의 근거율은 표상들을 인과적으로 결합하는 원리로서, 이것이 인식의 근거율에 우선한다는 것이다. 먼저 우리 안에서 생성이 이루어지고 그 다음에 인식이 이루어진다는 것이다. 그는 인간 안에 있는 영혼 혹은 정신의 지위가 주체임을 입증하여, 인간의 정신이 곧 물자체이다는 논리로 가려한다.

> '생성의 충분근거율'은 '인과법칙'으로 나타난다. 생성의 충분근거율은 원인과 결과를 필연적으로 결합하는 관계를 규정하는데, 인과법칙은 우리에게 선천적으로 인식되므로, 인과법칙은 경험을 가능케 하는 선험적 법칙이라고 할 수 있다. 이 원칙을 생성의 충분근거율로 부르는데, 그것은 언제나 변화 즉, 어떤 생성을 전제하기 때문이다. (G, 57)

오성과 신체의 작용도 이 인과율에서 출현한다. 쇼펜하우어는 모든 직관은 선천적으로 우리에게 주어진 오성에 의한 인과성에 대한 인식이다고 말한다.

> 쇼펜하우어에게서 모든 직관은 선천적으로 우리에게 주어진 오성에 의한 인과성에 대한 인식이다. 그러나 인간이나 동물 모두가 지니고 있는 오성에 의한 최초의 인과율의 적용은 외부 세계에 대한 고유한 신체의 감응을 통해 일어난다.

여기서 신체의 감응은 "나의 표상으로서의 세계"에 대한 인식을 위한 출구로서 대상에 대한 가장 직접적인 표상이다. 이것은 자기 신체의 변화에 대한 직접적인 의식이며, 오성에 의한 인과율의 법칙으로 인도된다.(공병혜, '쇼펜하우어의 미학 사상', 시지푸스의 사색노트 in 다음카페)

나. 인식의 근거율

쇼펜하우어는 인간의 인식이 추상적인 능력에서 나온다고 말한다. 추상의 능력은 학문의 능력인데, 우리의 이성 혹은 정신은 신체와 오성의 직관적 표상으로부터 넘겨받은 내용을 형식적인 개념들과 판단들을 형성하게 함으로써 학문을 가능하게 한다.

'인식의 충분근거율'은 개념, 즉 추상적 표상에 관한 것이다. 직관적 세계의 모든 본질을 추상적 개념으로 바꾸는 것이 이성의 기본적인 업무다.(G. 134)
즉 이성은 개념을 형성하는 능력인 것이다. 개념을 통한 활동을 사유라고 하며, 이것은 반성(Reflexion)이라는 단어로도 표현되는데, 이 사유하는 능력은 인간의 모든 이론적인 작업의 뿌리이다. 그리고 인식의 충분근거율은 한 판단이 다른 판단과 갖는 관계인데, 인식근거 즉 이성을 통해 전제와 결론 사이에 필연적인 관계를 파악할 수 있다.(김현주, "쇼펜하우어의 의지의 형이상학 연구," 17)
동물과 비교하여 인간만이 이성에 의해 개념을 형성하는 추상적 능력을 지닌다. 이성은 신체와 오성의 직관적 표상으로부터 넘겨받은 내용을 형식적인 개념들과 판단들을 형성하게 함으로써 학문을 가능하게 한다.(인식의 근거율은 생성의 근거율 다음에 등장한다.) 판단은 주어와 술어와의 관계 속에 놓여 있는 개념의 연관성이며, 판단이 참이 되기 위해서는 이성에 의한 인식 근거율을 지녀야 한다. 인식의 근거율은 논리적 진리, 경험적 진리, 선험적 진리, 메타 논리적 진리를 지녀야 한다. 쇼펜하우어는 판단을 위한 인식의 근거율을 ①논리적 진리 ②경험적 진리 ③선험적 진리 ④메타 논리적 진리로 구분한다. ① 논리적 진리는 판단들로부터의 논리적, 형식적인 추론 과정에 의해 형성되며, 아리스토텔레스의 3단 논법을 예로 들 수 있다. ②경험적 진리는 직접적으로 감각에 의해 매개된 경험에 기초하는 소재적 진리(materielle Wahrheit)다. 여기서 판단력은 오성에 의한 감성적 직관과 이성에 의한 추상적 인식 사이를 매개하여 직관적 표상을 개념과 결합시킨다. ③선험적 진리는 시간과 공간이라는 순수한 직관 형식과 인과 법칙이라는 경험적 인식의 형식에 근거하여 형성되며, 이때의 판단은 선천적인 종합 판단이다. ④메타 논리적 진리는 오로지 이성에 의한 사고의 법칙에 근거하며, 모든 사고의 판단에는 동일률)과 모순율 그리고 배중률에 의해 진리가 형성된다. (공병혜, '쇼펜하우어의 미학 사상', 시지푸스의 사색노트 in 다음카페)

다. 존재에 대한 근거율

우리의 일반적인 인식에 의하면, 시간과 공간이 먼저 존재하고 그 다음에 인간이 출현한다. 그러나 쇼펜하우어의 개념에 의하면, 공간과 시간과의 관계에 대한 법칙이 인간으로부터 출현하여 나타난다. 인간 안에 있는 정신 혹은 이성은 존재론과 관련하여 보았을 때, 그 정신이 시간과 공간보다 우선하다. 그 시간과 공간을 이루는 그 '존재에 대한 근거율'이 인간의 정신에 내재해 있기 때문이다. 이 인간의 정신은 유신론적 관점에 의하면, 모든 유물론적 존재들보다 순서적으로 선재한다.(필자해설)

'존재의 충분근거율'은 공간과 시간의 관계를 규정하는 법칙이다. 존재의 근거율을 통해 산술과 기하학에서 타당한 인식이 가능하다. 쇼펜하우어는 기하학에서는 개념이 아니라 순수 직관을 통해 타당한 인식이 가능하다는 점을 강조한다. 존재의 근거는 선천적으로 주어진 직관 안에서 직접적으로 제시되는 것이기 때문이다.(김현주, "쇼펜하우어의 의지의 형이상학 연구," 18)
이것은 선천적으로 주어진 직관 형식, 즉 공간과 시간과의 관계에 대한 법칙이다. 순수한 직관의 형식들에 근거한 존재 근거는 순수한 감성의 도구가 경험에 독립적인 수학의 기초가 된다.
수학의 인식 원리를 말하는 것이다. 시간 속에서의 존재의 근거율은 지속(succession)의 법칙으로서 산수이며, 존재의 근거는 위치(Lage)의 법칙으로서 기하학이 되는 것이다. 시간과 공간의 결합 속에서 물질의 작용과 변화를 파악하는 것은 오성에 의해 가능하다. (공병혜, '쇼펜하우어의 미학 사상', 시지푸스의 사색노트 in 다음카페)

라. 행위의 근거율 : 동기화의 법칙

쇼펜하우어는 우리 안에서 '생'으로서의 '의욕'을 발견한다. 그런데 이것은 시간 밖에 있어서 결코 인식의 대상이 되지 않는다. 그것의 드러난 것만을 발견할 뿐이다. 그렇다면, 앞에서의 모든 인식과 표상은 이 의욕이라는 행위를 위해서 존재하였다는 것을 알 수 있다. 쇼펜하우어는 이 '의욕'이라는 '숨겨진 성질'이 이제 중요한 철학적 대상으로 드러난다. 쇼펜하우어는 이 통찰이 다른 충분근거율과는 다르고 아주 중요하다고 언급한다. 그는 이 통찰이 자신의 형이상학 전체의 초석이 된다(G. 162)고 말한다.

> '행위의 충분근거율'은 '동기화의 법칙'이다. 행위의 충분근거율의 담당자는 '의욕의 주체'인데, 우리는 우리 자신을 언제나 의욕하는 것으로 발견하게 된다. 그런데 인식주관은 인식할 뿐 인식의 대상이 될 수는 없다. 그리고 이러한 의욕의 주체에 어떤 동기가 주어지면 필연적으로 그 행위를 수행해야 한다. 왜냐하면 의욕의 주체는 동기화의 법칙에 지배를 받기 때문이다. 그런데 인간의 행위와 움직임의 근원은 '숨겨진 성질'로 남는다. 왜 개별적 의지가 그 동기를 통해 움직이게 되는가 하는 물음은 답변될 수 없다. 왜냐하면 '예지적 성격'은 시간 밖에 놓여 있어 결코 인식의 대상이 되지 않기 때문이다.(G. 174)

4. '오성'에 대한 칸트와 쇼펜하우어와의 차이

가. 차이에 대한 개략

쇼펜하우어의 논문 "충분근거율의 네 가지 뿌리"의 21절은 오성이 세계를 구성한다고 주장한다. 칸트의 오성은 단순히 사물을 인식하고 그것을 배열하고 개념을 산출하는 데에서 멈추었는데, 쇼펜하우어는 이 정신의 배열과 개념산출은 외부적인 대상을 구성하고 재배열한다고 말한다.

우리의 오성이 표상을 산출하는 것이 맞다. 그리고 이 표상과 객관적 사물이 맞닿아 있다. 또한 표상의 이면에서는 주관의 의욕이 계속 치달아 드러나고 있다. 그런데, 이제 어떻게 이 표상이 객관적 사물을 구성한다는 말인가? 시간을 두고 구성하는 것은 맞다. 왜냐면 인간은 의욕함을 통해서 객관적 사물에 행위를 가할 것이기 때문이다. 이것이 우리 일반인들의 생각이다.

한편, 쇼펜하우어의 생각은 이보다 훨씬 급진적이다. 우리의 정신은 먼저 오성에 인과법칙을 부여하여 표상을 일으키는데 그치지 않고, 사물 자체에 대해서도 이 인과법칙을 부여하여, 사물을 형성해 낸다.

나. 칸트의 오성

칸트는 우리의 오성에 대해서 다음과 같이 말한다. 직관은 오로지 우리가 대상들에 의해 촉발되는 방식만을 갖는다. 이에 반해 감성적 직관들을 사고하는 능력은 오성이다. 감성이 없다면 우리에겐 아무런 대상이 주어지지 않을 것이고, 오성이 없다면 아무런 대상도 사고되지 않을 것이다고 말한다.

> 우리가 우리 마음이 어떤 방식으로든 촉발되는 한에서, 표상들을 받아들이는 우리 마음의 수용성을 감성이라고 부르고자 한다면, 이에 반해 표상들을 스스로 산출하는 능력, 즉 인식의 자발성은 오성이다. 우리의 자연 본성상, 직관은 감성적일 수밖에 없다. 다시 말해, 직관은 오로지 우리가 대상들에 의해 촉발되는 방식만을 갖는다. 이에 반해 감성적 직관들을 사고하는 능력은 오성이다. 이 성질들 중 어느 것도 다른 것에 우선할 수 없다. 감성이 없다면 우리에겐 아무런 대상이 주어지지 않을 것이고, 오성이 없다면 아무런 대상도 사고되지 않을 것이다. 내용 없는 사고는 공허하고, 개념 없는 직관은 맹목적이다.(칸트, 순수이성비판, 함부르그, 1998, 130 - B75)

다. 쇼펜하우어의 오성

반면, 쇼펜하우어는 우리의 경험적 직관이 감성적이고 맹목적인 것이 아니라, 이 안에는 이미 오성의 기능이 포함되어 있다고 말한다. 왜냐하면 직관에 오성이 부여한 인과법칙이 이미 적용되었기 때문이다. 쇼펜하우어의 오성은 칸트와 달리 개념을 매개로 하는 추론적 활동이 아니라, 직관적인 것이다. 그리고 그 직관 안에 이미 추론적인 지적기능이 포함되어 있다. 그 결과 오성이 직접적으로 감각자료에 인과법칙을 부여함으로써 객관적 '물체세계'가 산출된다. (필자: 여기에서 쇼펜하우어의 논리의 비약이 발생한다. 쇼펜하우어는 이에 대한 추가적인 설명을 하여야 한다.) 한편, 쇼펜하우어는 오성의 기능을 다음과 같이 말한다.

> 오성이 직접적으로 감각자료에 인과법칙을 부여함으로써 객관적 '물체세계'가 산출된다. 쇼펜하우어는 이러한 오성을 통해 개념과 추론의 능력이 없는 동물들도

외부대상에 대한 인식이 가능하게 된다. 고등동물에서 해파리에 이르기까지 모든 동물은 오성인식을 즉 인과법칙에 대한 인식을 가지고 있다는 것이다.(G. 93)

쇼펜하우어는 위의 오성의 능력에 관한 비약에 대해 이제 생리학적으로 설명하려 한다. 그는 시각과 촉각에서 오성의 인과법칙이 이미 적용되었다는 것을 생리학을 통해 증명한다.

더 나아가서 이 인과법칙을 표상에 적용시킨 것은 물자체라는 것이다. 그리고 이 물자체가 우리의 정신과 관련이 있으므로, 우리의 정신이 이 대상들을 표상시켰다는 것이다. 기존에 칸트는 물자체에서 현상이 발생하였는데, 그것을 사물이라고 했다. 쇼펜하우어는 이것을 원용하여 설명한 것이다.

다음의 내용은 결국 이와 같은 이야기인데, 쇼펜하우어의 이러한 내용들을 김현주는 다음과 같이 정리한다.

쇼펜하우어에 의하면, "촉각에서 오성이 인과법칙을 부여하지 않으면, 우리는 사물을 구별할 수 없다. 왜냐하면 감각은 피부 아래에 제한되어 있어 주관적인 느낌에 지나지 않기 때문이다. 오성이 작용한 후에 비로소 우리는 외부의 물체의 객관적 인식을 얻을 수 있다. 시각에서도 단지 감각만이 있다면, 우리는 망막에 사물이 맺히는 대로 거꾸로 보게 될 것이고, 눈이 두 개이므로 두 개로 보일 것이다. 그런데 오성이 작업을 함으로써 거꾸로 맺힌 상이 제대로 서고, 두 개로 맺힌 상이 하나로 통일된다. 망막에 상은 2차원 평면으로 보이지만 그것을 3차원의 입체로 만드는 것도 오성의 작업이다."(G. 79)
쇼펜하우어는 우리에게 객관적 인식을 산출하게 하는 것은 오성의 능력이라는 칸트의 주장에 동의한다. 그런데 그 오성이 관계하는 것은 추상적이고 개념적인 범주가 아니라, 직관적이고 직접적인 기능이라고 주장한다. 이런 이유에서 그는 칸트의 선험철학을 따르면서도 칸트가 오성에 대해 잘못 생각했다고 비판한다. 쇼펜하우어는 이 부분이 자신의 형이상학의 초석이 되는 부분이라고 언급하는데, 선험적 관념론의 근본관점이 여기서 확증되었다는 것이다. 우리의 표상에는 항상 지성이 매개되어 있다는 것을 증명함으로써 현상계와 사물 자체를 완전히 구분하게 되었고, 표상의 방식으로는 표상을 넘을 수 없다는 것을 증명함으로써 사물 자체를 인식할 수 있는 다른 길을 찾았다는 것이다.[3]

---

3) 재인용 - 김현주, "쇼펜하우어의 의지의 형이상학 연구," 20

라. 충분근거율의 근거

쇼펜하우어의 논리는 충분근거율이 우리의 정신에서 나와서 그것이 사물의 구성과 질서를 형성하고 있다는 것인데, 여기서의 논점의 핵심은 충분근거율이 우리의 정신에서 나오고 있느냐이다.

쇼펜하우어는 앞에 제시한 충분근거율의 네 가지의 뿌리의 근거를 묻는 질문은 무의미하다고 지적한다. 왜냐하면 근거율은 모든 설명의 원리이기 때문에 근거율의 근거는 설명될 수 없기 때문이다. 즉 근거율은 모든 설명에 전제 되어 있다는 것이다. 이 점에 대해서 쇼펜하우어는 다음과 같이 말한다.

> 판단들의 사슬이 최종적으로 선험적이거나 메타논리적인 진리를 갖는 명제에 근거하고, 그래서 '왜?'라고 계속해서 물어진다면, 그에 대해서는 아무런 답변도 없다. 왜냐하면 그 물음은 아무런 의미를 갖지 않기 때문이다. 그래서 그 물음이 요구하는 근거가 어떤 것인지를 알 수 없는 것이다. 왜냐하면 근거율은 '모든 설명의 원리'이기 때문이다. 어떤 사물을 설명한다는 것은 그 사물에 주어진 존재나 근거율의 한 형태, 즉 그에 따라 존재가 그것이 있는 바대로 있어야 하는 형태로 소급하는 것을 말한다. 따라서 근거율 자체는, 즉 근거율이 어떤 한 형태 안에서 표현하는 관계는 더 이상 설명될 수 없다. 왜냐하면 모든 설명의 원리를 설명할 원리는 없기 때문이다. 이것은 눈이 모든 것을 보지만 자신만은 보지 못하는 것과 같다.(G. 173)

3절 표상으로서의 세계

다음의 모든 내용들은 "충족이유율의 네 가지 뿌리"와 중첩이 된다.

1. 세계와 나

가. 주관에 의한 표상으로서의 세계

[필자해설] 쇼펜하우어는 인도 사상의 영향을 지대하게 받았다. 인도 사상에 의하면, 이 세계는 마야의 세계이다. 그 세계가 현상의 세계라는 것이다. 어떤 실체

가 존재하는데, 이것이 이미지처럼 이 세계 속에 자신을 투영한 현상에 불과하다는 것이다. 이것은 플라톤의 사상도 그러한데, 플라톤에 의하면 이 세계는 원형의 세계의 그림자일 뿐이다. 이러한 사상은 근세 철학자 중에 버클리가 그러했다. 이 세계는 신의 관념일 뿐이다. 따라서 일원론이다. 정신의 관조가 사물이다. 이때 쇼펜하우어는 정신이 주체이며, 정신의 표상에 의해서 객체로서 사물이 존재할 뿐이다. 따라서 쇼펜하우어의 사물은 정신의 표상일 뿐이다. 이 표상이 물질이다. 즉, 질료가 이 표상에 따라 형태를 이룬 것이다. 그는 물질에다 어떤 원인을 부여하지 않는다. 쇼펜하우어에게 물자체란 곧 정신이다.

이러한 존재론은 지극히 유신론적이고 종교적이다. 모든 만물의 근원은 신이고, 정신이며, 그 변화의 주체도 또한 신 혹은 정신이다. 이러한 기본적인 전제하에 칸트의 이론을 재정립한 것이다. 칸트는 객관적인 대상 이면에 실재로서 물자체를 말하고 있는데, 쇼펜하우어는 그 이면에 실재가 존재하는 것이 아니라, 물자체는 정신으로 대체된다. 그리고 그 정신은 인간의 정신을 포함한다. 그가 설계하는 것은 “신의 정신-인간의 정신-사물”일 수도 있다. 이러한 사고에 따라 그는 “세계는 나의 표상이다”고 말한다.[4]

이때 그는 나는 주관이고 나의 표상 혹은 세계는 객관이다. 그리고 주관에서 충분근거율이 산출되어 이 양자의 공통된 형식이 된다. 즉 충분근거율은 주관에서 산출되어 대상으로서의 자연세계에 자리 잡고, 이제는 그것이 자연법칙을 이루는 것이다. 그런데, 그 법칙은 이미 정신에 있던 것이 객관인 그곳에 자리하게 된 것이다.

나. “세계는 나의 표상이다”

쇼펜하우어는 “세계는 나의 표상이다”는 말로써 그의 책 1권 “표상으로서의 세

---

4) 쇼펜하우어는 유신론의 일원론적 명제를 지금 과감히 가져오고 있다. 역사 위에서 이 명제는 항상 옳았다. 이 명제에 조정을 가한 사람이 아리스토텔레스이다. 플라톤이 형상 중심의 이론을 전개할 때, 아리스토텔레스는 형상과 질료의 이론을 제시하여, 질료에도 또 하나의 중심점을 두었다. 그런데, 이렇게 정신과 물질 양자에 영원성을 부여할 수는 없었다. 그래서 어거스틴은 이 질료에 심겨진 형상의 씨앗을 말하였다. 지금 쇼펜하우어는 신앙명제 혹은 고대철학의 명제를 자신의 철학에 도입을 하였던 것이다. 그는 인도의 베단타 사상에 심취하여 이러한 철학을 전개하였다.

계"에 대한 고찰을 시작한다. 그런데, 그 말은 지금까지의 모든 논의를 전제한 사람이 이해할 수 있다. 즉, 주관인 나에 의해서 표상이 출현했는데, 바로 그 표상이 세계라는 것이다. 이것은 인도의 '마야이론', 플라톤의 '그림자로서의 세계', 버클리의 '신의 관조로서의 세계'의 개념과 그 맥을 같이 하고 있다. 다음의 쇼펜하우어의 "세계는 나의 표상이다"는 명제는 이러한 내용들을 반영하고 있다.

"세계는 나의 표상이다." 이것은 살아서 인식하고 있는 모든 존재에 해당하는 진리다.… 이렇게 보면 인간이 태양을 알고 대지를 아는 것이 아니라, 단지 태양을 보는 눈이 있고, 대지를 느끼는 손이 있음에 불과하다. 인간을 에워싸고 있는 세계는 표상으로서만 존재할 뿐이라는 것이다. 다시 말해서 세계는 자기 자신과 전혀 다른 존재인 인간이라고 하는 표상자와 관계함으로써만 존재한다. 만약 선험적 진리라는 것을 말할 수 있다면, 이것이야말로 그 진리이다.(『의지와 표상으로서의 세계』, 39)

다. 표상으로서의 세계의 근거

쇼펜하우어는 위의 내용에 대한 설명으로서 다음과 같이 말한다. 먼저 그는 앞서서 언급한 '충족이유율'을 말하는데, 시간, 공간, 인과와 같은 다른 모든 형식이 인간의 정신(주관)에 내재하는 '충족이유율'의 발현(다양한 형태를 취한 것)일 뿐이기 때문이다. 그렇기 때문에 "세계는 나의 표상이다"는 명제가 성립한다.

왜냐하면 이 진리는 시간, 공간, 인과와 같은 다른 모든 형식보다 한층 더 보편적이며, 생각할 수 있는 모든 경험의 형식을 표현한 것이기 때문이다. 더구나 이런 형식은 이미 이 진리를 전제로 하고 있다. 우리는 이 형식들을 충족 이유율이 특수하고 다양한 형태를 취한 것으로 인식한다. 하지만 이 형식은 각각 여러 표상의 특수한 일부분에 지나지 않는다.(『의지와 표상으로서의 세계』, 39)

한편, 쇼펜하우어는 모든 존재의 공통된 존재형식은 오직 주관과 객관으로 나누어진다고 말한다. 즉 우리 눈에 보이는 모든 사물(객관)은 주관이 있어야만 한다. 이것이 존재의 공통된 형식이다. 그렇다면, 눈에 보이는 모든 사물(객관)은 주관을 가지고 있다. 즉 모든 사물은 주관에 의해 나타난 표상으로서의 객관일 뿐이다. 즉 모든 대상적 존재는 주관에 의해서만 존재한다.

> 반면에 객관과 주관으로 나누어지는 것은 그 모든 부분의 공통된 형식이며, 이 부분은 표상이란 것이 추상적이든 직관적이든, 순수한 것이든 경험적인 것이든 간에 일반적으로 생각할 수 있는 것이기 위해 없어서는 안 되는 유일한 형식이기 때문이다.
> 따라서 이 진리처럼 확실하고 다른 모든 진리에 의존하지 않으며, 또 증명을 필요로 하지도 않는 것은 없으며, 인식에 의해 존재하는 모든 것, 즉 이 세계는 주관과의 관계에 있어서 존재하는 객관에 불과하며, 직관하는 자의 직관, 한 마디로 말해 표상이라고 하는 것이다. 물론 이 진리는 현재에도 과거에도 미래에도, 먼 것에도 그리고 가까운 것에도 적용된다. 왜냐하면 이 진리는 이 모든 것을 구별해주는 유일한 시간과 공간 그 자체에도 해당되기 때문이다. 이 세계에 속하는 것과 속할 수 있는 모든 것은 주관에 의해 필연적으로 이러한 제약을 받는 것이며, 그래서 주관에 의해서만 존재하는 것이다. 세계는 표상이다.
> 이 진리는 결코 새로운 것이 아니다. 이것은 이미 데카르트의 출발점이 된 회의적 고찰 속에도 있었다. 그러나 이 진리를 결정적으로 말한 최초의 사람은 버클리이다.… 칸트의 첫 번째 오류는 이 원리를 무시한 것이다. 이와 반대로 이 근본진리는 인도의 현자들이 이미 인식했던 것으로, 비야사의 설이라고 하는 베단타 철학의 근본 원리로서 나타나있다. (『의지와 표상으로서의 세계』, 39-40)

2. 주관과 객관

가. 모든 것의 전제 조건으로서의 주관

모든 것을 인식하면서 어떠한 것에 의해서도 인식되지 않는 것이 '주관'이다. 따라서 주관은 세계의 담당자이며, 모든 현상과 객관에 널리 관통하며 언제나 그 전제적인 조건이다. 왜냐하면 모든 존재하는 것은 주관에 의해서만 존재하기 때문이다.

> 모든 것을 인식하면서 어떠한 것에 의해서도 인식되지 않는 것이 '주관'이다. 따라서 주관은 세계의 담당자이며, 모든 현상과 객관에 널리 관통하며 언제나 그 전제적인 조건이다. 왜냐하면 모든 존재하는 것은 주관에 의해서만 존재하기 때

문이다. 모든 사람은 그러한 주관으로서 자기 자신을 발견하지만, 그것은 그들이 인식하는 한에서만 그런 것이고, 인식의 대상인 경우에는 그렇지 않다. 따라서 우리 육체는 이미 객관이기 때문에 우리는 육체 그 자체를 이러한 입장에서 표상이라 부른다. 왜냐하면 육체는 모든 객관 중의 객관이며, 비록 직접적 객관이라고는 하더라도, 역시 객관의 법칙에 지배되고 있기 때문이다. 육체는 직관의 모든 대상과 마찬가지로 다수성을 일으키는 모든 인식의 형식, 즉 시간과 공간 속에 있다. 그러나 모든 것을 인식하면서도 어떤 것에 의해서도 결코 인식되지 않는 주관은 이들 형식 속에는 없고, 오히려 이들 형식의 전제가 된다. 그러므로 주관에는 다수성도, 그 반대인 단일성도 없다. 우리는 결코 주관을 인식하지는 못한다. 오히려 주관이란, 인식이 행해질 경우 인식을 행하는 바로 그것이다. (『의지와 표상으로서의 세계』, 41)

나. 주관과 객관의 두 가지 측면

모든 존재는 주관과 객관이라는 두 가지 측면을 가지고 있다. 이 양자는 항상 서로를 의존하고 있다. 그 중 하나라도 사라지면, 그 전체가 존재를 상실한다.

따라서 표상으로서의 세계는 우리가 지금 고찰하는 관점에서만 말한다면, 본질적이고 필연적이며 불가분한 두 가지 측면을 가지고 있다. 그 하나의 측면은 객관이며, 그 형식은 공간과 시간이며, 이것들에 의해 다수성이 생긴다. 그런데 다른 측면인 주관은 공간과 시간 속에 존재하지 않는다. 왜냐하면 주관은 표상 작용을 하는 모든 존재 속에 전체로서 분리되지 않은 채 존재하고 있기 때문이다. 따라서 이들 가운데 단 한 사람일지라도 현존하는 수백만의 사람들과 마찬가지로 완전히 객관과 더불어 표상으로서 이 세계를 보완하는 것이다. 그리고 그 중 단 하나라도 소멸해 버리면 표상으로서의 세계는 이미 존재하지 않을 것이다. 그러므로 이 두 가지 면은 사상에 있어서도 떼어놓을 수 없다. 그도 그럴 것이, 이 두 가지 면은 어떤 쪽도 다른 한 쪽으로 말미암아서만, 또 다른 한 쪽에 의해서만 의미와 존재를 갖고 있으며, 그것과 생멸을 같이 하기 때문이다. (『의지와 표상으로서의 세계』, 42)

다. 충족이유율에 의해서 지배되고 있는 객관

[필자해설] 충족 이유율이 우리의 주관 속에 있고, 또한 사물 속에도 있어서 자연법칙을 이루고 있다. 그렇다면, 이 충족 이유율이 우리 주관에 있는 것은 정신적 실체에 의해서 나온 것이라고 해보자. 그렇다면, 사물 속에 있는 충족 이유율은 또 다른 물자체에서 나온 것인가? 이러한 이원론은 한 번도 용인된 적이 없다. 물질 이면에 정신 외의 어떤 것에 의해 법칙이 출현한다는 것은 있을 수 없다. 물질에서 법칙이 나오는 것은 아니다. 이것은 쇼펜하우어가 적절하다. 그렇다면, 우리는 물질 속에 있는 충족이유율 혹은 법칙은 정신에서 나온 것이다.

그렇다면, 어떤 정신인가? 어떤 신이라는 정신이 한편으로는 우리 인간 정신에 충족이유율을 산출시키고, 또 한편으로는 물질 속에 충족이유율을 산출시키는가? 은연중에 우리는 이러한 사고를 하고 있었다. 이에 대해 쇼펜하우어는 이 충족이유율의 경로를 인간 정신으로 통일시키고 있는 것이다.

쇼펜하우어는 이유율은 우리 주관이 선험적으로 인식하고 있는 이 모든 객관 형식이 공통으로 표현된 것들이다. 우리가 순수하게 선험적으로 알고 있는 모든 것이 이 원리의 내용과 그 결과로 나타난 것이다. 따라서 객관 속에 내재된 모든 이유율 속에는 선험적으로 확실한 우리의 모든 인식이 표현되어 있다.

> 그래서 나는 계속 다음과 같이 주장한다. 즉 이유율은 우리에게 선험적으로 인식되는 이 모든 객관 형식을 공통으로 표현한 것이며, 따라서 우리가 순수하게 선험적으로 알고 있는 모든 것이 이 원리의 내용과 그 결과에서 생기는 것이다. 그러므로 이유율 속에는 원래 선험적으로 확실한 우리의 모든 인식이 표현되어 있다. 충족 이유율에 관한 논문 속에서 이미 언급했지만, 가능한 모든 객관은 충족 이유율에 지배되고 있다. 즉, 한편으로는 규정되고, 또 한편으로는 규정하면서 다른 여러 객관과 어떤 필연적인 관계를 맺고 있다. 이것을 다시 확대하여 모든 객관의 전 존재가 객관이고 표상일 뿐 그 밖의 아무것도 아닌 한, 지금 말한 바와 같은 객관 상호간의 필연적인 관계에 완전히 환원되어 이 관계에 있어서만 존재하며, 따라서 이것은 완전히 상대적인 것이다. 거기서 곧 여러 객관자가 존재하게 된다.(『의지와 표상으로서의 세계』, 42-43)

3. 충족이유율의 한 형태인 시간

쇼펜하우어는 "충족 이유율의 네 가지 뿌리"에서 언급된 "충족이유율의 한 형태인 시간"을 언급한다. 이것은 칸트의 시간과 공간에 관한 발견을 고스란히 차용한 것인데, 칸트는 시간의 본질은 산수학이고, 공간의 본질은 기하학이다는 논리이다. 이 시간과 공간의 본질은 원래 수학이었으며, 이것이 곧 존재 형성의 원리라는 것이다. 이 이야기는 원래 피타고라스의 때부터 유래되었는데, 플라톤은 창조자가 이 수학을 통해 창조를 행하였다고 했다.

> 우리가 하는 모든 표상 사이의 주요 구별은 직관적인 것과 추상적인 것과의 구별이다. 추상적인 것은 여러 표상 중에서 단 하나의 부류를 이루고 있을 뿐이며, 이것이 바로 개념이다. 그리고 개념은 지상에서는 인간만의 소유물이며, 이 개념을 가질 수 있는 능력이 인간을 다른 동물로부터 구별시키는 것인데, 이것은 옛날부터 '이성'이라고 불려왔다. 나는 다음에 이들 추상적 표상들만을 따로 고찰하기로 하고, 지금은 우선 '직관적 표상'만을 문제 삼기로 한다.
> 직관적 표상은 가시적인 세계 전체, 즉 경험 전체와 경험 가능성이 갖는 여러 제약을 포괄한다. 바로 이러한 제약들과 경험의 여러 형식들, 즉 경험의 지각에 있어서 가장 보편적인 것, 경험의 모든 현상과 똑같이 고유한 것은 시간과 공간이다. 이것은 그 내용에서 떼어내도 그것만으로도 추상적으로 생각해 낼 수 있을 뿐만 아니라 직접적으로 직관할 수도 있다.…
> 이 형식들은 그것만으로도 경험에서 독립하여 직관될 수 있고, 또 그 모든 합법칙성에 의해 인식되는 것이며, 수학의 확실성은 이 합법칙성에 기인한다.… 나는 이것을 '존재의 근거'라고 부르고 있으며, 이것은 시간에서는 각 순간의 연속이고, 공간에서는 끝없이 서로 규정하는 각 부분의 위치이다. (『의지와 표상으로서의 세계』, 43-44)

4. 물질의 인과성을 인식하는 오성

쇼펜하우어는 "충족 이유율의 네 가지 뿌리"에서 언급된 "물질의 인과성을 인식하는 오성"을 또한 여기에서 고스란히 재현하고 있다.

가. 본질인식을 의미하는 직관

우리가 어떤 대상을 직관한다고 해 보자. 그런데, 우리는 그것을 시간과 공간 속에서 인식한다. 그런데, 이 시간과 공간은 산수와 기하학으로 표현되는 물질의 본질이다. 그렇다면, 모든 직관하는 자는 이미 그 수학을 알고 있으며, 그것을 직관한 것이다. 직관한다는 것은 그 물질의 본질을 인식하고 있다는 것이다.

그런데, 쇼펜하우어는 여기에서 그치지 않는다. 이 주체의 직관에 의해서만 물질은 존재한다는 것이다. 그 수학적 법칙이 그 물질 자체에서 나온 것은 아니기 때문이다. 이것을 최초로 말한 자는 버클리이다.

> 순수하게 시간 속에 나타나며, 모든 셈과 계산의 기초가 되는 충족 이유율의 형태를 인식한 사람은 이것으로 시간의 본질을 인식한 것이다. 시간은 바로 충족 이유율의 이러한 형태에 불과하며, 그 밖의 특성은 갖고 있지 않다. 연속이란 충족 이유율이 시간 속에 나타난 형태이며, 연속은 시간의 본질이다. 또한 순수하게 직관된 공간 속에서만 작용하고 있는 충족 이유율을 인식한 사람은, 바로 이것으로서 공간의 본질을 남김없이 다 탐구한 것이다.… 이 위치를 자세히 고찰하고, 이것을 적절히 응용하기 위해 여기서 생기는 여러 결과를 추상적인 개념 속에 받아들인 것이 기하학의 내용이다.
> 그런데 이와 마찬가지로 이러한 형식(시간과 공간)의 내용, 그 피지각성, 즉 물질을 지배하고 있는 충족 이유율의 형태, 나아가서 인과 관계의 법칙을 이해한 사람은 바로 이것으로써 물질의 본질을 인식한 것이다. 물질이란 완전히 인과성에 불과한 것이며, 이것은 누구나 생각해 보면 직접적으로 알 수 있는 것이기 때문이다. 말하자면 물질이라는 존재는 물질의 작용이며, 작용 이외의 물질의 존재는 생각할 수조차 없다. 작용하는 것으로서만 물질은 공간을 채우고, 시간을 채운다. 그 자체가 물질인 직접적인 객관에 대한 물질의 작용은 직관을 제약하는 것이며, 이 직관 속에서만 물질은 존재한다. (『의지와 표상으로서의 세계』, 45-46)

나. '시간과 공간'을 결합시키는 인과관계

쇼펜하우어는 시간과 공간을 물질의 본질이라고 한다. 즉 이 둘이 하나 되어 물질의 본질을 이룬다는 것이다. 그런데, 그 양자의 결합은 인과관계에 의해서 이루어진다. 우리는 물질의 본질적 작용이 인과 관계에 존재하는 것을 알게 되었다. 따라서 물질 속에는 공간과 시간이 결합되어 있어야만 한다.

시간과 공간은 모두 독립하여 물질 없이도 직관적으로 표상할 수 있지만, 물질은 시간과 공간 없이는 표상할 수 없다. 물질로부터 떼어낼 수 없는 형상은 '공간'을 전제로 하며, 물질이라는 존재 전체의 본질을 이루고 있는 물질의 작용은 언제나 어떤 변화, 즉 '시간'의 규정과 관계되어 있기 때문이다. 그러나 시간과 공간은 각기 독립하여 물질의 전제가 되는 것이 아니고, 둘이 하나 되어 물질의 본질을 이룬다. 물질의 본질은 이미 말한 바 있는 작용, 즉 인과관계 속에 존재하고 있기 때문이다.…
인과관계의 법칙은 이것을 통해서만 그 의의와 필연성을 얻는다. 시간과 공간 사이의 이와 같은 상호 제한만이 변화가 따라야 하는 규칙에 의의와 필연성을 준다. 따라서 인과 관계의 법칙에 의해 규정되는 것은 단순히 시간에 있어서 여러 상태들의 연속이 아니라 일정한 공간을 참작한 계속이며, 일정한 장소에서 여러 상태들의 존재가 아니라 일정한 시간과 장소에 있어서 여러 상태의 존재이다. 따라서 변화, 즉 인과율에 의해 생기는 변화는 공간의 일정한 부분과 시간의 일정한 부분에서 동시에 하나가 되어 관계한다. 그러므로 인과 관계는 공간과 시간을 결합시킨다.
우리는 물질의 본질적 작용이 인과 관계에 존재하는 것을 알게 되었다. 따라서 물질 속에는 공간과 시간이 결합되어 있어야만 한다. 즉, 물질은 둘이 아무리 서로 상반될지라도 시간의 특성과 공간의 특성을 동시에 갖고 있어야 한다. (『의지와 표상으로서의 세계』, 46-47)
시간과 공간의 결합에 의해 비로소 물질이 생긴다. 말하자면 동시 존재와 지속을 통한 가능성, 그리고 이 지속에 의해 여러 상태가 변화하면서도 실체는 불변한다는 가능성이 생긴다.(『의지와 표상으로서의 세계』, 48)

다. 모든 현실성의 주관으로서의 오성

쇼펜하우어는 이 공간과 시간을 우리 주관의 산물이라고 말한다. 그는 칸트를 인용하여, 주관에 내재된 감성이 시간과 공간을 규정함을 통해서만 그것은 존재한다고 말한다. 그런데 이때 쇼펜하우어는 이 감성을 오성(지적인 작용) 안에 포함시키는데, 인과관계를 인식하는 것은 오성이기 때문이다. 그는 직관을 감성을 포함한 오성의 작용으로 보고 있다.

한편, 직관이 인과법칙을 전제로 하고 있고, 그리고 이것을 인식하는 것은 경험적이 아니라 선험적이라면, 이 인과법칙적 기능은 원래 우리의 오성 속에 선재해 있는 것이 된다.

> 객관은 주관에 대해서만, 즉 주관의 표상으로서만 존재한다. 이와 마찬가지로 아무리 특수한 종류의 표상이라도 인식 능력이라 불리는 주관 속의 바로 그러한 특수한 규정에 대해서만 존재한다. 공허한 형식으로서 시간과 공간과의 주관적 상관 개념을 칸트는 순수한 감성이라고 불렀다. 이 표상은 칸트가 창시한 것이므로 그대로 두려고 한다.
> 물론 감성은 물질을 전제하기 때문에, 이 말은 사실 적절하지 못하다. 물질 또는 인과관계(둘이 동일하기 때문에)의 주관적 상관개념은 오성이며, 오성은 그 밖의 아무것도 아니다. 인과관계를 유일하게 인식하는 것이 오성의 유일한 기능이며 힘이다. 그리고 이것은 많은 것을 포괄하는 하나의 커다란 힘이며 다방면에 응용되지만, 어떠한 형태로 나타나든지 동일한 힘이다. 이와 반대로 모든 인과관계, 또 모든 물질, 그리고 모든 현실성은 오성에 대해, 오성에 의해, 그리고 오성에 있어서만 존재한다. 최초의 가장 단순하고 끊임없이 현존하는 현실 세계에 대한 직관인 것이다. 이 직관은 결과에서 원인을 인식하는 것이므로 모든 직관은 지적인 작용이다. 그런데도 만약 어떤 결과가 직접 인식되지 않아서 출발점으로는 아무 소용이 없는 것이라면, 직관은 성립되지 않는다. 그러나 이것은 동물의 육체에 대한 작용이다.
> 따라서 직관은 인과법칙을 전제로 하고 있으며, 모든 직관, 따라서 모든 경험은 그 첫째의 가능성에 의해서 이 인과 법칙에 대한 인식에 의존하고 있다. 그와 반대로 인과법칙에 대한 인식은 경험에 의존하는 것은 아니다. 이 후자가 흄의 회의론인데, 이것은 여기서 처음으로 논박된 셈이다. 왜냐하면 인과성에 대한 인식이 어떠한 경험에도 의존하지 않는다는 것, 즉 그것의 선험성은 모든 경험이 인과성에 대한 인식에 의존한다는 것으로서만 설명될 수 있기 때문이다. (『의지와 표상으로서의 세계』, 51)

4절 의지로서의 세계

1. '직관적 표상'의 한계

가. 직관적 표상을 근거로 한 학문

쇼펜하우어에 의하면 우리의 학문은 일반적으로 직관적 표상을 대상으로 하고 있다. 즉, 그 이면의 본질을 보는 것이 아니라. 객관적 사물을 대상으로 하는데, 그것은 결국 우리의 표상일 뿐이다. 인도 베단타 철학에서는 이것을 마야(환상)이라고 했는데, 이 환상을 보고 연구하는 학문인 셈이다. 단순히 형식적으로밖에 알지 못하는 '직관적 표상'에 대한 더 자세한 지식을 얻기 위해 수학에 눈을 돌려 보면, 수학은 이 직관적 표상에 대해서 시간과 공간을 말할 뿐이다. 이것들은 우리가 역점을 두고 찾는 지식은 아니다.

> 우리는 전적으로 직관적 표상을 참고로 하여 그 내용, 상세한 규정, 또 그것이 우리 눈앞에 나타나는 형태들에 대한 지식을 얻으려고 한다. 특히 우리에게 중요한 것은 직관적 표상에 대한 본래의 의의를 파악하는 것이다. 그 의의는 대개 느껴질 뿐이지만, 만일 이 의의가 없다면 직관적 표상에 의한 여러 형상은 틀림없이 우리에게는 낯설고 무의미한 것이며, 우리 앞을 슬쩍 지나가 버릴 것이다.…
> 우리의 눈길을 수학, 자연과학, 철학에 돌리면, 이것들은 모두 우리가 소망하고 있는 어떤 것을 해명해줄 것이라는 희망을 갖게 한다.…
> 단순히 형식적으로밖에 알지 못하는 '직관적 표상'에 대한 더 자세한 지식을 얻기 위해 수학에 눈을 돌려 보면, 수학은 이 직관적 표상에 대해서 시간과 공간을 말한다. 다시 말하면 수학은 이 직관적 표상이 양을 갖고 있다는 한도 내에서만 우리에게 말해 줄 뿐이다.… 이것들은 우리가 역점을 두고 찾는 지식은 아니다.(『의지와 표상으로서의 세계』, 140-141)

나. 형태학과 원인학

오늘날의 학문을 대표하는 것은 자연과학이다. 이때 자연과학은 두 가지 형태의 방법론을 취하는데, 하나는 형태에 관한 기술로서의 형태학이며, 또 하나는 변화에 대한 설명을 나타내는 원인학이 있다. 우리는 전자를 자연의 역사라고 부른다. 이때 과학으로서의 원인학은 확실한 법칙에 따라 물질의 '어떤' 상태에서 필연적으로 다른 상태가 생긴다는 것을 가르치고, 또 일정한 변화가 필연적으로 다른 변화의 조건이 되기도 하며, 그것을 야기하기도 한다는 것을 가르치는데, 이것을 나타내는 것을 '설명'이라고 한다. 주로 여기에 속하는 것은 역학, 물리학, 화학, 생리학이다. 그러나 이것만으로는 그 현상들 속에 있는 어떤 현상의 내적 본질에 대해서 조금도 설명을 얻지 못한다.

> 많은 분야로 갈라진 광범한 자연 과학의 영역에 눈을 돌리면, 우리는 그것들을 우선 크게 둘로 구분할 수 있다. 자연 과학은 내가 '형태학'이라고 부르는 형태에 관한 기술과 '원인학'이라고 부르는 변화에 대한 설명으로 나뉜다. 형태학은 불변의 형식을 고찰하고, 원인학은 변화하는 물질을 하나의 형식에서 다른 형식으로 이행하는 법칙에 따라 고찰한다. 형태학은… 자연의 역사라고 부른다.
> 물질이 이행하여 여러 형태로 된다는 것, 즉 여러 개체가 발생한다는 것은 그 고찰의 주요 부분을 형성하는 것이 아니다. 어떠한 개체도 그것과 동등한 개체의 생식에 의해 생기며, 생식은 대단히 신비스러운 것으로 오늘날까지 명백하게 인식되지 않기 때문이다. 그런데, 이 생식에 대해서 알려져 잇는 작은 일들은 생리학에서 설명되어야 하는 것인데, 생리학은 이미 원인학적인 자연과학에 속하는 것이다.… 도처에서 인과의 인식을 주제로 하는 자연과학의 여러 부문은 모두 본래는 원인학이다. 그러한 부분들의 과학은 확실한 법칙에 따라 물질의 '어떤' 상태에서 필연적으로 다른 상태가 생긴다는 것을 가르치고, 또 일정한 변화가 필연적으로 다른 변화의 조건이 되기도 하며, 그것을 야기하기도 한다는 것을 가르치는데, 이것을 나타내는 것을 '설명'이라고 한다. 주로 여기에 속하는 것은 역학, 물리학, 화학, 생리학이다.
> 그런데 이 과학들의 가르침에 귀를 기울여 보면, 곧 우리가 주로 찾고 있는 지식은 원인학이나 형태학에선 거의 찾아볼 수 없음을 알게 된다. 형태학은… 이해할 수 없는 상형문자처럼 우리 앞에 존재하는 표상이다.
> 반대로 원인학은 인과 법칙에 따라 물질의 일정한 상태가 다른 상태를 초래함을 가르쳐 주고, 동시에 이 상태를 설명하여 그 의무를 다한다. 그런데, 원인학도 결국은 상태들이 공간과 시간 속에 나타날 때 따르는 법칙인 질서를 알려 주고, 모든 사례에 관하여 어떤 현상이 이때 이 장소에서 필연적으로 생기지 않으면 안 되는가 하는 것을 가르치는 데 불과하다.…(『의지와 표상으로서의 세계』, 141-142)

다. 원인학을 넘어서 있는 '내적 본질'

자연과학은 자연법칙을 발견할 수는 있다. 그런데, 이것만으로는 그 현상들 속에 있는 어떤 현상의 내적 본질에 대해서 조금도 설명을 얻지 못한다. 이 내적 본질은 '자연의 힘'이라 불리고 원인학에서 설명하는 영역 밖에 존재하기 때문이다.

> 그러나 이것만으로는 그 현상들 속에 있는 어떤 현상의 내적 본질에 대해서 조금도 설명을 얻지 못한다. 이 내적 본질은 '자연의 힘'이라 불리고 원인학에서 설명하는 영역 밖에 존재하기 때문에, 원인학적 설명은 자연의 힘이 일으키는 불변의 항존성을, 원인학에서 이미 알려진 조건들이 현존할 때마다 '자연법칙'이라 부르는 것이다. 그러나… 스스로 나타나는 그 힘 자체, 즉 그들 법칙에 따라 생기는 현상들의 내적 본질은 가장 단순한 현상이든 가장 복잡한 현상이든 똑같이 원인학에서는 영원히 비밀이며 완전히 낯선 것이고 미지의 것이다. 왜냐하면 원인학에서 지금까지 가장 완전하게 그 목적을 달성한 것은 역학이고 가장 불완전한 것은 생리학인데, 돌이 그 내적 본성에 따라 땅 위에 떨어지거나 어떤 물체가 그 내적 본성에 따라 다른 물체에 충돌할 때 작용하는 힘은, 동물을 운동시키고 생장하게 하는 힘과 마찬가지로 미지의 것이며 신비스러운 것이기 때문이다.…
> 따라서 원인학도 우리가 단지 표상으로 알고 있는 현상들에 관해서는 우리가 희망하고 있는 지식 이상의 해명은 해 주지 못한다.… 그런데 우리가 탐구를 계속하는 것은, 우리가 가지고 있는 표상이 이러이러한 것이고, 이러이러한 법칙에 따라 연관성을 가지고 있으며, 이들 법칙을 보편적으로 나타내면 항상 '충족 이유율'이 된다고 하는 것을 아는 것만으로는 만족할 수 없기 때문이다.…
> 이 내적 본질은 '자연의 힘'이라 불리고 원인학에서 설명하는 영역 밖에 존재하기 때문에, 원인학적 설명은 자연의 힘이 일으키는 불변의 항존성을, 원인학에서 이미 알려진 조건들이 현존할 때마다 '자연법칙'이라 부르는 것이다. 그러나… 스스로 나타나는 그 힘 자체, 즉 그들 법칙에 따라 생기는 현상들의 내적 본질은 가장 단순한 현상이든 가장 복잡한 현상이든 똑같이 원인학에서는 영원히 비밀이며 완전히 낯선 것이고 미지의 것이다. 왜냐하면 원인학에서 지금까지 가장 완전하게 그 목적을 달성한 것은 역학이고 가장 불완전한 것은 생리학인데, 돌이 그 내적 본성에 따라 땅 위에 떨어지거나 어떤 물체가 그 내적 본성에 따라 다른 물체에 충돌할 때 작용하는 힘은, 동물을 운동시키고 생장하게 하는 힘과 마찬가지로 미지의 것이며 신비스러운 것이기 때문이다.…

따라서 원인학도 우리가 단지 표상으로 알고 있는 현상들에 관해서는 우리가 희망하고 있는 지식 이상의 해명은 해 주지 못한다.… 그런데 우리가 탐구를 계속하는 것은, 우리가 가지고 있는 표상이 이러이러한 것이고, 이러이러한 법칙에 따라 연관성을 가지고 있으며, 이들 법칙을 보편적으로 나타내면 항상 '충족 이유율'이 된다고 하는 것을 아는 것만으로는 만족할 수 없기 때문이다.…(『의지와 표상으로서의 세계』, 143-144)

2. 육체와 의지의 관계

가. 육체에 매개된 주관

쇼펜하우어는 우리가 세상 혹은 우리의 본질을 탐구할 때, 단지 내 앞에 '표상'으로서만 존재하고 있는 세계의 의미를 탐구한다면, 앞에서 살펴본 바와 같이 절대로 불가능하다. 그러나 우리는 세계에 뿌리를 내리고 있는 '개체'로서 존재하고 있다. 그의 인식작용은 표상으로 전 세계를 제약하는 담당자이면서(즉 주관이면서), 동시에 육체에 매개 되어 있으며, 육체의 감정과 오성을 통해 세계를 직관하는 출발점이 되고 있다. 그는 정신과 육체 사이의 통로인 것이다. 그는 이 경로를 추적하는 방법을 통해야 한다. 그렇지 않으면 그는 자기의 행위를, 마치 다른 객관들의 변화가 원인.자극.동기 등에 따라 생기는 것처럼 주어진 동기를 따라서 자연법칙과 같은 항존성을 가지고 나타나는 것으로 잘못 알게 될 것이다.

단지 내 앞에 '표상'으로서만 존재하고 있는 세계의 의미를 탐구하거나 인식 주관의 단순한 표상으로서의 세계에서 표상 이외의 것일 수도 있는 것으로 옮겨가는 것은 실제로 탐구자 자신이 순수하게 인식만을 하는 주관(몸은 없이 날개만 가진 천사의 머리)이라고 한다면 절대로 불가능하다. 그러나 탐구자는 그러한 세계에 뿌리를 내리고 있는, 말하자면 세계 속의 '개체'로서 존재하고 있다. 그러나 탐구자는 그러한 세계에 뿌리를 내리고 있는, 말하자면 세계 속의 '개체'로서 존재하고 있다.
즉, 그의 인식작용은 표상으로 본 전 세계를 제약하는 담당자이긴 하지만, 철저하게 육체에 매개 되어 있으며, 육체의 감정적인 움직임이 앞서 말한 바와 같이 오성에게는 세계를 직관하는 출발점이 되는 것이다. 이 육체는 순전히 인식만 하는 주관 자체에는 다른 표상과 마찬가지로 하나의 표상이며, 여러 객관들 중의 한 객관이다. 그러한 점에서 볼 때, 육체의 운동이나 행동도 주관에게는 다른 모든 직관적인 객관의 변화들처럼 알려져 있을 뿐이다.
따라서 이들 운동이나 행동의 의미가 완전히 다른 방법으로 해명되지 않는다면, 다른 직관적 객관의 변화와 마찬가지로 낯설고 이해할 수 없는 것이다. 그렇지 않으면 탐구자는 자기의 행위를, 마치 다른 객관들의 변화가 원인.자극.동기 등에 따라 생기는 것처럼 주어진 동기를 따라서 자연법칙과 같은 항존성을 가지고 나타나는 것으로 알게 될 것이다. 그러나 그는 이들 동기의 영향을 그 동기의 원인과 그에게 나타나는 다른 모든 결과의 연결보다 더 자세하게 이해하지는 못할 것이다. 그래서 그는 자기 육체의 표출과 동작이 갖는 이해할 수 없는 내적 본질을 힘.성질.성격 등 임의의 이름을 붙일지는 모르지만, 그 본질에 대해서 그 이상의 통찰을 할 수는 없다. 그러나 이것들이 모든 본질은 아니다.(『의지와 표상으로서의 세계』, 145-146)

나. 표상의 본질로서의 의지

주관과 객관 사이에 육체가 매개자인데, 여기에서 표상이 나타난다. 즉 인식 주관에서 무언가의 힘에 의해서 표상이 나타난 것이다. 쇼펜하우어는 이것을 의지라고 말한다. 오직 이 말만이 탐구자에게 그 자신의 현상을 푸는 열쇠를 주고, 의미를 계시하고, 그의 본질, 행위, 운동의 내적 동기를 보여준다.

이 '인식주관'과 그의 육체는 동일하기 때문에 한 개체로서 나타난다. 이때 인식주관에서 이 육체는 전혀 다른 두 가지 방법으로 나타난다. 하나는 오성적인 '직관' 속의 표상으로서 주어진다(외면적인 육체의 모습). 또 하나는 전혀 다른 방식인데, 누구에게나 직접 알려진 것으로 주어지고 있는 '의지'라는 말로 표현되는 것이다(고통이나 쾌락과 같은 육체에 직접 나타난 표상). 즉, 인식의 주관에 수수께끼의 말이 내부로부터 주어지는데, 이것이 '의지'이다. 오직 이 말만이 우리에게 진정한 자신의 내적 동기를 보여준다. 이에 의하면, 결국 육체의 동작이란 의지의 객관화된 행위, 즉 직관 속에 나타난 행위, 즉 표상으로 된 의지에 불과하다는 것을 알게 된다.

오히려 개체로서 나타나는 인식의 주관에 수수께끼의 말이 주어져 있으며, 이 말이 바로 '의지'라는 것이다. 오직 이 말만이 탐구자에게 그 자신의 현상을 푸는 열쇠를 주고, 의미를 계시하고, 그의 본질, 행위, 운동의 내적 동기를 보여준다.

'인식 주관'은 육체와 동일하기 때문에 개체로서 나타나지만, 이 인식 주관에서 육체는 전혀 다른 방법으로 주어진다. 첫째, 오성에 호소하는 '직관'의 표상으로서, 여러 객관 중의 객관으로서, 또 이들 객관의 법칙에 지배되는 것으로 주어진다. 그러나 동시에 전혀 다른 방법, 즉 누구에게나 직접 알려진 것으로 주어지고 있는데, 이것을 '의지'라는 말로 표현할 수 있다.

의지의 참된 행동은 필연적으로 육체의 운동이기도 하다. 그가 실제로 행동하려고 할 경우에는 동시에 그것이 육체의 운동으로 나타난다는 것을 지각하게 된다. 의지 행위와 육체의 동작은 인과의 유대로 결합되고 객관적으로 인식된 서로 다른 상태가 아니고, 원인과 결과라고 하는 관계에 있는 것도 아니며, 그들은 동일한 것으로 단지 전혀 다른 두 가지 방법으로 주어질 따름이다.

즉 하나는 순전히 직접적으로 주어지고, 또 하나는 오성에 대해 직관 속에 주어지는 것이다. 육체의 동작은 의지의 객관화된 행위, 즉 직관 속에 나타난 행위에 불과하다. 또한 이것을 육체의 모든 운동에도 해당되고 동기에 의해서만 생기는 운동뿐만 아니라 자극에 의해 생기는 자기도 모르는 운동에도 해당된다. 그것뿐만 아니라 모든 육체는 의지가 객관화된 것, 즉 표상으로 된 의지에 불과하다는 것을 알게 된다.(『의지와 표상으로서의 세계』, 146)

다. 의지의 객관성으로서의 육체

쇼펜하우어는 육체를 '직접적 객관'이라고 불렀는데, 이제 그 차원을 달리하여 '의지의 객관성'이라고 부르기도 한다. 즉, 후자의 지칭이 의미하는 바는, 의지는 육체의 선험적 인식이고, 육체는 의지의 후천적 인식이라고 말할 수 있다. 순수한 직접적 의지 행위는 모두 그대로 직접적으로 외부에 나타나는 육체행위이다. 우리에게는 고통이나 쾌락과 같이 대상의 표상 없이 나타나는 의지의 현상들이 있는데, 이것은 오성의 직관을 거치지 않은 직접 객관의 사례이다. 이것은 의지의 표상이라기보다 의지의 직접적인 감응이랄 수 있다. 그리고 이들 인상에 의해서만 육체는 인식의 직접 객관이 된다.

나는 육체를 제1권 "충족 이유율에 대하여"에서는 고의로 일방적으로 위한 입장

(표상의 입장)에 따라 '직접적 객관'이라고 불렀지만, 여기서는 다른 생각에서 '의지의 객관성'이라고 부르기도 한다. 또 어떤 의미에서 의지는 육체의 선험적 인식이고, [육체는] 의지의 후천적 인식이라고 말할 수도 있다. 미래에 관계하는 의지의 결정은 언젠가 원하게 될 것에 관한 이성의 단순한 고려에 불과한 것이지, 본래의 의지행위는 아니다.… 참되고 순수한 직접적 의지 행위는 모두 그대로 직접적으로 외부에 나타나는 육체행위이다. 그리고 여기에 따라서 한편으로 육체에 끼치는 작용은 모두 직접적인, 또한 의지에 대한 작용이다. 그 작용을, 그 자체로서 의지에 거슬리는 경우에는 고통이라 부르고, 의지에 맞는 경우에는 유쾌 또는 쾌락이라 부른다. 양자의 단계적인 차별은 다양하다. 그러나 고통과 쾌락을 표상이라고 부르는 것은 부당하다. 고통이나 쾌락은 결코 표상이 아니고, 의지의 현상으로서 육체에 있어서는 의지의 직접적인 감응이다. 즉 육체가 받는 인상의 강요된 순간적인 의욕 내지 반의욕이다. 이러한 인상들은 직접적인 단순한 표상으로 간주되기 때문에, 위에서 말한 것에서 제외되는 것은 육체에 대한 어떤 소수의 인상뿐이며, 이들 인상은 의지를 자극하지 않고, 또 이들 인상에 의해서만 육체는 인식의 직접 객관이 된다. 왜냐하면 육체는 오성의 직관으로서는 이미 다른 객관과 마찬가지로 간접 객관이기 때문이다.(『의지와 표상으로서의 세계』, 146-147)

라. 의지의 직접적인 인식과 내 육체에 관한 인식의 관계

우리가 우리의 시각, 청각, 촉각을 통해 외부의 어떤 사건을 인식하는데, 이에 대한 감응이 고통이나 쾌락과 같은 의지이다. 이러한 외부적인 감각은 의지를 크게 자극하지 않을 수 있다. 그럴 경우 의지의 어떤 자극도 받지 않고 직관적인 자료를 오성에 제공할 수 있다. 그런데, 그 강도가 강할 경우 우리의 의지는 고통이나 쾌락을 촉발시킨다. 그렇기 때문에 우리는 내 육체가 없으면 이 의지를 표상할 수 없다. 우리의 육체가 어떤 사건을 접하면서 고통이나 쾌락을 느낀다. 이 양자는 일치되어 동시에 나타난다. 이러한 일치를 쇼펜하우어는 기적이라고 부른다. 그것은 의지가 육체로 표상되어 나타난 것을 설명해주고 있다. 쇼펜하우어는 자신의 이 책 전체는 이 기적에 대한 설명이라고 말한다.

말하자면 여기서 고려되고 있는 것은 시각, 청각, 촉각 등의 순수하게 객관적인 감각의 감응이다. 물론 이들 기관이 그 고유하고 독특하고 자연적인 방법으로 촉발되는 한, 그 방향은 이들 육체에 갖는 날카롭고 특별하게 변화된 감수성에 대한 극히 작은 자극이기 때문에, 그것으로서 의지가 촉발되는 일이 없이 의지의 어떠한 자극에도 방해받지 않고 직관을 성립시키는 자료를 오성에 제공하는 것에 지나지 않는다. 그러나 이들 감각 기관들의 한층 강한 감응 또는 다른 종류의 감응은 모두 고통을 동반하는 것, 즉 의지에 반대되는 것이어서 이 기관들도 또 의지의 객관성에 속하고 있다. 여러 가지 인상들이 오성의 자료가 되는데 족할 정도의 강도를 갖고 있으면 좋을 것이지만, 그것이 한층 강도를 증가시키고 의지를 움직여서, 이를테면 고통이나 쾌락을 느끼게 하는 데서 신경쇠약이 생긴다.… 특히 육체와 의지와의 일치는 의지의 모든 강렬하고 과도한 움직임, 즉 모든 정서가 직접 육체와 그 내부기관을 진동하여 육체의 여러 생명 기능의 진행을 저해하는 것을 보아도 알 수 있다.

결국 내가 내 의지에 대해 갖는 의식은 직접적인 인식이지만 내 육체에 관한 인식과는 분리할 수 없는 것이다. 나는 내 의지를 전체나 통일로서 인식하지 않고, 그 본질에 따라 인식하지 않으며, 오히려 그 개별적인 행위에서만 인식한다. 즉 모든 객관과 마찬가지로 육체에 현상하는 형식인 시간에서 인식하는 것이다. 그러므로 육체는 내 의지를 인식하기 위한 제약이다. 따라서 내 육체가 없으면 나는 원래 이 의지를 표상할 수 없다.… 이미 우리는 이 객관이 주관과 일치하는,… 것을 알고 있었기에, 우리는 이 일치를 기적이라 불렀다. 이 책 전체는 말하자면 이 기적에 대한 설명이다. 내가 '의지'를 본래적인 객관으로 인식하는 한, 나는 내 의지를 육체로서 인식한다.… (『의지와 표상으로서의 세계』, 147-148)

그러므로 나는 이 진리를 특히 강조하여 그것을 뛰어난 '철학적 진리'라고 부르고 싶다. 이 진리의 표현은 여러 가지로 응용될 수 있다. 즉 나의 육체와 의지는 동일한 것이라든가, 내가 직관적 표상으로 내 육체라고 부르는 것은 내가 그것을 전혀 다른 비길 데 없는 방법으로 의식하고 있는 한에서는 나의 의지라 부른다라든가, 또는 내 육체는 내 의지의 객관성이라든가, 또는 내 육체가 나의 표상이라는 것은 별도로 하고 내 육체는 내 의지에 불과한 것이다 등. (『의지와 표상으로서의 세계』, 148-149)

3. 의지이자 표상인 육체

가. 육체에 관한 이중적 인식

우리의 육체는 일차적으로 이 세계 속에서 다른 객관과 마찬가지로 인식주관의 하나의 단순한 표상이다. 그런데, 모든 사람들은 각각의 의식 속에서 의지가 육체로 직접 나타나는 표상을 본다. 말하자면 육체적 감응은 다른 표상과는 전혀 다른 방법으로 의식 속에 나타나는 '의지'이다. 이렇게 육체는 이중적인 인식이다. 즉, 하나의 인식은 우리에게 육체에 관해, 육체의 작용이나 운동에 관해, 또 육체가 외부로부터의 영향을 받는 것에 관해, 그 밖에 육체에 관한 표상으로서 육체의 인식이다.(필자: 즉 외부로부터 영향을 받는 것으로서의 육체 인식) 또 하나는 다른 실재적인 객관의 본질, 수용, 작용, 수동에 대한 해명을 주는 것으로서의 인식이다. 의지로서의 육체의 인식이다. 여기에서 쇼펜하우어가 집중하고 중시여기는 것은 육체에 나타난 의지의 직접적 표상으로서의 인식에 관한 것인데, 그는 아예 육체의 주요 본질을 의지의 표상이라고 보고 있다.

> 우리의 육체를 직관적 세계 속에 있는 다른 객관과 마찬가지로 인식주관의 단순한 표상이라고 설명했기 때문에, 모든 사람들의 의식 속에서 자신의 육체에 대한 표상을 볼 때 그것과 흡사한 다른 표상들과 구별한다는 것이 밝혀졌다. 말하자면 육체는 다른 표상과는 전혀 다른 방법으로 의식 속에 나타나는 것으로, 이것이 '의지'라는 말로 표현된다. 우리가 자기의 육체에 관해 갖고 있는 이러한 이중적인 인식은 우리에게 육체에 관해, 동기에 따른 육체의 작용이나 운동에 관해, 또 육체가 외부로부터의 영향을 통하여 받는 것에 관해, 그 밖에 육체 '그 자체'의 본질에 관해 표상으로서 육체는 아니고, 다른 실재적인 객관의 본질, 수용, 작용, 수동에 대하여 직접 갖고 있지 않은 해명을 주는 것이다.(『의지와 표상으로서의 세계』, 149)

나. 개체로 나타나는 인식주관

우리 내면에 가장 본질적 존재가 있다고 하자. 쇼펜하우어는 그것을 인식주관이라고 칭한다. 이 인식주관은 육체에 나타나는 직접적인 감응을 자신의 유일한 표상이라고 하고 있으며, 이것을 유일한 자신의 의지로서 의식하고 있다. 오직 인식주관의 의지만이 그것의 유일한 표상이다. 인식주관이 육체의 이러한 본질과 결합하여 있기 때문에 이제 인식주관은 하나의 개체로서 이 세계 속에 등장한다. 따라서 우리의 육체는 인식주관을 나타내는 하나의 개체이다. 육체는 외부의 자극을 받아들이는 외부표상의 경로일 뿐만 아니라, 인식주관을 나타내는 하나의 개체이다.

쇼펜하우어는 우리의 의지로 나타나는 표상을 '유일한 표상'이라고 하며, 이것은 다른 모든 표상들과 다르다고 한다. 그것은 개체의 인식이 유일한 표상에 대하여 이중의 관계에 있기 때문이다. 즉 이 '유일한 표상'의 경우, 개체에게는 동시에 두 개의 길이 열려 있는데, 하나는 외부로부터 받아들이는 표상과, 또 하나는 인식주관의 감응으로서의 표상이다. 이에 따라 이러한 개체의 인식은 일반적인 단순한 인식 혹은 표상과 다른 관계에 있다. 이렇게 이중인식으로 바라보는 이 유일한 객관은 본질적으로 다른 객관과 다르며, 모든 객관 중에서 이것만이 의지인 동시에 표상이고, 다른 객관은 단지 표상, 즉 단순한 환영이라는 것이다.

따라서 인식하는 개체의 육체야말로 세계 안에서 단 하나의 현실적인 개체이며, 주관의 오직 하나뿐인 직접 개관이다. 쇼펜하우어는 우리 안의 인식주관의 본질로서의 의지가 육체를 통하여 드러난 것으로 본다. 쇼펜하우어는 이렇게 자신의 개체만을 현실적인 개체로 보며, 다른 객관들을 단순한 표상으로 보는 이러한 태도를 실천적 이기주의라고 말한다.

> 육체도 다른 표상과 마찬가지로 하나의 표상에 불과하지만, 인식 주관은 바로 이 특별한 관계에 있기 때문에 개체이다. 그런데 '인식주관'을 '개체'로 만드는 이 관계는 바로 인식 주관과 그 주관의 모든 표상 중 오직 하나의 표상 사이에만 존재한다. 따라서 인식주관은 이 유일한 표상을 오직 하나의 표상으로 의식하고 있을 뿐만 아니라 동시에 전혀 다른 방법, 즉 하나의 의지로서 의식하고 있다. 만일 인식주관이 그러한 특별한 관계, 즉 동일한 육체라는 것을 이중으로 인식하고 완전히 다르게 인식한다는 사실을 도외시한다면, 동일한 것, 즉 육체는 다른 모든 표상과 마찬가지로 하나의 표상이다. 이것을 확인하기 위해서 인식 개체는 다음 중 어느 한 가지를 가정하지 않으면 안 된다. 즉 유일한 표상이 다른 모든 표상과 다른 까닭은 개체의 인식이 유일한 표상에 대하여 이중의 관계에 있다고 하는 점에 있다. 이 '유일한' 직관적 객관을 통찰하는 경우에는 개체에게 동시에 두 개의 길이 열려 있지만, 이것은 육체라는 유일한 객관이 다른 객관과 다르다는 것으로 설명해서는 안 된다. 개체의 인식이 육체라고 하는 객관에 대해서만은 다른 객관과는 다른 관계에 있다고 설명해야 한다. 다른 하나는 유일한 이 객관이 본질적으로 다른 객관과 다르며, 모든 객관 중에서 이것만

의지인 동시에 표상이고, 다른 객관은 단지 표상, 즉 단순한 환영이라는 것이다. 따라서 인식하는 개체의 육체야말로 세계 안에서 단 하나의 현실적인 개체이며, 주관의 오직 하나뿐인 직접 개관이다. 다른 객관들을 단순한 표상으로 본다면, 인식 주관의 육체와 똑같다.… (『의지와 표상으로서의 세계』, 149-150)
이 이론적 이기주의는 그렇게 함으로써 자기 자신의 개체 이외의 모든 현상을 환영이라고 간주하며, 실천적 이기주의는 같은 일을 실천하는 점에서 하는 것이다. 즉 자기만을 실제 인격으로 보고 다른 모든 인격을 단순한 환영이라 보며, 그렇게 취급한다.(『의지와 표상으로서의 세계』, 150)

다. 물자체의 본질을 밝히는 육체의 본질

쇼펜하우어는 이 이중인식 중에서 표상으로서만 우리의 의식에 주어져있는 인식만을 육체의 본질로 보고, 이것을 열쇠로 삼아 자연현상의 본질을 풀고자 한다. 그는 우리의 표상 중에서 객관적 존재들이 준 표상을 제외하고 남은 표상을 우리의 '의지'라고 부르고자 한다. 그리고 그는 여기에 물자체를 귀속시켜야 한다고 말한다. 만일 물체계가 단지 우리의 표상 이상의 것이어야 한다면, 물체계는 표상 밖의 것, 즉 물체계 그 자체로서 가장 내적인 본질에 따라 우리 자신 속에서 직접 의지로 발견되는 것이라고 말할 수 밖에 없다.

이렇게 해서 우리 육체의 본질과 작용에 관해 우리가 갖고 있는, 완전히 다른 방법으로 주어진 이중의 인식은 지금까지의 설명으로 명백해졌다. 따라서 우리는 이 인식을 모든 자연현상의 본질을 푸는 열쇠로 사용할 것이다. 그리고 우리 자신의 육체가 아닌 모든 객관, 따라서 이중의 방법으로 주어진 객관이 아니고 오직 표상으로서만이 우리의 의식에 주어져 있는 객관을 우리의 육체를 본보기로 하여 평가할 것이다. 따라서 우리는 이들 모든 객관이 한편으로는 우리 육체와 마찬가지로 표상이며, 표상으로서는 육체와 같은 종류의 것이지만, 또 한편으로 이 객관의 존재들을 주관의 표상으로서 제외하는 경우에도 역시 남는 것은 우리 자신에 근거하여 '의지'라고 부르는 것과 같은 것임에 틀림없다고 생각할 것이다. 도대체 우리는 육체 이외의 물체계에 어떤 종류의 존재나 실재를 귀속시켜야 하는가? 또 우리가 물체계를 구성한 요소를 어디에서 취해야 할 것인가? 우리는 의지와 표상 밖에는 아무것도 모르며, 아무것도 생각할 수 없다. 만일 우리가 직접적으로 우리 표상 속에서만 존재하고 잇는 물자체에 우리가 아는 최대의 실재성을 부여하려 하면, 우리는 각자의 육체가 갖고 있는 실재성을 그 물체계에 부여하는 것이 된다. 왜냐하면 모든 사람에게는 자기 육체가 가장 실재적이기 때문이다. 그러나 우리가 이 육체와 그 동작을 분석해 보면, 육체가 우리 표상이라는 것을 제외하고는 의지 이외의 아무것과도 만나는 것이 없다. 육체의 실재성은 이것으로 끝이 난다. 따라서 우리는 물체계에 부여하기 위한 다른 종류의 실재성을 아무 데서도 발견할 수 없다. 만일 물체계가 단지 우리의 표상 이상의 것이어야 한다면, 물체계는 표상 밖의 것, 즉 물체계 그 자체로서 가장 내적인 본질에 따라 우리 자신 속에서 직접 의지로 발견되는 것이라고 말할 수밖에 없다.(『의지와 표상으로서의 세계』, 151- 152)

라. 욕망의 표현인 육체 : 나의 의지 그 자체로서의 육체

쇼펜하우어는 위에서 언급된 인식주관의 의지를 중심으로 발전시킨다. 이제 이 의지를 의지행위라고 지칭하며, 이것을 의도적인 운동이 아닌 임의운동과 일치 시킨다. 이 임의운동은 대표적으로 욕망을 의미한다.(필자: 그런데, 우리의 모든 행위의 근원은 욕망일 수 있다.) 즉 임의운동은 의지행위가 이행하여 인식할 수 있는 형식을 취하여 표상이 되었다는 것뿐이다. 즉, 나의 의지 자체는 동기를 이루는 법칙의 범위 밖에 존재하고, 단지 각각의 시점에서 의지의 나타남이 필연적으로 이 법칙에 의해 규정되고 있을 뿐이다. 이러한 행위에 대해, 왜 내가 이것을 하고자 하고 저것은 하고 싶어하지 않는가라고 묻는다면, 여기에 대해 답변할 수가 없다. 왜냐면, 의지의 현상은 충족 이유율에 지배되고 있지만, 의지 그 자체는 지배받고 있지 않기 때문이며, 의지는 그러한 뜻에서 '근거가 없는' 것이라고 보아도 좋다. 더 나아가서 지금 당장 주의해 두어야 할 것은 어떤 현상이 다른 현상에 의해 근거가 된다는 것과, 행위의 본질이 그 자신의 근거를 갖고 있지 않은 의지라는 것은 모순되지 않는다는 것뿐이다. 따라서 육체는 의지의 나타남이어야 한다. 그러므로 육체는 가시적으로 된 나의 의지에 지나지 않으며, 의지는 직관적인 객관이며, 제1급의 표상에 한해 육체는 나의 의지 그 자체가 되어야 한다.

자기 육체의 본질로서, 이 육체를 육체답게 하는 것으로 육체가 직관의 객체, 즉 '표상'이라는 것을 제외하면, 이미 언급한 것처럼 '의지'는 제일 먼저 육체의 임의운동 속에서 나타난다. 결국 임의운동은 개별적인 의지 행위가 가시적으로 나타난 것에 불과하며, 의지 행위에 직접적으로 관련하여 동시에 완전하게 생기는 것이다. 즉 임의운동과 의지행위는 동일한 것이며, 다른 점은 의지행위가 이행하여 인식할 수 있는 형식을 취하여 표상이 되었다는 것뿐이다.…
나의 의지 자체는 동기를 이루는 법칙의 범위 밖에 존재하고, 단지 각각의 시점에서 의지의 나타남이 필연적으로 이 법칙에 의해 규정되고 있을 뿐이다. 나의 경험적 성격을 전제할 때에만 동기는 행동의 충분한 설명 근거가 된다. 그러나 만약 이 성격을 도외시하고 왜 내가 이것을 하고자 하고 저것은 하고 싶어하지 않는가라고 묻는다면, 여기에 대해 답변할 수가 없다. 왜냐하면 의지의 현상은 충족 이유율에 지배되고 있지만, 의지 그 자체는 지배받고 있지 않기 때문이며, 의지는 그러한 뜻에서 '근거가 없는' 것이라고 보아도 좋다.… 지금 당장 주의해 두어야 할 것은 어떤 현상이 다른 현상에 의해 근거가 된다는 것과, 행위의 본질이 그 자신의 근거를 갖고 있지 않은 의지라는 것은 모순되지 않는다는 것뿐이다. 왜냐하면 충족 이유율은 아무리 어떠한 형태를 갖더라도 인식형식에 지나지 않으며, 이 원리의 타당성은 표상이나 현상, 즉 의지가 가시적으로 된 것에만 미칠 뿐이고, 이 원리의 타당성은 표상이나 현상, 즉 의지가 가시적으로 된 것에만 미칠 뿐이고, 가시적이 되는 의지 그 자체에는 미치지 못하기 때문이다.
그런데 만일 내 육체의 움직임이 모두 의지의 행위와 표현이며, 이 의지의 행위에 있어서 주어진 동기 아래에서는 내 '의지'라는 일반으로서, 또 전체로서 내 성격이 재현된다고 하면, 모든 동작의 불가결한 조건도 전제도 또한 의지의 표현이어야 한다. 왜냐하면 의지의 현상은 직접적이고 의지에 의존하지 않는 것, 따라서 의지에는 단지 우연적인 것에 지나지 않는 것이고, 의지의 현상 자체를 우연적인 것으로 만드는 것에 의존할 수 없다. 없어서는 안 될 조건은 모든 육체 그 자체이다. 따라서 육체는 의지의 나타남이어야 한다. 그리고 내 육체의 의지 전체, 즉 예지적 성격에 대한 관계는 육체 하나하나의 동작과 의지 하나하나에 대한 동작과의 관계와 같은 것이다. 그러므로 육체는 가시적으로 된 나의 의지에 지나지 않으며, 의지는 직관적인 객관이며, 제1급의 표상에 한해 육체는 나의 의지 그 자체가 되어야 한다. (『의지와 표상으로서의 세계』, 153-154)

마. 의지의 객관화로서의 육체

쇼펜하우어는 궁극적으로 육체는 의지의 객관화로 말미암았다고 말한다. 일련의 행위는 개별적인 행위까지도, 또한 그 육체를 성립하게 한 과정도 의지가 나타난 것에 지나지 않으며, 의지가 가시적으로 나타난 것, 즉 '의지의 객관화'에 지나지 않는다. 그래서 육체의 합목적성, 즉 목적론적인 설명 가능성으로 보이는 것이다.

> 그런데 각 현상의 내적 본질은 이러한[어떠한] 방법으로는 영원히 구명할 수 없고, 원인학적 설명으로 전제되어 힘이나 자연법칙이라거나 또는 행위가 문제로 되는 경우에는 성격이나 의지 때문이라고 말할 수 있다. 개별적인 행위는 모두 일정한 성격이라는 것을 전제로 한다면, 행위는 반드시 주어진 동기에 따라 생기며, 또 동물의 육체적 성장, 양육과정 및 여러 가지 변화는 필연적으로 작용하는 원인(자극)에 따라 행해진다. 그렇지만 일련의 행위는 개별적인 행위까지도, 또 행위의 조건도 행위를 수행하는 모든 육체 자체도, 또한 그 육체를 성립하게 한 과정도 의지가 나타난 것에 지나지 않으며, 의지가 가시적으로 나타난 것, 즉 '의지의 객관화'에 지나지 않는다.… 그래서 육체의 합목적성, 즉 목적론적인 설명 가능성으로 보이는 것이다.(『의지와 표상으로서의 세계』, 155)

바. 의지의 객관화인 표상과 모든 객관 : 의지만이 물자체

쇼펜하우어에 의하면, 이제 우리는 모든 사람이 직접적으로 구체적인 것, 즉 느낌으로서 소유하고 있는 인식을 얻게 되었는데, 이것은 자기 현상의 본질인 자신의 의지이며, 이 '의지'는 그 사람의 의지 가운데 가장 직접적인 것을 형성하는 것이다. 이러한 직접적인 의지는 표상의 형식을 취하면서 완전히 나타나는 일이 없고, 주관과 객관이 분명하게 구별되지 않는 직접적인 방식으로 나타난다. 우리는 그것이 명백하게 나타나는 경우에는 '의지'라 부른다. 이제 우리에게 더 이상 현상 밑에 머물게 하지 않고 이것을 넘어서 '물자체'로 나아가게 하는 것은 오로지 반성을 여기에 적용하기 때문이다. 따라서 우리는 의지를 물자체라고 불러야 한다.

그리고 더 나아가서 쇼펜하우어는 만일 의지가 물자체라면, 이제 의지를 통해 나타난 표상과 이 표상의 실현인 모든 객관(사물들)은 의지의 표상일 뿐이다. 의지의 표상으로서의 사물도 바로 의지로 말미암은 것이다. 쇼펜하우어는 궁극적으로 모든 표상과 모든 객관은 의지가 현상으로 나타난 것이라고 말한다. 즉 자연과 인간에게서 나타나는 모든 세계의 본질은 바로 의지라는 것이다. 그것은 곧 의지가 객관화된 것이다.

이제 이 모든 고찰들에서 독자들은 추상적으로, 따라서 명백하고 확실하게 모든 사람이 직접적으로 구체적인 것, 즉 느낌으로서 소유하고 있는 인식을 얻게 되었다. 이것은 각자의 행위와 그 행위의 영속적인 기초인 육체에 의해 표상으로서 나타나는 자기 현상의 본질인 자신의 의지이며, 이 '의지'는 그 사람의 의지 가운데 가장 직접적인 것을 형성하는 것이다. 이러한 직접적인 의지는 '객관과 주관'이 대립되는 표상의 형식을 취하면서 완전히 나타나는 일이 없고, 주관과 객관이 분명하게 구별되지 않는 직접적인 방식으로 나타난다. 그러나 그것은 전체로서가 아니라 개개의 행위에 있어서만 개인에게 알려진다.…
그것이 명백하게 나타나는 경우에는 '의지'라 부르는 것이다. 이제 우리에게 더 이상 현상 밑에 머물게 하지 않고 이것을 넘어서 '물자체'로 나아가게 하는 것은 오로지 반성을 여기에 적용하기 때문이다. 현상이란 표상을 말하는 것일 뿐, 그 이상의 아무것도 아니다. 어떠한 종류에 속하는 모든 표상, 즉 모든 '객관은 표상'이다. 그러나 '의지'만이 '물자체'이다. 그러한 의지는 표상이 아니고 표상과는 완전히 다른 것이다. 모든 표상, 즉 모든 객관은 의지가 나타난 것, 가시적으로 나타난 것, '의지의 객관화'이다. 의지는 개체 미 전체의 내면적인 심오한 부분이며 핵심이다. 의지는 맹목적으로 움직이는 모든 자연의 힘 속에 나타나 있고, 숙고한 인간의 행동 속에도 나타나 있다. 그러나 이 둘의 큰 차이는 드러나는 정도 차이에 불과하며, 본질에 관한 차이가 아니다.(『의지와 표상으로서의 세계』, 156-157)

4. 사물자체로서의 의지

가. 의지의 현상으로서의 사물

쇼펜하우어는 칸트의 사물 자체가 의지라는 것을 자신이 발견한 것처럼 생각한다. 그리고 쇼펜하우어는 '의지'를 '물 자체'에 그리고 '표상'을 현상에 대응시킨다. 즉, 즉, 표상은 우리의 인식 형식인 시간과 공간 그리고 인과성에 종속되어 있기 때문에, 사물 자체가 아니라 주관의 형식에 제약을 받는 현상이라고 말한다. (*Parergaund Paralipomena II,* Erster Teilband.-이하 P Ⅱ로 표기, 26, 102)

더 나아가, 쇼펜하우어에 의하면, 이런 점에서 개체화의 원리에 종속된 '개체'는 사물 자체가 아니라, 의지의 현상일 뿐이다. 이에 대해 김현수는 다음과 같이 말한다.

> 쇼펜하우어는 사물 자체를 의지로 간주하고, 현상 형식은 의지 자체와는 아무 관계가 없다고 본다. 왜냐하면 근거율은 현상의 형식에만 속하기 때문이다. 여기서 우리는 의지의 현상은 근거율에 종속되어 있지만, 사물 자체로서의 의지는 '다수성'으로부터 자유롭다고 말할 수 있다. 쇼펜하우어는 여기에서 다수성을 가능하게 한다는 의미에서 시간과 공간을 '개체화의 원리'라고 부른다. 그런데 사물 자체로서의 의지는 시간과 공간 외부에 있으므로 다수성으로부터 자유롭다. 즉 의지 자체는 하나인 것이다. 왜냐하면 시간과 공간은 주관의 인식 형식이기 때문에 현상에만 적용될 뿐, 사물 자체에는 적용되지 않기 때문이다. 여기서 의지의 현상은 근거율에 종속되어 있지만 의지자체는 근거율로부터 자유롭다는 결론을 이끌어 낼 수 있다.
> 이런 점에서 개체화의 원리에 종속된 '개체'는 사물 자체가 아니라, 의지의 현상일 뿐이다. 즉 개체는 사물 자체인 의지가 현상계의 개별적 사물로 나타난 것이다. 따라서 개체는 의지의 현상이므로 필연성의 법칙, 즉 근거율에 종속되어 있다. 그러므로 현상계의 모든 사물들, 즉 무기계의 물질은 '원인'에 따라, 식물은 '자극'에 따라, 동물과 인간의 행위는 '동기'에 따라 필연적으로 결정된다. 그러나 사물의 내적 본질, 즉 사물에 있어서 중력 그리고 인간에게 있어서 '성격'은 설명할 수 없는 '숨겨진 성질'로 남는다.(W. I , 174)[5]

나. 자연 속에 존재하는 모든 힘은 의지

쇼펜하우어는 자연 속에 존재하는 모든 힘은 의지라고 주장한다. 그에 따르면 식물 속에 존재하는 모든 힘, 자석을 북극으로 향하게 하는 힘, 돌을 지면으로, 지구를 끌어당기는 중력도 모두 의지다. 한편, 쇼펜하우어는 '의지'개념과 '힘'개념은 명확히 구분되어야 한다고 본다. 이때 '힘'은 원인학에서 규명되어야 한다고 말한다.

5) 김현수, "쇼펜하우어의 의지의 형이상학 연구," 44-45.

쇼펜하우어는 자연 속에 존재하는 모든 힘은 의지라고 주장한다. 그에 따르면 식물 속에 존재하는 모든 힘, 자석을 북극으로 향하게 하는 힘, 돌을 지면으로, 지구를 끌어당기는 중력도 모두 의지다. 그런데 쇼펜하우어는 '의지'개념과 '힘'(Kraft)개념은 명확히 구분되어야 한다고 본다.(W. I , 156)
'의지'는 우리가 자기의식 속에서 직접적으로 파악할 수 있는 것이다. 그러나 '힘'은 원인과 결과가 지배하는 영역에서, 원인학적으로 설명하는 데 필요한 개념이다. 말하자면 의지 개념은 사물 자체에 속하고, 힘 개념은 현상에 속한다. 따라서 물리학에서 사용하는 힘이라는 용어로는 세계의 본질을 파악할 수 없다. 이런 이유에서 쇼펜하우어는 세계의 본질을 나타내는 용어로 '힘'이 아닌 '의지'를 사용하고 있다.
이런 의미에서 쇼펜하우어는 의지의 형이상학을 기계론적 유물론, 원인학과 확실하게 구분하고 이들을 비판한다. "원인학은 모든 유기적 생명을 화학적 현상이나 전기에 환원하려고 했고, 모든 화학적 현상, 즉 성질을 다시 기계적 현상에 환원하려 했다.…"(W. I , 156) 쇼펜하우어의 입장은 근원적 자연력인 의지는 기계적 화학적 작용으로 환원하여 설명할 수 없다는 것이다. 쇼펜하우어는 여기서 사물 자체인 의지는 설명할 수 없고, 근거가 없는 미지의 생명력을 가지고 있다는 점을 강조한다.[6)]

다. 의지의 객관화 단계인 이데아

우리는 쇼펜하우어의 '의지와 그것의 표상'이 '플라톤의 이데아론'과 유사한 면이 있음을 발견할 수 있다.(W. I , 228) 그는 근원적인 자연력, 즉 의지가 이데아처럼 생성소멸하지 않는 원형이라고 보았고, 자연의 여러 현상들은 이 의지가 시간과 공간 속에 다수성으로, 즉 여러 사물들로 나타난다고 보고 있다. 쇼펜하우어는 의지의 객관화의 단계들이 플라톤의 이데아들과 같다고 주장한다. 플라톤이 말한 이데아는 근원적인 자연력이고, 의지가 객관화되어 현상세계에 드러난 사물들은 이데아가 아니라 복제물로 존재한다는 것이다. 쇼펜하우어는 근원적인 자연력은 어떤 원인의 결과도 아니고, 어떤 결과의 원인도 아니라고 말한다.

의지가 객관화하는 여러 단계는 무수한 개체로 나타나서 객관화의 유례 없는 모

6) 김현수, "쇼펜하우어의 의지의 형이상학 연구," 46-47.

범으로서, 또는 사물의 영원한 형식으로서 존재하고 있다. 하지만 그 자체로는 개체의 매질인 시간과 공간 속에 들어가지 않고 고정되어 있고, 어떠한 변화도 받지 않으며, 항상 존재하지만 생성되는 것은 아니다. 한편 무수한 개체들은 생멸하면서 항상 생성되지만, 결코 상주하지는 않는다. 다시 말하면, 이러한 의지가 객관화하는 여러 단계는 플라톤의 '이데아'와 같은 것이다. 여기서 미리 말해두는 것은 앞으로 '이데아'란 말을 이런 의미에서 사용하고 싶기 때문이다. 따라서 내가 이 말을 사용하는 경우에는 언제나 플라톤이 여기에 부여한 참된 본래의 의미라고 해석해 주기 바란다.… 내가 이데아라고 하는 것은 '의지'가 '물자체'이며, '다원성'과 무관하다는 점에서는 일정하게 고정된 '의지 객관화의 단계들'이다. 이들 단계의 개별적인 사물에 대한 관계는 그들 사물의 영원한 형식이나 모범에 관한 단계와 같다. 디오게네스 라에르티오스는 유명한 플라톤의 교의를 다음과 같이 간결하게 표현하고 있다. "플라톤은 자연 속의 '이데아들'은 원형과 같은 것으로 존재하며, 그 밖의 것들을 이대아의 유사물로서 만들어져 있기 때문에, 그 이데아와 비슷하다는 것을 가르쳐 준다."(『의지와 표상으로서의 세계』, 179-180)

라. 자연의 힘은 의지의 객관화

쇼펜하우어는 중력이라는 것도 돌을 땅으로 끌어당기는 원인이 아니라고 말한다. 왜냐하면 중력은 원인을 물을 수 없는 근원적 자연력이고, 이것이야말로 사물의 본질이기 때문이다. 다만 이 힘 자체는 완전히 원인과 결과라는 연쇄의 바깥에 있어서 설명할 수 없을 뿐이다.

'의지의 객관화'에서 마지막 단계로 나타나는 것은 가장 일반적인 자연의 힘인데, 이 힘의 일부는 중력이나 불가입성처럼 어떤 물체에도 예외 없이 나타나고, 일부는 현존하는 물질 속에 나뉘어 존재한다.…
돌이 떨어지는 원인은 중력이라고 하는 것도 잘못이라고 할 수 있다. 오히려 이 경우 지구가 가까운 거리에서 돌을 끌어당기는 것이 원인이다. 만약 지구를 없애면 중력이 남아있다 해도 돌은 떨어지지 않을 것이다. 이 힘 자체는 완전히 원인과 결과라는 연쇄의 바깥에 있다.(『의지와 표상으로서의 세계』180)

5절 생에 대한 의지의 긍정과 부정

1. 실천 철학(윤리)에 대한 새로운 이해

가. 새로운 실천철학(윤리)

일반적으로 윤리라고 하면, 어떤 도덕적인 당위성이 제시된다. 이에 대해 쇼펜하우어는 우리의 의지를 자유라고 말하면서, 또 이 의지가 따라야 할 법칙을 지시한다는 것은 이치에 맞지 않기 때문이다고 한다. 그렇다면 그의 (실천)철학의 방법은 무엇인가? 그것은 현존하는 것을 해석.설명하여 세계의 본질을 명확하고 추상적인 이성의 인식에 이르도록 하는 것이다. 이것은 모든 신비주의에서 사용하는 방법으로서 그 대상을 깊이 인식함으로서 그 대상이 주는 메시지에 자신의 세계관이 변화되는 것이다.

우리가 고찰하는 마지막 부분은 가장 중요한 부분이다. 왜냐하면 이 부분은 인간의 행위에 관한 부분이기 때문이다.… 이러한 점에서 지금부터 우리가 고찰할 부분은 이때까지 논술해 온 이론 철학에 비해 실천철학이라 부를 수 있을 것이다.…(『의지와 표상으로서의 세계』329)
[그런데] 이 윤리의 권에서는 제시나 의무론을 기대할 수 없으며, 보편적인 도덕원리나 모든 덕을 생기게 하기 위한 만능적인 처방은 더더욱 지시되어서는 안 된다는 것이 암시되어 있다. 또 우리는 '무제약적 당위'도 문제 삼지 않을 것이다. 왜냐하면 그러한 당위는 모순을 내포하고 있기 때문이다.… 의지를 자유라고 말해 두고 또 의지에 대해 의지가 의욕을 가질 때 따라야 할 법칙을 지시한다는 것은 이치에 맞지 않다. 다시 말해 '의욕해야 한다!'는 것은 '나무로 만든 철'이라는 말과 같다.…
철학은 어떠한 경우에도 현존하는 것을 해석.설명하고 구체적으로, 즉 느낌으로 누구에게나 이해되도록 표시되어 있는 세계의 본질을 명확하고 추상적인 이성의 인식에 이르도록 하는 것 이상의 것은 할 수 없다. (『의지와 표상으로서의 세계』330)

나. 철학적 노력 : 의지에 대한 인식

[필자해설] 쇼펜하우어는 자신 안에 내재한 의지에 대해 '의지의 이기주의'를 말

하였다. 우리는 그 '의지'를 나와 완전히 등치를 시킬 수는 없다. 왜냐면 내가 '의지' 자체는 아니고, '물자체'는 아니기 때문이다. 나는 분명히 '의지'를 분유 받은 존재이다. 그런데, 쇼펜하우어는 이때 이 '의지'를 자신의 것처럼 생각해야 한다고 말한다. 그 이유로서 우리는 이미 모든 다른 사람들 안에 있는 의지를 '표상'으로 취급하고 있기 때문이다. 이것이 쇼펜하우어가 말하는 '의지의 이기주의'이다. 우리는 우리 자신의 의지와 절대자의 그 의지를 등치시킨다. 마치 그리스도인들이 성령과 자신의 거듭난 영을 등치시키듯이.

만일 우리가 의지 자체와 우리 자신의 의지를 등치시킬 경우, 우리의 의지는 자유일 뿐 아니라, 전능이기도 하다. 왜냐하면, 의지의 자기 인식이 행위와 세계일 뿐이며, 의지는 자신을 규정하는 것과 더불어 행위와 세계를 규정하기 때문이다. 쇼펜하우어의 철학은 이 의지에 대한 인식이 철학적 노력이다.

> 그런데 우리의 견해에 따르면, 의지는 자유일 뿐만 아니라 전능이기도 하다. 의지의 행위뿐만 아니라 의지의 세계도 의지에서 생기며, 의지 본연의 자세 그대로 의지의 행위와 의지의 세계가 나타나기 때문이다. 즉 의지의 자기 인식이 행위와 세계일 뿐이다. 의지는 자신을 규정하는 것과 더불어 행위와 세계를 규정한다. 왜냐하면 의지 밖에는 아무것도 없고, 행위와 세계는 의지 그 자체이기 때문이다. 이렇게 보아야만 의지는 참으로 자율적인 것이고 그 외에 다른 견해에 따르면 타율적이다. 우리의 철학적 노력이 추론할 수 있는 곳은 오직 인간의 행위와 여러 가지 대립까지 하고 있는 규범(이것이 생생하게 표현된 것이 행위이다)을 가장 심오한 본질과 내용을 따라서 지금까지의 고찰과 연관시키고, 우리가 지금까지 세계의 그 밖의 여러 현상들을 해석하여, 그 심오한 본질을 명백하게 추상적으로 인식하려고 노력한 것처럼 해석하고 설명하는 것에 불과하다. 여기서 우리의 철학은 지금까지의 고찰에서와 마찬가지로 '내재성'을 주장할 것이다.… 오히려 이 인식할 수 있는 현실 세계 속에, 또 이 현실 세계는 우리 속에 있지만, 이 세계는 여전히 우리 고찰의 재료인 동시에 한계이기도 하다. 이 현실세계야 말로 내용이 풍부하고 인간 정신이 할 수 있는 가장 깊은 탐구까지도 다 논할 수 없을 정도이다. (『의지와 표상으로서의 세계』330-331)

다. 세계의 본질에 대한 물음

쇼펜하우어의 철학적 방법은 이제 "세계의 본질에 대한 물음"이 되었다. 이유율의 네 가지 형태들 중의 하나를 따르지 않는 것이 무엇인지를 고찰하는 것이 이제 철학의 방법이 된 것이다. 즉, 물 자체를 묻는 것이며, 그 물음의 결과 그 자신의 의지가 물자체와 연합되어 있는 것을 인식하는 것이다. (필자해설 : 이것은 그리스도인이 성령과 연합된 자신을 인식하는 것과 유비가 될 것이다.)

> 세계에 대한 참다운 고찰 방법, 즉 우리에게 세계의 내적 본질을 인식시키고 현상을 초월하게 하는 고찰 방법은 세계가 어디에서 오고 어디로 가고 왜 있는가 하는 것을 묻지 않고, 언제 어디서나 세계의 '무엇' 즉 본질만을 묻는 것이며, 물들을 어떤 상대 관계에 따르지 않고 생성하고 소멸하는 것이 아닌 것으로, 요컨대 이유율의 네 가지 형태들 중의 하나를 따르지 않는 것으로 고찰한다.
> 반대로 이유율에 따르는 그러한 고찰법을 완전히 배제해도 여전히 남는 것, 즉 모든 상대 관계 속에 나타나긴 하지만, 그 자신은 이것들의 관계에 종속하지 않고, 언제나 동일성을 유지하는 세계의 본질, 세계의 이데아들을 대상으로 하는 것이다. 예술과 마찬가지로 철학도 이러한 인식에서 출발한다. 또 이 권에서 알게 되겠지만, 참된 신성과 세계의 해설에 인도되는 유일한 정서도 이러한 인식에서 출발하는 것이다.(『의지와 표상으로서의 세계』332)

2. 생으로 나타나는 의지 ; 죽음초월

가. 의지의 나타남(거울)로서의 생

쇼펜하우어가 제시한 철학의 방법은 이제 지금까지 배운 내용들을 현실에서 확인하고, 그 지식으로 깊어지는 것이다. 이 세계는 우리를 떠 받치고 있는 인식주관으로서의 의지에서 생겨났다. 그리고 이제 이 세계는 그 의지를 비춰주는 거울이다.

이제 우리 안에 있는 이 의지는 '생'으로만 나타난다. 쇼펜하우어는 지금까지의 지식의 결과 우리 안에 있는 의지의 욕구는 '생에 대한 의지'라고 말한다. 설령 죽음이라는 것이 존재함에도 불구하고, 의지의 욕구는 그것은 마치 현실이 아닌 것처럼 간주하고 오직 '생'만을 의지한다는 것이다. 우리의 '의지'가 있는 곳에는 '생'과 '세계'가 존재한다고 말한다.

앞의 내용들에서 다음과 같은 명백하고 확실한 인식이 생겨났다고 생각하고 싶다. 즉 표상인 세계에서는 의지에 대해 그 세계에 비치는 거울이 생기고, 의지는 이 때문에 자신을 인식한다. 그리고 그 명백성과 완전성을 점차 정도를 더하여 그 최고는 인간이 되는데, 인간의 본질은 서로 연관이 있는 행위의 계열로 완전하게 표상된다.…

의지는 자신의 의욕에 관한 인식과 자신이 의욕을 가지는 것이 무엇인가에 관한 인식을 얻는다. 즉 의지가 의욕을 가지는 것은 이 세계이며, 바로 현재 있는 그대로의 '생'만이라는 것을 인식한다. 그러므로 우리는 현상세계를 의지의 거울, 의지의 객관성이라 부른다. 그리고 생이란 의지의 의욕이 표상에 대해 나타난 것에 지나지 않기 때문에, 의지가 의욕을 가지는 것은 언제나 생에 대해서이다. 따라서 우리가 단적으로 '의지'라 하지 않고 '생에 대한 의지'라고 말해도 같은 것이며, 말의 중복에 불과하다.

의지는 물 자체이고, 세계의 내적 실질이며 본질적인 것이지만, 생과 가시적 세계, 현상은 의지의 거울에 불과하다. 그래서 마치 육체에 그림자가 따르는 것처럼, 의지에는 생과 세계, 현상이 불가분으로 따른다. 그리고 의지가 있는 곳에는 생과 세계도 있다.

따라서 생에 대한 의지에는 생은 확실한 것이며, 이 생에 대한 의지로 충만 되어 있는 한, 아무리 죽음에 직면하더라도 우리는 생존을 염려할 필요는 없다. 물론 우리는 개체가 생성되고 소멸하는 것을 본다. 그러나 개체는 현상에 불과하며, 이유율, 즉 개별화의 원리에 결박된 인식을 통하여 존재하는 것에 불과하다. 물론 이 인식으로서 개체는 그 생을 선물처럼 받아들이고, 무에서 생긴 다음 죽음에 의해 그 선물을 상실하고 무로 돌아간다. 우리는 바로 그 생을 철학적으로, 즉 그 이데아를 따라서 고찰하려고 한다. 그래서 우리는 의지, 즉 모든 현상에서 물자체도 인식의 주관, 즉 모든 현상의 방관자도 출생과 사망에는 영향을 받지 않는다는 것을 알게 된다. 출생과 사망은 바로 의지의 현상, 즉 생에 속하는 것이다.(『의지와 표상으로서의 세계』333-334)

나. 생의 현상형식으로서의 시간

우리의 의지가 '생'만을 의식하는 이유는 의지가 인과율과 시간과 공간을 넘어서

기 때문이다. 그것들은 의지의 표현 방식일 뿐이다. 여기에서 죽음은 시간의 소간이다. 우리의 의지는 시간을 넘어선다. 쇼펜하우어에 의하면, 우리가 우리의 의지에 대한 분명한 지식을 갖춘다면, 우리는 이와 같이 우리의 죽음마저도 넘어설 것이라고 말한다. 우리 안에 있는 '의지'가 이것을 넘어서 있는 존재이기 때문이다.

생은 아무런 시간도 모르지만 자신의 본질을 객관화하기 위하여 이러한 방법으로 표시되어야 하는 것이 시간의 형식을 취해 나타난 일시적인 현상으로서, 생성하고 소멸하는 개체들 속에 표시된다는 것은 본질적이다. 출생과 사망은 같은 방식으로 생에 속해 있고, 서로 번갈아가며 제약해 균형을 유지하고 있으며, 이런 표현이 좋을지 모르지만, 현상 전체의 양극으로서 균형을 유지하고 있다고도 할 수 있다. 모든 신화 가운데서 가장 지혜로운 인도의 신화는 이것을 다음과 같이 표현하고 있다. 인도 신화는 파괴와 죽음을 상징하는 신인 시바에게 해골의 목걸이와 동시에 링가를 상징물로 부여하고 있다. 이것은 생식의 상징이며, 여기서 생식은 죽음에 대해 균형을 유지하는 것으로 나타나 있다. 그것으로써 생식과 죽음은 서로 중화, 상쇄하는 본질적인 상대 개념이라는 것을 의미한다.… 그 목적은 죽음을 애도하고, 거기에서 자연의 죽지 않는 생명을 특히 강조하고, 그리하여 추상적인 지식은 없지만 모든 자연이 생에 대한 의지의 표현인 동시에 그 의지의 충족이기도 하다는 것을 암시하려는 것이다.
이러한 현상의 형식은 시간, 공간 및 인과성인데, 이 형식들에 의해 개체화가 행해지고 그 필연적인 결과로서 개체는 생성되었다가 소멸하지 않으면 안 된다. 그런데 개체는 생에 대한 의지의 현상, 말하자면 하나의 실례나 견본에 지나지 않으며, 이 생에 대한 의지는 자연 전체가 한 개체의 죽음에는 아무런 상처를 받지 않는 것처럼 생멸에는 아무런 어려움도 겪지 않는다. 왜냐하면 자연에서 중요한 것은 개체가 아니라 오직 종족이며, 자연은 종족의 보존에는 모든 열성을 기울여서 무수한 씨앗과 생식 충동의 강렬한 힘을 통해 낭비라고 할 정도로 배려하고 있기 때문이다. 이와 반대로 개체는 자연에 있어 아무런 가치도 없고 또 가치를 가질 수도 없다. 왜냐하면 무한한 시간, 무한한 공간, 그리고 그 안에 있는 무한히 많은 개체들이 자연의 나라이기 때문이다. 그러므로 자연은 언제나 필요하다면 개체를 저버린다.… 이렇게 하여 자연은 개체들이 아니라 이데아들만이 본래의 실재성, 즉 의지의 완전한 객관성이라고 하는 위대한 진리를 소박하게 나타내고 있다. 그런데 인간은 자연 그 자체이고, 또한 자연의 자기의식에서 최고도에 있는 것이다. 하지만 자연은 생에 대한 의지가 객관화된 것에 불과하기 때문에, 인간은 이 관점을 포착하여 거기에 머물면 자연의 불멸하는 생명을 돌이켜 봄으로써, 자기와 친구의 죽음에 대해 위안을 얻을지 모른다. 따라서 링가를 가진 시바도,… "자연은 슬퍼할 것이 아니라"라고 외치고 있는 것으로 이해해야 할 것이다. (『의지와 표상으로서의 세계』334-335)

라. 시간 밖에 있는 의지와 주관 : 죽음을 초월하는 의지

쇼펜하우어는 '의지'와 '인식주관'은 '시간' 밖에 있음을 강조한다. 사람이 죽음을 절멸이라고 무서워하는 것이라면, 그것은 태양이 저녁때 밤 속으로 빠져 들어간다고 탄식하고 있다고 생각하는 것과 다를 것이 없다. 우리가 지금 명확하게 의식한 것은 의지의 개별적인 현상은 시간적으로 시작과 끝이 있지만, 의지 자체는 물자체로서 시간적인 것에는 관계가 없고, 또 모든 객관의 상대 개념, 즉 인식할 뿐 인식되지는 않는 주관도 그것에는 관계가 없다는 것과 생에 대한 의지에서 생은 언제나 확실하다는 것이다. 따라서 '의지'를 숙고하고 '의지'에 연합한 자는 그도 또한 '죽음'을 초월한다.

현재는 의지로부터 탈출하지 않을 것이며, 의지도 실제로 현재로부터 탈출하지 않을 것이다. 그러므로 생에 만족하고 있는 사람, 생을 긍정하는 사람은 확신을 갖고 생을 끝이 없는 것으로 간주한다. 반면 죽음의 공포는 언젠가는 현재를 잃어버릴지 모른다는 어리석은 공포를 불어넣어, 현재를 포함하지 않는 시간이라도 있는 것처럼 착각하게 만들어 현재를 몰아내 버린다.
…그러므로 사람이 죽음을 절멸이라고 무서워하는 것이라면, 그것은 태양이 저녁때 "아 슬프다. 나는 영원한 밤 속으로 빠져 들어간다"고 탄식하고 있다고 생각하는 것과 다를 것이 없다. 또 이와 반대로 생의 무거운 짐에 짓눌린 사람, 생을 좋아하고 생을 긍정하지만 생의 고뇌를 싫어하고 특히 자기의 몸에 엄습해 온 가혹한 운명을 더 이상 참을 수 없다고 생각하는 사람, 그러한 사람은 죽음으로부터의 해탈을 기대할 수 없고 자살로 구제받을 수도 없다.…
우리가 지금 명확하게 의식한 것은 의지의 개별적인 현상은 시간적으로 시작과 끝이 있지만, 의지 자체는 물자체로서 시간적인 것에는 관계가 없고, 또 모든 객관의 상대 개념, 즉 인식할 뿐 인식되지는 않는 주관도 그것에는 관계가 없다는 것과 생에 대한 의지에서 생은 언제나 확실하다는 것이다. 이것은 앞에서 말한 개체의 사후 영속에 대한 설로 볼 것은 못된다. 왜냐하면 의지는 물자체로서 보면 영원한 세계의 눈인 순수한 인식 주관과 마찬가지로 지속도 소멸도 없기 때문이다. 이러한 것들은 시간 속에서만 타당한 규정이며, 의지와 주관은 시간 밖에 있는 것이기 때문이다.(『의지와 표상으로서의 세계』338)

3. 인간의 자유

[필자해설] 칸트는 『순수이성비판』『판단력비판』그리고『실천이성비판』을 저술하였다. 『의지와 표상으로서의 세계』의 1, 2권의 의지와 물자체는 순수이성비판과 평행을 이룬다. 3권의 이데아와 예술론은 판단력비판과 평행을 이룬다. 그리고 4권의 실천이성비판은 이곳 4권의 도덕론에 해당한다. 따라서 여기에서 말하는 '인간의 자유'는 칸트 실천이성비판의 인과율을 초월하는 그 자유이다. 칸트는 여기에서 정언명법은 인과율을 넘어서서 우리 안에서 도덕적 명령을 한다고 말한다. 그리고 우리는 그러한 정언명령을 좇을 수 있는 자유가 있다고 말했다. 바로 이 자유는 세상의 인과율을 벗어나서 도덕을 행할 자유를 말하고 있는 것이다. 즉 쇼펜하우어는 자신의 '의지'의 속성으로서 순수이성과 판단력 뿐 아니라, 실천이성도 포함시키고 있다. 이것의 전제하에 쇼펜하우어의 '자유'를 이해하여야 한다.

가. 필연성(인과율)을 초월하는 의지

이 세상은 인과율이 지배하고 있다. 그리고 우리의 순수이성은 이것을 본능적으로 이해한다. 그래서 모든 사람들의 도덕률은 인과율에 따른다. 그리고 여기에 생존본능이 결합하여서 기회주의적 행위가 세상을 지배하고 있다. 그래서 세상이 혼동 속에 빠졌다. 그러나 의지는 이 인과율을 넘어서고 있다. 그런데 '의지'는 여기에 대해 자유롭다. 그것은 결과의 원인에 대한 부정으로 나타난다. 즉 기회주의적인 인과율에 부정으로 나타난다.

의지가 '자유롭다'고 한다면, 이미 의지는 우리의 견해로 보아 모든 현상의 실질인 물자체라고 하는 결론에 다다른다. 그런데 우리는 현상을 네 개의 형태를 취한 충족 이유율에 완전히 지배되는 것으로 본다. 또 필연성이란 주어진 원인에서 생긴 결과와 동일한 것이고, 원인과 결과는 상대 개념이라는 것을 알고 있기 때문에 현상에 속하는 모든 것, 즉 개체로서 인식하는 주관에 대한 객관은 한편으로는 원인이고 또 한편으로는 결과이다. 또한 이 결과는 특성에 있어 필연적으로 규정되어 있고, 어떠한 점에서도 있는 그대로밖에는 있을 수 없다. 그러므로 자연의 모든 내용, 모든 현상은 완전히 필연적이며, 어떠한 부분, 어떠한 현상, 어떠한 사건의 필연성도 그때그때 증명할 수 있다.…

그런데, 또 한편으로 보면, 모든 현상으로 나타나는 이 같은 세계는 의지의 객관성인데, 의지는 현상이 아니고 표상도, 객관도 아닌 물자체이기 때문에, 객관의 형식인 이유율에는 지배되지 않는다. 따라서 결과로서 어떤 원인을 통해 규정되지 않고, 결국 아무런 필연성도 모르는, 말하자면 '자유로운' 것이다. 따라서 자유의 개념은 본래 부정적인 것이다. 왜냐하면 그 내용은 필연성, 즉 이유율에 따르는 결과의 원인에 대한 관계의 부정에 불과하기 때문이다.(『의지와 표상으로서의 세계』346-347)

나. 성스러움과 극기로 나타나는 자유

자유는 현상의 근저에 존재하는 본질(이유율)을 폐기하기 때문에 여기에서 현상과의 모순이 생기며, 그렇게 해서 성스러움과 극기라는 현상이 나타난다. 원래 성스러움이란 세상스럽지 않은 것을 말한다. 세상스러운 것은 인과율에 종속된 가치관을 말한다. 그들은 성공지향적이며, 기회가 닿을 때 부정을 저지르기도 한다. 이것이 세상에서 보여지는 원인과 결과의 인과율이기 때문이다. 세상의 인과율은 "부자이면 행복하다"와 같은 가치관을 생성해 내었다. 그러나 우리의 자유는 어떤 경우에 부자와 행복의 인과율을 부정하기도 한다. 이것은 우리 안의 의지의 소리이다. 쇼펜하우어는 칸트의 양심을 그의 의지 안에 포함시키고 있다. 칸트는 인과율로 말미암은 현상계가 아닌 예지계에서 이 소리가 양심에게 들려온다고 말하였다.

자유는 물자체에만 속하는 것으로 현상에는 나타날 수 없다. 하지만 그 경우에는 현상 속에도 나타나고, 현상은 시간 속에 계속 존속한다. 하지만 자유는 현상의 근저에 존재하는 본질을 폐기하기 때문에 여기에서 현상과의 모순이 생기며, 그렇게 해서 성스러움과 극기라는 현상이 나타난다.…(『의지와 표상으로서의 세계』348)

이 필연성과 의지의 자유, 즉 현상 이외의 자유와 공존을 입증한 것은 칸트가 처음이고, 이것이 특히 그의 위대한 공적인데, 그 입증에서 그는 예지적 성경과 경험적 성격의 구분을 세웠다. 나는 그 구분을 그대로 받아들인다. 왜냐하면 예지적 성격은 일정한 개인에게 일정한 정도로 나타나는 경우에 물자체로서 의지지만, 경험적 성격은 이 현상이며, 또 그것이 시간적으로는 행위의 방식으로 나타나고, 공간적으로는 육체로도 나타나는 것이기 때문이다.(『의지와 표상으로서의 세계』349)

칸트의 학설과 마찬가지로 나의 저술에서도 의지는 물 자체이고 시간과 이유율의 모든 형식 밖에 있다는 것은 필연적이다.(『의지와 표상으로서의 세계』352)

다. 도덕적 영혼으로서의 '의지'

우리는 순수이성의 세계에 속하여서 사유하는 존재이다. 그렇다보니 현상세계의 인과율을 좇아서 우리의 도덕적 가치체계를 형성한다. 즉 현상계에서의 '사유'를 먼저 하고, 그 결과 '의욕'하는 존재가 된다. 그러나 우리 인간에게 그것은 2차적인 본성이다는 것을 유념하여야 한다. 우리의 1차적인 본성은 '도덕적 영혼'으로서의 본성이다. 우리는 사물을 맨 먼저 '의욕'을 하고 그 다음에 '선한 것'으로 인식하여야 한다. 말하자면, 그 모든 것들은 순서를 전도한 것이다.

경험적인 의지의 자유가 하는 주장은 인간의 본질이 근원적으로는 '인식하는' 존재일 뿐만 아니라 실제로는 추상적으로 '사유하는' 존재이고 그 결과 '의욕하는' 존재가 된다는, 일종의 '영혼'으로 생각하는 주장과 밀접한 관계를 갖고 있다. 따라서 실제로는 인식이 제2차적인 본성인데도 의지를 제2차적인 것으로 생각하는 것이다. 또 의지를 하나의 사유 행위로도 생각하고 판단과 동일시하기도 했는데, 데카르트와 스피노자가 그랬다. 따라서 인간은 누구나 그의 '인식'의 결과, 있는 그대로의 인간이 되었다고 할 수 있다.

그는 도덕적인 영혼으로 이 세상에 태어나 이 세상의 사물을 인식하고, 이러이러한 것이라고 결정을 내리고, 이러저러하게 행동한다. 또한 새로운 인식의 결과에 따라 새로운 행동 방식을 취할 수 있고, 그래서 다시 다른 사람으로 될 수도 있다. 그렇다면 그는 '맨 먼저' 사물을 '선한' 것으로 인식하고, 그 다음에 그것을 '의욕하게' 될 것이다. 그런데 실제로는 맨 먼저 그것을 '의욕'하고, 그 다음에 '선하다'고 말하는 것이다. 말하자면 나의 견해를 따른다면, 그 모든 것들은 순서를 전도한 것이다. 의지는 최초의 것이고 근원적인 것이며, 인식은 거기에 부가된 것인데도, 인식을 의지 현상의 도구로서 귀속하는 것이다. 따라서 인간은 모두 그의 의지에 따라 있는 그대로의 인간이며, 그의 성격은 근원적인 것이다. 왜냐하면 의욕이 그의 기본 본질이기 때문이다. 부가된 인식을 통한 경험으로써, 인간은 자기가 '무엇'인가를 경험한다. 그로 인해 그는 자기의 성격을 안다. 따라서 그는 자기 의지의 결과로서 '인식하는' 것이지, 옛날부터 있어 왔던 견해와 같이 인식의 결과로서 '의욕하는' 것은 아니다.(『의지와 표상으로서의 세계』353)

4. 의지와 고뇌 : 염세주의

가. 의지와 무한한 삶의 고뇌

쇼펜하우어는 '의지'의 본성을 '생'이라고 표현했다. 그리고 이제 여기에서는 그 생을 '노력'이라고 표현한다. 즉 인간은 그의 생을 실현하기 위해서 끊임없이 노력한다. 이 노력은 마치 본성과도 같다. 이 노력은 어떤 목표나 목적이 있는 것이 아니다. 그저 본능이다. 그런데, 이렇게 노력을 시도하는 중에 많은 다툼과 난관을 만난다. 그래도 노력은 쉬지 않는다. 그래서 천재일수록 그의 이러한 미래가 투사되어 보이기 때문에 고뇌가 그만큼 심하다. 이것인 '인간의 생존' 속에 있는 의지의 내적이고 본질적인 운명이다.

의지는 최저 단계에서 최고 단계에 이르기까지 그 현상의 모든 단계에 있어서 궁극적인 목표나 목적이 없고 언제나 노력한다는 것이었다. 노력이야말로 의지의 유일한 본질이기 때문이며, 목표에 도달해도 노력이 끝난다는 것은 아니다. 따라서 노력은 결코 최후의 만족을 얻지는 못하고 방해됨으로써 끝날 뿐이며, 그대로 놓아두면 무한히 나아가는 것이다. 우리는 이것을 자연 현상 가운데서 가장 단순한 현상인 중력에서 보았는데, 중력은 노력하는 것을 쉬지 않고, 연장이 없는 중심점을 향해 압박하는 것을 그치지 않는다.…(『의지와 표상으로서의 세계』370)

우리는 이미 앞에서 사물의 중심과 즉자태를 이루고 있는 이 노력을, 우리에게 가장 충분한 의식의 빛으로 명확하게 드러낸 것일 경우 '의지'라고 부른다고 했다. 또 의지와 그 잠정적인 목표 사이에 생기는 장해로 의지가 저지되는 것을 '고뇌'라고 부르고, 이와 반대로 목표가 달성되는 것을 만족, 쾌적, 행복이라고 부른다. 이 명칭들은 정도는 낮지만 본질적으로 말해 동일한 인식을 갖지 않는 세상의 현상들에도 옮겨 사용할 수 있다. 이렇게 보면 이 현상들은 끊임없이 고뇌하고 있고, 영속적인 행복은 갖고 있지 않다는 것을 알 수 있다. 왜냐하면 노력이라는 것은 부족함에서, 자기의 상태에 대한 불만에서 생기는 것이기 때문이다. 따라서 노력이 만족되지 않는 한 고뇌다. 그런데 만족은 영속하는 것이 아니라, 오히려 언제나 새로운 노력의 기점에 지나지 않는다. 우리는 노력이 곳곳에서 저지되고, 또 싸우고 있는 것을 본다. 따라서 그런 경우에 노력은 언제나 고뇌다. 노력의 마지막 목표라는 것은 없고, 고뇌의 한계라는 것도 없다.…
또 인간에 있어서도 인식이 명확하고 지능이 높으면 높을수록 점점 더 고뇌는 증대한다. 타고난 천재는 고뇌도 가장 심하다.…
그러므로 우리는 '인간의 생존' 속에 있는 의지의 내적이고 본질적인 운명을 고찰해 보려고 생각한다. 누구라도 쉽게 동물의 생 속에 이 같은 의지의 운명이, 사람들 사이에서보다는 약하지만 여러 정도로 표현되어 있는 것을 볼 수 있을 것이다. 그리고 고뇌하는 동물을 보아도 본질적으로는 "모든 생이 얼마나 괴로운 것인가"를 충분히 확신할 수 있을 것이다.(『의지와 표상으로서의 세계』371-373)

나. 소극적인 인생의 행복

쇼펜하우어는 인생에서 행복이 있는지를 찾는다. 인간이 찾는 행복은 단지 고통 속에서의 일시적인 해방일 뿐이라고 말한다. 인간이 칭하는 행복은 늘 부족함과 고통 속에 사는데, 여기에서 어떤 소망의 만족이다는 것이다. 즉, 기본적인 정서는 고통이다.

만족 또는 흔히 행복이라고 부르는 것은 본질적으로 언제나 '소극적'인 것에 불과하며, 적극적인 것이 아니다. 그것은 근원적으로 그 자신에게서 우리에게 와서 행복하게 하는 것이 아니라. 언제나 어떤 소망의 만족이어야 한다. 왜냐하면 소망, 즉 부족하다는 것은 기쁨을 주는 선행조건이기 때문이다. 그런데 만족과 동시에 소망은 없어지고, 소망이 없어지면 기쁨도 없어진다. 그러므로 만족이나 행복하게 하는 것은 어떤 고통이나 궁핍으로부터 해방 이상의 것은 아니다.… 무엇을 성취하고 이것을 지속하는 것은 아주 어렵다. 어떠한 계획에도 곤란이나 고생이 한없이 저항해 오고, 걸음마다 장애물이 걸리적거린다. 그러나 결국 모든 장애를 극복하고 목적을 달성했다고 해도 거기서 얻어진 것은 어떤 고뇌로부터 또는 어떤 소망으로부터 해방됐다고 하는 것밖에 없고, 그 고뇌와 소망이 생기기 이전 상태에 있는 것과 똑같은 것에 불과하다.(『의지와 표상으로서의 세계』 382-383)

다. 개개인의 역사는 고뇌의 역사 : 염세주의

쇼펜하우어는 이 고뇌를 일반적인 고찰들을 통해서 증명하려 한다. 그는 개인의 생활에 대해서 말한다면, 모든 생활은 고뇌의 역사이다. 왜냐하면 생활은 일반적으로 크고 작은 불행의 연속이기 때문이다. 우리의 상황은 참으로 비참한 것이고, 이러한 상태보다는 완전한 무가 차라리 낫다.

우리는 이제까지 극히 일반적인 고찰들, 즉 인생의 근본적이고 기본적인 특징들을 연구함으로써, 인생은 이미 그 모든 성향에 따르더라도 참된 행복일 수는 없고, 오히려 본질적으로 여러 모습을 한 고뇌며, 아주 불행한 상태라고 하는 것을 선험적으로 확신했다. 그래서 이번에는 오히려 후천적인 방법으로 일정한 사례를 잘 보고, 여러 가지 형태를 상상 앞에 놓고 형언할 수 없는 비애를 실례로 묘사해 보면서, 이 확신을 훨씬 강하게 마음에 불러일으킬 수 있을 것이다. 이 형언할 수 없는 비애는 어느 쪽으로 보나, 또 어떠한 생각으로 탐구하나 경험이나 역사에 의해 주어져 있는 것이다.…
개인의 생활에 대해서 말한다면, 모든 생활은 고뇌의 역사이다. 왜냐하면 생활은 일반적으로 크고 작은 불행의 연속이기 때문이다.…
우리의 상황은 참으로 비참한 것이고, 이러한 상태보다는 완전한 무가 차라리 낫다.…(『의지와 표상으로서의 세계』387-388)

[필자해설] 쇼펜하우어의 염세주의는 모든 종교에서 공통적으로 인간의 실존이라고 말한다. 기독교 신앙에서는 인간이 아무리 하나님의 형상으로 지음을 받았을지라도, 인간은 죄로 인한 타락으로 인해 죽음과 같은 고난에 갇히게 되었다. 불교에

서는 인생은 고통이라는 덮개에 씌어져있다고 말한다. 모든 윤리적인 종교는 고난을 그 출발점으로 삼는다. 그리고 그것을 해결하는 종교를 참이라고 여긴다. 기독교가 되었건, 부디즘이 되었건, 힌두이즘이 되었건, 쇼펜하우어가 되었건 실천철학을 말하는 사람은 이 문제를 해결하여야 한다.

5. 생에 대한 의지의 긍정에 따른 고통

쇼펜하우어는 "인간이 겪는 고통은 의지의 긍정, 이기심, 부당한 행위에 의해 발생한다."(WWV, 447)고 말한다. 인생은 고통이라는 덮개에 덮여있다는 불교도들의 말처럼 쇼펜하우어는 이 세상은 고통이라는 염세주의적 철학을 가지고 있다. 그리고 이제 그 고통의 이유로서 의지의 긍정이라는 생존본능을 먼저 말하며, 또한 이러한 생존을 위한 이기심을 말하며, 이로 인해 부당한 행위가 나타날 수밖에 없고, 또 여기에 양심의 가책이 자리 잡아 고통을 배가시킨다. 이것이 그가 바라보는 이 세계의 모습이다.

그에 의하면 인간에게서의 고통의 문제는 살펴본 바와 같이 궁극적으로 인간의 존재 사실과 유한성의 문제와 연관되어 있다. 즉 인간은 자기 자신을 유지하고 종족을 보존하려는 의지를 계속해서 나타내고 그로 인해 고통을 겪는다. 이와 함께 인간에게는 자신의 생존과 복지를 먼저 고려하는 이기심이 생겨나고, 또 이로부터 세계에 대한 허상과 집착이 생겨남으로써 인간은 생존으로부터 야기되는 삶에 대한 집착의 고통을 피할 수 없게 된다. 그리고 이러한 이기심은 자신을 넘어 타자를 파괴하는 부당한 행위를 하게 하여 타인에게 고통 을 줄 뿐만 아니라 자신도 양심의 가책이라는 고통을 느끼게 한다.[7]

가. 의지의 긍정에 따른 고통

우리 안에 있는 의지가 세상의 인과율의 제약이 없이 곧바로 세상에 표출되는 것을 의미의 긍정이라고 말한다. 그리고 그것은 성욕이며, 이것은 생존본능과 종족본능이라는 욕구를 가지고 있다. 그런데 여기에서 얼마나 많은 고통이 산출되는가? 그 욕구를 실현하지 못할 때의 고통이 있으며, 그 욕구를 실현했을 때에도 그

7) 심용만, 쇼펜하우어 도덕철학에 대한 비판적 고찰, 고려대학교대학원, 박사(2009), 61.

에 해당하는 고통이 따른다. 그 욕구실현이 불법이면 형벌이 따르며, 적법하면 이제 후손들에 대한 양육의 고통이 따른다. 우리의 의지는 생존본능으로 나타나는데, 이 생존본능으로 인해서 이 세상의 모든 경쟁이 출현하고, 고통스러운 세계가 되어버린다. 여기에서 일차적으로 출현하는 것이 '이기심'이라는 고통이다.

우선 의지의 긍정에 따른 고통에 대해 좀 더 자세히 살펴보자. 의지의 긍정은 인간의 삶을 보편적으로 채우고 있는 지속적인 의욕 그 자체가 어떠한 인식에 의해서도 방해받지 않는 것이다. 의지의 긍정이란 인간이 자신의 신체만으로 스스로를 유지하는 것이다. 그러나 이것은 의지의 긍정에 있어서 정도가 낮은 것이다. 그보다 성욕의 충족을 통해 종족번식의 행위를 하는 것이 삶에 대한 의지긍정이 가장 결정적으로 나타나는 순간이며, 삶의 궁극적인 목적이다.(WWV. II. 656-657쪽, §42)

쇼펜하우어는 개인적 차원의 보존충동보다, '종'을 보존하려는 충동을 더 중시한다. 생식기는 의지의 본래적인 초점이며, 표상으로서의 세계의 대표자인 뇌수에 대립하는 것이다. 여러 신화에서도 생식기는 의지 긍정의 상징물로 그려져 왔다. 생식기는 희랍인에게는 '팔로스'로서, 인도인은 '링검'으로서 숭배되었으며, 양자 모두가 의지긍정의 심벌이었다. 인간에게 삶에의 의지가 성욕으로 나타나는 것은 삶에의 의지를 특수화시키고 한정시키는 성욕과 생식행위를 통해 다른 개체의 탄생, 즉 종의 유지에 기여하기 때문이다. 종의 차원에서의 자기 보존의 충동은 물자체로서 각각의 개인이 그 힘의 완성자이자 피지배자이다. 쇼펜하우어는 이렇게 인간의 삶은 생성소멸의 거대한 시간적 작용과 종의 연쇄고리에 놓여있음에도 불구하고, 인간이 가상적 세계에 집착함으로써 고통을 느끼게 된다고 말한다.(WWV. I , 452)

이러한 의지의 긍정은 각각의 모든 개별자에게 실현되기 때문에, 의지의 긍정은 자신을 오로지 고유한 현존재의 의지만을 고집하는 이기주의에 내맡기려는 경향을 그 자체 속에 간직하고 있다.[8]

나. 인간의 이기주의적 성향

다음으로 쇼펜하우어는 인간의 삶에 고통이 발생하는 원인으로 인간의 '이기주

8) 심용만, 쇼펜하우어 도덕철학에 대한 비판적 고찰, 61-62.

의적 성향'(GdM, 727)을 든다. 우리는 생존본능과 이기심이 서로 긴밀한 상관관계에 있음을 발견한다. 사람들이 이기심을 부리는 이유는 생존본능 때문이다. 그래서 우리는 다른 사람들의 이기심을 과도하게 책망해서는 안 된다. 그런데 궁극적으로는 이 이기심으로 인해서 모든 인간은 서로 투쟁하게 되고, 각각이 개별적 존재가 되어 버린다. 쇼펜하우어는 이것을 '마야의 환상'에서 발생한 '개별화의 원리'라고 하는데, 이에 의해서 사회적 고통이 발생한다. 이 이기심에서 '부당한 행위'가 발생한다.

인간은 무한한 세계에서 아주 보잘것없는 미미한 존재지만, 누구나 자기 자신을 세계의 중심으로 생각하고, 세계의 다른 모든 것들은 자신의 생존과 평안을 위한 희생물 정도로 생각한다. 인간의 본성 중에 가장 나쁜 것은 남이 잘못되는 것을 즐거워하는 마음이다.(PP Ⅱ, 255)
쇼펜하우어에 의하면 인간의 주된 근본적 충동은 이기심이다. 이기심은 현존재와 행복에 대한 갈망이다. 인간은 절대적으로 자신의 현존재를 유지하려 하고, 모든 불쾌감과 결핍을 포함한 고통에서 반드시 벗어나려 하고, 가능한 최대량의 행복과 모든 쾌락을 원한다. 자신의 이기주의적 열망에 대항하는 모든 것은 기분을 상하게 하고, 분노와 미움을 불러일으킨다. 인간은 이기심에 맞서는 것을 적으로 생각하여 없애 버리려고 하며, 가능한 한 모든 것을 즐기려 하고, 모든 것을 소유하려 한다. 이기주의자는 "모든 것은 나를 위하여, 그리고 다른 사람을 위해서는 아무 것도 하지 말자.(GdM, 728)라고 강조한다.
따라서 쇼펜하우어는 이러한 이기주의를 도덕적 동인이 싸워이겨야 하는 가장 중요한 힘으로 본다.(GdM, 730)
이기심을 비도덕적 충동으로 간주하는 쇼펜하우어는 이기심이 마치 사람들 사이에 놓인 넓은 개천과 같아, 다른 사람을 돕기 위해 그 개천을 뛰어넘으면, 그 순간 그 사람은 놀라움의 대상이 된다고 말한다.(GdM, 730)
이기심은 이와 같이 개인과 개인 사이를 갈라놓고 있으며, 타자를 배려하는 마음을 갖지 못하도록 한다. 인간이 가진 이기심은 세계를 능가한다.(GdM, 730)
타자에 대한 이러한 이해 및 행위의 방식은 개별화의 원리에 따르며, 바로 이 원리에 의해 개인은 타자와 구분되는 개인이 된다. 그는 이러한 개별화의 원리를 인도의 신화와 연관하여 '마야(Maya)의 환상'이라고 부르며, 이 마야의 환상이 제거되지 않는 한 고통은 사라지지 않는다고 말한다. 개별화의 원리는 '모든

투쟁의 출발점'이 되며, 이 원리로부터 사회적 고통이 발생한다.(WWV Ⅰ, 505)[9]

다. 부당한 행위

마지막으로 쇼펜하우어는 인간이 이기심에 따라 '부당한 행위'를 저지름으로써 고통이 발생한다고 말한다.(WWV Ⅰ, 458-459) 한편, 부당한 행위의 행사에는 '힘'을 통한 것과 '간계'를 통한 두 방법이 있다.

부당한 행위는 자신의 신체에 나타나 있는 삶에 대한 의지를 긍정하는 것이 다른 개인들에게 나타나고 있는 의지를 부정하기에 이른 것이다. 부당한 행위에 따른 내적인 고통은 부당한 행위를 하는 자가 자기자신의 내부에서 의지의 긍정이 지나치게 강렬하여, 남의 의지현상을 부정하는 데 있다. 즉 '한계를 넘어선 다른 개인에의 침범'(WWV Ⅰ, 458)을 말한다.
부당한 행위를 행하는 것이 개별자의 이기심으로는 안락한 것이 되지만, 이것과 상관되어 다른 개인은 부당한 행위를 당하고 큰 고통을 느끼게 된다. 쇼펜하우어는 부당한 행위의 가장 분명하고 명백한 유형을 '식인행위'로 보며, 의지가 객관화의 최고 단계에서 자기 자신에 대해 최대한의 저항을 나타내는 무서운 모습이라고 한다. 이것 다음으로 부당한 행위로 살인, 상해 행위, 구타 행위 등을 들고 있다. 그는 또한 남의 소유를 침해하는 것 역시 부당한 행위로 본다.(WWV Ⅰ, 458-460)
부당한 행위의 행사에는 '힘'을 통한 것과 '간계'를 통한 두 방법이 있다. 이것들은 도덕적 본질에서 보면 동일한 것이다. 힘으로 타인을 죽이거나 강탈하거 나 나에게 복종하도록 할 수 있듯이 이 모든 것을 간계를 통해서도 해낼 수 있다. 이것은 '거짓말'을 통해 일어난다. 거짓말이 간계의 도구인 한, 거짓말에 는 불법성이 따라 붙는다. 길을 잃은 나그네에게 옳은 길을 가르쳐 주는 것을 거절하는 것은 부당한 행위가 아니지만 옳지 않은 길을 가르쳐 주는 것은 부당한 행위이다. 모든 거짓말은 폭력행위와 마찬가지로 부당한 행위이다.[10]

9) 심용만, 쇼펜하우어 도덕철학에 대한 비판적 고찰, 62-63.
10) 심용만, 쇼펜하우어 도덕철학에 대한 비판적 고찰, 63-64.

라. 양심의 가책과 후회

쇼펜하우어에 의하면, 우리의 양심은 현실에서 그 힘이 약하다. 그리고 이 양심은 어떤 부정한 행위가 저질러 진 후에 사후적으로 반성 안에서 나타난다. 그래서 결국은 자신이 남을 괴롭히는 자일 뿐 만 아니라, 그 행위로 인하여 자신이 괴롭힘을 당한다. 여기에서 후회가 나타나는데, 오히려 후회가 인간으로 하여금 윤리의 장으로 나아가게 하는 핵심이다. 후회는 의지의 변화에서 생기는 것이 아니라 행위자의 인식의 변화에서 생기는 것이지만, 우리는 이 시정된 인식을 통해 우리는 과거의 잘못에 대해 양심의 가책이라는 고통을 느낀다. 이것은 의지의 동일성에 근거하므로 일시적인 후회와는 다르다.

> 쇼펜하우어는 "현실에서는 양심의 효력이 약하다."(GdM, 700)고 말한다. 경험에 의해 우리는 양심이 우리의 행위에 그다지 영향을 미치지 못한다는 것을 안다. 게다가 양심은 우리의 행위를 이끄는 동기보다도 어떠한 행위를 하고 난 후에 반성으로 나타난다. 악한 자는 삶에의 의지를 격렬하게 펼쳐나가면서, 항상 남의 영역에 침범을 한다. 그리고 악한 자는 개별화의 원리에 사로잡혀서 자기와 타자 사이에 단절의 벽이 크다고 생각하고, 그로 인하여 자기 자신만의 안일을 추구하고 타자에 대해서는 무관심한 태도를 보인다. 이러한 인식이 그의 이기심의 근거가 되기 때문에, 그는 이 인식을 고집하고 거의 언제나 인식이 의지에 지배되고 있는 상태에 있다. 그리고 의지는 자기 자신에게서만 큰 행복을 찾는데, 그렇게 하여 다른 사람에게 최대의 고통을 준다. 그러나 악한 자는 다른 사람을 '괴롭히는 자'일 뿐만 아니라 또한 동시에 '괴로움을 받는 자'이다. 여기서 양심의 가책이 생긴다.(WWV Ⅰ, 499)
> 후회란 언제나 행위의 본래 의도와의 관계에 대해 바로 잡은 인식이다.… 후 회는 언제나 시정된 인식에서 생기고 의지의 변화에서 생기지는 않는다. 의지의 변화는 불가능하다. 지나가 버린 과오에 대한 양심의 가책은 결코 일시적인 후회는 아니고, 의지 그 자체의, 즉 의지로서의 인식에 관한 고통이다. 양심의 가책은 곧 사람은 동일한 의지를 일관하여 갖고 있다는 확실성에 근거를 둔다. 만일 의지가 변하는 것이고 따라서 양심의 가책이 단순한 후회라고 한다면, 후회 그 자체는 없어져버릴 것이다.(WWV Ⅰ, 409)[11]

11) 심용만, 쇼펜하우어 도덕철학에 대한 비판적 고찰, 70.

6. 생에 대한 의지의 부정

쇼펜하우어는 위에서 언급된 맹목적인 “생에 대한 의지의 긍정”을 “부정하는 것”이 삶의 고통에서 벗어나는 길이다고 말한다. 즉, 성욕을 억제하고, 이기심을 억제하며, 남을 위한 삶을 살고자 한다는 것이다. 그리고 이러한 그의 의지 부정은 지금의 주장인 의지의 형이상학을 좌초시키는 것으로 보이지만, 이것이 의지에 의해 끌려가는 고통스러운 삶의 극복이라는 것이다. 따라서 의지의 부정은 오히려 그의 의지의 형이상학을 완성시켜 준다. 이러한 인간이 오히려 개별화의 원리를 간파하고 물자체의 본질을 인식한다. 쇼펜하우어는 “그가 의지를 부정함으로써 자아로서의 삶은 부정하지만, 오히려 더 큰 자기로서의 삶을 긍정하고 더 나아가 삶의 부정을 통해 전체로서의 자신의 삶을 참되게 긍정하게 된다.”(WWV Ⅰ, 529-530)

쇼펜하우어는 의지 부정을 통한 고통해소의 방법으로 우선 예술을 통한 고통의 해소를 말하고, 다음으로 동정심을 통한 고통의 해소를 말하며, 마지막으로 금욕을 통한 고통의 해소를 말한다.

가. 예술을 통한 고통 해소

쇼펜하우어는 칸트의 『판단력비판』을 그의 책 3권에서 다루었다. 그는 이곳에서 칸트의 미적감각을 고스란히 승계하여, 이것은 인간의 인식 보다 앞서서 존재한다고 말한다. 그래서 미적 직관은 세계의 본질을 파악하는 인식 방법이며, 인과율이나 의지와는 무관한 관찰 방법이라고 말한다. 그리고 우리 인간은 이러한 미적 직관을 통해 잠시 동안만이라도 의지로부터 구제되어질 수 있다고 말한다. 미적감각에서 나오는 ‘숭고관념’이 우리로 하여금 현실을 초월하게 해준다.

쇼펜하우어에 의하면 우리가 미적 직관을 할 때, 그 순간 우리에게서 의지와 고통의 근거가 되는 자아가 사라진다. 미적 직관이 시작되는 곳에서는 행복과 불행이 문제되지 않으며, 사물은 더 이상 욕구의 대상이 아니라 의지의 세계를 벗어나서 존재한다. 그리고 이때에 우리는 고통에서 벗어날 수 있다.(WWV Ⅱ, 736)

다시 말하면, 우리가 맹목적인 삶 속에 의지의 주체로 머물 때는 삶의 고통에 갇히게 되지만, 미적 직관을 통해서는 잠시나마 고통스러운 상태를 벗어날 수 있다는 것이다. 왜냐 하면 미적 직관은 세계의 본질을 파악하는 인식 방법이며, 인과율이나 의지와는 무관한 관찰 방법이기 때문이다. 미적 직관을 통해 인간은 잠시 동안만이라도 의지로부터 구제되어질 수 있다.
이렇게 관찰되는 예술에 남아 있는 내용은 미적 직관의 대상이 되는 이념이다. 이념들은 표상들의 다양성과 의지의 통일 사이에 근본적으로 표상들과는 다른 규정 하에 위치한다. 따라서 이러한 이념들은 충족 이유율에 의해서는 절대로 인식이 불가능하다. 이 이념과 그것을 직관하는 주관은 다 같이 개별화의 원리를 벗어나 보편성 안에 있다. 그러나 이러한 이념은 충족 이유율의 형태들 아래에 놓인 의지의 현상은 아니지만, 의지 그 자체처럼 완전히 인식 불가능한 것은 아니다. 이념들은 의지가 구체적인 가시성으로서 표현되는 과정에서의 매개단계를 보여 준다. 따라서 이념들에 대한 인식은 인간 인식의 최고의 단계이며, 이것은 단순한 표상과 구별된다. 이념에 대한 인식을 통해 인간은 자신의 개별성으로부터 해방된다. 그래서 의지가 이러한 높은 단계의 인식에 도달하기 위한 중요한 전제가 문제가 된다는 것은 당연하다.(WWV Ⅰ, 259)
그러나 의지의 객관화의 제단계로서의 이념은 적절한 객관화이지, 의지 자체는 아니다. 그렇다면 의지 자체가 아닌 이러한 이념을 어떻게 주관이 인식할 수 있는가? 쇼펜하우어는 이 문제에 대한 답으로 미적 직관을 통한 이념의 관조를 제시한다.[12]

쇼펜하우어는 예술을 통해 고통을 해소할 수 있음을 말한다. 그러나 동시에 그는 이러한 예술을 통한 고통의 해소는 영원한 것이 아닌 일시적인 안락을 가져다주는 것이라는 데 그 한계를 설정하고 있다.

나. 동정심을 통한 고통의 해소

쇼펜하우어의 고통 해소 방법으로서 '동정심'을 말한다. 이것은 다른 용어로 '사랑'이라고 표현할 수 있으며, 특별히 기독교의 아가페적 '사랑'이라고 표현할 수 있다. 따라서 이 '사랑, 혹은 동정심'은 신의 것, 혹은 물자체의 것이라야 한다. 쇼펜하우어에 의하면, 우리가 물 자체에 대한 진정한 관조를 통해서 모든 만물이 한

12) 심용만, 쇼펜하우어 도덕철학에 대한 비판적 고찰, 73-74.

근원, 한 의지라는 것을 안다는 것이다.

삶에의 의지의 부정은 자기 자신의 행복과 쾌락을 추구하기보다는 타인의 행복과 고통을 이해하고 동참하기 위하여 자신의 이기적 행위를 통제하고 인내하는 것을 말하며, 이는 타인에 대한 사랑과 동정심을 지향한다. 쇼펜하우어는 이러한 동정심에서 자신의 도덕철학의 근거를 찾는다. 동정심은 이기적 관심으로부터 자유롭고 악의의 반대편에 있는 도덕적 동인이다. '동정심'은 '고통'을 '함께' 나누는 인간적 유대 감정이며 사회적 실천행위이다. 동정심은 타자를 위한 선행이나 사랑을 베풀고 고결하게 행위함으로써 자신의 고통과 타자의 고통을 일치시키는 행위, 즉 타자에 대한 모든 사랑이다.(WWV Ⅰ, 510)
이는 내가 타자의 고통을 공유하고, 나 자신의 것처럼 그 고통을 느끼면서 최대한 자신과 타자와의 차이를 줄이는 것이다. 내가 동정적으로 행동하는 것도 타자가 고통스러워하기 때문이다. 타자의 고통이 나의 행동의 동기이다.(GdM, 742)
동정심은 "누구도 해치지 말라. 오히려 네가 할 수 있는 한 모든 이를 도와라."(GdM, 744)라는 명제로 나타난다.
그런데 동정심에 의한 행위와 이기주의에 의한 행위가 동일한 양상으로 경험적 세계에서 발견된다면, 우리는 어떻게 도덕적 판단을 할 것인가? 이에 대해 쇼펜하우어는 경험적 세계의 개별적 행위들은 충분한 동기에 의해서만 발생하므로, 인과율에 따르는 개별적 행위들에 대해서 도덕적인 판단을 하는 것이 불가능하다고 말한다.(GdM, 744)
인간의 행위가 동기에 의해서 인과적으로 발생한다고 말하는 주장과 인간 행위의 자율성 문제는 서로 상반되는 것이 아니다. 행위의 결과는 인간의 의지에 의해서 인과적으로 나타나게 되므로, 도덕적 판단은 한 인간의 행위에 대해서가 아니라 인간의 의지에 대해서 내려져야 한다. 즉 인간의 개별적인 행위 하나하나에 대해서는 도덕적 판단을 하기보다는 그 행위자의 본성에 대해서 도덕적 판단을 내려야 한다.
동정심이야말로 우리 내부에 존재하는 근원적인 비이기적 특성이며, 이기주의적 개인이 타자를 도우려 하는 것은 기적 같은 일로 찬사를 받아야한다.(GdM, 729)
개별화의 원리인 시간과 공간의 지배를 받는 표상의 세계의 관점에서 보면 각 개체는 모든 개체들과 다른 '비아(Nicht- Ich)'이지만, 물자체의 세계로만 보면

개체들로 분리되지 않는다.(GdM, 741)
동정심은 누군가가 한 개인으로서 다른 개인을 향해 이행해야 하는 행위의 유발을 전제로 한다. 도덕성의 정도는 타자의 고통에 대한 인식 정도와 일치한다.(WWV Ⅰ, 54)
동정심은 도덕의 근원이며, 가장 높은 도덕적 가치를 갖는다.(GdM, 740)
동정심은 맹목적인 삶에의 의지가 가져다주는 삶의 고통과 타인의 고통을 돌아보게 하고 그러한 고통에 참여하게 하며, 이를 통해 새로운 삶의 태도를 갖게 하는데, 이것이 쇼펜하우어의 염세주의와 의지의 형이상학이 추구하는 것이다.[13]

기독교적으로 보면, 위의 '동정심' 혹은 '사랑'은 다음에 나타나는 '금욕' 다음에 나타나야 한다. 기독교에서는 먼저 '금욕' '자기부인'을 말하는데, 이것을 예수 그리스도와 연합하는 세례를 통해서 우리 안에 실현시킨다. 즉, 우리가 예수 그리스도와 함께 십자가에 못 박혀서 죽었다는 것을 말한다. 예수께서 금욕과 자기부인의 차원에서 십자가에 못 박혀 죽었는데, 그 예수 그리스도의 영을 우리가 영접함을 통해서 우리도 그 안에 참여한다는 것이다. 이러한 현상은 실제로 기독교 내에서 지금도 왕성하게 발생하고 있다.

이렇게 예수 그리스도와 함께 십자가에 못 박힌 자는 "세상을 향하여 죽은 자"가 된다. 이러한 예수 그리스도의 영이 임한다. 그리고 이렇게 비고 비인 그의 마음에 '하나님의 마음'에 임한다. 그것이 곧 '(아가페적)사랑'이며, 여기에서 말하는 '물자체의 본성'으로서의 '동정심'이다. 기독교에서는 이러한 일들이 지금도 왕성하게 발생하고 있다.

다. '금욕'을 동한 고통의 해소

[필자해설] 힌두교와 불교의 핵심은 '금욕'이며, '자기부정'이다. 그리고 기독교의 본질도 사실은 이것이다. 그런데, 불교는 스스로 '물 자체를 관조'하는 '참선'을 통해 이 상태에 이르려 한다. 참선의 종류가 다양한데, 특히 베단타 철학은 물 자체의 원리를 '이해함(불현 듯 깨달음)'을 통해서 여기에 이르려 한다. 그 대표적인 사람이 붓다인데, 그는 많은 극기의 금욕적 수련을 하다가, 그것으로는 깨닫지 못하고, 보리수나무 아래에서 참선을 통해 이것을 깨달았다고 말한다. 이 참선의 방법

13) 심용만, 쇼펜하우어 도덕철학에 대한 비판적 고찰, 90-92.

이 소승 불교의 교리가 되었다. 당시에 불교는 힌두교의 한 분파였다. 이에 따라 불교의 교리도 우파니샤드 경전 중의 하나로 분류된다. 쇼펜하우어는 이 불교철학의 영향을 많이 받았다.

한편, 기독교는 예수 그리스도께서 이 일을 십자가 위에서 행하시고, 그 자리로 모든 그를 믿는 자들을 불러 모은다. 그리스도인들은 이 예수 그리스도의 영이 지금 오늘날 자신들에게 임하였다고 믿는다. 그래서, 자신과 함께 십자가를 지게 함을 통해서 자신의 '금욕'과 '자기부인'에 이르게 한다. 그래서 그리스도인들은 예수 그리스도가 가진 그 '자기부인'을 자기의 것이라고 주장한다. 그리고 자신의 몸에서 예수 그리스도의 그 행위를 자기의 것으로 믿으며 행한다.

쇼펜하우어는 개별화의 원리에 따르는 이기심에서 벗어나 금욕과 희생으로 나아가는 길을 제시한다. 금욕은 자발적인 의지 부정인데, 그것은 고통의 자기 승화로 고통을 자기의 것으로 체화(體化)하는 것이다. 이러한 금욕을 통한 의지의 부정은 물체의 소멸을 의미하는 것이 아니라 단지 의욕하지 않는 행위를 의미한다. 즉 이제까지 의욕해 왔던 것을 더 이상 의욕하지 않음을 의미한다. 금욕은 자신의 몸을 부정하는 것을 나타나고 종국에는 몸을 죽음으로 이끈다.[14] 이에 대해 쇼펜하우어는 다음과 같이 말한다.

> 나는 금욕이라는 말을 좁은 의미에서 쾌적한 것을 단념하고, 불쾌한 것을 찾 음으로써 의지들을 '고의적으로' 좌절시키는 것, 자진하여 택한 속죄의 생활 방식과 고행을 하여 의지를 영속적으로 억제하는 것으로 해석한다.(WWV Ⅰ, 532)
> 한 철학자가 금욕주의적 이상을 찬양할 때 그것이 의미하는 것은 고통으로부터 벗어나려고 하는 것이고 금욕주의의 이상은 삶의 유지를 위한 책략이다.(GM, in KGW Ⅵ-2, 367)
> 금욕을 행하는 사람은 자신의 마음속에서 자기라는 현상으로 나타나는 본질인 삶에 대한 의지를 부정하게 된다. 즉 의지의 현상으로써 나타난 자신의 몸을 부정하고 오히려 이 의지의 모순을 책망한다.(WWV Ⅰ, 516-517)
> 이러한 금욕을 행하는 사람의 예로 쇼펜하우어는 힌두교의 성자와 기독교의 성인의 삶을 말하는데 그들은 본질에 있어서 매우 유사하고, 교리나 풍속이나 환경이 근본적으로 다름에도 불구하고, 양자의 노력이나 내면적인 생활은 완전히

14) 심용만, 쇼펜하우어 도덕철학에 대한 비판적 고찰, 83.

동일하다.(WWV Ⅰ, 527-528)

쇼펜하우어는 금욕의 수행을 통해 영속적 평정을 지속하고, 고행을 택함으로써 의지를 영속적으로 억제하는 구원을 말한다.(WWV Ⅰ, 519)

그는 고통을 정화시키는 구원을 두 가지 길로 제시한다. 하나는 단순하고 순수하게 인식된 고통이 그것을 자유로이 제 것으로 하여 개별화의 원리를 간파함으로써 의지의 허무성에 대한 인식을 생기게 하거나, 다른 하나는 직접 스스로 감각된 고통이 의지의 허무성에 대한 인식을 생기게 하는 것이다.(WWV Ⅰ, 540)

이 두 가지 방법의 차이는 인식의 주체가 그것을 얻기 위해 얼마나 적극적인가 소극적인가 하는 차이이다. 제1의 길은 개별화의 원리를 간파하고 우선 마음의 가장 완전한 착함과 보편적인 박애를 낳고, 마지막에는 이 세상의 모든 고통을 자기 자신의 고통으로 인식하고, 이것을 자신의 것으로 만듦으로써 의지 부정에 도달하는 것인데, 이는 극소수 사람에게만 가능하다. 그리고 제2의 길은 자기의 한없는 고통을 스스로 느낌으로써 의지의 부정에 도달하는 것이다.(WWV Ⅰ, 534)

쇼펜하우어는 이 길의 전형으로 괴테의 파우스트에 나오는 그레트헨의 수난 이야기를 들고 있다. 이러한 쇼펜하우어의 구원론은 철학적 인식 방법을 통한 것인데, 간혹 다양한 종교의 교의와도 융합하는 듯이 보여지기도 한다. 왜냐하면 그가 고통 해소(구원)의 방법으로 제시한 금욕과 희생이 여러 종교의 교의와 유사한 면을 가지고 있기 때문이다. 그러나 이러한 구원론은 또 다른 하나의 대안일 뿐이지, 그의 철학이 종교적인 것으로 변질된 것으로 해석되어서는 안 된다. 그는『의지와 표상으로서의 세계』제70장에서 "기독교 교의론은 나의 철학과 관계가 없고,… 나의 주장이 기독교와 힌두교의 교설과 부합할 뿐"(WWV Ⅰ, 554)이라고 말한다. 여기에서도 알 수 있듯이 그의 구원론이 종교와 만나고 있는 것이지 그가 종교사상을 주장하고 있는 것은 아니다.[15)]

7. 의지의 부정과 무(Nichts)

우리가 진리를 깨달으면 그것은 순식간에 그의 내면에 실현된다. 쇼펜하우어는 이것을 '갑작스런 은빛 섬광'이라고 말한다. 기독교인들은 자신의 생명과 소유와

15) 심용만, 쇼펜하우어 도덕철학에 대한 비판적 고찰, 83-85.

인생을 하나님께 바친다는 고백을 할 때, 이러한 것을 경험한다. 그리고 그 경험은 그가 그 사건을 잊지 않고 기념한다면, 그것은 평생토록 그에게 강화된다. 그래서 쇼펜하우어의 '자기부인(부정)과 무'에 관한 이야기는 매우 종교적인 성스러운 이야기이다. 이때의 '무'는 결여적 '무'가 아니다. 동양종교의 태극은 삼라만상을 말하는데, 이 태극이 무극에서 나왔다고 말한다. 즉 무에서 나왔다는 이야기이다. 이 '무'는 결여의 무가 아니라 '만유'를 포함하고 있는 '무'이다.

쇼펜하우어에 의하면 금욕을 통한 의지의 부정은 '갑작스런 은빛 섬광'(WWV Ⅰ, 533)처럼 예기치 않게 발생한다. 고통을 정화하는 불길로부터 갑자기 등장하는 은빛 섬광처럼 자신의 모든 욕망을 체념하는 구원의 상태가 그들 자신과 고통을 초월하여 불가침의 평화와 축복과 숭고함으로 솟아오른다.(WWV Ⅰ, 533)

금욕을 통한 고통의 해소는 완전히 성스러움의 경지에서 모든 의욕을 거부하고 포기하며, 모든 현존재를 고통의 세계로부터 구원하는 것을 목표로 한다. 하지만 이것은 우리에게 모든 현존재가 공허한 '무(Nichts)'로 이행되는 것에 불과하다. 의지의 부정은 '무'로의 전환이다.(PP Ⅱ, 368)
"'무(Nichts)'라는 개념은 본래 상대적인 것이고, 언제나 그 개념에 의해 부정되는 일정한 무엇에만 관계한다. 이 특성을 '마이너스'로서 표시되는 '결여적 무'만이 갖는 것으로 생각했지만, 이는 반대 관점에서 보면 '플러스'로 될 수도 있다. 이 '결여적 무'는 어떠한 점에서도 '무'라고 하고, 그 실례로 자신을 지양하는 논리적인 모순을 사용한다."(WWV Ⅰ, 554)
의지의 부정은 의지의 거울인 세계의 폐기와 소멸이라 할 수 있다. "우리가 이 세계 속에서 의지를 보지 못한다면, 우리는 "의지는 이미 어디에도, 어느 때에도 없다고 보고 의지가 '무'로 돌아갔다."(WWV Ⅰ, 555)고 말한다.
의지를 완전히 폐기한 후에 남는 것은 '무'에 지나지 않는다. 그러나 그와 반 대로 의지가 스스로를 전환하고 스스로를 부정하여 버린 사람들에게도, 우리들 에게도 그렇게도 사실적인 이 세계는 모든 태양과 은하수와 더불어 '무'이다.(WWV Ⅰ, 558)
우리는 부정적 인식의 마지막 경계선에 도달한 것과 이를 긍정적으로 인식하는 것에 만족해야 한다. 우리 앞에 남는 것은 '무' 뿐이다. 그러나 이러한 '무'로 융해 되는 것에 저항하는 우리의 본성이야말로 바로 삶에 대한 의지이고, 이 의

지가 우리 자신이며 우리의 세계다.(WWV Ⅰ, 556)

쇼펜하우어는 이러한 세계를 조금이라도 경험하고 이러한 것을 열거한 것으로 보인다. 그러나 이것은 모든 종교인들이 경험하는 것이고, 특별히 기독교인들은 이 삶을 기독교의 출발점으로 인식한다. 기독교의 '세례'가 바로 그것이다. 아이러니컬하게도 쇼펜하우어는 기독교의 세계에 살면서, 이미 기독교 세계에 존재하는 그것을 우파니샤드에서 비로소 발견한 것이다.

6절 평 가

쇼펜하우어는 칸트의 순수이성비판을 그의 철학의 출발점으로 삼고 있는데, 칸트는 "감성(인식)-오성-이성"의 결과로 개념과 이념이 출현한다. 쇼펜하우어는 우리의 인식 안에 감성과 오성과 이성을 모두 집어넣고, 인식과 의식을 동일하게 간주한다. 이때 인식하는 우리의 의식은 주관과 객관으로 분류된다. 즉 인식 혹은 의식의 이면에 그것과 위치를 달리하는 주체로서 정신이 있고(주관), 객체로서 사물이 있는 것(객관)이다. 이때 정신과 같은 주체로부터 충분근거율이 나와서 인식 혹은 의식을 형성한 것이다.

따라서 우리의 의식 속에서 주관과 객관이 뒤섞여 있다. 그리고 존재론적으로 보았을 때, 주관에 의해서 객관은 얼마든지 가공될 수 있다. 더 나아가서 정신이 물질보다 존재론적으로 우선이다. 그 결과 쇼펜하우어는 칸트가 말한 그 물자체가 바로 우리의 정신과 맞닿은 어떤 정신적인 존재이며, 그것이 우리 안에서 의지로 나타난 것이다. 따라서 이 의지가 바로 물자체이며, 우리의 의지도 또한 이것으로 말미암는다. 그는 이것을 합리적으로 논증을 하였던 것이다. 그리고 이에 의하면, 이 세계는 의지로 말미암은 세계이다. 그에 의하면, 나의 육체도 의지의 표상이며, 자연세계도 또한 의지의 표상이다. 물론 이 의지는 절대자의 의지일 것이다. 그는 여기에서 스피노자와 버클리의 관념론을 수용한다.

한편, 의지의 본성은 무엇인가? 쇼펜하우어는 이것을 욕망이라고 표현한다. 이 의지에 대한 긍정과 부정이 있는데, 이 의지의 부정은 금욕으로 이어진다. 여기에서 그에게 참된 자유가 있다고 말한다. 그는 이 부정의 실천철학을 인도의 우파니샤드에서 찾았는데, 사실은 기독교의 교리가 그것을 말한다. 예수 그리스도와 함께 죽고, 그와 함께 다시 사는 세례가 그것을 말한다. 인도의 부디즘은 스스로의 힘과 능력으로 그것을 행해야 하며, 기독교에서는 우리가 그리스도와 연합하여 그것을 수행한다.

2장 딜타이

1절 빌헬름 딜타이의 생애(1833-1911)

가. 출생과 학업

딜타이는 1833년 11월 19일에 독일 비스바덴 시의 비브리히(Biebrich)라는 마을에서 개혁교회 목사의 아들로 태어났다. 이후 그는 하이델베르크 대학교(1852)에서 신학을 전공했고, 세 학기를 다닌 후 다시 베를린 대학교(1853)로 옮겨 역사학을 공부했다.

빌헬름 딜타이는 1833년 11월 19일에 독일 비스바덴 시의 비브리히(Biebrich)라는 마을에서 개혁교회 목사의 아들로 태어났다. 딜타이는 비스바덴에서 김나지움을 다녔고, 졸업논문으로는 <희랍의 고대 문화가 젊은이들에게 미친 영향 연구>가 있다.
이후 부모의 권유로 하이델베르크 대학교(1852)에서 신학을 전공했고, 세 학기를 다닌 후 다시 베를린 대학교(1853)로 옮겨 역사학을 공부했다. 칸트, 레싱, 게르비누스의 철학과 역사에 관심을 가졌다. (『위키백과』, 빌헬름 딜타이)

나. 김나지움 교편생활

딜타이는 1856년 1856년에 신학 국가시험에 합격한 후 설교 활동을 하기도 했다. 그러나 정작 그는 국가 시행 교사 자격시험을 치러 합격한 이후 베를린 소재한 김나지움에서 2년 정도 교편을 잡았다.

그리고 부모의 소망에 부응하기 위해 1856년에 신학 국가시험에 합격한 후 설교 활동을 하기도 했다. 그 외에도 국가 시행 교사 자격시험을 치러 합격한 이후 베를린 소재 한 김나지움에서 2년 정도 교편을 잡기도 했다. 하지만 그는 이를 건강 문제로 포기하게 된다. 이후 약 6년간을 딜타이는 역사 및 철학에 매진하게 된다.
이전의 사상가들 중 특히 베크(J. T. Beck)와 랑케(L. von Ranke), 트렌델렌부르크(F. A. Trendelenburg), 피셔(K. Fischer) 등의 영향을 받았으며, 해석학의 입장에서 역사주의 철학을 발전시키는 일에 관심을 쏟았다. 대학에서는 교회사, 원시 기독교에 대한 관심과 함께 그의 스승인 트렌델렌부르크에게서 플라톤과 아리스토텔레스를, 뵈크에게서는 문헌학을 수강하였다. 신학 분야 국가시험을 수석으로 졸업하였으나 지속적 학문과 생활의 안정을 위하여 김나지움 교사로 진로를 바꾸게 되었다. (『위키백과』, 빌헬름 딜타이)

다. 베를린 대학교 사강사

딜타이는 1859년 슐라이어마허 재단의 현상 논문에 선정되면서 교사직을 사임하고 본격적으로 해석학과 철학 연구에 몰두하게 된다. 그는 1864년에 해석학의 선구자인 <슐라이어마허의 윤리학에 관한 연구>로 철학 박사학위를 취득해 대학에서 강의를 시작했다.

1859년 슐라이어마허 재단의 현상 논문에 선정되면서 교사직을 사임하고 본격적으로 해석학과 철학 연구에 몰두하게 된다. 딜타이는 1864년에 해석학의 선구자인 <슐라이어마허의 윤리학에 관한 연구>로 철학 박사학위를 취득해 대학에서 강의를 시작했다. 1865년 <도덕의식의 분석 시도>라는 연구로 교수 자격 논문이 통과되었다. 교수 자격 논문 통과 후 딜타이는 베를린 대학교 사강사가 된다. (『위키백과』, 빌헬름 딜타이)

라. 바젤과 베를린 대학에서의 교수생활

그리고 1866년에는 스위스의 바젤에서 교수직을 얻어 가르쳤다. 그 이후 다시 독일의 킬(1868~1871), 그리고 브레슬라우 등으로 자리를 옮겨 교수 생활을 하다가 1882년에서 1905년까지는 루돌프 로체의 후임으로 베를린 대학교에서 교수직을 얻어 은퇴하기까지 가르쳤다.

그리고 1866년에는 스위스의 바젤에서 교수직을 얻어 가르쳤다. 그 이후 다시 독일의 킬(1868~1871), 그리고 브레슬라우 등으로 자리를 옮겨 교수 생활을 하다가 1882년에서 1905년까지는 루돌프 로체의 후임으로 베를린 대학교에서 교수직을 얻어 은퇴하기까지 가르쳤다.

이 교수직은 한때 헤겔이 재직했던 자리이기도 하다. 1883년 『정신과학 입문』을 출간하면서 정신적으로 가장 생산적인 순간을 맞게 된 딜타이는 브레슬라우 시절부터 교제해 오던 요르크 백작과의 우정을 더욱 돈독히 하게 되었다. 1874년에 푸트만과 결혼해 슬하에 1남 2녀를 두었다.
베를린 대학에 정착한 후 딜타이의 삶에서 학자로서의 학문적 강의와 저술 이외에 그다지 특이한 점은 보이지 않는다. 다만 1887년 베를린 학술원 회원으로 임명된 후 칸트 전집의 출간에 공헌을 하였다는 점이 눈에 띈다. 이후 딜타이의 대표적인 저술로는 1906년 ≪체험과 문학≫, 1907년 ≪철학의 본질≫, 1910년 ≪정신과학에서 정신세계의 구축≫ 등을 꼽을 수 있다. (『위키백과』, 빌헬름 딜타이)

마. 말년

딜타이는 1911년 10월 1일에 오스트리아와 헝가리에 걸쳐 있는 남(南)티롤 지방 슐레른 강변의 자이스에서 병으로 사망했다.

2절 정신과학의 방법론

1. 역사 이성

가. 순수이성과 역사이성

우리의 이성은 누가 뭐라고 해도 하나일 것이다. 다만 이 이성이 무엇을 대상으로 하여 작동하느냐에 의해, 순수이성과 역사이성이 구분된다. 우리의 이성이 자연적 세계를 대상으로 하여 작동을 하면, 그곳에서 자연법칙이 발견되고 산출되었는데, 칸트는 이때의 이성을 '순수이성'이라고 불렀다. 칸트의 『순수이성비판』은 이러한 과정을 설명하고 있다.
반면, 우리의 이성이 인간세계의 사회적-역사적 현실을 대상으로 하여 어떤 기능을 수행할 때, 그것이 곧 역사이성이다. 그리고 이 역사이성에 의하여 전개되는 모든 학문들이 곧 정신과학이다. 따라서 역사이성의 개념은 "사회적-역사적 현실성을 구성하고 인식하는 능력"으로 정의된다.

칸트의 『순수 이성 비판』은 뉴턴 이래 자연과학의 학문적 가능성을 정초하는 작업이었는데, 이때 칸트의 순수 이성은 자연에 관계하는 이성이었다. 딜타이는 자연과학적 방법과 전적으로 구분되는 정신과학의 학문적 토대를 구축하기 위해서 순수 이성과 구분되는, 또는 순수 이성에 대비되는 역사 이성을 요청했다.

순수 이성이 자연과학의 대상 및 그 대상 인식의 가능성에 관계하는 이성이라면, 딜타이의 역사 이성은 "자기 자신과 자기 자신에 의해 창조된 사회와 역사를 인식하는 인간의 능력"을 말한다.(GS, Ⅰ, 116)[16]

정신과학이란 바로 사회적-역사적 현실성을 대상으로 하는 학문이며, 이러한 정신과학에 학문적 토대를 마련하기 위해서는 사회적-역사적 현실성을 구성하고 인식하는 능력인 역사 이성에 대한 비판적 탐구가 이루어져야 했다. 그러므로 딜타이는 정신과학의 토대를 설정하기 위해서 역사 이성비판을 전개한다.[17]

나. 딜타이의 역사 이성

[필자해설] 역사란 일반적으로 인간들의 시간 속에서 일어나는 경험적이고 상대적인 사건들의 총체라고 설명할 수 있다. 이성은 이 경험적이고 상대적인 사건들을 넘어선 어떤 이면의 정신적 실체라고 말해질 수 있다. 이런 관점에서 보면 우리의 이성은 역사적 존재이다. 이때 칸트는 우리 안에서 자연사물을 바라보는 이성으로서 법칙발견자로서의 순수이성적 기능을 발견하였는데, 우리의 역사이성은 역사적 사건들을 바라보며 어떤 기능을 하고 있는가? 딜타이는 지금 이 기능을 규명하고자 하는 것이다. 그는 먼저 우리의 이성이 담고 있는 재료 혹은 자신이 나타내고 있는 재료는 '삶' 혹은 '체험'이라고 말한다.

그런데 이러한 접근에서 우리가 맨 먼저 질문을 야기하는 것은 그의 역사적 이성이 보편자의 이성인가, 아니면 개별자의 이성인가 하는 점이다. 이때 그의 연구 주제를 보았을 때, '삶' 혹은 '체험'을 말하는 것을 보면 분명히 우리 각각 개별자의 이성이다. 그런데, 그는 우리 각 개인이 경험 혹은 체험을 하지 못하고 지식이라는 도구를 통해 전해들은 '역사'라는 표현을 쓴다. 즉, 보편자의 '이성'에 해당하는 용어를 각각의 개인에게 사용하고 있는 것이다. 이런 점에서 보면 그는 역사사

16) W. Dilthey, Die Geistige Welt; Einleitung in die Philosophie des Lebens, Gesammelte Schriften, Bd. 5, hrsg. von G. Misch, Stuttgart 1957, p. 9 (이하 W. Dilthey, Gesammelte Schriften은 GS.와 그 권 수로 약칭 함).

17) 이경민, "딜타이의 역사이해," 고려대학교대학원, 박사(2011), 3.(이경민 정리)

상가 혹은 문학사가이다. 그리고 그는 실제로 그와 같이 불리웠다.

한편, 기독교 신학의 세계에서는 우리 각 개별자의 정신이 성령을 통해 보편자의 정신으로 거듭 태어났다고 말한다. 그래서 그 개별자의 정신은 보편자의 정신과 일체가 되어서 보편자의 모든 경험을 고스란히 담고 있다. 심지어는 그 개별자는 보편자(예수 그리스도)의 생애까지도 자신의 생애로 이해하려 한다. 그래서 그들은 예수 그리스도와 연합하여 심지어 십자가 사건에 까지 흡수되어 들어가며, 그의 승천을 믿고 하늘로까지 올라간다.

딜타이의 이성개념은 마치 기독교의 이성개념과 유사하다. 딜타이의 이성은 헤겔의 절대정신과 연합한 개별자의 정신이라고 말할 수 있다. 딜타이는 지금 헤겔의 절대정신을 말하면서, 그것을 우리 각 개별자의 정신 혹은 이성에 적용시키고 있으며, 그것을 역사이성이라고 부르는 것으로 보인다. 이 이성을 규명하려고 한 딜타이의 목표는 너무 큰 것이었다. 특히 이것은 신비주의자로 불릴 수 있으며, 실제로 그는 그러한 오해도 받았다. 그래서 그가 철학자로 불리는 데는 대략 백 년의 세월이 필요하였다.

과연 이 역사이성이 어떻게 역사에 영향을 미쳤을까? 그리고 이 원리는 무엇일까? 그는 이것을 개별자의 삶과 체험을 분석함을 통해서 그 무엇을 규명하려 하였다. 그런데, 그것은 너무 원대하였다. 그래서 그의 저작들은 대부분 미완성의 저작들이 되었다. 그에게 “반 권의 사람”, “위대한 미완성자”, “그는 서론을 쓴 자가 아니라 서론에서 서론으로 끝낸 자”(Jos de Mul)이라는 비난이 따라다니는데, 그것은 이 이유 때문으로 보인다. 그는 다만 “체험-표현-이해”의 틀을 언급하는데 그쳤다. 어떤 면에서 보면 그는 그의 위대한 시도와는 달리 그 역사이성의 존재와 그 방향만을 제시하는데 그쳤다. 따라서 그는 역사사상가와 철학가의 경계선을 위치하고 있다고 볼 수 있다. 우리는 이러한 사전적인 지식을 가지고 그의 ‘역사이성’을 이해하여야 한다.

딜타이의 이성은 “역사 안에서”(GS. Ⅶ, 288 <664>[18]) 이성이며, 또한 역사도 이성과 함께하는 역사이다. 즉 역사와 이성이 서로 그 영향을 주고받는다. 그는 ‘역사이성 비판’을 통해 역사와 이성의 관련성을 다루고자 한다. 이에 대해 이경민은 딜타이의 ‘역사이성’을 다음과 같이 설명하고 있다.

18) 꺽쇠 안의 숫자는 “빌헬름 딜타이, 『정신과학에서 역사적 세계의 건립』, 김창래 역, 아카넷, 2009”의 페이지를 의미한다(이하동일).

딜타이는 그의 학문적 토대를 역사의 "비합리적 현사실성(die irrationale Faktizität)"10)에 기초해서 출발한다.(GS. Ⅶ, 288 <664>)
그러나 그는 자신의 학문적 출발점인 역사성에 머무르지 않고, 보편성을 파악하려는 이성의 역할을 또한 요청한다. 그는 모든 역사적 현상이 유한한 것임을 누구보다 잘 알았고, 역사에서 상대성의 의식이 생겨나고 있음도 인정했다.(GS. Ⅶ, 290 <669>)
그럼에도 불구하고 그는 이성의 작용을 통한 보편적인 것에로의 확장을 또한 포기하지 않았다.(GS. Ⅶ, 288 <669>)
이 말은 '역사 이성'이라는 두 얼굴 중에서 '이성'이라는 한 얼굴은 초역사적 인식의 객관적 타당성을 위한 보편타당한 과학을 요구하고 있고13), 다른 한 얼굴인 '역사'는 역사적 상대성이라는 인간적 삶의 엄연한 현실을 담고 있다는 의미이다.(GS. Ⅶ, 217 <510>)

다. 딜타이의 해석학

우리는 일반적으로 '해석학'이라는 말을 어떤 텍스트에 대한 이해와 해석으로 이해한다. 한편 딜타이의 '해석'은 우리 역사이성이 우리의 삶과 체험을 '이해'하고 '해석'하는 것을 지칭한다. 따라서 그는 그의 역사이성의 기능을 해석이라고 말하며, 이것을 체계화시킨 것이 그의 해석학이다. 그는 그의 해석학을 "정신과학의 새롭고도 의미심장한 과제"를 추구하는 학문으로 부른다. 그는 그의 해석학을 다음과 같이 지칭하고 있다.

해석학은 언제나 역사적 회의주의와 주관의 자의에 대항하여 이해의 확실성(Sicherheit)을 수호하기 위해 보편적 인식론적 과제에 관계해야 하고,… 우리가 얼마만큼의 보편타당성에 도달할 수 있는지를 규정해야 한다.(GS. Ⅶ, 217〈510〉)

역사가는 일반적으로 각자의 주관에 따라 보이는 대로 서술한다. 이것이 딜타이가 말하는 "역사적 회의주의"와 "주관의 자의"이다. 이것은 학자의 태도가 아니다. 그에 의하면, 역사가는 역사를 서술할 때, "이해의 확실성"을 수호하기 위해 보편적 인식론적 과제에 관계해야 한다고 말한다. 그는 역사가에게 역사 속에서 보편적 타당성을 찾으라고 말하는데, 이것은 결국 보편자를 찾으라는 이야기가 되어 버린다. 이것은 자칫, 그의 의도에도 불구하고, 일반적인 역사가에게 신비가가 되라고 주문한 셈이 되어버린다. 그의 이러한 추상적인 주문으로 인해, 그는 그의 당대에 객관적인 역사와 신비주의를 혼합시킨다는 오해를 받았다.

라. 정신과학의 대상 : 인간적-사회적-역사적 삶

딜타이의 정신과학의 대상은 "인간적-사회적-역사적 삶""(GS,Ⅶ, 5<31>)이었다. 우리는 먼저 각개인의 인간의 삶을 접한다. 그리고 이 인간은 사회의 구성원으로서 사회적으로 연관을 가진 삶을 산다. 더 나아가 시간의 흐름 속에서 역사적인 삶을 산다. 그리고 역으로 역사의 모든 지점에 삶이 있다. 그러므로 딜타이의 삶은 항상 역사적으로 이해되는 개념이다. 이경민은 그 내용을 다음과 같이 설명한다.

> 삶은 그 재료의 측면에서 보면 역사와 같은 것이다. 역사의 모든 지점에 삶이 있다. 그리고 다양한 관련이 있는 모든 종류의 삶으로부터 역사가 구성된다. 역사란 단지 하나의 연관을 형성하는 인류 전체의 관점에서 파악되는 삶이다. (GS,Ⅶ, 256<592>)
> 딜타이의 삶은 항상 역사적으로 이해되는 개념이다. (Otto. F. Bollow)[19]
> 특히 딜타이의 삶이란 곧 역사이며 동시에 인간의 삶이기 때문에, 인간에 대한 물음은 삶과 역사에 대한 물음과 분리될 수 없음을 강조한다. (Heinrich Ritter von Srbik)[20]
> 딜타이가 그의 정신과학에서 구성하고자 하는 역사적 세계는 관찰이 아니라 체험에 기초한다. 사회적, 역사적 삶은 인간의 체험들로 구성되는 세계이기 때문에 자연과학적 방식으로는 파악될 수 없다. 따라서 그의 정신과학은 삶을 이론적 관찰의 대상으로 삼지 않고, 오히려 "삶을 삶 자체로부터 이해하고자"(GS,Ⅴ,4) 하는 새로운 학문이다.[21]

---

19) Otto. F. Bollow, Dilthey. Eine Einführung in seine Philosophie, Berlin 1955, 47-48, 참조
20) Heinrich Ritter von Srbik, Geist und Geschichte vom Deutschen Humanismus bis zur Gegenwart, Bd. 2, München 1950/51, 251, 참조
21) 이경민, "딜타이의 역사이해," 7.(이경민 정리)

[필자해설] 딜타이의 위의 말은 역사와 삶의 보편자가 동일하다는 의미이다. 딜타이의 삶은 나의 자서전적인 삶이 있고, 그 다음에 타인의 삶으로서의 사회적 인간의 삶이 있으며, 더 나아가서 보편자로서의 역사적 삶이 있다. 이때 딜타이는 먼저 나의 자서전적인 삶을 통해 그 삶의 본질인 객관정신으로 나아간다. 그리고 이것은 사회적 공동체의 객관이자 역사적 공동체의 객관이다.

참조로 딜타이는 한 개인의 삶과 그의 자서전(생애 혹은 역사)는 동일하다고 보고 있다. 이것은 틀린 이야기가 아니다. 예컨대, 그리스도인들이 그리스도의 생명 혹은 몸에 참여한다고 말할 때, 대체로 성령에 대한 믿음으로 예수 그리스도의 생애 속으로 들어가기 때문이다. 그리고 그 생애 속에으로 들어가면 진정한 예수 그리스도의 생명을 그곳에서 체험하기 때문이다.

결국 딜타이에 의하면 한 개인의 삶과 공동체의 삶과 역사적 보편자의 삶은 동일하다. 이것은 하나의 객관 정신에 참여하고 있다. 헤겔의 절대정신은 딜타이는 이러한 형태로 접근하고 있는 것이다. 이것이 따라서 한 개인의 삶을 추구해서 어떤 보편적 규정을 찾는다면, 그것은 인류를 대표하는 어떤 보편적 규정이라는 것이다. 그리고 이것이 곧 인간에 대한 물음의 답변이다.

한편, 자연세계에 대한 우리의 이성을 칸트는 순수이성이라고 불렀는데, 딜타이는 우리의 삶을 탐구해내는 우리 안의 이성을 '역사이성'이라고 부르고 있다.

마. 학문연구의 방법 : 역사이성의 이해

딜타이의 학문연구의 방법은 엄밀히 말하면 역사이성의 이해이다. 딜타이가 역사적 이성을 강조한 것은 근본적으로 철학적 탐구가 역사적 탐구로부터 분리될 수 없음을 뜻한다며, 딜타이가 인간 존재의 역사성을 강조했기 때문이다.

먼저, 딜타이는 (앞에서도 언급한 바와 같이) 근대의 자연과학적 방법으로 인간의 정신과학에 대한 탐구는 바르지 않다고 말한다.

근대의 자연과학적 방법은 주관으로부터 대상을 분리시킨 상태에서 법칙적인 질서를 발견하는 "관찰의 관점"을 취했기 때문에…(GS, Ⅶ, 90<231>)
삶 자체의 매순간의 흐름을 붙잡아 고정시켜 살아 있는 체험을 파괴한다. 즉 삶

> 의 전체성이 상실된다.…(GS, VII, 323)
>
> 따라서 정신과학적 탐구 방식은 애당초 자연과학의 탐구 방식과 상이하다.(GS, VII, 130 <322>)
>
> 또한 이 세계는 자연을 탐구하는 순수 이성만으로 접근할 수 있는 세계도 아니다.[22]

이에 따라, 딜타이는 기존의 "표상하고, 사유하는 인식 주관"의 자연과학적 방법에 반하여 "의욕하고, 느끼고, 표상하는 전체적 인간 본질"에 의한 정신과학적 방법이 사용되어야 한다고 말한다. 그에 의하면, "우리는 정신과학뿐 아니라 철학의 출발점이기도 한 이 거대한 사실에 접근해 가면서 이 사실에 대한 과학적 조작의 배면으로 들어가서, 이 사실을 자신의 생생한 상태로 파악해야만 한다."라고 말한다.

> 정신과학의 대상인 사회적, 역사적 세계는 삶의 실천에 의해 창조된 세계이기 때문에 단지 표상하고, 사유하는 인식 주관만이 아니라 "의욕하고, 느끼고, 표상하는 본질"인, 즉 "전체적 인간", "우리 본질의 전체성"에서만 이해될 수 있다.(GS, I, XXII)
>
> 이제 우리는 정신과학뿐 아니라 철학의 출발점이기도 한 이 거대한 사실에 접근해 가면서 이 사실에 대한 과학적 조작의 배면으로 들어가서, 이 사실을 자신의 생생한 상태로 파악해야만 한다.(GS,VII,131<323>)
>
> 이 말은 역사적 세계가 우리의 합리적 사유만으로는 결코 파악될 수 없다는 사실을 뜻한다. 이것은 딜타이가 분명 그의 철학적 출발점을 역사적 삶, 즉 역사의 유한성에서 발견하고 있음을 말한다. 왜냐하면 역사가 곧 정신과학의 학문적 근거로서의 현사실성이기 때문이다. 문제는 이 역사를 우리가 어떻게 이해하는가라는 인식론의 문제이다. 즉 역사 안에 존재하는 유한한 인간이 어떻게 다시 역사에 대한 객관적 인식에 도달할 수 있는가의 문제이다. 바로 이 문제가 딜타이의 온 학문적 작업, 철학 전체를 이끌어간 근본 문제이다.[23]

정신과학을 활용하는 주체는 인간 개개인이다. 인간은 자신의 체험을 인식의 도

22) 이경민, "딜타이의 역사이해," 7.(이경민 정리)
23) 이경민, "딜타이의 역사이해," 8.(이경민 정리)

구로 사용할 수 있다. 그렇다면, 이러한 인식론이 어떻게 역사로 확장되어질 수 있는가? 이에 대해 딜타이는 ‘역사이성’에 대하여 “상대성에 대항하여 창조하는 힘의 연속성이다”(GS, Ⅶ, 291<671>)고 말한다. 그는 “역사와 이성의 통합”을 시도하고 있는 것이다. 이에 대해 이경민은 다음과 같이 말한다.

> 우리는 이미 운명 지어진 시간과 공간이라는 엄연한 역사적 현실, 즉 상대적인 역사적 세계 속에 구속되어 있다. 그러나 그러한 구속에서 오히려 우리의 이성은 “상대성에 대항하여 창조하는 힘의 연속성”(GS, Ⅶ, 291<671>)을 발휘하도록 한다. 이것을 딜타이는 “역사의식”으로서 이해했고, “인간 해방을 위한 마지막 걸음”(GS, Ⅶ, 290<670>)이라고도 하였다.
> 무얼(Jos de Mul)은 칸트가 이성을 순수하고 비시간적으로 이해한 반면, 딜타이가 역사적 이성을 강조한 것은 근본적으로 철학적 탐구가 역사적 탐구로부터 분리될 수 없음을 뜻한다며, 딜타이가 인간 존재의 역사성을 강조했다고 주장한다.[24]

2. 역사이성의 출현과정

가. 계몽주의 역사철학

계몽주의란 17-18세기에 프랑스에서 전성기를 이룬 사조로서, “이성 즉 ‘자연의 빛’을 다방면에 미치도록 하는 것으로 구습을 타파하고자 하는 18세기에 프랑스, 독일에서 전개된 사상운동이다.”(『21세기 정치학대사전』) “계몽주의의 사상적 기반은 17세기 합리주의와 로크의 철학 및 정치사상.자연법, 그리고 뉴턴의 기계론적 우주관이었다. 계몽주의자들은 철학자가 아니라 보급자 또는 평론가들이었다.”(『한국민족문화대백과』) 한편, 이 계몽주의의 특징은 이신론과 자유주의였다. 프랑스 프랑스혁명은 바로 이 계몽주의의 산물이었다.

이와 같은 계몽주의 사조 하에서의 역사관은 근세철학의 영향을 받았고, 근세철학은 근세과학의 출현에 깊은 영향을 받았다. 이러한 과학자 중에 뉴턴이 있는데, 그는 철학의 영역에도 자신의 견해를 피력하여 기계론적 우주관을 전개하였다. 그

24) 이경민, “딜타이의 역사이해,” 9-10.(이경민 정리)

리고 이것이 계몽주의적 역사관 형성에 영향을 미쳤다.[필자해설]

딜타이는 계몽주의 역사관에 대해 "계몽주의는 모든 역사를 '하나의 목적'에, 혹은 어떤 규칙들에 종속하는 것으로 이해했다"고 말한다.

> 계몽주의는 모든 역사를 "하나의 목적"에, "이 목적 실현과 관련된 어떤 규칙들에 종속하는 것"으로 이해했고, 이를 위해 "과거의 시대 안에서 이 규칙의 실현을 발견하려는 방향으로 나아갔다."(GS. Ⅶ, 94⟨242⟩)
> 이것은 "역사의 흐름 안에서 하나의 통일적 연관이, "하나의 규칙적 진행"이 발견될 수 있는가?"라는 물음의 제기이고 따라서 오직 "목적론적 관찰 방식"을 포함한다.(GS. Ⅶ, 107⟨270-271⟩)
> 따라서 이들의 역사 이해는 "하나의 절대적인 척도, 이성 자체의 본질 안에 근거하는 절대적인 척도, 하나의 가치 또는 규범"을 제시한다. 이것은 바로 "모든 역사적 개별 행위를 보편사적 관점에 종속시키는 것"을 의미한다.(GS. Ⅶ, 108 ⟨273-274⟩)[25]

나. 역사주의 역사철학

낭만주의는 영국과 독일을 중심으로 일어났는데, 그들은 인간을 중시하고 자연을 과학적으로 분석하려고 하는 계몽주의에 반대하여, 인간과 자연이 하나라고 주장하면 자연을 분석하지 말고 상상력으로 통찰하라고 주장하였다.(『나무위키백과』) 이 사조는 특히 문학과 예술분야에서 크게 일어났다. 우리는 이 낭만주의의 영향을 받아 역사를 해석하고자 하는 사조를 역사주의라고 부른다. 그들은 "18세기의 계몽주의적 합리주의는 인간을 보편적인 이성적 존재로서 합리화하였지만, 이에 대해 당시의 낭만주의자였던 비코와 헤르더는 다양한 민족의 역사적 발전 속에서 인간을 이해하는 시점을 강조한다.… 그들은 모든 사상을 역사의 과정으로 분석하고, 그 가치나 진리도 역사의 과정에서 나타난다고 하는 주의이다. 즉 사회현상의 본질을 자연주의적 또는 초역사적인 것으로서 이해하는 것이 아니라 역사적 생성, 발전, 소멸의 과정을 갖는 것으로 이해하고자 하는 방법적 인장의 총칭이다."(『21세기 정치학대사전』) "모든 현상은 역사성을 지니며, 따라서 역사적 제약을 벗어날 수 있는 현상은 존재할 수 없으리라고 생각하는 철학적 입장을 말한다. 역사학의

---

25) 이경민, "딜타이의 역사이해," 23.(이경민 정리)

토대를 찾기 위해 노력하였던 드로이젠, 딜타이 등의 해석학적 철학이 그 대표적인 예에 해당한다."(『서울대철학사상연구소』)

과연 세계가 유턴이 주장하는 것처럼 뉴턴의 기계적 유기체인가? 혹은 계몽주의자들이 주장하는 것처럼 어떤 통일된 목표를 향하여 진전해가고 있는가? 그렇다면 과거에 대한 역사연구는 아무런 의미가 없지 않은가? 이에 대해 역사주의자들은 "과거가 연구할 만한 충분한 가치가 있고 모든 것에 대해 하나의 부분"(R. Collingwood)이라는 생각을 하게 되었다. 여기에서 역사주의가 출현하게 된 것이다. 딜타이는 그 내용을 다음과 같이 말한다.

계몽주의가 과거를 미개시대로 여겼던 것을 "독자적 가치"로서 인정하는 것, 다시 말해 각 시대는 "그 자체로서 절대적 가치가 있다"는, "각 시대의 동가치성"(이윤수)을 인정하는 것이다. 따라서 역사주의에 의해서 "과거가 연구할 만한 충분한 가치가 있고 모든 것에 대해 하나의 부분"(R. Collingwood)이라는 생각이 생겨났다. 이것은 "최초로 개별적인 민족들의 가장 오랜, 그러나 접근 가능한 과거시기에 대한 탐구의 의미"가 밝혀진 것이다.(GS. Ⅶ, 96〈246〉)
이 의미는 낭만주의의 역사학파들에 의해서 비로소 이성의 보편성이 아니라, 인간이 체험하는 구체적 삶의 문제가 대두된다는 것을 보여준다. 즉 이것은 바로 정신과학의 출현을 예고했고, "정신과학의 기초가 바로 역사적-사회적 사실성 위에 놓인다는 것"을 의미한다.(GS. Ⅶ, 93〈240〉)
계몽주의는 역사의 모든 부분들을 하나의 목적에 의해 전체에 연관시키려고 하였고, 또한 이 연관의 규칙들을 발견하려 했다. 이것은 역사의 시간적 흐름 안에서 변화하지 않는 보편적 규칙을 발견한다는 것을 의미했다. 따라서 딜타이는 계몽주의의 "진보적 이상은 이 계몽주의 시대에 [이 비합리적]인간에게[도] 하나의 합리적으로 규정 가능한 목적을 부과했고, 이 [진보로의]길 이전 단계들은 그 고유한 내용과 가치에 있어서 정당화될 수 없는 것으로 간주되었다."고 설명한다.(GS,Ⅶ,94<242>)
그로 인해 계몽주의의 역사의식은 오히려 역사에서 "이성적 목적 연관"(GS, Ⅶ,97<248>)을 발견하려 했으며, 이 발견으로 인해 진정으로 역사가 진보한다고 믿었다. 왜냐하면 인류가 이 목적 연관을 발견하고 인류의 모든 역사적 삶을 이 보편적 법칙에 연관시킬 때 비로소 인류는 역사를 진보시킬 수 있는 능력을 확

보한다고 생각했기 때문이다.(GS,VII,97<249>)[26]

이러한 계몽주의의 역사에 대한 사고는 헤르더의 반대에 부딪쳤으며, 궁극적으로 이것은 역사학파의 출현으로 이어졌다. 헤르더는 역사가 전체적인 목적 연관을 가질 때보다는, 오히려 "각각의 민족과, 이 민족의 시대"가 그들만의 고유한 역사성에 기초한 "자립적 가치"를 가질 때에 비로소 의미를 가진다고 주장하였다. 그 내용을 딜타이는 다음과 같이 말한다.

헤르더는 역사가 전체적인 목적 연관을 가질 때보다는, 오히려 "각각의 민족과, 이 민족의 시대"가 그들만의 고유한 역사성에 기초한 "자립적 가치"를 가질 때에 비로소 의미를 가진다고 주장하였다.(GS,VII,95<243>; GS,VII,95<243>)
이러한 변화는 "볼테르와 몽테스키외, 흄과 기본으로부터 출발해서, 칸트, 헤르더, 피히테를 거쳐 [유럽 정신]의 길은 [마침내] 정신과학이 자연과학의 곁에서 자신의〔고유한〕지위를 획득하게 되는, 이 위대한 시기에 이르게 되었다"고 설명한다.(GS,VII,95<243>)
이 새로운 정신과학의 흐름과 관련된 사조가 낭만주의였고, 낭만주의의 선구자인 슐레겔, 노발리스를 위시하여 슐라이어마허와 뵈크의 해석학 연구들과, 훔볼트와 볼프의 문헌학적 접근들은 정신과학의 새로운 방법론의 발전에 중요한 토대를 형성하였다.(GS,VII,95-96<244-246>)
이제 정신과학은 독일 중심의 이들에 의해 학문적 방법의 근거를 자립적으로 마련할 수 있었고, 이를 통해 "개개 민족의 온 삶을 포괄하는 역사적 인식"을 성립시킬 수 있게 되었다.(GS,VII,96<246>)
이들이 발견한 것은 민족 속에 작용하는 살아 움직이는 역동적 "활동성"(GS,VII,98<251>)의 "창조적인 힘"(GS,VII,96,97<246,249>)과 같은 것인데, 그들은 이를 민족의 "공통 정신(Gemeingeist)"(GS,VII,96,98<246,250)으로 설명하였다. 이들은 고대 그리스 도시국가가 이룩한 "민족의 발전적 과정"에 대한 연구를 통해서 이 공통 정신을 발견하였다.(GS,VII,98<250>)
이에 따라 정신과학은 바로 역사학파의 개개 민족들이 지닌 창조적 힘에 대한 연구들에서 발전되었고, 바로 이를 통해 역사에 대한 새로운 의식이 등장할 수 있었다. 따라서 딜타이는 이를 "역사학파의 위대한 발견"이며 "이 발견이 곧 민

26) 이경민, "딜타이의 역사이해," 23.(이경민 정리)

족의 발전에 관한 역사학파의 모든 파악"이었다.(GS,Ⅶ,96<247>)[27]

다. 관념론적 역사관

딜타이에 의하면, 자연과학적이고 기계론적이었던 역사관이 역사학파들의 투쟁을 통해서 극복이 되었는데, 개개 민족과 같은 역사의 지평이 충분히 독립적 가치를 지닌 것으로 드러났기 때문이다. 그러나 딜타이는 역사학파가 계몽주의가 추구했던 "보편사에로의 어떠한 관련도 얻지 못한다"(GS,Ⅶ,99<254>)는 점을 그들의 한계로 여전히 지적한다. 그러는 과정 속에서 헤겔은 계몽주의가 시도한 보편성과, 역사학파가 제기한 역사의 현실성을 통합하고자 했던 것이다.

> 역사학파들에 의해 개개 민족과 같은 역사의 지역적 지평이 충분히 독립적 가치를 지닌 것으로 드러났다. 이제 정신과학은 18세기의 계몽주의와의 투쟁을 통해 역사적 성격을 정당화하기에 이르렀다. 그러나 딜타이는 역사학파가 계몽주의가 추구했던 "보편사에로의 어떠한 관련도 얻지 못한다"는 점을 그들의 한계로 여전히 지적한다.(GS,Ⅶ,99<254>)
> 바로 이때 헤겔은 역사학파와 연결되면서 역사의 보편성에 대한 가능성을 다시 제기한다. 딜타이는 헤겔을 "모든 시대를 통틀어 가장 위대했던 역사 (연구)의 천재들 중 한 사람"으로 평가한다.(GS,Ⅶ,99<254>)
> 이제 우리는 헤겔이 어떤 방식으로 역사학파와 연결되면서 계몽주의가 시도한 보편성과, 역사학파가 제기한 역사의 현실성을 통합하고자 했는가를 논의해야 한다.… 이는 딜타이의 철학이 한편 독일 관념론적 전통에 뿌리를 두고 출발했기 때문에, 딜타이의 역사이해를 위해서도 매우 중요하다.[28]

한편, 우리는 헤겔의 역사이해를 살펴보기 위해서 칸트로부터 시작되어야 한다. 결국 헤겔의 정신도 또한 칸트의 이성의 다른 이름이기 때문이다. 칸트는 우리 안에 있는 정신 혹은 이성이 어떻게 자연법칙을 파악하고, 더 나아가 그 자연법칙을 제정하는가를 말하였다. 더 나아가 헤겔에게서 이 정신의 나타남이 곧 역사이다.

---

27) 이경민, "딜타이의 역사이해," 25-26.(이경민 정리)
28) 이경민, "딜타이의 역사이해," 26.(이경민 정리)

3. 독일의 관념론의 역사이해

가. 칸트의 순수이성

인식과 관련한 인간 정신의 내면적 활동성을 가장 먼저 체계화시킨 사람은 칸트였다. 그는 『순수이성비판』을 통해 인간의 순수이성이 어떻게 사물들에 대한 인식을 통해 그 안에 내재된 인과율을 이해하고, 더 나아가서는 그 인과율을 이용하여 자연법칙의 산출자로서의 역할을 하고 있는지를 체계화했던 것이다. 그 내용을 딜타이는 다음과 같이 말한다.

> 칸트는 이전까지의 자연적 대상에 대한 인식의 소박 실재론적 입장을 인간 정신의 능동적 구성으로 전환시켰다. 여기서 칸트의 위대한 발견은 인간 정신의 수동성이 아니라, 능동적인 법칙 부여의 기능으로서 정신의 개념이었다. 그러므로 칸트에게 있어서 인식은 인간 정신의 구성적 활동을 포함한 인간 정신의 내면적 의식의 활동성이 되었다.(GS.Ⅶ,100<256>)[29]

그런데, 칸트는 우리의 순수이성을 논하면서 인식론적 한계를 제시하였는데, 그것은 우리의 순수이성이 우리의 경험 밖에 존재하는 초감각적 실재에 대해서는 인식이 불가능하다는 것을 말하였다. 우리의 경험 밖에 있는 모든 대상들은 인식의 영역이 아니라 실천이성을 통해 규명될 뿐이라고 하였다. 그리고 칸트 이후의 독일 관념론은 여기에 집중하고 있다.

나. 피히테의 절대자아

이후 독일 관념론의 주제는 칸트가 정신의 기능으로 간주한 “인간 정신의 구성적 활동을 포함한 내면적 의식의 활동성”이었다. 피히테는 이 정신을 절대적 자아라고 부르며, 이 안에는 모든 활동성이 존재하는데, 여기에서 실천이성과 순수이성의 모든 것이 내재하고 있다고 말하며, 이 절대적 자아에 의해서 모든 실재가 나타난다고 말하였다. 그는 역사적 사건까지도 그 절대적 자아의 도덕 원리에 종속시켰다. 이에 대해 딜타이는 인류 역사의 대상을 연역에 이르도록 한 그의 근본적 사유를 비판했다.

---

29) 이경민, “딜타이의 역사이해,” 27.(이경민 정리)

피히테는 칸트가 이룬 이성과 실천 이성을 병렬시켜 놓았을 뿐 둘 간의 어떤 연관을 찾지 못했다고 주장하였다. 그는 이 둘 간의 연관을 하나의 궁극적 활동의 근원인 절대적 자아의 개념을 도입하여 그 자아 안의 모든 활동성으로 설명하면서 이 둘을 통합시키고자 했다.(GS. Ⅶ, 110 〈278〉 참조.)
그러므로 실재는 활동적 자아의 산물로서, 우리의 인식 자체의 활동성의 한 형태가 된다. 딜타이는 이를 피히테가 칸트를 넘어 역사의식의 발전을 위해 중대한 진보를 이룬 것으로 설명한다.(GS. Ⅶ, 109 〈275〉 참조)
이제 정신은 경험적 실재에 의해 구속받는 것이 아니라, 오히려 정신의 초월적 활동성을 통해 실재를 창조하는 원천이 되었다. 그러나 피히테가 발견했던 활동적 자아의 개념은 아직도 구체적 내용이 없는, 추상적이고 형식적인 체계에 머물렀다. “그는(피히테) 처음부터 역사적 사건 전체를 그의 도덕 원리의 아프리오리한 평가 관점에 종속시켰다.”라고 해석하면서, 딜타이는 인류 역사의 대상을 연역에 이르도록 한 그의 근본적 사유를 비판했다.(GS.Ⅶ,109 〈276〉)[30]

다. 슐라이어마허의 절대자아의 감정

칸트의 정신 혹은 이성의 개념은 어떤 실체로서 그 안에서의 어떤 활동은 그다지 고려되지 않았다. 그런데 이제 피히테에 이르러서 이것은 활동 개념으로 설명되었다. 슐라이어마허는 이제 여기에 더하여서 피히테의 비어있는 초월적 자아의 활동적 위치에 구체적인 인간 의식의 체험적 내용을 놓았다. 그는 우리의 자아의식은 사고가 아니라 감정이다고 말하였다.

슐라이어마허는 칸트와 피히테가 단지 주체에 대한 형식적 자율을 부여했음을 주장하면서, 피히테의 비어있는 초월적 자아의 활동적 위치에 구체적인 인간 의식의 체험적 내용을 놓았다. 슐라이어마허가 형이상학이 아닌 의식의 현상학을 제공했으며(GS. Ⅳ, 397 참조), 이때 그가 생각한 구체적인 자아의식은 사고가 아니라 ‘감정’이었다.(GS. Ⅳ. 261, 398)
감정은 인간의 전체적 행위로서 실재 세계를 배제하거나 초월하지 않고, 오히려 자아와 세계를 ‘양식화된 전체’ 속에서 통합한다. 감정이란 인간 내면의 살아 있

30) 이경민, “딜타이의 역사이해,” 27-28.(이경민 정리)

는 의식의 전체적 활동으로서, 분리되거나 분석될 수 있는 대상이 아니라 행위 자체로서 끊임없이 대상과의 관계 속에 있다. 그러므로 슐라이어마허에게는 감정이 주관과 대상, 실재와 관념을 통합하는 살아 있는 구체적 의식이며, 이것이 바로 삶이었다.(GS. Ⅳ, 397)[31]

한편, 딜타이는 슐라이어마허가 새로운 철학적 가능성의 근거로서 제시한 '관계로서의 의식'을 '역사의식'으로 이해하였다.(GS. Ⅳ, 261, 397 참조)

라. 헤겔 절대정신과 역사

이제 독일 관념론의 전개로 칸트에서 발견된 지성의 형식들은 최초로 피히테, 슐라이어마허 이후 완전히 의식의 활동성으로 드러났다. 이에 대해 딜타이는 "드디어 역사는 의식 안에 실재하는 것이 되었고 도처에서 발견되는 것은 에너지이고 진보이다"(GS. Ⅶ, 101〈256〉)고 말한다. 딜타이는 헤겔이 슐라이어마허의 영향을 받았다고 말하는데, 특히 슐라이어마허가 그의 종교에 대한 이해 속에서 "공동체의식"을 발견했고, 바로 이 의식이 "역사의 수행적 주체"라는 "헤겔의 전체의식의 개념"(GS. Ⅶ, 98〈250〉)을 형성시켰다고 말한다.

즉 헤겔은 역사에서 지금까지 헤르더 이후 역사학파들이 주장한 역사의 현실성을 다시 독일 관념론의 전개 속에서 절대정신이라는 보편성과 연결시켰다. 이것은 각각의 역사에 대한 보편성의 회복이라는 면에서 기존의 계몽주의와 어느 정도 일치하지만, 이것은 자연과학적 태도가 아닌 정신과학 내의 사유 체계로 설명하고자 한 것이다. 이것은 헤겔이 역사 이해에서 보편성 문제를 정신과학 내에서 정립하고자 했다는 의미이다.[32]

이러한 독일 관념론의 배경 속에서 헤겔은 역사 안에서 그의 변증법적 발전을 가능하게 하는 "활동성들의 공동 작용 같은 것"(GS.Ⅶ,101256〉)을 발견하려 했다. 여기서 헤겔이 역사학파와의 연결이 가능했다고 하겠다. 그러나 헤겔의 관심은 역사학파와 달리 "[실증적으로] 주어진 문헌들로부터 종교적 내면성", 즉 "종교성의 발전 과정"을 발견하는 데에 있었다.(GS.Ⅶ,100 〈254〉)

31) 이경민, "딜타이의 역사이해," 28.(이경민 정리)
32) 이경민, "딜타이의 역사이해," 29-30.(이경민 정리)

그는 이러한 과정에서 "작용하는 [변증법적] 힘", "발전의 주체로서 전체의식"(GS.Ⅶ,100 〈255〉)을 발견하려고 했고, 그리고 그 발전 과정 속에서 작용하고 있는 힘을 "새로운 개념의 연관"(GS.Ⅶ,100 〈256〉)을 통해 파악하려고 했다. 이로 인해 그는 자신의 관심을 다시 "종교적 발전 과정을 넘어 형이상학에로", 또 다시 "삶의 모든 영역"(GS.Ⅶ,100 〈256〉)으로 확대시켜 나갔다. 따라서 그의 궁극적인 관심은 모든 삶 속에서 작용하고 있는 "활동성", "[이 활동성의] 지속적 전개"(GS.Ⅶ,100 〈256〉)에 대한 파악이었다. 그러나 헤겔은 이러한 활동성들의 전개를 개념으로 표현하고자 했고, 그럼으로 해서 역사학과 철학이 연결되었다. 그는 결국 그 활동성들의 발전적 과정을 『논리학』의 개념적 체계로 설명함으로써 역사적 세계를 지성화했다.(GS.Ⅶ,101 〈257〉 참조)
그러므로 헤겔은 정신과학에서 보편성의 확보를 "이성의 체계"(GS.Ⅶ,101 〈257〉)속에서 다시 찾고자 한 것이다. 특히 딜타이는 헤겔이 "18세기의 합리주의가 개별적 현존의 문제, 삶의 특수한 형태, 우연 그리고 자의로 치부하여 이성의 연관으로부터 배제하였던 모든 것까지도 이 고차적 논리학의 수단을 통해 이성의 체계 내에 편입시켰다."고 설명한다.(GS.Ⅶ,101 〈257〉)[33]

마. 랑게의 역사이해

딜타이는 헤겔의 보편성 확보가 관념론에 머물렀다고 말하고, 오히려 랑게가 새로운 방법으로 역사의 보편성 확보에 대한 시도를 하였다고 말한다.(GS. Ⅶ, 101 〈257〉참조). 그는 역사에서의 보편성의 확보를 관념이 아닌, 역사 세계의 살아 있는 현실성 그 자체로서 통합하고자 하였다.(GS. Ⅶ, 101〈257〉참조)
랑케는 여러 많은 사건들 속에서 객관적 역사 연관을 찾고자 했으나, 그 방법은 철학적 사변의 역사 구성이 아닌 순수한 역사적 탐구 방식에서 찾고자 하였다. 그는 자신의 역사 서술의 본래적 특징인 "현실성을 있는 그대로"(GS. Ⅶ, 103 〈262〉)이해하길 원했다. 딜타이는 랑게를 다음과 같이 말한다.

랑게는 "위대한 예술가"로서, 그의 예술가적 관점에서 역사를 생각하였다. 그는 "괴테의 관조적 삶의 정서, 그리고 세계에 직면하여 보여 준 예술가적 관점"을 역사 이해를 위한 학문적 대상으로 삼았다.(GS. Ⅶ, 101 〈258〉)

---

33) 이경민, "딜타이의 역사이해," 30.(이경민 정리)

랑게는 형이상학에 근거한 역사 이해는 “역사적 세계 과정의 총체적 인상을 하나의 본질과 같이 단축된 형태로 설정하거나 또는 이 복합적인 상을 하나의 일반적 형이상학적 원리로부터 제시하든지 하는 일반 표상들 속에 머물 수밖에 없다.”고 말한다.(GS. Ⅰ, 98)

랑게는 역사 연구에서 역사의 살아 있는 현실성을 상실할까를 우려했다. 그는 헤겔식의 사변적 사유보다는 “우리에게 익숙한 감관의 방식을 늘 생생하게 제공해 주는, 인류가 처한 상태에 대한 파악”의 방식을 택했다.(GS.Ⅶ,102 〈259〉)

한편 랑케가 시도한 역사 연구는 바로 그의 “천재적 직관”(GS. Ⅰ, 104)에 의한 것이었고, 이를 통해 추구하고자 한 역사 이해는 “보편사”였다.(GS. Ⅶ, 102 〈259〉)

그의 역사 이해는 보편사적 관점에서 개별적 사건들을 예술가적 기질의 감성적 표현으로 서술하는 천재적 직관에서 비롯되었다. 이 같은 기초적인 직관은 독일 낭만주의 역사학파와 맥을 같이 한다.(GS. Ⅶ, 104 〈264〉 참조)

여기에서 우리는 헤겔에 이어 역사의 보편성을 확보하려는 랑케의 새로운 시도에 주목한다. 특히 랑케는 역사의 현실성에 대한 파악을 헤겔의 사변적 관념으로써가 아니라, 현실성 그 자체로 이해하려고 시도하였다.[34]

랑게는 이와 같이 직관을 통해 역사적 세계를 인식하려하였다. 그는 역사의 현실성을 그 자체로 이해하고자 하였다. 이것은 딜타이의 역사 세계 건립과 그 방향을 같이 한다. 그러나 딜타이는 랑게의 직관강조에 대해, 그것은 너무 신비적이며, 불확실한 공허 속의 비약이라고 비판하며, 논리성의 부족을 지적하였다.(GS. Ⅳ, 310-311, 317-319 참조)

4. 딜타이의 역사와 삶이해

[필자해설] 우리는 헤겔과 랑케에게서 각 개별자들이 접하는 역사의 현실성과 역사의 본질로서의 보편성이 서로 통합되어있다는 전제하에 그들의 연구가 전개되는 것을 보았다. 이에 대하여 딜타이는 헤겔의 관념적 사변성과 랑케의 직관과 같은 시도들의 한계를 인식하고 있었다. 헤겔의 절대정신은 아무리 그것이 옳다고 하더라도 결국 사변에서 출현한 것이다. 헤겔에게 직관이나 삶은 뒷전에 있다. 랑게는

34) 이경민, “딜타이의 역사이해,” 31-32.(이경민 정리)

우리의 삶에서의 직관을 통해 절대정신의 발자취를 좇았는데, 그것은 너무 공허하고 신비주의적이다. 딜타이는 이 양자를 극복하면서 그 해답에 이르려 한다.

즉, 딜타이는 헤겔의 사변이성이나 랑게의 예술가적 혹은 신비주의적 직관 대신에 그 자리에 삶과 이해를 넣고자 하는 것이다. 딜타이는 "이제 나는 인식론적 문제에서 출발해서 정신과학에서 역사적 세계의 건립을 탐구하고자 한다."(GS. Ⅶ, 117 〈291〉)라고 자신의 입장을 밝힌다. 여기에서 인식론적 문제란 '삶과 이해'이다.

역사적 현실성 그 자체에 대한 인식을 통해 보편자를 발견하고자 하는 것이다. 딜타이와 쇼펜하우어가 연결되는 것은 아닐지 몰라도, 쇼펜하우어는 그의 의식 의 본질로서 물자체로 볼 수 있는 의지를 찾았다. 결국 그 의지가 보편자이다. 딜타이는 삶의 체험과 이해를 통해서 역사적 보편자를 찾으려 한다. 딜타이의 삶의 체험은 쇼펜하우어의 의식과 병치되고, 역사는 쇼펜하우어의 의지 혹은 정신과 병치된다.

궁극적으로, 딜타이는 역사를 물 자체 혹은 절대정신과 같은 보편에 관련시키고, 이 보편으로서의 역사를 추구하되 우리의 지성이나 직관이 아닌 삶에 대한 이해를 통해서 파악하고자 한다. 왜냐면 삶과 역사는 서로 연결되어 있기 때문이다. 우리의 생에 대한 이해와 인식이라는 정신과학적 태도를 통해서 역사적 세계와 맞닿은 자신의 모습을 발견하고자 한다.

그는 이것을 "인식론적 문제에서 출발해서 정신과학에서 역사적 세계의 건립을 탐구한다"(GS. Ⅶ, 117 〈291〉)라고 말한다.

딜타이는 "그 당시 지배적이었던 주지주의적 인식론"의 방식이 아닌, "전 인간에 대한 역사학적, 그리고 심리학적 탐구"를 통해, 즉 "의욕하고, 느끼고, 표상하는 존재에 대한 인식"(GS. Ⅶ, 117 〈291〉)에서 찾았다. 그러므로 그의 출발점은 "삶과 이해"이다. 이는 "삶 안에 포함된 관련, 현실성, 가치, 목적들의 관련" 안에서 "인식론적, 논리적 연관의 근본 특징들"(GS. Ⅶ, 117 〈291〉)을 완전한 전체로 제시하는 것을 의미한다. 이에 따라 딜타이는 "이제 나는 인식론적 문제에서 출발해서 정신과학에서 역사적 세계의 건립을 탐구하고자 한다."(GS. Ⅶ, 117 〈291〉)라고 자신의 입장을 밝힌다.

딜타이는 이러한 역사 세계의 새로운 구성 작업의 가능성을 무엇보다 체험에서

찾았다. 왜냐하면 이는 "실재성에서 실재성"으로 향하는 길이기 때문이다.(GS. Ⅶ, 118 〈293〉)
"그것〔정신과학의 건립〕은 역사적 현실성 안에로 한층 더 깊이 파고들어감이며, 이 현실성으로부터 한결 더 많은 것을 길어냄이고, 또 이 현실성을 넘어 더욱 넓게 펼쳐짐이다."(GS. Ⅶ, 118 〈293〉)[35]

3절 체 험

1. 역사이성 비판의 과제

칸트는 『순수이성비판』에서 자연의 인식론을 제시했는데, 그것은 기본적으로 범주에 대한 발견이었다. 우리 순수이성 안에는 선험적으로 내재된 자연과학에 대한 인식틀이 내재하고 있었다. 그것이 곧 범주였다. 우리가 자연사물들에 대해 인식할 때, 우리 안의 범주는 이것을 문장으로 산출하면서 자연법칙을 발견해 낸 것이었다. 딜타이는 우리의 삶에 대한 체험을 통해서 역사를 이와 같은 방식으로 이해할 수 있는가의 틀(범주)을 발견하고자 한 것이다. 이것이 곧 "역사이성비판"의 과제이다. 만일 우리에게 이와 같은 역사이성 혹은 삶에 대한 범주가 존재한다면, 우리는 삶을 통해서 역사를 이해하게 된다. 우리가 우리의 현실적 삶이 범주를 통해 보편적 역사가 산출된다면, 우리는 그곳에 역사적 세계를 건립하는 것이다. 이러한 역사적 세계의 건립은 우리 안에 있는 주체에서 발아한다.(필자 해설)

가. 개별적 주체에서 발아하는 정신적 세계의 연관

딜타이에 의하면, 정신적 세계의 건립은 개별적 주체에서 발아하여 연관되어 있다. 즉, 이렇게 주체로부터 발아한 정신의 운동은 의미 연관을 통해 서로 논리적 과정들로 연결되어 있다. 따라서 우리의 개별적 자아에 의해 건립되는 정신적 세계는 일차적으로 파악하는 주체의 창조물이다. 더 나아가 이러한 자아의 정신적 운동은 자신 안에서 객관적인 앎에 도달하려는 목표를 향하고 있다. 그렇다면, 개별적 주체들에서 이루어지는 '정신적 세계의 건립'이 '정신적 현실성에 대한 앎'을 가능하게 할 것인가? 이것이 딜타이의 역사이성 비판의 과제이다.

---

35) 이경민, "딜타이의 역사이해," 32-33.(이경민 정리)

> 정신적 세계의 연관은 [개별적] 주체에서 발아한다. 그리고 이 각각의 [주체에서 발아하는] 논리적 과정들을 서로 연결해 주는 것은 "의미 연관의 규정에까지 이르는 정신의 운동"이다. 그러므로 정신적 세계는 일면 파악하는 주체의 창조물이지만, 타면 이 같은 정신의 운동은 자신 안에서 객관적인 앎에 도달하려는 목표를 향하기도 한다. 이렇게 해서 우리는 다음과 같은 문제에 부딪히게 된다: 어떻게 해서 "[개별적인] 주체들에서 이루어지는 정신적 세계의 건립"이 "정신적 현실성에 대한 앎"을 가능하게 할 것인가? 일찍이 나는 이를 역사이성비판의 과제라 칭한 바 있다.(GS. Ⅶ, 191 〈451〉)

나. 논리적 과정들로 연결된 정신적 세계

딜타이는 이러한 정신적 세계는 논리적 과정들을 통해서 연결되어 있다. 그렇다면, 이 과제를 해결하기 위해서는 "연관의 창조를 위해 협력하고 있는 각각의 실행들이 분리" 되어야 하고, 이들 각각이 정신적 세계에서 "역사적 흐름의 건립"과 "정신적 세계의 체계론의 발견"을 위해 어떤 역할을 하는지를 보여야 한다.

이해는 '너' 안에서 '나'를 재발견하는 것으로서, 즉, 이 동질성이 하나의 공동체의 모든 주체에 있어서 상이한 여러 실행들의 공동 작용을 가능하게 한다. 여기서 앎의 주체는 그의 대상과 하나이다. 이 동질성이 "주체 안에 창조된 정신적 세계의 객관성"이다.

> 이 과제를 해결하기 위해서는 "연관의 창조를 위해 협력하고 있는 각각의 실행들이 분리" 되어야 하고, "이들 각각이 정신적 세계에서 역사적 흐름의 건립과 정신적 세계의 체계론의 발견을 위해 어떤 역할을 하는지"가 보여야 한다. 이 역사적 흐름은 진리들의 상호적인 의존성에 포함된 난점들이 어디까지 해결될 수 있는지를 증시하여야 한다. 또한 이를 통해 정신과학적 파악의 실재적 원칙이 경험으로부터 점진적으로 도출될 수 있을 것이다.
> 이해는 '너' 안에서 '나'를 재발견하는 것이다. 정신은 항상 연관의 더 높은 단계에서 자신을 재발견한다. 이 동질성이, 나에 있어서, 너에 있어서, 하나의 공동체의 모든 주체에 있어서, 모든 문화체계에 있어서의, 그리고 최종적으로 정신의 총체성과 보편사에 있어서의 동질성이 정신과학에서 상이한 여러 실행들의 공동

작용을 가능하게 한다. 여기서 앎의 주체는 그의 대상과 하나이다. 그리고 이 대상은 그의 객관화의 모든 단계에서 동일한 것으로 남는다.(GS. Ⅶ, 191 〈452〉)

다. 역사이성의 범주의 가능성

딜타이는 "주체 안에 창조된 정신적 세계의 객관성"을 역사이성의 범주로 본다. 이것은 칸트의 순수이성의 범주와 유사한 개념이다. 그는 이러한 역사이성의 범주가 정신적 세계의 인식 문제 일반에 대해 얼마만큼 기여할 수 있을 것인가를 묻고 있다.

이러한 절차를 통해서 "주체 안에 창조된 정신적 세계의 객관성"이 인식되면, 다음의 물음이 생겨난다. 이것이 [정신적 세계에 대한 객관적 인식을 보장하는 절차가] 인식 문제 일반에 대해 얼마만큼 기여할 수 있을 것인가? 칸트는 "인식 문제를 다루기 위한 기초, [그것도] 형식논리학과 수학 안에 놓여 있는 기초"에서 출발했다. 그의 시대의 형식 논리학은 모든 학문적 문장들의 타당성의 최후의 논리적 근거, [그것도] 불변하는 근거를 최후의 논리적 추상화 속에서, 사유 법칙들과 사유 형식들에서 찾는다. 사유 법칙들과 사유형식들, [그중에서도] 특히 판단이 칸트에게는 -그는 판단에서 범주들을 찾았다 - 인식을 위한 조건들을 포함하는 것이었다. 그리고 그는 이 조건들을 수학의 가능 조건들을 통해서 확장했다. 그의 업적의 위대함은 그가 수학적, 자연과학적 앎에 대한 완전한 분석을 제공했다는 점이다. 이제 물어야 할 것은 "칸트가 제공하지 않은 역사의 인식론이 그의 [선험철학적] 개념의 틀 안에서 가능한가?"이다.(GS. Ⅶ, 191 〈452〉)

2. 역사이성의 범주

가. 정신적 세계의 범주

딜타이에 의하면, 범주는 체험에서 싹터 오른다고 말한다. 이것은 대상 파악의 방식으로서 우리가 구사하는 술어들이 곧 범주이다. 그리고 이러한 범주 안에는 관계의 규칙이 자리잡고 있으며, 체계적인 연관을 형성하고 있다.

이제 [우리의] 과제는 체험에서 파악되는 것의 실재성을 보여 주는 일이다. 그리고 여기에서는 정신적 세계의 범주(Kategorie), 즉 체험으로부터 싹터 오르는 범주의 객관적 가치가 문제이므로, 여기서 범주라는 표현이 어떤 의미로 사용되는지에 대한 해명을 먼저 해야 하겠다. 우리가 대상을 진술하는 술어들에는 [대상] 파악의 방식이 포함되어 있다. 이러한 방식을 표기하는 개념들을 나는 범주라 부른다. 이러한 방식의 어떠한 것도 자신 안에 관계의 규칙을 포함한다.
범주들은 자신 안에 체계적인 연관을 형성하고, [이 연관의 최상위에 놓인] 범주들은 현실성의 파악을 위한 최고의 관점을 보여 줄 것이다. 이렇게 보자면 범주들 중의 그 어떤 것도 술어화의 고유한 세계를 표시한다고 하겠다. (GS. Ⅶ, 191 〈454〉)

나. 형식적인 범주와 실재적인 범주

딜타이는 범주를 형식적인 범주와 실재적인 범주로 구분하는데, 형식적인 범주들은 모든 현실성에 대한 진술의 형식을 말하고, 실재적인 범주는 정신적 세계의 파악을 통해 생겨나는 것들을 말한다. 그리고 이러한 과정들 혹은 체험들을 통해서 체험 연관에 대한 보편적인 술어들이 생겨난다. 그리고 이 술어들은 “이해에 있어서의 삶의 객관화”에, 그리고 정신과학적 진술의 모든 주어들에 적용되면서 이 술어들의 타당성의 범위가 확대된다. 이 확대는 정신적 삶이 있는 곳이라면 어디서나 이 실재적 범주가 부가된다. 이를 통해 이 보편적 술어들은 정신적 세계의 범주라는 존엄성을 획득한다.

형식적인 범주들은 모든 현실성에 대한 진술의 형식이다. 반면 실재적인 범주 중에서는 [특정한, 따라서 구체적인] 정신적 세계의 파악을 통해 생겨나는 것들이 있다. 물론 이들도 어떤 변형[의 과정]을 통해서 현실성 전체에 적용될 수 있기는 하지만 말이다. 체험에서 한 특정 개인의 체험 연관에 대한 보편적인 술어들이 생겨난다. 그리고 이 술어들이 “이해에 있어서의 삶의 객관화”에, 그리고 정신과학적 진술의 모든 주어들에 적용되면서 이 술어들의 타당성의 범위가 확대된다. 이 확대는 정신적 삶이 있는 곳이라면 어디서나 “삶에는 작용 연관, 힘, 가치 등[의 실재적 범주가] 부가된다”는 사실이 보일 때까지 계속된다. 이를 통해 이 보편적 술어들은 정신적 세계의 범주라는 존엄성을 획득한다. (GS. Ⅶ,

191 〈454〉)

다. 시간성과 현재의 실재성

체험은 시간의 경과를 통해 일어난다. 그래서 삶에 대한 최초의 범주적 규정은 시간성이다. 시간은 모든 외적 대상들에게 공통적으로 적용된다. 칸트처럼 딜타이도 시간을 기본적인 인식틀로서 보고 있다. 그러나 딜타이의 시간은 칸트와 달리 시간은 경험(체험)을 담고 있는데, 이 시간은 과거와 미래가 모두 현재로 경험된다. 따라서 현재란 실재성으로 충족되는 시간 계기이다. 현재는 '과거에 대한 회상'에 대비되고, '원함, 기대, 등의 미래적인 것에 관한 표상'에 대비되는 하나의 실재성이다. 이같이 우리의 삶 속에 놓은 것이 바로 실재성이고, 이 실재성이 곧 정신과학이 알고자 하는 것이다.

> 삶 안에는 삶에 대한 최초의 범주적 규정으로서, 다른 모든 규정보다 근원적인 시간성이 포함되어 있다. 이 사실은 '삶의 흐름'이라는 표현만 보아도 알 수 있다. 시간은 우리 의식의 총괄하는 통일에 힘입어 우리에게 현존한다. 삶과 삶에서 나타나는 모든 외적 대상들에게는 동시성, 연속, 시간 간격, 지속, 변화 등의 관련들이 공통적으로 적용된다.…
> 이 관계들의 틀은 물론 시간 [경험]을 포함할 수는 있겠지만, 이 틀에서 시간 개념의 궁극적인 충족이라 할 수 있는 시간의 체험[내용이] 다 파헤쳐질 수는 없다. 여기서 시간은 현재적인 것이 끝없이 과거로 되고, 미래적인 것이 현재로 바뀌면서 진행되는, 현재의 무한한 전진으로 경험된다. 현재란 실재성으로 충족되는 시간 계기이다. 현재는 '[과거에 대한] 회상'에 대비되는, 그리고 '원함, 기대, 희망, 두려움, 의욕 등에서 나타나는 미래적인 것에 관한 표상'에 대비되는 하나의 실재성이라 할 수 있다.
> 이렇게 실재성 또는 현재로 채워진 것이 지속적으로 존립하는 반면, 체험의 내용을 구성하는 것들은 쉬지 않고 변한다. 우리는 과거와 미래를 단지 표상으로만 소유할 뿐인데, 이 표상들은 오로지 현재 안에 살고 있는 자에게만 존재한다. 현재는 항상 현존하며, 현재 안에서 나타나는 것이 아닌 그 어떤 것도 존재하지 않는다.… 간단히 말해 우리가 실재성의 충족 안에 살고 있는 한에서는 언제나, 그리고 어디서나 현재가 존재한다.… 뒤로는 [과거를 향해서는] 의식의 가치와

감정의 몫에 의거하여 그 단계가 구분된, 회상의 상들의 계열이 있다.… 과거를 되돌아볼 때 우리는 소극적인 태도를 취한다. 과거는 변경될 수 없기 때문이다.… 그러나 미래에 대해서는 우리는 적극적이고 자유롭다. 바로 여기서 '현재 안에서 우리에게 열려 주어지는 현실성의 범주' 곁에 가능성의 범주가 생겨난다. 우리는 무한한 가능성을 가지고 있다고 느낀다.… 이같이 우리의 삶 속에 놓은 것이 바로 실재성이고, 이 실재성이 곧 정신과학이 알고자 하는 것이다. (GS. Ⅶ, 193 〈456-457〉)

라. 체험, 삶의 흐름

딜타이는 시간을 체험할 때 이율배반이 발생한다고 말하는데, 이것은 헤겔의 변증법적 의식의 흐름을 의미한다. 현재가 정립이라면, 그것은 곧바로 반정립에 의해서 과거로 변해 버린다. 따라서 현재는 존재하지 않는다. 그리고 미래가 현재로서 새롭게 다가와서 종합이라는 하나의 통일체를 이룬다. 이것이 바로 체험이며, 삶의 흐름이다. 그런데, 체험은 시간에 있어서의 흐름의 경과이다. 이 흐름 속에서는 어떤 상태도 명확히 대상화되기 전에 변화해 버린다. 따라서 이런 방식으로는 삶의 본성이 결코 포착될 수가 없다.

사유가 시간을 체험할 때 이율배반이 발생한다. 이것은 사유가 인식에 대해 충분히 철저하지 못했다는 사실에서 연유한다. 시간의 전진의 최소한의 부분조차도 자신 안에 또한 시간의 흐름을 갖는다. 현재는 결코 존재하지 않는다. 우리가 현재라고 체험하는 것은 이미 항상 자신 안에 방금 전에 현재적이었던 것에 대한 회상을 포함한다. 여러 다른 계기들 중에서도 현재에 [작용하는] 힘으로서의 과거의 지속적인 작용이, 현재에 대한 이 작용의 의미가 회상된 것에 고유한 현존의 특성을 전달하고, 이를 통해 회상된 상은 현재에 편입된다. 이렇게 하나의 통일적인 의미를 갖고, 따라서 시간의 흐름 속에서 현존의 통일을 형성하는 것 - 바로 이것이 우리가 체험이라 부르는 최소한의 통일체이다. 나아가 우리는 삶의 흐름에 대한 공동의 의미에 의해 연결되어 있는 삶의 부분들의 포괄적인 통일체도 모두 체험이라 부른다. 비록 이 부분들이 어떤 단절의 과정을 통해 서로로부터 분리될 수 있기는 하지만 말이다.
체험은 시간에 있어서의 흐름의 경과이다. 이 흐름 속에서는 어떤 상태도 명확히 대상화되기 전에 변화해 버린다. 왜냐하면 [이 상태에] 이어지는 다음 순간이 이 앞선 순간 위에 증축되기 때문이다. 이 흐름 속에서는 어떤 순간도 - 파악되지 않은 채 - 과거가 되어 버린다. 그러면 순간은 스스로를 확대할 자유를 가진 회상으로 나타난다. 그러나 관찰은 체험을 파괴한다. 그러므로 우리가 삶의 흐름의 '한 조각'이라고 말하는 연관의 방식보다 더 기괴한 것은 없다. "구조 관계란 [다만] 삶의 형식이다"라는 사실만이 항상 확실한 것으로 남는다. … 우리는 늘 다음과 같은 삶 자체의 법칙에 마주치게 된다.: 즉 "관찰되는 삶 자체의 어떤 순간도 - 우리가 이 흐름에 관한 의식을 아무리 강화시킨다 해도 - 이미 회상된 순간일 뿐이지, 흐름은 아니라는 법칙" 말이다. 이것은 마치 강물이 비추어 보이는 방식과 같다. 즉 헤라클레이토스가 말했듯이 강물의 흐름은 같은 것으로 보이지만 그렇지 않은 것처럼,… 이런 방식으로는 삶의 본성이 결코 포착될 수가 없다.… (GS. Ⅶ, 194 〈461-462〉)

마. 삶 자체에서 생겨나는 포괄적 범주로서의 '연관'

실재적 시간의 특성으로부터, 시간의 흐름은 엄밀한 의미에서는 결코 체험될 수 없다. 우리는 흐름 자체를 체험할 수는 없다. 다만 낱낱의 성질들이 결합되어 다른 것이 될 때, 변화를 체험할 뿐이다. 삶의 흐름은 부분들, 즉 하나의 내적인 연관 안에 서로서로 연결된 체험들로 구성된다. 모든 체험은 다른 부분들과 [함께 하는] 구조를 통해 하나의 연관[의 형성]을 위해 연결된다. 우리는 모든 정신적인 것에서 연관을 발견할 수 있고, 따라서 연관은 삶 자체로부터 생겨나는 범주이다. 우리는 의식의 통일에 힘입어 연관을 파악한다. 삶 자체가 하나의 구조 연관이기 때문에 우리에게 삶의 연관이 주어진다. 이 연관은 모든 현실성에 대한 진술의 방식이라 할 수 있는, 하나의 포괄적인 범주 아래서 파악된다. 즉 부분에 대한 전체의 관계 아래서.

실재적 시간의 이 같은 특성으로부터 "시간의 흐름은 엄밀한 의미에서는 결코 체험될 수 없다"는 사실이 도출된다. 과거의 것의 현존이 직접적인 체험을 대체한다. 우리가 시간을 관찰할 때, 시간은 파괴된다. 왜냐하면 관찰은 주의 집중을 통해 시간을 고정시키기 때문이다. 즉 흐르는 것을 정지시키고, 생성하는 것을 동결시킨다. 우리가 체험하는 것은 과거의 것으로부터의 변화이며, 이 변화가 과거의 것으로부터 수행된다는 사실뿐이다. 따라서 우리는 흐름 자체를 체험할 수는 없다. 우리는 단지 우리가 방금 보고 들었던 것으로 되돌아가면서, 그리고 이 것을 여전히 눈앞에 발견하면서 어떤 존속을 체험한다. 그리고 낱낱의 성질들이 결합되어 다른 것이 될 때, 변화를 체험한다.…
삶의 흐름은 부분들, 즉 하나의 내적인 연관 안에 서로서로 연결된 체험들로 구성된다. 모든 체험은 자기에 관계된 것이고, 이 자기의 부분들이 곧 체험이다. 모든 체험은 다른 부분들과 [함께 하는] 구조를 통해 하나의 연관[의 형성]을 위해 연결된다. 우리는 모든 정신적인 것에서 연관을 발견할 수 있고, 따라서 연관은 삶 자체로부터 생겨나는 범주이다. 우리는 의식의 통일에 힘입어 연관을 파악한다. 이 통일은 모든 형태의 파악이 가능하기 위한 조건이다.… 삶 자체가 하나의 구조 연관이기 때문에, 그리고 이 연관 안에서 체험들이 서로서로 체험 가능한 관계를 맺는다는 사실 때문에 우리에게 삶의 연관이 주어진다. 이 연관은 모든 현실성에 대한 진술의 방식이라 할 수 있는, 하나의 포괄적인 범주 아래서 파악된다. 즉 부분에 대한 전체의 관계 아래서. (GS.Ⅶ,195 〈463-464〉)

바. 물질적 기반 위에 나타나는 정신적 삶

물적인 것의 기반 위에서 정신적 삶이 나타난다. 체험은 도저히 더 이상 언급할 수 없는 방식으로 이 육체와 결부되어 있다. 그러나 우리는 체험과 더불어 물리적 현상의 세계에서 나와 정신적 현실성의 왕국에로 발을 들여 놓게 된다. 이 왕국이 정신과학의 대상이다. 그리고 이 대상에 대한 자각, 그리고 정신과학의 인식이 갖는 가치, 이것은 물리적 조건에 대한 탐구와는 무관한 것이다.

물적인 것의 기반 위에서 정신적 삶이 나타난다. 정신적 삶은 지구상에서 이루어진 진화의 [계열에서] 그 최상의 단계에 배치될 만한 것이다. 일단 자연과학이 물리적 현상에서 법칙에 따른 질서를 발견하면서 정신적 삶이 나타나기 위한 조건이 마련된다. 현상적으로 주어진 물체들 안에는 인간의 육체도 있다. 그리고 체험은 도저히 더 이상 언급할 수 없는 방식으로 이 육체와 결부되어 있다. 그러나 우리는 체험과 더불어 물리적 현상의 세계에서 나와 정신적 현실성의 왕국에로 발을 들여 놓게 된다. 이 왕국이 정신과학의 대상이다. 그리고 이 대상에 대한 자각, 그리고 정신과학의 인식이 갖는 가치, 이것은 물리적 조건에 대한 탐

구와는 무관한 것이다.(GS.Ⅶ,195 〈464〉)

사. 체험에서 나오는 보편적인 술어와 속성들

체험은 자신 안에 기초적인 사유 실행을 포함하는데, 이것은 체험의 예지성이라 표기된다. 이 실행들은 의식함의 고양과 더불어 나타나는데, 체험의 반복에 대한 판단이 뒤따르고, 이 판단이 체험을 대상화한다. 그리고 여기에서 형성된 보편적인 술어들과 속성들이 부여된다는 것이다. 그리고 이 술어와 속성들에 정신과학적 범주의 [형성을 위한] 출발점이 포함되어 있다.

> 체험, 타인에 대한 이해, 역사적 작용의 주체로서의 공통성에 대한 역사적 파악, 끝으로 객관 정신에 대한 이해, 이 모든 것들의 공동 작업을 통해 정신적 세계에 대한 앎이 생겨난다. 체험은 이 모든 것들의 마지막 전제이다. 그러므로 우리는 체험이 행하는 실행이 어떤 것인지를 물어야 한다.
> 체험은 자신 안에 기초적인 사유 실행을 포함한다. 나는 이를 체험의 예지성이라 표기한 바 있다. 이 실행들은 의식함의 고양과 더불어 나타난다. 내적 사태관계의 변화는 구분에 대한 의식을 불러온다. 이렇게 스스로 변하는 것에서 하나의 사실 상태가 고립되어 파악된다. 이러한 체험에 체험된 것에 대한 판단이 뒤따르고, 이 판단이 체험을 대상화한다. 우리가 어떻게 단지 체험으로부터 모든 정신적 사실 상태에 대한 인식을 얻게 되는 지에 대한 설명은 불필요할 것이다. 우리는 스스로 체험하지 못한 어떤 감정도 타자 안에서 재발견될 수는 없다. 그러나 정신과학의 형성을 위해 결정적인 것은 우리는 다른 주체들에게, 즉 경계지어진 육체 안에 체험의 가능성을 포함하는 다른 주체들에게 우리 자신의 체험으로부터 [형성된] 보편적인 술어들과 속성들을 부여한다는 것이다. 이 술어와 속성들에 정신과학적 범주의 [형성을 위한] 출발점이 포함되어 있다.
> 형식적인 범주는 기초적인 사유 실행에서 생겨난 것이라 볼 수 있다. 이것은 사유실행을 통해 파악 가능한 것을 재현하는 개념들이다. 이러한 개념들에는 통일성, 수다성, 동일성, 차이, 정도, 관계와 같은 것이 있다. 이것은 전 현실성의 속성이다.(GS.Ⅶ,196 〈465-466〉)

3. 삶의 연관

가. 삶에 대한 이해

우리는 우리의 삶을 이해하는 태도를 취하게 되며, 이 태도가 취하는 고유한 범주들이 있는데, 이것은 자연인식적인 시간성을 넘어서는 요소를 포함하고 있다. 한편, 이 범주는 인간적 삶으로부터 건네받은 것이다. 이 범주가 정신적인 어떤 것을 삶의 태도로부터 삶의 이해를 가져온다.

> 이제 우리는 삶의 새로운 특징을 볼 수 있게 되었다. 이 특징은 이미 논의된 삶의 시간성이라는 특성에 의해 규정되지만, 또한 이를 넘어서기도 한다. 우리는 삶에-나의 고유한 삶이든 타인의 삶이든 마찬가지로-이해하며 태도를 취한다. 이 태도가 수행되는 고유한 범주들이 있는데, 이것은 자연 인식에게는 생소한 것이다. 자연 인식은 유기적 세계 안의, 인간의 삶의 전(前) 단계를 설명하기 위해서 목적 개념을 필요로 하지만, 이 범주는 인간적 삶으로부터 건네 받은 것이다. (GS.Ⅶ,196 〈465-466〉)

나. 정신과학에서의 형식적인 범주

정신과학의 형식적인 범주는 구분, 동일시, 차이의 정도 파악, 연결, 분리와 같은 논리적 관계 방식에 대한 추상적 표현들이다. 이것은 자연과학뿐 아니라 정신과학의, 그리고 인식뿐 아니라 이해의 형식적 조건이기도 하다.

> 형식적인 범주는 구분, 동일시, 차이의 정도 파악, 연결, 분리와 같은 논리적 관계 방식에 대한 추상적 표현들이다. 이들은 말하자면 고급의 인지 작용이어서, [외적 자연을] 확정하기는 하지만 아프리오리하게 구성된 것은 아니다. 이들은 이미 우리의 기초적 사유에서 나타나고, 나아가 추론적 사유, 즉 기호와 관련된 사유에서도-물론 한 단계 높아지기는 했지만-동일한 것으로 남는다. 이것은 자연과학뿐 아니라 정신과학의, 그리고 인식뿐 아니라 이해의 형식적 조건이기도 하다.(GS.Ⅶ,197 〈467〉)

다. 정신과학에서의 실재적 범주

정신과학에서의 실재적 범주는 자연과학에서의 범주와 동일하지 않다. 역사적 세계에는 자연과학적 인과성이란 것이 없으며, 역사는 오로지 작용함과 겪음의, 그리고 작용과 반작용의 관계만을 알 뿐이다. 정신과학의 범주는 삶의 본질과 이에 상응하는 이해의 절차에서 자신의 고유한 뜻, 부분들을 서로 연결해 주는 연관이라는 뜻을 얻는다. 이것이 범주인데, 그것은 자서전에 나타난다. 왜냐하면 자서전은 삶에 관한 자각의 가장 직접적인 표현이기 때문이다. 그들은 어떻게 그들의 고유한 삶의 흐름의 여러 부분들의 연관을 이해하고 파악했을까?

> 그러나 정신과학에서의 실재적 범주는 결코 자연과학에서의 범주와 동일하지 않다.…역사적 세계에는 자연과학적 인과성이란 것이 없다.…그러나 역사는 오로지 작용함과 겪음의, 그리고 작용과 반작용의 관계만을 알 뿐이다.…
> 모든 자연과학적 인식의 개념 형성은 정신과학에 대해서는 전혀 중요한 것이 아니다.…정신과학의 왕국에서의 범주는 삶의 본질과 이에 상응하는 이해의 절차에서 자신의 고유한 뜻, [즉] 부분들을 서로 연결해 주는 연관이라는 뜻을 얻는다. 물론 여기서도 우리의 경험에 주어지는 현실성의 진화라는 특성에 따라 유기적 삶은 비유기적 자연과 역사적 세계의 중간 단계로, 즉 역사적 세계의 전(前) 단계로 간주될 수도 있다.
> 그러나 인류의 삶의 부분들을 하나의 전체에로 연결시켜주는 이 고유한 뜻은 무엇인가? 그리고 우리가 이해하면서 이 전체를 자기화할 수 있게끔 하는 범주는 무엇인가? 나는 자서전에 주목한다. 왜냐하면 자서전은 삶에 관한 자각의 가장 직접적인 표현이기 때문이다. 아우구스티누스, 루소, 괴테 -이들에게서 우리는 그들만의 전형적인 역사의 형식을 발견한다. 이 저술가들은 어떻게 그들의 고유한 삶의 흐름의 여러 부분들의 연관을 이해하고 파악했을까?(GS.Ⅶ,197<467>)

라. 아구스티누스 등의 자서전

아우구스티누스는 전적으로 자신의 현존과 신 사이[에 존립하는] 어떤 연관을 향하고 있다. 그의 삶은 이 '삶의 부분들이 무조건적 최고선의 실현이라는 하나의 절대적 가치와 맺는 관계'로부터만 이해될 수 있다. 루소도 또한 가치, 목적, 뜻, 의미와 같은 것들이 서로 연결되면서 형성하는 하나의 고유한 관련이다. 루소는 무엇보다도 자신의 개별적 실존의 권리를 인정받기를 원했다. 그의 이러한 직관으로부터 범주들의 관련이 형성되고, 오로지 이 관련 아래서만 그의 삶이 이해될 수 있다. 괴테의 경우 또한 우리로 하여금 '삶을 파악하는 도구로서의 범주들'이 서로서로 어떻게 관련되는지에 대한 심오한 통찰을 얻게 한다. 삶의 뜻은 형성과 발전에 있다.

> 아우구스티누스는 전적으로 자신의 현존과 신 사이[에 존립하는] 어떤 연관을 향하고 있다.…그의 삶은 이 '삶의 부분들이 무조건적 최고선의 실현이라는 하나의 절대적 가치와 맺는 관계'로부터만 이해될 수 있다. 그리고 바로 이 관계를 통해 과거를 돌아보는 자에게 이전의 모든 삶의 순간들의 의미에 대한 의식이 생겨난다.…
> 루소는 자신의 정신적 실존을 있는 그대로 온전히 세상에 보여줌으로써 이 실존의 권리를 정당화하려 했다. 그러므로 여기서도 물론 삶의 외적 과정들의 흐름은 [이 정신적 삶의 연관에 입각하여] 해석될 수 있다. 여기서 추구되는 것은 원인과 결과의 단적인 관계를 넘어서는 하나의 연관이다. 우리가 루소와 관련하여 이런 연관을 언급하려 할 때, 쓸 수 있는 적절한 단어는 가치, 목적, 뜻, 의미와 같은 것들이다. 좀 더 자세히 말해 루소 해석을 가능하게 하는 것은 이 범주들이 서로 연결되면서 형성하는 하나의 고유한 관련이다. 루소는 무엇보다도 자신의 개별적 실존의 권리를 인정받기를 원했다. 물론 여기에는 "삶의 가치를 실현하기 위한 무한한 가능성"에 대한 새로운 직관도 포함되어 있다. 바로 이 직관으로부터 [상기한] 범주들의 관련이 형성되고, 오로지 이 관련 아래서만 그의 삶이 이해될 수 있다.
> 이제 괴테를 보자.… 그는 그가 라이프치히, 슈트라스부르크, 프랑크푸르트에서 보낸 모든 현재를 한편으로는 과거에 의해 채워지고 규정된 것으로, 다른 편으로는 미래의 형성을 위해 뻗어 나가는 것, 즉 발전과정으로 보았다. 여기서 우리는 '삶을 파악하는 도구로서의 범주들'이 서로서로 어떻게 관련되는지에 대한 심오한 통찰을 얻게 된다. 삶의 뜻은 형성과 발전에 있다. 이것으로부터 삶의 순간들의 의미가 고유한 방식으로 규정된다. 의미는 동시에 순간들의 체험된 고유가치이며, 이 가치의 작용하는 힘이다.(GS.VII,197-199 〈467-472〉)

바. 모든 삶이 갖는 고유한 뜻

모든 삶은 고유한 뜻을 갖는다. 이 의미 연관 안에서 일단 모든 회상 가능한 현재는 고유 가치를 소유하지만, 동시에 회상의 연관을 통해 전체의 뜻에로의 관계도 갖는다. 그리고 이 개별자의 뜻은 라이프니츠의 모나드처럼 자신만의 방식으로 역사적인 우주를 재현하고 있다.

> 모든 삶은 고유한 뜻을 갖는다. 뜻은 의미 연관 안에 놓여 있다. 이 의미 연관 안에서 일단 모든 회상 가능한 현재는 고유 가치를 소유하지만, 동시에 회상의 연관을 통해 전체의 뜻에로의 관계도 갖는다. 개별적 현존재의 뜻은 단독적인 것이어서 [보편적인] 인식만으로는 해결할 수 없는 문제이다. [개별자의] 뜻은 - 마치 라이프니츠의 모나드처럼-자신만의 방식으로 역사적인 우주를 재현하고 있다.(GS.Ⅶ,199 〈472〉)

4. 자서전

가. 삶의 이해로서의 자서전

딜타이에 의하면, "자서전은 우리가 삶의 이해와 만날 수 있는 최상의, 그리고 가장 유익한 형식이다"고 말한다. 여기서 삶의 흐름은 외적인 것, 감성적으로 현현하는 것이다. 그러면 이해는 이 외적인 것에서 출발해서 이 삶의 흐름이 특정 환경 안에서 산출한 것으로 파고들어간다. 여기서 이 삶의 흐름을 이해하는 자와 산출한 자는 동일한 사람이다. 바로 이 점에서 이해의 각별한 친밀성이 주어진다. 자신의 삶의 역사 속에서 통일된 연관을 추구하는 바로 그 사람이 자신의 삶의 모든 것에서 이미 다양한 관점에 있어서의 자신의 삶의 연관을 형성하고 있다.

> 자서전은 우리가 삶의 이해와 만날 수 있는 최상의, 그리고 가장 유익한 형식이다. 여기서 삶의 흐름은 외적인 것, 감성적으로 현현하는 것이다. 그러면 이해는 이 외적인 것에서 출발해서 이 삶의 흐름이 특정 환경 안에서 산출한 것으로 파고들어간다. 여기서 이 삶의 흐름을 이해하는 자와 산출한 자는 동일한 사람이다. 바로 이 점에서 이해의 각별한 친밀성이 주어진다. 자신의 삶의 역사 속에서 [통일된] 연관을 추구하는 바로 그 사람이 [자신의 삶의] 모든 것에서 - [즉] 그가 삶의 가치로 느꼈던 모든 것에서, 삶의 목적으로 실현했던 모든 것에서, 삶의 계획으로 기획했던 모든 것에서, 그리고 회고하면서 삶의 발전으로, 내다보면서

자신의 삶과 최고선의 형성으로 파악했던 모든 것에서 - 이미 다양한 관점에 있어서의 자신의 삶의 연관을 형성하고 있다. 이제 그는 이 연관을 언표하려 한다.(GS.Ⅶ,199 〈473-474〉)

위의 문장에 대해 『정신과학에서 역사적 세계의 건립』의 번역자 김창래는 다음과 같이 해설하고 있다.

자서전은 특이한, 어쩌면 가장 전형적인 형태의 연사연구이다. 왜냐하면 여기서는 정신과학적 인식의 가장 기본적인 특성 중의 하나인 '주객의 동일성'이 극단적으로 유지되고 있기 때문이다. 여기서 역사서술의 주체가 객체로 삼는 것은 바로 자기 자신의 삶이다. '삶이 삶을 파악한다' 또는 '이해는 너 안에서의 나의 재발견이다'라는 딜타이의 주장은 자서전이라는 형태의 역사 연구에서 전형적인 예화적 의미를 발견한다. 바로 이것이 딜타이가 여러 텍스트 중에서도 특히 자서전에 주의를 기울이는 이유이다.(GS.Ⅶ,199 〈472〉 의 각주)

나. 역사적 연관의 파악

역사적 연관의 파악과 표현이라는 우선적인 과제는 이미 그 자신의 삶 자체를 이해함을 통하여 반은 해결된 셈이다. 이제 그의 삶의 통일은 "현재적인 것과 과거의 것이 하나의 공동의 의미에 의해 결속되어 있는 체험의 개념"을 통해 형성된다. 그리고 이렇게 선택된 요소들 사이에 하나의 연관이 보이게 된다. 즉, 연관은 우리에게 하나의 개별적인 삶 자체가 자신 안에서 이 연관에 대해 알고 있는 바를 즉 자서전 저술가의 자기 이해를 말해 주고 있다. 이렇게 해서 우리는 이제 모든 역사적 파악의 뿌리로 근접해 가고 있다.

그는 회상하면서 유의미하게 경험한 자신의 삶의 어떤 순간들은 부각시켜 강조하고, 나머지 순간들은 과거 속에 가라앉게 한다. [자신의 삶의] 순간들의 의미에 대한 그의 [있을 수 있는] 착각은 아마 미래가 수정해 줄 것이다. 그러므로 역사적 연관의 파악과 표현이라는 우선적인 과제는 이미 삶 자체를 통하여 반은 해결된 셈이다. [그의 삶의] 통일은 "현재적인 것과 과거의 것이 하나의 공동의 의미에 의해 결속되어 있는 체험의 개념"을 통해 형성된다. 이러한 체험들에는 스스로에 대해서 뿐 아니라, 삶의 연관에 대해서도 매우 각별한 가치를 갖는 것들이 있다. 이런 것들은 회상 속에서 보관되고 사건과 망각의 무한한 흐름으로부터 부각되어 두드러진다. 그러므로 삶 자체 속에서 삶의 여러 입장들로부터, 그리고 [이 입장들을] 부단히 옮겨 다니면서 하나의 연관이 형성된다. 따라서 역사 서술의 과제는 이미 삶 자체에 의해 반쯤은 해결되어 버린다. [그의 삶의] 통일은 체험으로 형성된다. 무한하고도 무수한 수다성으로부터 서술할 가치가 있는 것들이 선택된다. 그리고 [이렇게 선택된] 요소들 사이에 하나의 연관이 보이게 된다. 이 연관은 물론 수년간의 삶의 흐름의 단순한 모상일 수도 없고, 또 모상이기를 원하지도 않는다. 왜냐하면 여기서 문제가 되는 것은 [모방이 아니라] 이해이기 때문이다. [즉] 연관은 우리에게 하나의 개별적인 삶 자체가 자신 안에서 이 연관에 대해 알고 있는 바를 [즉 자서전 저술가의 자기 이해를] 말해 주고 있다. 이렇게 해서 우리는 이제 모든 역사적 파악의 뿌리로 근접해 가고 있다. (GS.Ⅶ,199 〈474〉)

다. 역사적 관조의 근간이 되는 자기자각

이렇게 해서 우리는 이제 모든 역사적 파악의 뿌리로 근접해 가고 있다. 자서전은 자신의 삶의 흐름에 대한 한 인간의 자기 자각이다. 이러한 자기 자각은 항상 존재하고 있는 것이지만, 늘 새로운 형식으로 표출된다. 바로 이 자기 자각이 역사적 관조를 가능하게 한다. 삶에 대한 자각의 에너지가 역사적 관조의 근간이다. 오로지 이것만이 그림자처럼 핏기 없는 과거에 제2의 생명을 부여한다. 그리고 이것이 "생소한 현존재에 몰입하려는, 심지어 자신의 고유한 자기를 이 타자 속에서 잃어버릴 정도로 몰입하려는 무한한 욕구"와 결합되어 위대한 역사 서술가가 나타난다.

이렇게 해서 우리는 이제 모든 역사적 파악의 뿌리로 근접해 가고 있다. 자서전은 단지 문학적 표현[의 형식을] 띤, 자신의 삶의 흐름에 대한 한 인간의 자기 자각이다. 이러한 자기 자각은 그 어떤 개인에게서도 특정한 정도로 늘 새로워진다. 이것은 항상 존재하고 있는 것이지만, 늘 새로운 형식으로 표출된다. 이것은 솔론의 시에서, 스토아 철학자들의 자기 성찰에서, 성자들의 명상에서, 우리 시대의 삶의 철학에서 꼭 같이 잘 표현되어 있다. 바로 이 자기 자각이 역사적 관조를 가능하게 한다. 고유한 삶의 힘과 폭, 그리고 삶에 대한 자각의 에너지가 역사적 관조의 근간이다. 오로지 이것만이 그림자처럼 핏기 없는 과거에 제2의 생명을 부여한다. 이것이 "생소한 현존재에 몰입하려는, 심지어 자신의 고유한 자기를 이 타자 속에서 잃어버릴 정도로 몰입하려는 무한한 욕구"와 결합되어 위대한 역사 서술가가 나타난다. (GS.Ⅶ,200 〈475〉)

라. 삶의 이해시 나타나는 범주들

자신의 고유한 삶의 흐름을 고찰할 때, 우리는 하나의 연관에 힘입어 이 흐름의 낱낱의 부분들을 하나의 전체로 연결하고, 그렇게 해서 이 삶에 대한 이해에 도달한다. 이때 이 연관을 구성하는 것은 사유의 일반적 범주 외에 가치, 목적, 의미 등의 범주가 추가된다. 이 중에는 삶의 형성과 발전과 같은 포괄적인 범주도 있다. 회상을 통해 되돌아보면서 우리는 삶의 흐름이 거쳐 온 매듭들의 연관을 의미라는 범주로 파악한다. 그리고 우리가 미래를 향해 뻗어나갈 때, 목적의 범주가 생겨난다. 이때 이 범주들 중의 어떤 것도 다른 것에 종속될 수 없다. 왜냐하면 그 어떤 범주도 각기 다른 관점에서 삶 전체에 대한 이해를 가능하게 하기 때문이다.

이제 자신의 고유한 삶의 흐름을 고찰하는 경우를 보자. 우리는 하나의 연관에 힘입어 이 흐름의 낱낱의 부분들을 하나의 전체로 연결하고, 그렇게 해서 이 삶에 대한 이해에 도달한다. 무엇이 이 연관을 구성하는가? 우리가 삶을 이해할 때 사유의 일반적 범주 외에 가치, 목적, 의미 등의 범주가 추가된다. 이 중에는 삶의 형성과 발전과 같은 포괄적인 범주도 있다. 이 범주들의 상이성은 일단은 시간 속의 삶의 흐름이 어떤 입각점으로부터 파악되는가에 따라 규정된다.
회상을 통해 되돌아보면서 우리는 삶의 흐름이 거쳐 온 매듭들의 연관을 의미라는 범주로 파악한다. 실재성으로 충족되어 있는 현재를 살면서, 우리는 우리의 감정 중에 현재의 긍정적, 혹은 부정적 가치를 경험한다. 그리고 우리가 미래를 향해 뻗어나갈 때, 이러한 태도로부터 목적의 범주가 생겨난다. 우리는 삶을 모든 개별적인 목적들을 자신의 하위에 종속시키는 최상의 목적의 실현으로, 최고선의 현실화로 해석한다. 이 범주들 중의 어떤 것도 다른 것에 종속될 수 없다. 왜냐하면 그 어떤 범주도 각기 다른 관점에서 삶 전체에 대한 이해를 가능하게 하기 때문이다. 이들 간의 상호적 비교는 가능하지 않다.(GS.Ⅶ,201 〈475〉)

마. 고유가치들의 병렬

범주들의 관련과 삶의 흐름에 관한 이해 사이에서 우선적으로 경험되는 것은 현재의 체험에서만 경험되는 고유가치들이다. 이 고유가치들은 분리되어 병렬될 수 있다. 그리고 가치라고 표현될 수 있는 것은 다만 이 고유 가치에로의 관계만을 보여줄 뿐이다. 우리가 특정 대상에 객관적 가치를 부여한다는 것은 단지 이 대상과 상관해서 여러 가지들이 체험될 수 있다는 사실만을 뜻할 뿐이다. 우리가 이 대상에 작용가치를 부여한다면, 이는 이 대상이 시간이 흘러 언젠가 하나의 가치를 생겨나게 할 수 있는 능력이 있다는 사실만을 의미한다.

삶은 마치 화음과 불협화음의 카오스와 같은 것이다. 목적 내지 선의 범주는 미래로의 방향 잡음이라는 관점에서 삶을 파악한다. 그러므로 이 범주는 이미 가치의 범주를 전제한다. 그러나 이것들만으로 삶의 연관이 구성되는 것은 아니다. 왜냐하면 목적들 서로 간의 관계는 '가능성, 선택, 종속의 관계'에 불과하기 때문이다. 이 단순한 병렬, 삶의 부분들의 단순한 종속의 극복은 최초로 의미의 범주를 통해 이루어진다. 그러므로 이제 무엇보다도 필요한 것은 의미의 범주를 그 점진적이고 계속적인 형성을 통해 발전시키는 일이다.

범주들의 관련과 삶의 흐름에 관한 이해 사이에는 하나의 타당한 차이가 있다. 우선적으로 경험되는 것은 현재의 체험에서, 오로지 현재의 체험에서만 경험되는 고유가치들이다. 그러나 이 고유가치들은 분리되어 병렬될 수 있다. 왜냐하면 이들 중 어떤 것도 주체가 지금 자신에게 현재적인 대상과 맺는 관계 안에서 생겨나기 때문이다. (반면 우리가 목적을 설정할 때는 [지금 현재적인 대상이 아니라] 실현되어야 하는 객체의 표상에 태도를 취한다.) 그러므로 체험된 현재의 고유가치들은 서로로부터 분리되어 병존할 수 있지만, 이들 서로 간의 비교와 평가는 가능하다. 그 외에 가치라고 표현될 수 있는 것은 다만 이 고유 가치에로의 관계만을 보여줄 뿐이다.
우리가 특정 대상에 객관적 가치를 부여한다고 하자. 이것은 단지 이 대상과 상관해서 여러 가지들이 체험될 수 있다는 사실만을 뜻할 뿐이다. 우리가 이 대상에 작용가치를 부여한다면, 이는 이 대상이 시간이 흘러 언젠가 하나의 가치를 생겨나게 할 수 있는 능력이 있다는 사실만을 의미한다. 이 모든 것은 순수하게 논리적인 관계, 즉 현재 체험된 가치가 편입될 수 있는 관계에 불과하다. 그러므로 가치라는 관점에서 볼 때 삶은 긍정적, 부정적 현존가치의 무한한 풍부로 현현한다.
삶은 마치 화음과 불협화음의 카오스와 같은 것이다. 이 둘은 모두 현재를 채우고 있는 음의 형상이지만, 이들 간에 음악적 관계가 존립하는 것은 아니다. 목적 내지 선의 범주는 미래로의 방향 잡음이라는 관점에서 삶을 파악한다. 그러므로 이 범주는 이미 가치의 범주를 전제한다. 그러나 이것들만으로 삶의 연관이 구성되는 것은 아니다. 왜냐하면 목적들 서로 간의 관계는 '가능성, 선택, 종속의 관계'에 불과하기 때문이다. 이 단순한 병렬, 삶의 부분들의 단순한 종속의 극복은 최초로 의미의 범주를 통해 이루어진다. 역사가 회상이고, 또 의미의 범주가 회상에 속하듯이, 이 범주야말로 역사적 사유의 가장 고유한 범주이다. 그러므로 이제 무엇보다도 필요한 것은 의미의 범주를 그 점진적이고 계속적인 형성을 통해 발전시키는 일이다.(GS.Ⅶ,201 〈477〉)

5. 삶의 연관으로서의 '힘'

가. 힘의 범주

딜타이는 '삶의 연관'을 '힘'이라 부른다. 정신과학에서 힘은 체험 가능한 것에 대한 범주적 표현이다. 이 개념은 우리가 미래로 향할 때 생겨난다. 이 힘은 그것의 확장을 통해 하나의 정점으로 총괄한다. 이렇게 나타나는 목적의 표상에는 "현실성의 영역에는 존재하지 않았던, 그래서 이제 현실화되어야 하는 어떤 새로운 것"이 포함되어 있다. 여기서 문제가 되는 것은 목표점으로의 방향잡음, 무엇을 실현하려는 의도, 여러 가능성 중에서의 선택, 규정된 목표 표상의 실현을 위한 의도, 이를 실행하기 위한 수단의 선택, 그리고 이 실행자체이다. 이러한 것들을 수행하는 한에서의 삶의 연관을 우리는 힘이라 부른다.

여기서 '행함과 겪음'의 범주와 연관하여 '힘'의 범주가 생겨난다. 이미 살펴보았듯이 행함과 겪음은 자연과학에서 인과성이라는 원칙의 기초이다. 그 엄밀한 형태에 있어서의 인과성의 원리는 역학에서 발전되어 나왔다. 자연과학에서 힘은 하나의 가설적인 개념이다. 자연과학에서 이 개념의 정당성이 수용된다면, 이 개념은 인과성의 원칙에 의해 규정된다. 정신과학에서 힘의 개념이란 체험 가능한 것에 대한 범주적 표현이다. 이 개념은 우리가 미래로 향할 때 생겨난다. 그리고 이러한 일은 다양한 방식으로, 다가올 행복에 대한 꿈속에서, 여러 가능성에 대한 상상의 유희에서, [앞날에 대한] 우려와 공포에서 일어난다. 이제 우리는 우리 현존재의 [꿈과 상상 중에 이루어지는] 이 방만한 확장을 날카롭게 하나의 정점을 향해 총괄한다. 여러 가능성이 있지만 우리는 그중에서 하나를 실현하기로 결정한다. 이렇게 나타나는 목적의 표상에는 "현실성의 영역에는 존재하지 않았던, 그래서 이제 현실화되어야 하는 어떤 새로운 것"이 포함되어 있다. 여기서 문제가 되는 것은 의지에 관한 어떤 이론이 아니다. 핵심은 하나의 긴장된 노고 - 물론 심리학자들은 이것조차 물리적으로 해석할지 모르지만 - 목표점으로의 방향잡음, 아직 현실 속에 존재하지 않는 무엇을 실현하려는 의도, 여러 가능성 중에서의 선택, 규정된 목표 표상의 실현을 위한 의도, 이를 실행하기 위한 수단의 선택, 그리고 이 실행자체이다. 이러한 것들을 수행하는 한에서의 삶의 연관을 우리는 힘이라 부른다.(GS.Ⅶ,202 〈478〉)

나. 힘에 의한 연관

정신과학의 결정적인 개념은 힘이다. 이것을 통해서 하나의 전체와 연관이 이루어진다. 그리고 이것은 "에너지, 운동의 방향, 역사적 힘의 치환 등을 표현하는 개념들"을 통해서 나타난다. 그래서 역사학의 개념들이 이 같은 특성을 수용하면 할수록, 그 연구 대상의 본성은 더 잘 표현될 수 있다. 그러므로 힘은 삶과 역사의 자유를 표현할 수 있는 운동의 개념으로 이해하는 것이 중요하다. 홉스는 자주 삶은 지속적인 운동이라고 말했고, 라이프니츠와 볼프도 행복은 스스로 전진해 나가고 있다는 의식 안에서 발견된다고 말했다.

정신과학에 대해 결정적인 개념인 힘! 정신과학이 도달할 수 있는 한에서 우리가 관계하는 것은 하나의 전체이며, 연관이다. 이 연관의 내부 어디서나 여러 상태들이 마치 자명한 것처럼 존속을 구가하고 있다. 그러나 역사가 [존속이 아니라] 변화를 이해하고 표현하려 한다면, 이것은 "에너지, 운동의 방향, 역사적 힘의 치환 등을 표현하는 개념들"을 통해서 가능해진다. 역사학의 개념들이 이 같은 특성을 수용하면 할수록, 그 연구 대상의 본성은 더 잘 표현될 수 있다. 대상을 개념에 고정시켜, 이 대상에 시간으로부터 독립적인 타당성이라는 특성을 부여하는 것은 단지 [역사논구의] 논리적인 형식일 뿐이다. 그러므로 여기서는 삶과 역사의 자유를 표현할 수 있는 개념들을 형성하는 것이 중요하다. 홉스는 자주 삶은 지속적인 운동이라고 말했고, 라이프니츠와 볼프도 행복은 -개별자의 행복이든, 공동체의 행복이든 - [스스로] 전진해 나가고 있다는 의식 안에서 발견된다고 말했다.(GS.Ⅶ,203 〈479〉)

다. 술어이면의 배후, 객관정신

삶과 역사의 이 모든 범주들은 정신과학의 영역에 보편적으로 적용될 수 있는 진술의 형식들을 취하고 있다. 이 범주들은 체험 자체로부터 생겨난다. 이것은 삶에 덧붙여지는 '형식화의 양식'이 아니라. 그 삶 자체의 구조적인 형식들이 이 범주들에서 표현된다. 그렇다면 체험 영역의 내부에서 이 범주들의 주어는? 그것은 우선적으로는 삶의 흐름이다. 그리고 이 주어에 대한 더 상세한 규정은 술어화에서 주어진다. 체험의 영역에서 우리의 모든 진술은 개별자의 삶의 연관에 관한 술어화일 뿐이다.

삶과 역사의 이 모든 범주들은 정신과학의 영역에 보편적으로 적용될 수 있는 진술의 형식들이다. 물론 아직은 체험 가능한 것에 관한 진술 전부에서 그런 것은 아니지만, 어떤 다른 실행의 발전을 통해서 이런 보편적 적용에 도달할 수는 있다. 이 범주들은 체험 자체로부터 생겨난다. 이것은 [외부로부터, 그리고 나중에] 삶에 덧붙여지는 '형식화의 양식'이 아니다. 오히려 그 시간적 흐름에 있어서의 삶 자체의 구조적인 형식들이 이 범주들에서 표현된다. 물론 이때도 의식의 통일에 기초한 형식적 조작은 하나의 근거로 요구된다. 그렇다면 체험 영역의 내부에서 이 범주들의 주어는? 그것은 우선적으로는 삶의 흐름이다. 이 삶의 흐름은 한 육체 안에서 전개되고, "의도와 이에 대한 장애의 관련, 그리고 외부 세계의 압력의 관련 속에 서 있는 자기"로서 "외적인 것, 따라서 체험 불가능하고 생소한 것"과는 구별된다. 이 주어에 대한 더 상세한 규정은 다른 곳이 아니라 앞서 제시된 술어화에서 주어진다. 그러므로 체험의 영역에서 우리의 모든 진술은 - 이 진술의 대상이 삶의 흐름 안에 놓여 있고, 따라서 진술이 자신의 본성에 따라 삶의 흐름에 관한 술어들을 언표하는 한 - 우선은 그리고 오로지 특정한 [개별자의] 삶의 연관에 관한 술어화일 뿐이다.
그러나 이 술어화의 배후에는 객관정신이 자리하고 있고, 또 이 술어화의 지속적인 상관자로서 타자에 대한 파악이 존재하기 때문에 [개별자의 삶의 연관에 관한 술어화는] 공동적이고 보편적인 특성을 얻게 된다.(GS.Ⅶ,203 〈480〉)

라. 역사적 서술로 확대되는 자서전

자신의 삶에 대한 파악과 해석은 여러 단계들의 긴 계열을 거쳐 진행된다. 그리고 그 가장 완전한 해명이 바로 자서전이다. 여기서 자기는 자신의 삶의 흐름을 파악하며, 자신의 인간적 토대, [즉] 그가 맺었던 역사적 관계들이 잘 주목 받을 수 있도록 한다. 이렇게 해서 자서전은 결국 하나의 역사적 서술로 확대 될 수 있다.

자신의 삶에 대한 이해는 "지금까지의 범주들과는 본질적으로 상이한 범주들의 최후의 그룹"을 사용함으로써 이루어진다. [지금까지의] 범주들은 자연 인식의 범주들과 유사 관계를 통해 존립하는 것이었지만, 이제 우리는 자연과학의 범주들과는 도저히 비교할 수 없는 그러한 범주들에로 접근해 가고 있다.
자신의 삶에 대한 파악과 해석은 여러 단계들의 긴 계열을 거쳐 진행된다. 그리고 그 가장 완전한 해명이 바로 자서전이다. 여기서 자기는 자신의 삶의 흐름을 파악하며, 자신의 인간적 토대, [즉] 그가 맺었던 역사적 관계들이 잘 주목 받을 수 있도록 한다. 이렇게 해서 자서전은 결국 하나의 역사적 서술로 확대 될 수 있다.
바로 여기에 [역사적 서술로서의 자서전의] 한계와 의미가 있다. 즉 [개인의] 체험에 의해 유지된다는 '한계'와 이 체험의 심연으로부터 고유한 자기와 세계로의 그의 관련을 이해시켜 준다는 '의미'이다. 한 인간의 자기 자신에 대한 자각, 이것이야말로 [정신과학을 위한] 척도이자 기초이다.(GS.Ⅶ,203-204 〈481-482〉)

4절 이 해

1. 삶의 표출

가. 세계를 개시하는 이해

딜타이에 의하면, 이해와 해석은 정신과학이 충족되는 방법이다. 모든 [정신과학의] 기능들이 여기서 통합되고, 여기에 모든 정신과학적 진리가 포함되어 있다. 모든 점에서 이해가 세계를 개시한다. 그리고 이 이해는 타자이해로 이어지고, 더 나아가 역사적 앎으로 이어진다.

이해와 해석은 정신과학이 충족되는 방법이다. 모든 [정신과학의] 기능들이 여기서 통합되고, 여기에 모든 정신과학적 진리가 포함되어 있다. 모든 점에서 이해가 세계를 개시한다.
체험과 체험에 대한 이해의 기초 위에서, 그리고 이 둘 사이의 지속적인 상호작용 위에서 타자와 생소한 삶의 표출에 대한 이해가 형성된다. 여기도 중요한 것은 논리적 구성이나 심리학적 분해가 아니라, 지식 이론적 의도에서의 분석이다. [즉] 타자 이해가 역사적 앎에 줄 수 있는 이득이 무엇인지가 확실히 밝혀져야 한다.(GS.Ⅶ,205; 『정신과학에서 정신세계의 구축』482)

나. 삶의 표출1 : 자기동일적인 이해

어떤 삶의 표출이 있다고 하자. 그것은 정신적인 것의 표현이다. 그리고 우리는 이것이 감성계에 나타났기 때문에 인식할 수 있다. 이 삶의 표출은 이해의 종류와 이해가 제공하는 인식론적 이득에 따라 상이하다. 이때 삶의 표출의 첫 번째 부류는 개념, 판단 그리고 거대한 사유의 형성물로 구성된다. 그리고 이때 이들은 논리적 규칙에 입각해서 보자면 모두 하나의 공통된 근본특성을 갖는데, 그것은 사유내용의 타당성만을 진술한다. 바로 이것이 동일률의 의미이다. 그러므로 판단은 판단을 진술하는 자에게나, 이해하는 자에게나 같은 것이다. 이것이 모든 논리적으로 완전한 사유 연관에 대해 이해의 한 '종적 특성'을 규정한다. 여기서의 이해는 오로지 단순한 사유 내용만을 향하고 있고, 이 내용은 그 어떤 연관 안에서도 자기동일적이다. 그러므로 여기서의 이해는 어떤 다른 삶의 표출에 관한 이해보다 더 완전한 것이다.

여기에 [정신과학의 세계에] 주어진 것은 항상 삶의 표출이다. 이것은 감성계에 나타난, 종신적인 것의 표현이다. 그래서 [즉 감성계에 나타났기에] 우리는 정신적인 것을 인식할 수 있다. 삶의 표출로 나는 "무언가를 뜻하거나, 의미하려 (의도한) 표현" 뿐 아니라, "그런 의도 없이도 정신적인 것의 표현으로서 우리에게 정신적인 것의 이해를 가능하게 하는 모든 표현"을 뜻한다.
이해의 종류와 [이해가 제공하는 인식론적] 이득은 삶의 표출의 부류에 따라 상이하다.
[삶의 표출의] 첫 번째 부류는 개념, 판단 그리고 거대한 사유의 형성물로 구성된다. 이들은 [물론] 체험에서 생겨난 것이지만, 체험으로부터 벗어나 있다. 이들은 학문의 구성요소로서 논리적 규칙에 입각해서 보자면 모두 하나의 공통된 근본특성을 갖는다. 그것은 이들이 사유 연관의 어디에서 생겨났건, 그와 무관하게 갖는 동일성이다. 판단은 어디에서 내려지든, 즉 어느 시대, 어떤 사람이 내리든 그와 무관하게 사유 내용의 타당성만을 진술한다. 바로 이것이 동일률의 의미이다. 그러므로 판단은 판단을 진술하는 자에게나, 이해하는 자에게나 같은 것이다. 판단은 마치 -화물차로 운송되듯 - 진술하는 자의 소유에서 이해하는 자의 소유로 변경 없이 옮겨진다. 이것이 모든 논리적으로 완전한 사유 연관에 대해 이해의 한 '종적 특성'을 규정한다. 여기서의 이해는 오로지 단순한 사유 내용만을 향하고 있고, 이 내용은 그 어떤 연관 안에서도 자기동일적이다. 그러므로 여기서의 이해는 어떤 다른 삶의 표출에 관한 이해보다 더 완전한 것이다.…(GS. Ⅶ,205; 『정신과학에서 정신세계의 구축』483-484)

다. 삶의 표출 2 : 행위

삶의 표출의 또 다른 것은 행위이다. 이 행위는 특정 목적을 향하고 있으므로, 여기에서 우리는 정신적인 것에 대한 개연성 높은 추정을 가능하게 한다. 하나의 행위는 정신적 삶의 상황이고, 또 이 삶의 표현이다. 그러나 이 정신적 삶의 상황과 삶의 연관 자체를 구별하는 일 또한 전적으로 필연적이다. 행위는 단지 우리의 본질의 한 부분만을 언표하고 있다.

삶의 표출의 다른 부류는 행위이다. 행위는 전달의 의도에서 생겨나는 것은 아니다. 그러나 행위는 특정 목적을 향하고 있으므로, 이 관계에 비추어 보자면 행위에는 이미 목적이 주어져 있다. 정신적인 것에 대한 행위의 관계는-전자는 후자 안에서 스스로를 표현하기에-규칙적이고, 따라서 정신적인 것에 대한 개연성 높은 추정을 가능하게 한다. 하나의 행위가 나타나게끔 하는 것은 [특정] 상황에

> 의해 규정된 정신적 삶의 상황이고, 또 행위는 이 삶의 표현이기는 하다. 그러나 이 정신적 삶의 상황과 삶의 연관 자체를 구별하는 일 또한 전적으로 필연적이다. 왜냐하면 전자는 후자에 근거하기 때문이다.… 이것도 물론 숙고해 볼 가치는 있겠지만, 행위는 단지 우리의 본질의 한 부분만을 언표할 뿐이다. (GS. Ⅶ,206; 『정신과학에서 정신세계의 구축』484-485)

라. 체험표현

딜타이는 위의 행위 중에 체험표현이 있다는 것을 말한다. 그리고 이 경우는 사정이 전혀 다른데, 이 표현은 정신적 연관에 대해 그 어떤 내성법이 알아낼 수 있는 것보다 더 많은 것을 포함하며, 의식은 결코 밝힐 수 없는 심연으로부터 우리의 삶을 이끌어 올린다.

> 체험표현의 경우는 사정이 전혀 다르다. 체험표현, 이것의 기원인 삶, 그리고 표현에 대한 이해, 이들 사이에는 하나의 특별한 관계가 존립한다. 이 표현은 이른바 정신적 연관에 대해 그 어떤 내성법이 알아낼 수 있는 것보다 더 많은 것을 포함한다. 체험표현은 의식은 결코 밝힐 수 없는 심연으로부터 삶을 이끌어 올린다. (GS.Ⅶ,206; 『정신과학에서 정신세계의 구축』485)

2. 객관정신과 이해의 기초적 형식

가. 이해의 기초적 형식

이해는 일단 삶의 실천적 관심에서 자라난다. 더 나아가 이해는 상호적인 교류가 필수적이다. 그들은 서로에게 이해시켜야 한다. 일자는 타자가 무엇을 원하는지를 알아야 한다. 이렇게 해서 우선 이해의 기초적 형식이 생겨난다. 이것은 마치 이해의 고차적 형식이라는 단어를 구성하는 철자와 같은 것이다. 이러한 기초적 형식으로서 이해는 논리적으로 하나의 유비추리로 표현될 수 있다. 이 추리는 규칙적인 관계에 의해 서로에게 매개된다. 이것은 서로에 대한 해석을 위해 철자들이 조합되는 단어를, 그리고 단어들이 다시 문장을 만든다. 이 일련의 계열은 곧 하나의 진술에 대한 표현이다. 이것이 이해에서 발생한 기초적 형식이다.

이해는 일단 삶의 실천적 관심에서 자라난다. 여기서 개인들은 상호적인 교류에 지시되어 있다. 그들은 서로를 서로에게 이해시켜야 한다. 일자는 타자가 무엇을 원하는지를 알아야 한다. 이렇게 해서 우선 이해의 기초적 형식이 생겨난다. 이것은 마치 이해의 고차적 형식[이라는 단어를] 구성하는 철자와 같은 것이다. 이러한 기초적 형식으로서 나는 개별적 삶의 표출에 대한 이해를 의미한다. 이는 논리적으로 하나의 유비추리로 표현될 수 있다. 이 추리는 이 개별적 삶의 표출과 그 안에 표현되어 있는 것 같은 규칙적인 관계에 의해 매개된다. 그리고 심지어 앞서 언급된 어떤 부류에 있어서의 삶의 표출에 대해서도 이와 같은 해석은 이루어질 수 있다. 철자들이 조합되는 단어를, 그리고 단어들이 다시 문장을 만든다. 이 일련의 계열은 곧 하나의 진술에 대한 표현이다.…(GS.Ⅶ,207; 『정신과학에서 정신세계의 구축』487)

나. 피표현체에 대한 표현의 관련

기초적 이해가 근거하고 있는 근본 관련은 피표현체에 대한 표현의 관련이다. 전자의 관련으로부터 후자로의 이행은 말하자면 임박해 문 앞에 서있다. 그리고 이렇게 서로 관련된 것들이 고유한 방식으로 상호적으로 연결된다. '삶의 표출'과 '모든 이해를 지배하는 정신적인 것' 이 둘 사이에 놓인 관련은 [이해의] 가장 기초적인 형식에서 정당화된다.

이 둘 사이에 놓인 관련은 이해의 가장 기초적인 형식에서 정당화된다. 이 관련은 피표현체로서의 정신적인 것으로 향하는 이해의 기차와 같다. 예를 들면 감성적 표정과 정신적 내용으로서의 공포는 다만 병렬되어 같이 서 있는 것이 아니라, 하나의 통일체이다. 이 둘은 정신적인 것에 대한 표현의 이와 같은 근본 관련 위에 근거한다. 이제 여기에 이해의 모든 기초적 형식의 종적 특성이 드러난다. 바로 이것이 지금부터의 주제이다. 그것은 객관정신으로 향한다.

기초적 이해의 과정이 근거하고 있는 근본 관련은 피표현체에 대한 표현의 관련이다. 그러므로 기초적 이해란 결과에서 원인에 이르는 추리가 아니다.… 전자의 관련으로부터 후자로의 이행은 말하자면 임박해 문 앞에 서있다. 단지 문을 열고 들어올 필요가 없을 뿐이다.

그리고 이렇게 서로 관련된 것들이 고유한 방식으로 상호적으로 연결된다. '삶의 표출'과 '모든 이해를 지배하는 정신적인 것' 이 둘 사이에 놓인 관련은 [이해의] 가장 기초적인 형식에서 정당화된다. 이 관련에 의하면 피표현체로서의 정신적인 것에 향하는 이해의 기차는 자신의 목적지를 바로 이 정신적인 것에 두지만, 그렇다고 해서 감관에 주어진 표출이 정신적인 것 속으로 소멸하는 것은 아니다. 예를 들면 [감성적] 표정과 [정신적 내용으로서의] 공포는 다만 병렬되어 같이 서 있는 것이 아니라, 하나의 통일체이다. 이 둘은 정신적인 것에 대한 표현의 이같은 근본 관련 위에 근거한다. 이제 여기에 이해의 모든 기초적 형식의 종적 특성이 드러난다. 바로 이것이 지금부터의 주제이다.
(GS.Ⅶ,207-208; 『정신과학에서 정신세계의 구축』487-489)

다. 객관정신과 기초적 이해

딜타이는 객관정신이 개인들 간에 존립하는 공통성으로서 감성계에 객관화되어 나타난다고 말한다. 우리의 과거는 이 객관 정신 속에서 자라났으며, 현재는 이 객관정신이 우리 앞에 현존해 있다고 말한다. (필자해설 : 우리는 여기에서 커다란 논리적 비약을 접하게 된다. 그렇다고 해서 우리는 이것을 부정할만한 아무런 근거를 가지고 있지 않다.) 객관 정신의 영역은 [개별적] 삶의 스타일과 교류의 방식으로부터 사회가 스스로 형성한 목적들의 연관에, 그리고 인륜, 법률, 국가, 종교, 예술, 과학, 철학에까지 이른다. 우리는 이미 우리의 유아기부터 객관정신의 세계에서 우리 자아의 자양분을 섭취해 왔다. 개인은 객관 정신의 세계에서 정위된다.

이로부터 이해의 과정에 대해 매우 중요한 하나의 결론이 도출된다. 개별이 파악하는 삶의 표출은 이 개별에게 통상 개별적인 것으로서의 삶의 표출인 것처럼 보이지만, 그렇지만은 않다. 오히려 이것은 말하자면 동시에 공통성에 관한 앎, 그리고 이 표출 안에 주어진 내적인 것에로의 관계로 채워져 있다.

나는 객관정신이라는 말로써 개인들 간에 존립하는 공통성이 감성계에 객관화되어 나타난 다양한 형식을 이해한다. 과거는 이 객관 정신 속에서 지속하고, 항존하는 현재로 우리 앞에 현존해 있다. 객관 정신의 영역은 [개별적] 삶의 스타일과 교류의 방식으로부터 사회가 스스로 형성한 목적들의 연관에, 그리고 인륜, 법률, 국가, 종교, 예술, 과학, 철학에까지 이른다. 왜냐하면 천재의 작품이라 할지라도 시대와 환경 속에서 가능한 이념, 정서적 삶, 그리고 이상의 공통성을 표현하고 있기 때문이다. 우리는 이미 우리의 유아기부터 객관정신의 세계에서 우리 자아의 자양분을 섭취해 왔다. 또한 이 세계는 그 안에서 타자와 타자의 삶의 표출에 대한 이해가 수행되는 매개체이기도 하다. 그 까닭은 정신이 객관화하여 나타난 모든 것은 나와 너에게 공통적인 것을 자신 안에 포함하고 있기 때문이다. 나무가 심어진 어떤 광장, 의자가 배열된 그 어떤 방도 우리는 어릴 적부터 이해할 수 있었다. 왜냐하면 공동적인 것으로서의 인간의 목적 설정, 질서 잡음, 가치 규정이 광장에게, 그리고 방안의 대상에게 [있어야 할] 자리를 지정해주고 있기 때문이다.

… 어린이가 표정과 얼굴빛, 몸짓과 외침, 말과 문장을 이해하는 것도 이것들이 어린이에게 항상 공통성으로, 그리고 이것들이 의미하고 표현하는 것에 대한 공통성의 관계로 다가오기 때문이다. 개인은 객관 정신의 세계에서 정위된다.

이로부터 이해의 과정에 대해 매우 중요한 하나의 결론이 도출된다. 개별이 파악하는 삶의 표출은 이 개별에게 통상 개별적인 것으로서의 삶의 표출인 것처럼 보이지만, 그렇지만은 않다. 오히려 이것은 말하자면 동시에 공통성에 관한 앎, 그리고 이 표출 안에 주어진 내적인 것에로의 관계로 채워져 있다.

객관정신은 자신 안에 분절된 질서를 가지고 있기 때문에 낱낱의 삶의 표출들은 공동적인 것에로 쉽게 편입될 수 있다. 객관정신은 법률, 종교 등과 같은 하나하나의 동종적인 연관들을 포괄하고, 이 연관들은 고정된 규칙적인 구조를 가지고 있다.…(GS.Ⅶ,208-209; 『정신과학에서 정신세계의 구축』489-491)

3. 이해의 고차적 형식과 추체험

가. 이해의 고차적 형식 : 귀납추리의 이해작용

이해의 기초적 형식으로부터 고차적 형식으로의 이행은 필연적인데, 이것은 이해의 불확실성을 제거하기 위한 일환이다. 그리고 이것은 정신적인 행위이다. 실천적 삶의 교류의 경우, 우리는 늘 복합체의 해석을 고려한다. 물론 이 해석은 항상 유비추리로 진행된다. 즉 여기서는 낱낱이 삶의 표출들로부터 삶의 연관 전체로의 귀납추리가 발생한다. 이 추리의 전제는 "정신적 삶에 대한 앎", 그리고 "이 삶과 삶의 환경, 상황 간의 관계에 대한 앎"이다. 그리고 더 나아가서 이 결론으로부터 이미 이해된 삶의 통일체가 생성된다면, 이제 역으로 새로운 상황에서 행한 어떤 행위로의 연역적 추리가 시도된다. 한편, 이러한 연역추리는 과거의 경험으로 볼 때,

단지 개연성만을 부여한다.

> 이해의 기초적 형식으로부터 고차적 형식으로의 이행[의 필연성]은 이미 기초적 이해 자체 안에 놓여 있다. 주어진 삶의 표출과 이해하는 자 사이의 내적 거리가 멀어지면 멀어질수록, 그만큼 자주 [이해의] 불확실성이 나타난다. 그리고 이를 제거하려는 시도가 행해진다. 이해의 고차적 형식으로의 최초의 이행은 "이해가 삶의 표출의 정상적인 연관으로부터, 그리고 그 표출 안에서 스스로를 표현하는 정신적인 것으로부터 출발한다"는 사실에서 생긴다.…
> 실천적 삶의 교류에서 어떤 사람의 경우, 그의 특성과 능력에 대한 판단이 그 자체로서 요구되기도 한다. 우리는 늘 낱낱의 표정, 얼굴빛, 목적 지향적 행위, 또는 이런 것들의 복합체의 해석을 고려한다. 물론 이 해석은 [내가 그러니까, 그로 그럴 것이라는] 유비추리로 진행된다. 그러나 우리의 이해작용은 여기서 더 나아가야 한다.… 여기서 표현과 피표현체 간의 관련은 [즉 기초적 이해의 관련은] 한 개인의 삶의 표출의 잡다성과 이 잡다성의 근거에 놓인 내적 연관 사이의 관련에고 [즉 고차적 이해의 관련에로] 이행하게 된다. 그리고 나아가 변화하는 상황 역시 고려되어야 한다. 즉 여기서는 낱낱이 삶의 표출들로부터 삶의 연관 전체로의 귀납추리가 발생한다. 이 추리의 전제는 "정신적 삶에 대한 앎", 그리고 "이 삶과 삶의 환경, 상황 간의 [또는 상황]<에로의> 관계에 대한 앎"이다.…
> 그리고 이 결론으로부터 이미 이해된 삶의 통일체가 새로운 상황에서 행한 어떤 행위로의 [연역적] 추리가 시도된다면, 이때 "귀납적으로 얻은, 심적 연관에 대한 통찰에 근거하여 진행된 이 연역적 추리"는 단지 기대, 혹은 가능성만을 추론할 수 있다. 심적 연관은 단지 개연성만이 부여될 수 있다.… (GS.Ⅶ,210; 『정신과학에서 정신세계의 구축』493-496)

나. 자기투입과 전위(혹은 전치)

딜타이에 의하면, 우리의 이해과정 중에는 우리 인간의 능력으로서 '자기투입'이 존재한다고 말한다. 우리는 어떤 것을 이해하려고 노력하다보면, 우리는 어느새 한 인간에로든, 한 작품에로이든 투입이 되어 있다. 딜타이는 이것을 자기투입이라 부른다. 이 안에서 어떤 사건은 체험 안에 놓인 내적 연관을 통해 다시 생명을 부여

받는다.

그리고 이렇게 이해의 과정 속에서 영혼이 스스로 체험했던 정신적 연관의 현존이 주어지면, 우리는 삶의 표출들의 주어진 총개념을 정립하기 위해 자기 자신의 전위가 일어난다. 그리고 이러한 자기투입, 전치의 근거 위에서 이제 "이해에 있어서 정신적 삶의 총체성이 작용하는 최고의 형식, 즉 추형성 또는 추체험"이 생겨난다. 이해란 이와 같이 그 자체작용과정의 역조작이다. 그리고 이러한 이해는 지속적으로 전진하며 삶의 흐름 자체와 더불어 계속 나아간다. 이런 식으로 자기 투입과 전치의 과정은 계속 확대되어 나아간다.

> 고차적 이해가 자신의 대상과 관련하여 가질 수 있는 지위는 "주어진 것에서 하나의 삶의 연관을 발견해야 한다"는 그의 과제를 통해 규정된다. 그러나 이는 단지 삶의 연관이-이 연관은 각자의 고유한 체험 안에 존립하고, 또 무수히 많은 사례들에서 경험되는 것인데-자신 안에 놓인 모든 가능성과 함께 항상 현재적으로 거기 있어야 한다는 조건 아래서만 가능하다. 이 같은 이해의 과제 중에 주어진 상태를 우리는-한 인간에로의 투입이든, 한 작품에로의 투입이든-자기투입이라 부른다.
> 이렇게 될 때 하나의 시 작품 안의 모든 시구들이, 이 시가 출발했던 체험 안에 놓인 내적 연관을 통해 다시 생명을 부여받는다. 기초적인 이해의 실행을 통해 파악된 외적인 말들은 영혼 안에 놓인 많은 가능성들을 불러일으킨다.… 그리고 이렇게 이해의 과제가 갖는 지위로부터 [영혼이] 스스로 체험했던 정신적 연관의 현존이 주어지면, 이를 우리는 삶의 표출들의 주어진 총개념에로의, 자기 자신의 [해석자의 자아의] 전위라 칭할 수 있다.
> 이러한 자기투입, 전치의 근거 위에서 이제 "이해에 있어서 정신적 삶의 총체성이 작용하는 최고의 형식, 즉 추형성 또는 추체험"이 생겨난다. 이해란 그 자체 작용과정의 역조작이다. 이해가 사건의 계열을 따라 [즉 체험과 이 체험의 표현의 계열을 따라] 진행된다는 사실 때문에 [저자와 해석자, 체험자와 추체험자는] 완전히 함께 살 수 있다. 이해는 지속적으로 전진하며 삶의 흐름 자체와 더불어 계속 나아간다. 이런 식으로 자기 투입과 전치의 과정은 계속 확대되어 나아간다.(GS.Ⅶ,213; 『정신과학에서 정신세계의 구축』501-502)

다. 추체험과 추형성

추체험이란 사건의 계열에 있어서의 창조이다. 우리는 이런 식으로 시간의 역사를 따라, 어떤 먼 나라에서 일어났던 사건과 함께, 또는 우리 주변의 어떤 인간의 영혼 안에서 일어났던 어떤 일들과 함께 전진해 간다. 하나의 사건이 시인과 예술가, 또는 역사 서술가의 의식을 통과하고, 이제 하나의 작품으로 고정되어 우리 앞에 지속적으로 현존할 때, 이때 추체험은 완성에 이르게 된다. 예컨대, 서정시는 계속 이어지는 시구들을 통해 [시인의] 체험 연관에 대한 추체험을 가능하게 한다. 소설가의 이야기나 역사적 흐름을 추적하는 역사 서술가의 설명도 우리가 추체험을 할 수 있게끔 해 준다.

그렇다면 이러한 추체험은 무엇에 근거하는 것일까? 어떤 환경과 외적 상황에 대한 모든 생생한 현재화는 우리를 추체험으로 이끌어간다. 그리고 상상 또한 우리의 고유한 삶의 연관 안에 포함된 태도 방식, 힘, 감정, 추구, 이상의 방향 등의 강조를 강화하거나 약화시켜서 어떤 정신적 삶에 대한 추형성도 할 수 있다. 예컨대, 무대가 열리고, 리처드가 등장한다. 이제 유연한 영혼은 리처드의 말과 표정, 몸짓을 따라가면서 무언가를 추체험하게 된다.

그리고 이 추체험 안에는 우리가 역사 서술가나 시인 덕분에 얻을 수 있었던 정신적 사물의 매우 중요한 부분이 들어 있다. 이제 이해가 그의 결정된 현실적 삶 안에는 결코 현존하지 않는 가능성들의 광활한 왕국을 열어준다. 내가 루터의 편지와 저술을, 그의 동시대인들의 보고서를, 종교적 대화와 공의회 그리고 그의 공적 교류에 관한 서류를 훑어보면서, 나는 이 같은 폭발적인 힘에 관한, 그리고 삶과 죽음을 좌지우지하는 그 같은 에너지에 관한 종교적 과정을 체험하게 되어, 마치 루터가 우리 현대인의 체험 가능성의 피안에 놓여 있기라도 한 듯한 인상을 받게 된다. 나는 그를 추체험할 수 있다.

> 추체험이란 사건의 계열에 있어서의 창조이다. 우리는 이런 식으로 시간의 역사를 따라, 어떤 먼 나라에서 일어났던 사건과 함께, 또는 우리 주변의 어떤 인간의 영혼 안에서 일어났던 어떤 일들과 함께 전진해 간다. 하나의 사건이 시인과 예술가, 또는 역사 서술가의 의식을 통과하고, 이제 하나의 작품으로 고정되어 우리 앞에 지속적으로 현존할 때, 이때 추체험은 완성에 이르게 된다.
> 서정시는 계속 이어지는 시구들을 통해 [시인의] 체험 연관에 대한 추체험을 가능하게 한다. 이는 물론 시인을 고무시켰던 그 현실적인 연관은 아니고, 시인이 이 현실적 연관의 근거 위에서 한 가공의 인간에게 말하게끔 한 것의 연관이기

는 하지만 말이다.… 소설가의 이야기나 역사적 흐름을 추적하는 역사 서술가의 설명도 우리가 추체험을 할 수 있게끔 해 준다. 만일 어떤 삶의 흐름의 단편들이 보충되어, 우리가 이 흐름의 연속성을 볼 수 있게 되었다고 믿을 수 있다면, 그것은 추체험이 최고의 개가를 올린 것이라 말할 수 있다.…
그렇다면 이러한 추체험은 무엇에 근거하는 것일까? 이 과정과 관련하여 우리가 흥미를 갖는 것은 추체험의 실행일 뿐이지, 이에 대한 심리학적 설명이 아니다.… 이 실행은 두 가지의 계기에 근거한다. 어떤 환경과 외적 상황에 대한 모든 생생한 현재화는 우리를 추체험으로 이끌어간다. 그리고 상상 또한 우리의 고유한 삶의 연관 안에 포함된 태도 방식, 힘, 감정, 추구, 이상의 방향 등의 강조를 강화하거나 약화시켜서 어떤 정신적 삶에 대한 추형성도 할 수 있다. 무대가 열리고, 리처드가 등장한다. 이제 유연한 영혼은 리처드의 말과 표정, 몸짓을 따라가면서…무언가를 추체험하게 된다.…
그리고 이 추체험 안에는 우리가 역사 서술가나 시인 덕분에 얻을 수 있었던 정신적 사물의 매우 중요한 부분이 들어 있다.… 이제 이해가 그의 결정된 현실적 삶 안에는 결코 현존하지 않는 가능성들의 광활한 왕국을 열어준다. 나의 고유한 실존 속에서 어떤 종교적인 상태를 체험할 가능성은 내게 뿐 아니라 대부분의 현대인들에게도 매우 제한된 것이다. 그러나 내가 루터의 편지와 저술을, 그의 동시대인들의 보고서를, 종교적 대화와 공의회 그리고 그의 공적 교류에 관한 서류를 훑어보면서, 나는 이 같은 폭발적인 힘에 관한, 그리고 삶과 죽음을 좌지우지하는 그 같은 에너지에 관한 종교적 과정을 체험하게 되어, 마치 루터가 우리 현대인의 체험 가능성의 피안에 놓여 있기라도 한 듯한 인상을 받게 된다. 그러나 나는 그를 추체험할 수 있다.…
역사의 이와 같은 작용은, 최근에 시야가 협착된 역사학자들은 이런 작용을 보지 못했다. 더욱 확대되고 심화되어 역사의식의 단계에까지 이르러야 한다. (GS. Ⅶ,214-215; 『정신과학에서 정신세계의 구축』502-507)

4. 해석학

가. 해석(Auslegung) 또는 해석(Interpretation)

딜타이는 삶에 대한 해석으로서 추형성과 추체험과 같은 이해를 Auslegung라하며, 문헌 속에 포함된 인간적 현존재에 대한 해석을 Interpretation이라 하여 이 양자에 차별을 둔다. 전자는 과거의 것에 대한 추형성과 추체험에서 나타나는 이해로서, 이것은 하나의 기술론이며 역사의식의 전개와 더불어 발견된다.

그런데, 우리의 정신적 삶은 오로지 언어를 통해서만 표현된다. 따라서 객관적 파악을 가능하게 하는 표현은 문자 속에 인간적 현존재로서 내재하고 있다. 그래서 결국 우리는 이 인간적 현존재에 대한 잔여를 해석(Interpretation)하여야 한다. 결국 딜타이의 해석학은 위의 양자의 결합이라고 볼 수 있다.

> 생소한 것, 그리고 과거의 것에 대한 추형성과 추체험에서 "이해가 얼마나 개인의 특수한 천재성에 근거하는지"가 명료히 보인다. 그러나 이해는 역사학의 기반으로서 하나의 의미심장하고도 항존하는 과제이기 때문에 개인의 천재성은 하나의 기술(론)이 되어야 한다. 이 기술은 역사의식의 전개와 더불어 발전된다. 이 기술은 일단 이해작용 앞에 지속적으로 고정된 삶의 표출이 놓여 있고, 그래서 이해가 [필요한 경우] 항상 다시 이 표출에로 되돌아갈 수가 있어야 한다는 사실에 결부되어 있다. 이렇게 지속적으로 고정된 삶의 표출에 대한 기술적 이해를 우리는 해석(Auslegung, 펼치기, 진열, 설명)이라 한다.
> 그리고 정신적 삶은 오로지 언어에서만 자신의 완전하고도 충분한 표현, 따라서 객관적 파악을 가능하게 하는 표현을 발견하기 때문에 해석은 문자 속에 포함된, 인간적 현존재의 잔여에 대한 해석(Interpretation)에서 완성된다. 이러한 기술이 문헌학의 기반이다. 그리고 이 기술의 학문을 해석학(Hermeneutik)이라 부른다.(GS.Ⅶ,216; 『정신과학에서 정신세계의 구축』507)

나. 사적 차원의 문헌학에 규칙을 부여한 해석학

해석학적 역사에서 문헌에 대한 비판이 큰 이슈로 등장한 때가 있었다. 그것은 정확한 지식 하에서 그 세계를 이해하고자 하는 노력의 일환이었던 것이다. 특히 이것은 성경비판에 몰두하여, 그 진정한 저자를 찾기 위해 노력하였다. 이러한 비판은 해석으로부터 나타나는 난점들을 해결하기 위해 생겨나서, 텍스트의 순화, 즉 순수하지 않은 문서나 작품, 전승의 거부로 나아갔다. 이처럼 개인적인 차원에서만 탐구되던 문헌학에 규칙을 부여한 것은 해석학이었다. 이것은 학문의 모든 영역에서 규칙부여의 노력이 행해지던 역사적 단계에서 이루어졌다.

우리에게 주어진 [과거의 삶으로부터의] 잔여에 대한 해석과 내적으로 그리고 필연적으로 연관된 것이 바로 이에 대한 비판이다. 비판은 해석으로부터 나타나는 난점들을 해결하기 위해 생겨나며, 텍스트의 순화, 즉 [순수하지 않은] 문서나 작품, 전승의 거부로 나아간다. 마치 자연과학적 탐구가 실험을 세련되게 하는 도구를 새롭게 개발해 온 것처럼, 해석과 비판 역시 역사적 흐름 속에서 늘 자신들의 과제의 해결을 위한 새로운 보조수단을 개발해 왔다. 해석과 비판은 한 세대의 문헌학자와 역사학자로부터 다른 세대로의 전의(傳意)를 시도해야 하는데, 이는 대개 위대한 대가들과의 접촉에 근거한다. 학문의 영역에서 문헌학적 기술보다 더 개인적으로 제약되고, 또 개인과의 접촉에 이보다 더 결부되는 것은 없어 보인다. [이처럼 개인적인 차원에서만 탐구되던] 문헌학에 규칙을 부여한 것은 해석학이다. 이것은 [학문의] 모든 영역에서 규칙부여의 노력이 행해지던 역사적 단계에서 이루어졌다. (GS.Ⅶ,217;『정신과학에서 정신세계의 구축』 508-509)

다. 저자보다 나은 이해

해석학의 규칙부여는 또 다시 발전하여 "하나의 예술적 창조에 대한 이론, 즉 창조를 규칙에 따른 제작으로 파악하는 이론"이 대응되었다. 그러고 나서 이것은 "새롭고도 심오한 이해를 정신적 창조의 직관에 정초하려는 이상론"으로 대치되었다. 이를 가능하게 한 사람은 피히테였고, 슐레겔은 자신의 비판의 학문의 기획 안에 이 이상론을 세우려 생각했다. 창조에 대한 이 같은 새로운 직관 위에서 슐라이어마허는 "저자를 그 자신보다 더 잘 이해하는 것은 타당하다."고 말하였다. 그리고 이 역설 안에는 심리학적으로 정당화될 수 있는 하나의 진리가 들어있다.

이 해석학의 규칙부여에는 "하나의 예술적 창조에 대한 이론, 즉 창조를 규칙에 따른 제작으로 파악하는 이론"이 대응된다. 그러고 나서 독일에서 역사의식이 태동하던 위대한 시기에 F.슐레겔, 슐라이어마허, 그리고 뵈크의 해석학적 규칙부여는 "새롭고도 심오한 이해를 정신적 창조의 직관에 정초하려는 이상론"에 의해 대치되었다. 이를 가능하게 한 사람은 피히테였고, 슐레겔은 자신의 비판의 학문의 기획 안에 이 이상론을 세우려 생각했다. 창조에 대한 이같은 새로운 직관 위에서만 슐라이어마허의 다음과 같은 도발적인 문장이 성립할 수 있다. : "저자를 그 자신보다 더 잘 이해하는 것은 타당하다." 그러나 이 역설 안에는 심리학적으로 정당화될 수 있는 하나의 진리가 들어있다.(GS.Ⅶ,217; 『정신과학에서 정신세계의 구축』509)

[필자해설] 우리는 사실 성경해석과 관련하여 이러한 상황에 자주 도달할 수 있다. 먼저 사도 요한의 요한복음 자체가 그러했다. 요한복음은 공관복음과 다른 관점으로 예수 그리스도를 소개하고 있는데, 여기에는 사도 요한의 신비주의가 가득 담겨있다. 공관복음과 다른 차원의 글을 쓰고 있는 것이다. 공관복음이 예수 그리스도의 지상에서의 행적과 교훈에 집중한 반면, 요한복음은 하나님의 경륜과 예수 그리스도의 내면을 표현하고자 했다. 요한복음의 주요장면에는 여인들이 주로 등장하는데, 이것은 예수 그리스도와 교회와의 혼인을 강조하기 위한 것이었다. 이와 같이 특수의 보편을 향한 상승은 존재한다.

라. 더 나은 보편타당성에 도달하려는 해석학

해석학은 고대로부터 지속적으로 발전하여 왔다. 처음에는 비유적 해석에 맞서 싸웠고, 그러고는 트리엔트 공의회의 회의에 대항하여 성서는 그 자체로부터 이해될 수 있다는, 위대한 개신교 교리를 정당화했다. 그리고 다시 모든 의심에 맞서 "슐레겔, 슐라이어마허, 뵈크의 문헌학적, 역사적 과학이 확실한 미래를 보장하는 진보를 거듭하고 있다"는 사실에 이론적 근거를 제공했다. 오늘날 해석학은 이해의 논리적 형식에서 더 나아가 이해가 도대체 얼마만큼의 보편타당성에 도달할 수 있는지를 규정해야 한다. 정신과학적 진술의 현실적 가치를 확정하기 위해 우리가 발판으로 삼은 것은 체험, 즉 현실성의 내면화로서의 체험의 특성이다.

오늘날 해석학은 하나의 새로운 연관 안으로 들어섰고 여기서 정신과학은 새롭고도 의미심장한 과제를 부여받게 되었다. 해석학은 언제나 역사적 회의주의와 주관의 자의에 대항하여 이해의 확실성을 수호하여 왔다. 그래서 처음에는 비유적 해석에 맞서 싸웠고, 그러고는 트리엔트 공의회의 회의에 대항하여 성서는 그 자체로부터 이해될 수 있다는, 위대한 개신교 교리를 정당화했다. 그리고 다시 모든 의심에 맞서 "슐레겔, 슐라이어마허, 뵈크의 문헌학적, 역사적 과학이 확실한 미래를 보장하는 진보를 거듭하고 있다"는 사실에 이론적 근거를 제공했다. 오늘날 해석학은 "역사적 세계의 연관에 관한 앎의 가능성을 제시하고, 이 앎의 현실화를 위한 수단을 발견해야만 한다는 보편적 인식론적 과제"에 어떻게든 관계하지 않으면 안 된다. 이해의 근원적 의미는 이미 밝혀졌다. 이제는 이해의 논리적 형식에서 더 나아가 이해가 도대체 얼마만큼의 보편타당성에 도달할 수 있는지를 규정해야 한다.
정신과학적 진술의 현실적 가치를 확정하기 위해 우리가 발판으로 삼은 것은 체험, 즉 현실성의 내면화로서의 체험의 특성이다. (GS.Ⅶ,217 〈510〉)

마. 추체험 등을 통한 정신과학의 건립

딜타이의 해석학은 사유실행을 통해 체험을 의식하는 것이다. 이때 사유실행은 단지 체험 안에 포함된 것들의 관계만을 인지할 것이다. 그리고 추론적 사유 역시 체험 안에 포함된 것만을 재현한다. 이것이 물론 한계이기는 하다.
우리는 체험의 이같이 협소한 영역을 오로지 삶의 표출의 해명을 통해서만 넘어설 수 있다. 이때 우리의 이해는 정신과학의 건립을 위해 행하는 핵심적인 실행으로서 우리에게 주어지는 것이다. 한편, 여기서 명백한 것은 이러한 이해가 단지 하나의 사유 실행으로 파악될 수만은 없다는 점이다. 전치, 추형성, 추체험, 이들은 이 모든 과정 안에 작용하고 있는 정신적 삶의 총체성을 향하고 있다. 이 점에서 이해는 체험 자체와 긴밀한 연관관계에 놓이게 된다. 체험 역시 곧 "주어진 상황 안에서 전 정신적 현실성의 내면화"이기 때문이다. 물론 여기에는 이해의 본성으로부터 설정되는 한계는 존재하고 있다.

이제 기초적 사유실행에서 체험이 주의 집중을 통해 의식되면, 이 사유실행은 단지 체험 안에 포함된 것들의 관계만을 인지할 뿐이다. 추론적 사유 역시 체험 안에 포함된 것만을 재현한다. 체험은 이해로 특징지을 수 있다. 그리고 이해는 모든 체험이 포함하는 관계, 즉 표현과 피표현체 간의 관계에 기초한다. 이 관계는 다른 모든 관계와 구분되는 고유성에 있어서 체험 가능하다. 물론 우리는 체험의 이같이 협소한 영역을 오로지 삶의 표출의 해명을 통해서만 넘어설 수 있다. 그리고 그렇기 때문에 이해가 정신과학의 건립을 위해 행하는 핵심적인 실행이 우리에게 주어지는 것이다. 그러나 이기서 또한 명백한 것은 이러한 이해가 단지 하나의 사유 실행으로 파악될 수만은 없다는 점이다. 전치, 추형성, 추체험, 이들은 이 모든 과정 안에 작용하고 있는 정신적 삶의 총체성을 향하고 있다. 이 점에서 이해는 체험 자체와 [긴밀한] 연관관계에 놓이게 된다. 체험 역시 곧 "주어진 상황 안에서 전 정신적 현실성의 내면화"이기 때문이다.
그러므로 삶 자체가 그러하듯 모든 이해에도 비합리적인 것이 포함되기 마련이다. 이해는 그 어떤 논리적 실행의 공식으로도 재현되지 않는다. 그리고 추체험 안에 놓여 있는 최후의 확실성도 - 이는 물론 주관적일 뿐이지만 - "이해의 과정을 표현하는 추리가 갖는 인식 가치에 대한 그 어떤 검사"를 통해서도 대치될 수 없다. 이것이 바로 우리가 이해를 논리적으로 다룰 때, 이해의 본성으로부터 설정되는 한계이다. (GS.Ⅶ,218; 『정신과학에서 정신세계의 구축』511-512)

바. <보충> (텍스트와의)[36] 대화를 통한 상승의 해석학

우리는 딜타이의 해석학이 삶의 표출에 대한 이해의 기술로서의 해석학임을 알 수 있다. 이러한 해석은 일상적인 대화에서 잘 나타난다. 우리는 대화하면서 해석을 하고 있는 것이다. 즉 대화 상대자의 표현을 하나의 내적 연관으로, "그의 말과 함께 외적으로 주어지지 않은 내적 연관"으로 이끌고 가야 한다는 것이다. 그리고 우리가 함께 대화하는 상대자를 더 잘 알면 알수록, 대화에의 그의 관여 안에 은폐되어 있는 어떤 진행과정이 그의 관여의 이유를 찾아내라는 더 강력한 자극을 줄 것이다. 그래서 플라톤 대화편의 유명한 번역자는 이렇게 음성화된 말을 해석하는 예비적 연습이 문자로 주어진 대화편의 해석을 위해 얼마나 중요한 가치를 갖는지를 강하게 강조했던 것이다.

삶의 표출이 전적으로 생소하다면, 해석은 불가능할 것이다. 그러나 그 안에 아무런 생소한 것도 들어 있지 않다면, 해석은 불필요할 것이다. 이 두 극단적인 대립 항의 중간에 해석의 자리가 있다. 무언가 생소하고 그래서 이해의 기술을 필요로 하는 것이 있는 곳이라면 어디서나 해석이 요구된다.
아무런 외적, 실천적 목적 없이 [오직] 스스로를 위해 행해지는 해석은 이미 [일상적인] 대화에서 잘 나타난다. 무엇인가를 뜻하는 그 어떤 대화에서도 우리는 다음과 같은 요구에 직면한다. 즉 대화 상대자의 표현을 하나의 내적 연관으로,

36) (텍스트와의)라는 단어는 필자의 해설이다.

[즉] "그의 말과 함께 외적으로 주어지지 않은 내적 연관"으로 이끌고 가야 한다는 것이다. 그리고 우리가 함께 대화하는 상대자를 더 잘 알면 알수록, 대화에의 그의 관여 안에 은폐되어 있는 어떤 진행과정이 그의 관여의 이유를 찾아내라는 더 강력한 자극을 줄 것이다. 그래서 플라톤 대화편의 유명한 번역자는 이렇게 음성화된 말을 해석하는 예비적 연습이 문자로 주어진 대화편의 해석을 위해 얼마나 중요한 가치를 갖는지를 강하게 강조했던 것이다. 바로 여기에 논쟁 중에 있는 말의 해석이 이어지게 된다. 말들은 다음과 같은 경우에 비로소 이해된다. 즉 "대화 참여자가 대상을 파악할 때 자신의 당파적 이해관계로 인해 갖게 되는 관점"이 논쟁의 연관에서 이해되고, 또 [그렇게 모든] 암시가 설명되고, 대상을 대하는 [그의] 한계와 힘이 그의 개별성으로부터 승인될 때 말이다.(GS.Ⅶ,225; 『정신과학에서 정신세계의 구축』526-527)

5절 보편사적 연관의 인식

1. 삶의 범주

가. '삶의 범주'에 대한 개략

[필자해설] 범주라는 용어는 가장 먼저 아리스토텔레스에 의해서 사용되었는데, 그는 자연세계의 존재들을 구분하기 위해 카테고리, 곧 범주라는 용어를 사용했던 것이다. 그런데, 칸트는 이 범주가 우리의 이성 혹은 정신 속에 선험적으로 존재한다는 것을 발견하고, 그의 『순수이성비판』에서 논증하였다. 이것은 철학사적으로 가장 위대한 발견중의 하나가 되었다. 우리 안에 과학적 인식의 능력의 존재와 더불어 더 나아가서는 자연법칙의 산출자로서의 우리의 이성을 발견했던 것이다. 그런데, 이 순수이성 안에 있는 범주는 자연과학적 세계는 인식하지만, 인간 사회의 사회과학적 세계 혹은 정신과학의 세계에는 적용될 수 없었다. 이에 대해 정신과학, 사회과학의 세계에서 이것을 발견하고자 했던 이가 딜타이이다. 딜타이는 칸트의 자연과학세계의 순수이성에 비견하는 정신과학에서 역사이성을 말하였다. 그리고 이 역사이성에서의 범주를 찾고자 했던 것이다. 그리고 이 범주의 발견을 통해 역사를 탐구하여, 우리에게 주어진 역사를 넘어서는 보편적 역사를 찾고자했던 것이다. 딜타이는 범주를 "삶 자체의 본질 속에 있으면서 우리의 사유 작용에 의해 발견되는 개념"으로 설명한다. 그는 이 역사이성에 내재한 이 범주를 칸트의 범주

에 적용하여, 그는 인간이 역사를 만드는 자라고 말하고 있으며, 이러한 차원에서 인간을 역사적 존재라고 규정하였다. 따라서 딜타이가 '삶의 범주'를 이와 같이 논의하고 찾고자 한 것은 이 역사의 보편성 확보를 위한 분석툴을 마련하고자 함이었던 것이다.

한편, 앞에서 언급한 "체험, 표현, 이해"도 또한 범주의 하나이다. 딜타이는 '삶의 범주'를 앞에서도 말하였지만, 논의의 정점에 이르자 그것을 또 다시 말한다. 다음의 내용은 딜타이의 범주를 정리한 것이다.

나. 실재적 범주와 형식적 범주

우리는 앞에서 딜타이가 범주를 "현실성의 파악을 위한 최고의 관점"(GS. Ⅶ, 192⟨454⟩)으로 이해하고 있는 것을 살펴보았다. 그는 이 범주를 둘로 구분하는데, 형식적 범주와 실재적 범주가 그것들이다. 우리는 이 내용을 앞에서 살펴보았다. 한편, 그 내용을 이경민은 다음과 같이 말한다.

형식적 범주는 "모든 현실성에 대한 진술의 형식"(GS. Ⅶ, 192⟨454⟩)이기 때문에 기초적인 논리적 작업을 위한 추상적 표현들이다. 그것은 내용을 갖지 않기 때문에 형식적이라고 불렀다. 즉 형식적 범주는 경험적 내용의 어떤 특별한 대상을 추상화하는 사고 자체의 형식을 말한다. 그러한 범주들에는 "통일성, 수다성, 동일성, 차이, 정도, 관계"(GS. Ⅶ, 196⟨466⟩)와 같은 것들이 있다. 그리고 이 범주는 모두 "자연과학뿐 아니라 정신과학의, 인식뿐 아니라 이해의 형식적 조건"(GS. Ⅶ, 197⟨467⟩)에 공통적이기도 하다.
그러므로 딜타이는 범주 구분을 통해 정신과학의 방법적 고유성을 정립하고자 했으며, 바로 이 목적을 위해 그가 주목한 범주가 곧 실재적 범주이다. 왜냐하면 실재적 범주는 "정신적 세계의 파악을 통해 생겨나는 것들"(GS. Ⅶ, 192⟨454⟩)이기 때문이다. 이 범주는 "삶에는 작용 연관, 힘, 가치 등"(GS. Ⅶ, 192⟨455⟩)과 같은 삶의 현실성을 나타낸다. 따라서 실재적 범주는 삶 그 자체에 근거하기 때문에 우리들의 경험의 다양성과 충만으로 채워져 있다.(M. Ermarth) 즉 그것은 우리의 체험 안에 있다.
따라서 정신과학의 실재적 범주는 체험을 보편적으로 진술할 수 있는 형식들이다. 즉 이 범주는 "체험된 것을 위한 언어적 표현들", "삶의 흐름의 구조적 형식을 위한 언어적 표현 그 자체"(H. Ineichen)를 의미한다. 또한 이 범주는 "동일한 방식으로 관찰되는 것이 아니다." 오히려 "직관" 또는 "역사에 대한 반성"에서 유래한다. 따라서 실재적 범주는 수가 "제한될 수 없고" 또한 어떤 하나의 "논리적인 형식으로 표현될 수 없다."(GS. Ⅶ, 232; 『정신과학에서 정신세계의 구축』540)[37]

딜타이는 정신과학에서 삶의 체계를 이해하기 위해서 여러 실재적 범주들을 설명한다. 이 실재적인 범주를 이경민은 우리의 인식과 관련한 체험, 표현, 이해와 같은, 인식적 작용 연관을 설명하는 기초적 범주와 역사적 현실을 이루는 삶의 흐름을 파악할 수 있는 범주를 구분한다.

우리는 이 실재적 범주를 본 논문의 전개를 위해서 다시 두 가지로 분류하고자 한다. 첫째는 우리의 인식과 관련된 체험, 표현, 이해와 같은, 인식적 작용 연관을 설명하는 기초적 범주이다.
둘째는 역사적 현실을 이루는 삶의 흐름을 파악할 수 있는 범주이다. 이것은 우리의 역사적 삶이 어떠한 보편적 구조로서 구성되는가를 설명한다. 그러므로 첫째 범주가 인간이 삶을 인식하는 구조적 방식에 대한 범주라면, 둘째 범주는 삶이 어떠한 보편적 구조로서 전체와의 연관을 이루는가를 보여주는 범주이다.[38]

한편, 우리는 체험-표현-이해에 대해서 앞에서 이미 살펴보았기 때문에, 다음에서는 삶의 흐름과 관련된 범주들만 논한다. 한편, 삶의 흐름과 관련된 범주들은 시간성, 목적, 뜻, 의미, 유의미, 이상, 선, 연관, 전체와 부분, 구조, 발전, 힘, 창조, 형성, 개체 실존의 규정성, 본질, 행함과 겪음(GS. Ⅶ, 202〈478〉참조) 등과 같이 다양하다. 이 범주들은 딜타이가 역사적 삶의 구조를 설명하기 위해 발견한 실재적 범주들이다.

다. 시간성

딜타이는 삶의 가장 기본적인 범주를 시간성이라고 한다. 시간성은 "삶에 대한

37) 이경민, "딜타이의 역사이해," 35-36
38) 이경민, "딜타이의 역사이해," 38.

최초의 범주적 규정"(GS. Ⅶ, 192<455>)이며, 다른 모든 범주들은 이 시간의 흐름 속에서 비로소 성립되기 때문이다. 우리의 역사적 삶이 시간성에 근거하고 있기 때문이다. 우리는 앞에서 이것을 살펴보았다. 그는 다음과 같이 말한다.

> 삶은 전체와의 구조적 연관 속에 있는 흐름으로서 시간 속에서 시작하고 시간 속에서 끝나며... 이 삶은 시간적, 공간적 그리고 순환작용을 통해 우리의 경험 속에서 나타나는 사건들의 보편적인 총체와의 연관 속에 위치한다. ... 모든 것은 이러한 구조적 연관이고 그것이 나에게 실재로서 나타나고 또한 실재로서 포함하는 체험이다. ... 살아 있는 체험을 구성하는 질적으로 규정된 실재는 구조적 연관이다. ... 그것은 비록 시간의 흐름을 이루지만 동적인 통일성이다. 그리고 객관적일 뿐 아니라, 우리 의식에 관계 된다.(GS. Ⅵ, 313-315)

그리고 이러한 시간의 실재성 안에서 체험의 내용들은 쉼 없이 변한다. 이 시간에는 과거, 현재, 미래라는 세 가지의 계기가 존재한다.

> 현재는 과거에 관한 표상을 회상 안에, 미래에 관한 표상을 가능성을 좇아가는 상상 안에, 그리고 이 가능성 아래서 목적을 설정하는 활동성 안에 포함한다. 그러므로 현재는 과거로 채워져 있고, 또 자신 안에 미래를 싣고 있다.(GS. Ⅶ, 232; 『정신과학에서 정신세계의 구축』540-541)

라. 의미, 가치, 목적

시간의 세 가지 계기와 관련하여 삶을 파악하기 위한 새로운 범주가 등장한다. 첫째, 우리가 현재의 매 순간에 체험하는 내용들은 시간의 흐름에서 과거가 되면서 기억으로 저장된다. 바로 이때 기억의 내용 속에 포함되는 것이 의미이다. 즉 과거와 관련해서 의미의 범주가 등장한다. 둘째, 우리는 모든 현재의 체험에서 자신들의 가치에 따라 체험의 내용들을 선택하고 구성한다. 즉 현재와 관련해서는 가치의 범주가 생긴다. 셋째, 우리는 미래의 시간을 자신이 설정한 목적과 연관하여 만나게 된다. 즉 미래와 관련해서는 목적의 범주가 생긴다. 그러므로 삶의 가장 기본적 범주였던 시간성의 세 계기 각각에서 의미, 가치, 목적의 범주가 등장한다. 우리는 이 내용을 앞에서 살펴보았는데, 딜타이는 여기에서 또 다시 언급한다. 한편, 이경민은 이것을 다음과 같이 정리한다.

삶의 흐름의 연관은 오로지 삶의 낱낱의 부분들이 전체의 이해와 관련하여 갖게 되는 의미의 범주를 통해서만 파악될 수 있고, 인류의 삶의 어떤 국면도 오로지 이런 방식으로만 이해된다. 이 두 가지 사실에서 볼 때 모든 다른 범주들은 의미의 범주에 의존적이다. 의미는 포괄적인 범주이고, 오로지 이것을 통해서만 삶이 파악된다.(GS. Ⅶ, 232; 『정신과학에서 정신세계의 구축』540).

최초로 삶의 마지막 순간에야 이 삶의 의미에 대한 평가가 내려질 수 있다. 그리고 그러한 평가는 원래 삶의 종말에 순간적으로만 가능하다. 또는 이 삶을 추체험하는 자에게 가능하다.(GS. Ⅶ, 237; 『정신과학에서 정신세계의 구축』551)

삶 속에서는 "지속적으로 변화하는 대상의 상들을 통해 긍정적, 부정적 태도, 쾌, 마음에 듦, 찬동, 만족 등"(GS. Ⅶ, 241〈561〉)의 다양한 태도들이 우리의 의식 속에서 일어난다. 이때 대상에 대한 태도를 판단하고 개념적으로 표현하는 것이 가치이다. 다시 말해 "태도에 대한 추상적 표현이 가치이다."(GS. Ⅶ, 241; 『정신과학에서 정신세계의 구축』561)

그러므로 우리의 삶은 "긍정적, 부정적 현존 가치들"(GS. Ⅶ, 202〈477〉)로서 충만하다. 그리고 우리의 삶이 미래와 관련해서 나아갈 때, 그러한 삶의 태도로부터 목적의 범주가 나타난다. 다시 말해 목적의 범주는 "미래로의 방향 잡음이라는 관점에서 삶을 파악"(GS. Ⅶ, 202〈477〉)하는 것이다. 딜타이는 삶의 목적과 관련해서 "우리는 삶을 모든 개별적인 목적들을 자신의 하위에 종속시키는 최상의 목적의 실현으로, 최고선의 현실화로 해석한다."(GS. Ⅶ, 201〈476〉)라고 설명하면서, 이것을 또한 "삶의 비밀"(GS. Ⅶ, 236〈549〉)이라고까지 표현한다.

"목적 내지 선의 범주는 미래로의 방향 잡음이라는 관점에서 삶을 파악한다. 그러므로 이 범주는 이미 가치의 범주를 전제한다. 그러나 이것들만으로 삶의 연관이 구성되는 것은 아니다. 왜냐하면 목적들 서로 간의 관계는 단지 가능성, 선택, 종속의 관계에 불과하기 때문이다. 이 단순한 병렬, 삶의 부분들의 단순한 종속의 극복은 최초로 의미의 범주를 통해서 이루어진다.... 이 범주야말로 역사적 사유의 가장 고유한 범주이다."(GS. Ⅶ, 202; 『정신과학에서 정신세계의 구축』477)[39]

---

39) 이경민, "딜타이의 역사이해," 38-45.

마. 의미 연관

딜타이는 의미들의 연관을 말하는데, 우리의 모든 삶들은 현존재가 그의 실존 속에서 체험하는 주관적 내용들로 구성되어 있지만, 그러나 그 내용들은 단순히 분리, 단절된 상태로서 머무르는 것이 아니라 하나의 보다 큰 전체로 연관됨으로써 전체 의미를 형성한다고 말한다. 이것이 바로 딜타이가 설명하는 객관 정신의 의미이다. 이경민은 이것을 다음과 같이 정리한다.

따라서 삶은 시간의 지속적 흐름 안에서 발생하는 다양한 부분적 의미(Bedeutung)들이 보다 큰 전체 의미(Sinn)로 연관되는 통일적 구조를 갖는다. 이 구조는 바로 부분과 전체의 해석학적 순환 구조이다. 딜타이는 이 순환의 구조를 문장의 예를 통해 설명한다. "각각의 단어들은 모두 하나의 의미를 가지며 그리고 각 단어들의 결합으로부터 문장의 전체적인 의미가 결과 된다."(GS. Ⅶ, 235;『정신과학에서 정신세계의 구축』547)

따라서 우리의 의지가 선택한 미래의 목적과 관련해서 현재의 가치들이 우리의 체험의 내용들을 구성하면, 그 내용들은 다시 시간의 과거 속에 의미로서 저장된다. 그리고 이 의미들은 고립되어 존재하는 것이 아니라 지금까지 형성되어온 하나의 전체적 의미 속에 연관되면서 보다 큰 새로운 전체 의미로 탄생된다. 그러므로 우리의 역사적 삶은 시간의 흐름 안에서 모든 의미들이 기존에 형성되어 왔던 인류의 전체적 의미와 통일적 연관 구조를 갖는다. 역사는 바로 이렇게 의미의 통일적 연관 구조로 형성된다. 이렇게 형성된 의미의 전체는 우리가 새로운 체험을 할 때 공통적 바탕으로서 작용한다. 우리는 이러한 의미의 공통성 속에서 체험을 하기 때문에, 우리의 모든 체험들은 각각 고립된 상태로 있지 않고 그 공통성 안에 매개된다.(GS. Ⅶ, 238;『정신과학에서 정신세계의 구축』553 참조)

이것이 바로 딜타이가 설명하는 객관 정신의 의미이다. 이렇게 객관 정신이 지니는 공통성이 곧 보편적 이해를 가능하게 하는 근거이다.(GS. Ⅶ, 146;『정신과학에서 정신세계의 구축』457, ;『정신과학에서 정신세계의 구축』367, 208;『정신과학에서 정신세계의 구축』490참조)

따라서 역사는 부분과 전체의 순환적 구조 안에서 전체적 의미의 공통성이 확대되는 하나의 형성체이다. 이것이 딜타이가 말하는 역사의 개념이며, 이때의 역사는 의미 연관을 의미한다. 그러므로 시간 속에 놓인 우리의 모든 삶은 의미에 의해 비로소 통일된다.[40)]

바. 부분과 전체, 연관, 구조, 발전, 본질

지금까지는 삶의 통일적 연관 작용에 대해 알아보았는데, 이제는 역사적 삶이 어떤 구조적 형식을 이루는가에 알아본다. 먼저, 우리는 딜타이의 정신적 구조에 대한 이해를 세 가지 특징으로 나누어 설명할 수 있다.

첫째, 정신적 삶의 구조는 단순히 분리된 요소들의 결합이 아니라 "삶의 연관"(GS. Ⅶ, 237〈552〉)을 의미한다. 우리의 체험에서는 의식의 활동과 내용이 분리될 수 없는 구조적 연관을 갖는다.(GS. Ⅶ, 325 참조) 다시 말해 우리의 "체험을 구성하는 질적으로 규정된 실재는 구조 연관... 하나의 동적인 통일성이다."(GS. Ⅵ, 315) 만일 우리가 체험에서 그 내용을 분리한다면, 체험의 내용들은 정신적 연관과 다만 분석적으로 분리될 뿐이다. 따라서 구조적 연관은 바로 체험 안의 의식에 존속하는 관계에서 발견 된다.

둘째, 우리의 정신적 삶 속에서 작용하는 세 가지 유형(사유, 감정, 의지)들은 체험 안에서 서로 간의 내적 관계를 갖는다.(GS. Ⅶ, 36〈109〉) 예를 들어 우리가 화상을 입는 경우에 있어서, 그 때 우리는 순간적으로 고통의 감정과, 그 상황에 대한 지각, 그리고 위험으로부터 피하고자 하는 행동을 동시적으로 하게 된다. 이러한 정신의 세 가지 작용들은 우리의 의식 안에서 내적 연관의 유기적 체계를 형성하면서 "하나의 조합된 전체를 형성해 낸다." 따라서 딜타이는 "이렇게 해서 구조적, 정신적 연관이라는 개념이 생겨난다."(GS. Ⅶ, 22〈74〉)라고 설명한다.

셋째, 정신적 삶의 구조적 연관은 하나의 목적 연관을 갖는다. 딜타이는 다음과 같이 "이러한 구조적, 정신적 연관은 동시에 하나의 목적론적이다. 삶의 충만을, 욕구의 충족과 행복을 얻으려는 나아가는 하나의 연관은 목적 연관이다. ... 분명히 합목적성의 특징이 정신적 구조 속에 본래적으로 주어진다."(GS. Ⅴ, 207)라고 설명한다. 따라서 정신적 삶의 목적 연관에는 우리의 모든 행위들이 "가치의 특성 또는 목적의 특성을 의식 안에서 소유"(GS. Ⅶ, 23〈74〉)하고 있다. 그러므

40) 이경민, "딜타이의 역사이해," 45-46.

> 로 우리의 체험에서는 지금까지 설명한 모든 정신적 삶의 연관들이 구조적으로 함께 공동으로 작용하기 때문에, 정신적 삶의 특징은 바로 연관이며, 구조이다.[41]

이러한 '구조의 범주'는 삶이 어떤 동일한 형식으로 반복되는가에 대해 관찰하고, 분석함으로써 발견된다. 즉 이것은 삶 속에 내재된 변하지 않는 동일성의 형식적 구조를 말한다.

> 구조의 범주는 삶의 주체가 삶의 연관 안에서 되풀이하는 것에 대한 분석을 통해 최초로 생겨난다. 이러한 의미에서의 분석은 이 되풀이되고 있는 것 안에 포함된 것만을 추구한다. 분석은 이 포함된 존재 이외의 어떤 것도 발견하지 않는다.(GS. Ⅶ ; 『정신과학에서 정신세계의 구축』237)

한편, 구조의 범주에서는 우리가 체험에서 볼 수 있었던 삶의 특별한 내용들은 전혀 없고, 다만 형식과 삶의 보편적 구조만이 드러난다.(O. F. Bollnow, op. cit., p. 147 참조) 딜타이는 삶의 구조적 특징을 통해 삶이 부분과 전체의 순환적 구조를 이룬다는 사실을 설명하고, 우리의 삶은 순환적 구조의 반복 속에서 계속 앞으로 진행한다는 사실을 발전의 범주를 통해 설명한다. 이경민은 그 내용을 다음과 같이 소개한다.

> 삶의 흐름 속에서 내적으로 규정된 연관, 변화에로의 간단없는 전진을 규정하는 연관을 나는 발전이라 부른다.(GS. Ⅶ, 245〈569〉)
> 딜타이는 우리의 삶이 보여주는 발전적 의미를 설명하기 위해 먼저 현존재의 실존적 상황을 분석한다. 우리의 실존은 단순한 현존이 아니다. 인간은 외부의 환경으로부터 자극과 저항이라는 압력 속에 던져진 존재이다. 즉 우리는 세계 안에 놓여있는, 규정되는 유한성의 존재이다. 그러므로 이 유한성의 존재는 언제나 그 한계성의 압박으로부터 생기는 고통을 극복하기 위해 온갖 노력에 몰두한다. 딜타이는 이것이 "유한성의 비극(die Tragik der Endlichkeit)"(GS. Ⅶ, 244〈568〉)이라고 불렀다. 그리고 역으로 이러한 유한성은 또한 그것을 극복하려는 힘으로 우리에게 작용하기 때문에 개체적 실존이 전진할 수 있는 "추동력"이 된

41) 이경민, "딜타이의 역사이해," 47.

다.(GS. Ⅶ, 244⟨568⟩)
그러므로 우리의 실존은 자체 내의 한계성으로부터 "힘에로의 의지", 즉 "내적 자유에로의 의지"를 지닌다.(GS. Ⅶ, 244⟨569⟩)[42]

이러한 힘은 한계성 속에서 실존적 가능성을 향한 지속적인 전진을 유발한다. 이것을 우리는 발전이라고 부른다. 따라서 역사적 삶은 시간의 흐름 속에서 미래를 향해 전진하는 지속적 운동과 같은 발전적 특징을 갖는다. 그리고 딜타이는 삶의 이러한 발전적 특징을 삶이 내포하고 있는 근원적 본질인데, 딜타이는 이것을 '본질의 범주'라고 말한다.

삶과 삶의 흐름은 연관이다. 과거의 체험들의 기초 위에서, 그리고 새로운 체험들을 통한 지속적인 획득을 통하여, 내가 획득된 심적 연관이라 부르는 것이 형성된다. 이 연관의 형식들. 이 과정의 본성은 변화의 한 가운데에서도 연관의 지속과 연속성을 결과한다는 것이다. 모든 정신적 삶에서 증시할 수 있는 이 같은 사실 상태를 나는 본질의 범주라고 표기한다. 그러나 본질 자신의 또 다른 측면은 지속적인 변화이다. 여기에 이미, 통일적인 삶의 연관에 가해지는 외부의 영향을 수용함으로써 나타나는 변화가 동시에 이 연관 자체에 의해 규정된다는 사실이 포함되어 있다.(GS. Ⅶ, 244; 『정신과학에서 정신세계의 구축』567)

2. 전 기

가. 학문적 과제의 보편타당한 해결로서의 전기

딜타이는 우리 각 개별자의 '자서전'을 통해서 역사를 탐구하는 것이 아니라, 학문적 보편타당한 해결로서 전기에서 출발하고자 한다. 일반적으로 전기를 남기는 인물들은 그 시대의 주요 관심사들이 그들 자신의 관심사로 삼고 있어서 그 시대를 대표하고 있다. 딜타이는 이에 대한 타당성을 부여하고자 한다.

전기의 학문적 특성에 관해서는 역사학자들 간의 의견이 엇갈린다. 전기가 역사학의 한 부분으로 역사학에 포함되어야 하는지, 또는 정신과학의 연관의 내부에

42) 이경민, "딜타이의 역사이해," 48-49.

서 역사학 곁에 자립적 위치를 점해야 하는지의 물음은 따지고 보면 단지 하나의 용어상의 문제이다. 왜냐하면 이 물음에 대한 답변은 역사학이라는 표현에 부여되는 의미에 따라 달라지기 때문이다. 그러나 전기에 대한 모든 논의의 입구에는 하나의 인식론적, 방법적 문제가 있다. 학문적 과제의 보편타당한 해결로서의 전기는 가능한가? 나는 "역사의 대상은 삶의 객관화의 총개념 안에 주어져 있다"는 사실에서 출발하고자 한다.…(GS. Ⅶ, 246; 『정신과학에서 정신세계의 구축』570)

나. 전기작가의 과제 : 작용연관에 대한 이해

어떤 사람의 전기에서 역사를 도출해 내기 위해서는 전기 작가가 문서들에서 하나의 작용연관을 이해하는 것이다. 역사 서술가는 낱낱의 연관들을 분리해 내고 이 연관들의 삶을 연구하면서 역사적 세계의 구조 안으로 깊이 파고 들어가게 된다. 종교, 예술, 국가, 정치적, 종교적 조직 등이 역사의 도처에 편재한 연관들을 형성한다. 이 연관들 중에서 가장 근원적인 것은 한 개인의 삶의 흐름이 자신의 환경 안에서 환경에 의해 영향 받고 다시 이에 역작용하면서 형성한 연관이다. 이러한 관련들은 이미 개인의 회상 안에, 그 개인에게 주어져 있기 때문이다.

전기는 무엇보다도 문서에 기초한다. 이 문서들은 한 개인의 표현과 작용으로 남아 전수된 것들이다. 이들 중에서도 이 개인의 편지나 이 사람에 대한 보고서들이 특별한 지위를 갖는다는 것은 자연스러운 일이다. 전기 작가의 과제는 이러한 문서들에서 하나의 작용연관을 이해하는 것이다. 즉 개인이 자신의 환경에 의해 규정되고, 다시 이 환경에 반응하는 작용연관 말이다. 모든 역사는 작용 연관을 파악해야만 한다. 역사 서술가는 낱낱의 연관들을 분리해 내고 이 연관들의 삶을 연구하면서 역사적 세계의 구조 안으로 깊이 파고 들어가게 된다. 종교, 예술, 국가, 정치적, 종교적 조직 등이 역사의 도처에 편재한 연관들을 형성한다. 이 연관들 중에서 가장 근원적인 것은 한 개인의 삶의 흐름이 자신의 환경 안에서 환경에 의해 영향 받고 다시 이에 역작용하면서 형성한 연관이다. 이러한 관련들은 이미 개인의 회상 안에, 그 개인에게 주어져 있다.: 그의 삶의 흐름, 이 흐름의 조건들, 그리고 그 개인의 작용들. 바로 여기서 우리는 역사의 원세포를 얻는다. 왜냐하면 바로 여기서 특수한 역사적 범주들이 생겨나기 때문이다. 마치 하나의 삶의 흐름이 그의 진행 중에서도 동일성의 의식에 의해 함께 지탱되는 것처럼, 삶의 모든 계기들은 바로 이 동일성의 범주에서 자신의 기초를 발견한다. [이 동일성에 의거하여] 분산된 것은 연속성을 향하여 연결된다. 우리는 "어린 시절의 작은 형상, 순간 속에 살고 있는 형상에 대한 회상"으로부터 "세계에 대면해 자기 자신을 주장하는, 그것도 스스로 파악한 확고한 내면성에서 자신을 주장하는 성인"에 이르기까지 회상의 계열을 거쳐갈 수 있다. 그렇게 하면서… 삶의 흐름에 대한, 그리고 이 흐름 안에서 형성되는 것에 대한 관계 안에서 하나의 의미를 갖는다.…(GS. Ⅶ, 246; 『정신과학에서 정신세계의 구축』571)

다. 삶 자체와 역사 사이의 근원적 연관

딜타이에 의하면, 전기가 역사적 세계 간에 거대한 연관이 존재한다. 그러나 역사의 매 순간마다 작용하고 있는 것은 바로 '인간적 본성의 심연'과 '확장된 역사적 삶의 보편적 연관' 간의 관련 이상 다른 것이 아니다. 바로 여기에 삶 자체와 역사 사이의 가장 근원적인 연관이 있다. 역사적인 순간에 주어진 이 같은 내적 구조에 포함된 가능성들 바로 여기에서 역사적 탐구 작업들이 출발한다.

전기가 역사적 세계의 거대한 연관을 이해하기 위해 중차대한 의미를 갖는다는 사실을 누가 부인할 것인가! 그러나 역사의 매 순간마다 작용하고 있는 것은 바로 '인간적 본성의 심연'과 '확장된 역사적 삶의 보편적 연관' 간의 관련 이상 다른 것이 아니다. 바로 여기에 삶 자체와 역사 사이의 가장 근원적인 연관이 있다.…

역사적 '개인'의 삶의 흐름은 하나의 작용 연관이다. 그 연관 안에서 개별자는 역사적 세계의 영향을 수용하고, 이 영향력 하에서 스스로를 형성하고, 다시 이 역사적 세계에 반대의 영향력을 행사한다. [개별자에 대한 역사적 세계의] 영향력들은 이 같은 세계 연관의 국면으로부터 생겨난다.… 역사적인 순간에 주어진 이 같은 내적 구조에 포함된 가능성들-바로 여기에서 역사적 탐구 작업들이 출발한다.(GS. Ⅶ, 247; 『정신과학에서 정신세계의 구축』573)

[필자해설] 역사 속에서 가장 대표적인 보편자는 기독교의 예수 그리스도와 그의 사도들이다. 이에 대한 연구를 통해 우리는 역사의 보편성을 확인할 수 있을 것이

다.

라. 예술작품으로서의 전기

딜타이는 전기를 하나의 예술작품으로 보고 있다. 자서전은 자기 자신에 대한 이해이다. 과거를 향해서는 "회상 속에 남아 작용하고 있는 분지들과 함께 하나의 작용연관에 속하는 것"으로 체험된다. 그러나 오히려 현재로부터 출발하는 모든 작용에는 [미래의] 목적들에로 뻗어나가려는 의식이 존재한다. 이 목적이 작용연관을 형성하는 것이다. 그리고 이 목적들로부터 "목적들 상호간의 연관으로서의, 또는 목적과 수단의 연관으로서의 삶의 계획"이 생겨난다. 그리고 이렇게 해서 의미의 범주적 파악이 주어진다. 이때 여기에 내재된 연관은 하나의 중심점에로 집중된다. 모든 외적인 것은 이 중심점에 대해, 즉 하나의 내적인 것에 대해 태도를 취한다. 외적인 것은 작용들의 무한한 계열이지만, 이 계열에는 하나의 뜻이 포함되어 있고, 이 뜻이 최초로 작용연관의 통일성을 만들어낸다. …그러므로 자서전은 적절한 이해를 위해 자서전의 대상인 개별자의 계획과 의미에 대한 의식이 포함된 여러 외적 표출들을 사용할 수 있다. 따라서 전기는 우리에게 하나의 예술적 작품의 역할을 하게 된다. 우리는 그 전기를 통해서 새로운 역사적 보편을 도출해 내는 것이다.

자서전은 자기 자신에 대한 이해이다. 그리고 자서전의 대상은 '한 개별자의, 삶의 흐름으로서의 삶'이다. 더욱이 체험은 여기서 이해가 이 개별적 삶의 뜻을 규정하기 위해 취하는 지속적이고도 직접적인 기반이 된다. 체험은 하나의 연관의 분지들을 '전진하며 존속하는 현재'로 소유한다. [그러나] 이 연관의 내부에서 볼 때 낱낱의 부분들은 [과거로부터] 획득된 정신 연관 안에서만 나타난다. 이 새로운 부분들은 동시에 작용하는 것으로 체험될 수 있는데, 과거를 향해서는 "회상 속에 남아 작용하고 있는 분지들과 함께 하나의 작용연관에 속하는 것"으로 체험된다. 그러나 이 작용연관이 그 자체 작용들의 체계로 나타나는 것은 아니다. 오히려 현재로부터 출발하는 모든 작용에는 [미래의] 목적들에로 뻗어나가려는 의식이 존재한다. 이 목적이 작용연관을 형성하는 것이다. 왜냐하면 욕구에도 목적들이 포함되어 있기 때문이다.
그러므로 작용연관은 일차적으로는 목적들의 실현으로 최소한 대체로 의식의 전면에 놓인 것으로 체험된다. 이 연관에 객체, 변화, 체험 등이 수단으로 병합된다. 이 목적들로부터 "목적들 상호간의 연관으로서의, 또는 목적과 수단의 연관으로서의 삶의 계획"이 생겨난다.… 이렇게 해서 이러한 범주적 파악에 과거에 형성된 범주적 파악, 즉 의미의 범주적 파악이 주어진다. 의미에는 낱낱의 외적인 사건이 내적인 것에 대해 갖는 관계가 들어있고, 이 내적인 것 또한 이 외적 사건들 상호간의 연관 안에 놓여 있다. 이 연관은 최후의 분지로부터 형성되어 나온 것이 아니고, 하나의 중심점에로 집중된다. 모든 외적인 것은 이 중심점에 대해, 즉 하나의 내적인 것에 대해 태도를 취한다. 외적인 것은 작용들의 무한한 계열이지만, 이 계열에는 하나의 뜻이 포함되어 있고, 이 뜻이 최초로 [작용연관의] 통일성을 만들어낸다. …그러므로 자서전은 적절한 이해를 위해 [자서전의 대상인 개별자의] 계획과 의미에 대한 의식이 포함된 여러 외적 표출들을 사용할 수 있다.(GS. Ⅶ, 248-249; 『정신과학에서 정신세계의 구축』575-577)

3. 보편사적 연관의 인식

딜타이는 위의 '삶의 범주'를 근거 삼아 '보편사적 연관의 인식'을 시도하고자 한다. "정신과학에서의 역사적 세계의 건립"을 시도하고 있는 것이다. 그는 '계승'을 위한 두 가지의 기획을 세우고 있다. 이에 대한 내용의 소개를 여기에서는 생략하고자 한다. 그 목차만 소개하면 다음과 같다.

"계승을 위한 제1기획"은 다음과 같다.

- 근본관계 : 역사적 형성체의 구조
- 모든 역사적 연관의 구조
- 역사적 진술의 주체
- 종족, 민족 등의 구체적-역사적 주체
- 문화체계
- 경제적 삶
- 법과 공동체 안의 법 조직
- 사회의 분화
- 인륜, 풍습 그리고 삶의 이상
- 종교와 종교조직

- 예술
- 과학
- 세계관과 철학
- 국가 안의 조직의 연관
- 힘, 문화 등의 수행적 주체로서의 민족
- 인류와 보편사
- 체계의 본성, 이 책의 목표

"계승을 위한 제2기획"은 다음과 같다.

- 역사의 문제
- 민족
- 시대
- 진보
- 보편사적 연관

위의 내용들에 대해서 딜타이도 모든 내용을 전부 채운 것은 아니며, 미완성으로 남겨 놓았다.

6절 평 가

딜타이의 철학도 또한 칸트를 극복하기 위해 나타난 철학이다. 그는 자연과학과 정신과학은 그 방법론이 다르다고 말한다. 그러면서 정신과학은 삶의 체험으로부터 인식론이 시작된다. 이 체험이 시간적으로 기록된 것이 자서전이며 전기이다. 더 나아가 이 개인의 역사가 그 개인의 생명이다. 우리는 어떤 전기에 대한 추체험과 추형성을 통하여 그 시대의 역사의 보편자를 이해할 수 있다.

딜타이의 해석학은 이와 같이 두 가지 측면을 가지고 있다. 본질적으로 중요한 것은 삶에 대한 이해를 통해 역사와 자아의 본질을 추구하는 것인데, 우리는 이것을 자서전이나 전기와 같은 문헌을 통해서 접하게 된다. 딜타이는 이러한 전기를 하나의 예술작품처럼 간주하여 그곳에서 이해와 추체험과 추형성을 시도하는 것이다.

딜타이는 이때 나타나는 보편자를 객관정신이라고 말하는데, 이것이 바로 헤겔의 절대정신이라는 것이다. 그는 칸트의 순수이성과 같이 우리 안에는 이와 같은 역사의 본질을 이해하는 역사이성이 존재한다고 말한다.

딜타이는 이러한 역사이성을 통해서 역사의 보편자를 찾고자 시도하였다. 그러나 그의 시도는 미완성에 그치고 말았다. 오히려 진정으로 역사를 대표하는 보편적 인물을 찾아서 그를 통해 역사를 이해하는 것이 더 나았을 것이다. 그러한 인물을 우리는 4대 성현 가운데서 찾는다. 그 중에서도 가장 신비스럽고 탁월한 존재가 기독교의 예수 그리스도이다.

3장 베르그송

1절 앙리 베르그송(1859-1941)의 생애 등

1. 생애와 저술

가. 유년시절과 학업(1859-1879)

베르그송은 폴란드계 유대인인 아버지 미카엘 베르그송과 아일랜드계 유대인이며 영국인인 어머니 사이의 4남 3녀 중, 둘째이자 장남으로 파리에서 태어났다. 미카엘은 앙리가 4살 때 프랑스 파리를 떠나 제네바 음악원의 교수가 되고 곧 원장이 되었으나 그것도 잠시, 4년 뒤에는 그 자리에서 물러나 다시 파리로 돌아왔고, 다시 2년 뒤에는 앙리만 남겨두고 다른 가족들과 함께 런던으로 이주하였다. 이후 반 은퇴 상태에서 이런 저런 개인교습으로 생계를 유지하다가 생을 마감한다.

앙리 베르그송은 폴란드계 유대인인 아버지 미카엘 베르그송과 아일랜드 유대인이며 영국인인 어머니 캐서린 레빈슨 사이의 4남 3녀 중 둘째 아이이자, 장남으로 파리에서 태어났다.
앙리의 증조 할아버지는 폴란드의 은행가이자 왕납 피혁공장을 경영하던 대부호로, 폴란드계 유대인들의 해방에 중요한 역할을 한 요세프 야쿠보비츠이다.… 그의 아들, 즉 앙리의 할아버지 베르 존넨베르그도 상당한 재산가로서 폴란드계 유대인 사회에서는 큰 영향력을 가진 사람이었다.… 베르의 사망 후 모든 아들들에게 아버지가 누리던 특권이 주어지지는 않은 것이 이유가 된 듯, 네 명의 아들들 가운데 미카엘과 자콥은 폴란드를 떠나 서유럽에서 정착을 시도하였다. 자콥은 독일에 정착하여 그의 아들은 의사가 되었고, 미카엘 즉 앙리의 아버지는 유럽 이곳저곳을 옮겨 다녔다. 그는 폴란드에 있을 때 이미 쇼팽의 제자로서 피아노를 배웠으며, 이후로도 피아노 연주가와 작곡가로서 성공의 길을 모색하며 유럽을 떠돌아 다녔다. 1856년 38세 때 파리에서 유대계 영국인 캐서린 레빈슨(당시 26세)을 만나 결혼했으며, 3년 후 앙리를 낳았다. 미카엘은 앙리가 4살 때 제네바 음악원의 교수가 되고 곧 원장이 되었으나 그것도 잠시, 4년 뒤에는 그 자리에서 물러나 다시 파리로 돌아왔고, 다시 2년 뒤에는 앙리만 남겨두고 다른 가족들과 함께 런던으로 이주한다. 이후 반 은퇴 상태에서 이런 저런 개인교습으로 생계를 유지하다가 생을 마감한다. 앙리 베르그송의 아버지는 그러니까 재능은 상당히 있었으나 크게 성공하지는 못한 피아니스트이자 작곡가였다. 앙리는 나중에 아버지를 회고하며 "나의 아버지는 매우 뛰어난 작곡자이며 피아니스트였다. 그의 잘못은 명성을 경멸했던 것 밖에 없다"고 말한다.(최화, 『의식에 직접 주어진 것들에 관한 시론』해제, 293-295)

그는 유년시절 학교에서 다방면에서 천재성을 발휘하였다. 어학, 수학, 역사학 등에서 발군의 실력을 발휘하였다. 한편, 그는 뒤르켐과 동기였다.

파리에서 태어난 베르그송은 앞에서 말한 바와 같이 4살 때 제네바 음악원 교수가 된 아버지를 따라 스위스로 이주하게 되었는데, 그의 가족은 공교롭게도 제네바의 철학자가(街)에 살았다. 아버지의 실직으로 7살 때 다시 파리로 돌아온 베르그송은 9살에는 국비 장학생으로 보나빠르뜨 고등학교에 입학했고, 제네바에 있을 때 이미 그의 총명함을 알아본 제네바 대랍비 베르트하이머의 주선으로 슈프링어 기숙사의 장학생으로 입사하게 되었다. 앞에서 말했듯이 11세부터는 영국으로 이주한 가족과 떨어져 홀로 파리에서 기숙사 생활을 해야 했던 그는 항상 "더 이상 예의바를 수 없는" 소년이었다. 꽁돌르세 고교 시절에는 우등생의 전형과 같은 학생이었음은 물론이고, 전국 학력 경시대회에서 수학, 라틴어 작문, 프랑스어 작문, 영어에서 1위를 차지했고, 기하학에서 2위 그리스어 작문과 역사에서 4위를 차지했다. 특히 고등학교 마지막 학력경시대회의 "교차하는 양 평면에 접하는 구의 용역을 구하라"는 문제에 대한 그의 해법은 너무나 완벽하고 아름다워서 수학 전문지에 게재될 정도였으며, 그의 스승인 데보브는 "파스칼과 현대 기하학자들에 대한 연구"(1878)라는 자신의 저서에 파스칼의 이른바 "세 개의 원"의 문제에 대한 베르그송의 해법을 소개할 만큼 수학에 뛰어난 재능을 보였다. 그리하여 그가 프랑스 지적 엘리트들의 집합소인 파리 고등사범학교 ENS의 철학과에 입학했을 때(19세), 데보브는 "너는 수학자가 될 수 있었는데도 철학자 밖에 될 수 없겠구나"라고 한탄했다고 전해진다.…(최화, 『의식에 직접 주어진 것들에 관한 시론』해제, 296-297)
베르그송은 고등사범학교에 3위로 입학했으며, 이때 수석은 후일 프랑스 사회주의를 이끈 쟝 조레스였다.… 베르그송은 나중에까지도 조레스의 웅변과 관대함에 칭찬을 아끼지 않았다. 같은 동기생인 뒤르켐에 대한 상당히 냉담한 평가에 비

> 하면 그것은 분명 다른 태도이다.…(최화, 『의식에 직접 주어진 것들에 관한 시론』해제, 298)

나. 고등학교 공교육에 의무종사(1880-1897)

베르그송은 졸업후 10년간 고등사범 고등학교들의 공교육에 종사하였다. 그리고 이 시기 중, 그가 30세 되던 해에 <시론>을 주 논문으로 하고, <아리스토텔레스의 공간론>을 부논문으로 하여 박사 학위를 받게 된다. 그리고 『시론』이 같은 해에 출판된다. 그리고 33세가 되던 1892년에 루이즈 뇌부르제(당시 19세)와 결혼한다. 1년 뒤에는 외동딸 잔느가 태어난다.

> 고등사범에 입학할 때 10년 간 공교육에 종사하겠다고 서약한 베르그송은 성년이 되던 1880년 11월 5일, 파리 5구 구청에서 프랑스어를 모국으로 선택한다고 정식으로 프랑스 국적을 취득한다.… 고등사범을 졸업하면서 그는 철학교수 자격시험에 2위로 합격한다.… 이후 베르그송은 앙제 고등학교에서 2년, 끌레르몽-페랑 고등학교에서 5년간 철학 교수로 근무한다.
>
> 이 시기에 베르그송은 슐리의 『감각과 정신의 착각들』을 번역하고, 『루크레티우스 초록』이라는 학습용 소책자를 출판하는데(24세), 이 해설서는 그 당시 그의 고전어 실력이 어느 정도였는지를 보여주는 수준급 해설서이다. 이때 벌써 최면술에 관심을 가지고 1886년에는 최초의 논문인 <최면상태에서의 무의식적 위장에 관하여>라는 최면술에 관한 논문을 발표한다. 그러나 이 시절의 가장 중요한 일은 역시 지속의 발견과 그의 박사 학위 논문이자 첫 번째 주저인 『시론』의 완성이다.
>
> 29세 때에는 파리로 올라와 첫해에는 루이-르-그랑 고등학교와 앙리 4세 고등학교의 보충교수, 다음 해에는 롤랭 고등학교 교수 그리고 그 다음 해에는 앙리 4세 고등학교 교수가 되어 이후 약 8년간 재직한다. 그러면서 30세가 되던 1889년 말에는 <시론>을 주 논문으로, <아리스토텔레스의 공간론>을 부논문으로 하여 박사학위를 취득하고, 같은 해 주 논문인 『시론』이 출판된다.
>
> 33세가 되던 1892년 평생의 반려자인 루이즈 뇌뷔르제(19세)와 결혼했고, 일년 뒤에는 외동딸 잔느가 태어났다. 잔느는 선천적 농아였으나, 부르델의 제자로서 상당한 재능을 보인 조각가로 성장하였다. (최화, 『의식에 직접 주어진 것들에

관한 시론』해제, 298-300)

다. 꼴레즈-드-프랑스에서의 강의(1898-1914)

베르그송은 그의 주저 『물질과 기억』을 1896년(37세)에 발표하고 일약 유명해졌다. 그리고 그는 1898년(39세)에 고등사범학교 전임강사로 임명되었는데, 이미 그 전 해부터 꼴레즈-드-프랑스에서 강의를 하고 있었다. 그는 처음에는 고대철학을 가르쳐서 고전에 대한 실력이 출중하였으며, 그 후 현대철학을 가르쳤다. 그는 이 시기에 『웃음』과 『창조적 진화』를 썼다.

37세가 되던 1896년에 두 번째 주저인 『물질과 기억』을 발표함으로써 철학계를 놀라게 하고, 이때부터 철학자로서의 그의 명성은 확고해진다. 그러나 1894년과 1898년 두 번에 걸쳐 소르본느에 지원했으나 모두 실패하고, 1898년(39세)에 고등사범학교 전임강사로 임명된다. 베르그송은 이미 그 전 해부터 와병중인 샤를르 르벡을 대신하여 꼴레즈-드-프랑스에서도 강의하고 있었는데, 41세 되는 해인 1990년 르벡이 죽자 그의 자리인 그리스-라틴 철학 담당 교수로 임명되고, 1904년부터는 가브리엘 따르드가 맡고 있던 현대철학 담당으로 자리를 옮긴다. 베르그송은 1921년까지 20여년 동안 꼴레즈-드-프랑스의 교수로 재직하지만, 그가 직접 강의한 것은 1914년까지이고, 그 이후에는 르 롸가 대신 강의하게 하였다. 꼴레즈-드-프랑스는 소르본느와 길 하나 사이에 두고 나란히 서 있는 프랑수아 1세때 세워진 학교로서, 각 분야의 최정상급 학자들이 초빙되어 강의를 하고 누구나 와서 들을 수 있지만, 시험을 보지도 학위를 주지도 않는, 프랑스만의 독특한 학교이다.… 고전철학에 대한 그의 조예는 의심할 여지가 없다. 실제로 꼴레즈-드-프랑스에서 플로티노스의 『에네아드』 강독을 들은 브레이에에 따르면 플로티노스를 완전히 꿰뚫고 있어서 설명이 물 흐르는 것처럼 막힘이 없었다고 한다.…
1900년 꼴레즈-드-프랑스 교수가 된 이후 베르그송의 이력은 승승장구라는 말이 어색치 않다. 같은 해에 『웃음』을 출판하고, 1901년에는 정치-정신과학 학술원 회원으로 선출되었으며, 1902년에는 레지옹 도뇌르의 5등 훈장에 서품되고, 이후 4등, 3등, 2등 훈장을 거쳐 1등 대십자장(1930년)에까지 이르렀으며, 1907년 『창조적 진화』가 발표되었을 때에는 문자 그대로 세계적인 철학자로 명성을 떨치게 되었다. 그리하여 1911년에는 영국의 옥스퍼드 대학에, 1913년에는 미국의 컬럼비아 대학에 초청되어 대대적인 환영을 받는다. 그리고 전쟁이 나던 해인 1914년에는 아카데미 프랑세즈 회원으로 선출된다.…그는 1928년 노벨 문학상을 수상했다.(최화, 『의식에 직접 주어진 것들에 관한 시론』해제, 300-302)

라. 1차 세계대전 이후 (1914년-1941년)

전쟁이 일어났을 때, 베르그송은 이에 대한 강연을 많이 하였으며, 더 나아가서는 미국에 파견되어 윌슨을 만나서 미국을 이 전쟁에 참여하게 하는데 일익을 담당했다. 전쟁후 그는 아카데미 프랑세즈에 정식으로 취임하고, 1921년에는 꼴레즈-드-프랑스에서 완전히 은퇴하려고 하였다. 그러나 그는 1921년에 유네스코의 전신인 지적협력 국제위원회의 의장을 맡았다. 그는 1932년 73세의 나이에 『도덕과 종교의 두 원천』을 발표한다. 그리고 그 다음 해에 논문집 『사유와 원동자』를 낸다. 그 후 2차 세계대전이 발발하고, 1941년 1월 3일 폐렴으로 사망한다.

1914년 1차 세계대전이 발발하자, <닳는 힘과 닳지 않는 힘>이라는 전쟁 격문을 발표하여 <전자가 후자를 죽일 것>이라고 선언하며, 같은 해 말 정치-정신과학 학술원 원장의 자격으로 전쟁에 대한 장문의 연설을 한다. 1916년에는 스페인의 여론을 프랑스 쪽으로 돌리기 위해 다른 학술원 회원들과 함께 스페인에 파견되어 여러 대학에서 강연하고, 1917년에는 처음의 망설임에도 불구하고 미국에 파견되어 학자 출신의 대통령 윌슨을 설득하여 재정적 지원과 함께 가능하다면 미국이 직접 참전케 하려고 노력했고, 결국 성공한다.…
전쟁이 끝나고 아카데미 프랑세즈에 정식으로 취임한 베르그송은 1919년 논문집 『정신의 힘』을 내고, 1921년에는 꼴레즈-드-프랑스에서 완전히 은퇴하여 연구에 몰두하려고 하였다. 그러나 1921년, 전쟁 중에 수행한 그의 역할의 연장선상에서 아인슈타인, 뀌리 부인 등 세계적인 석학들이 참여하는 국제연맹 산하 지적협력 국제위원회(CICI) 의장을 맡지 않을 수 없었다. 이 기구는 오늘날 유네스코의 전신이다.
…베르그송은 66세가 되던 1925년부터 류머티즘으로 거동이 불편하게 되었다. 그리하여 같은 해 CICI 의장직을 물러나 다시 조용한 철학자의 삶으로 돌아온다. 그로부터 7년 후인 1932년, 73세의 나이로 마지막 주저인 『도덕과 종교의

두 원천』을 발표한다.… 그 다음 해에 논문집 『사유와 원동자』를 낸 뒤에는 조용한 말년을 보내고 있었으나, 제2차 세계대전이 발발하고 독일군이 파리를 점령하자 일단 파리를 떠나 지방으로 피신하였다가 1940년 11월 다시 파리로 돌아온다. 이때 석탄 배급량이 매우 적어서 추운 겨울을 보내다 1941년 1월 3일 폐렴으로 세상을 떠난다.… 그의 유언장에는 다음과 같이 씌어 있었다.
"나는 반성하면 할수록 점점 더 카톨릭에 가까이 가게 되었고, 거기서 나는 유대주의의 완벽한 완성을 본다. 만약 몇 해 전부터 반유대주의의 거대한 물결이 세계로 퍼져 나가는 것을 보지 못했다면 나는 개종했을 것이다. 나는 장차 박해받을 사람과 함께 하기를 원했다. 그러나 나는 파리 교구 추기경이 허락한다면 내 장례식에 카톨릭 신부가 와서 기도해 주기를 바란다.…"(최화, 『의식에 직접 주어진 것들에 관한 시론』해제, 303-305)

2. 베르그송 사상이 갖는 의미

가. 과학적 철학을 극복하는 생철학 : 근세철학의 극복

근세철학은 과학의 출현과 더불어서 일어났다. 인간이 어떻게 그와 같은 과학적 발견을 해 낼 수 있었는가를 연구하는 과정 속에서 근세철학이 출현하였다. 데카르트로부터 시작된 근세철학은 칸트에 이르러서 정점에 이르렀다. 칸트는 이때 우리의 정신 혹은 이성은 '시간'과 '공간'의 틀을 따라서 사물을 인식하고 있음을 발견했다. 인간은 이 틀을 이미 가지고 태어났다. 그런데, 이때 '시간'에 대한 틀은 우리의 '산수학'에 대한 가능성을 의미하였고, '공간'에 대한 틀은 '기하학'에 대한 이해 가능성을 말하고 있었다. 칸트에 의하면, 우리 인간은 이러한 수학에 대한 이해를 통해서 과학적 법칙을 발견할 수 있었다. 칸트의 이러한 발견은 칸트로 하여금 철학사에서 플라톤에 못지않은 위치에 오르게 하였다. 사실 그러한 지위는 지금도 변함이 없다.

베르그송은 이러한 칸트 철학의 한계를 최초로 지적한 철학자로 보여진다. 그는 칸트의 철학은 심리적 요소가 반영되지 않은 '물질'에 관한 철학, 즉 과학을 위한 철학이라고 하였다. 즉, 움직이거나 변하지 않는 정태적인 상태에서 어떤 법칙을 규정하고 있기 때문이다. 특히 '시간'에 대한 개념이 그렇다. 베르그송에 의하면, 칸트의 '시간'은 오직 '현재'라는 정지된 '단층' 밖에 없다고 말한다. 그리고 이것이 물질에 대해서는 그렇게 틀리지도 않다고 한다. 그러나 '물질'의 파트너로서 '인간'의 심리 혹은 정신이 여기에 개입하여 '물질'을 변화시키고 있다면, 이때의 시간 개념은 틀리게 된다. 왜냐면, 인간에게 '시간'은 '과거-현재-미래'가 모두 한 순간의 '현재'속에 있기 때문이다. 동물에게 과거는 그다지 큰 영향을 미치며 존재하지 않을 수도 있다. 그러나 인간에게 과거는 지금의 현재를 이루는 과거이다. 생생하게 존재하는 과거로서 그 과거들이 고스란히 의식 속에 쌓여서 현재를 변화시키며 구성하고 있다. 따라서 인간이 개입하게 되면, 이제 과학적 법칙은 맞아 떨어지지 않게 된다.

칸트의 철학이 자연과 과학을 위한 철학이라면, 베르그송의 철학은 과학을 극복하는 생철학이다. 근세철학으로부터 벗어나는 현대철학이 이제 시작된 것이다. 그는 현대철학의 선구자였다. 그가 꼴레즈-드-프랑스의 교수가 아니라, 소르본느 대학의 교수가 되어서 그의 학파를 형성할 수 있었다면 지금의 프랑스 철학은 지금의 이 모습이 아니었을 것이다.

나. 정신-이미지-물질의 관계 정립 : 구조주의 철학의 선구

베르그송은 인간의 의식(이미지)와 물질의 관계를 가장 탁월하게 분석하였다. 그런데, 인간의 의식(이미지)는 사실은 정신에게서 나타난 이미지라고 보아야 한다. 그가 말하는 것은 아니지만, 엄밀히 말하자면, 그의 존재론은 '정신-이미지-물질'의 삼위일체론적 존재론이다. 그런데, 그는 '이미지'와 '물질'의 관계만을 심층적으로 다룬다. 그는 "인간의 의식으로서의 이미지"와 "물질에 있는 이미지"를 같은 것으로 본다. 그래서 그는 "물질의 총체는 이미지이다"고 말한다. 그는 이러한 이론을 버클리의 관념론과 유물론적 실재론의 오래된 논의에서 가져왔다. 결론적으로, 그에 의하면, 인간의 의식 속에는 '순수 공간'이 있으며, 소우주이다.

베르그송에 의하면, 인간 안에는 '무의식적 장소'가 존재한다. 그곳에는 과거가 '지속'으로서 존재한다. 그곳에는 그 자신의 모든 역사가 담겨 있으며, 심지어는 유전을 통해서 과거의 모든 역사까지도 담겨 있다. 그리고 그 과거는 '순수 지속'으로서 현재의 '이미지'에 영향을 미친다. 그리고 이 정신의 '이미지'는 '물질'의 이미지에 영향을 미친다. 인간은 '물질'에 대한 '제작자'이다. 인간의 '의식' 속에서 끝없는 생명과 생성이 솟구쳐난다. 이것이 모든 '생명체'와 '물질'에 대한 '창조적 진화'를 주도하고 있다. 한편, 기독교의 신비가들은 자신의 내부에 있는 이 '이미지'

를 변화시킴을 통해서 기도 응답이나 기적을 행하기도 한다.

베르그송은 인간의 무의식에 대한 개척자이다. 그는 구조주의의 선구자였다. 그의 철학은 후에 들뢰즈에 의해 부활하여 구조주의 철학의 주류로 편입하게 된다.

다. 전통적인 개념의 의미 변화 : 과정 철학의 선구

베르그송에 의하면, 기존의 전통 철학에서의 '개념'의 의미는 플라톤의 이데아론에서부터 유래하였다. 즉, 개념이란 예지계의 이미지를 개념이라고 했다. 예컨대, 소크라테스는 '정의(正義)'란 무엇인가를 찾기 위해서 많은 사람들에게 질문을 하면서, 이 모든 '정의'를 포괄할 수 있는 개념을 '변증법적' 질문을 통해서 찾았다. 그리고 그것은 예지계에 있다고 하였으며, 그것이 곧 '이데아'였다. 후에 신플라톤주의자 플로티누스는 이 '이데아'는 '일자'의 '사유, 마음, 관념'이라고 하였다. 그리고 이 '이데아'로부터 분유하여서 개별자들이 가시적인 세계 속에 생성된다.

한편, 이에 대해 베르그송은 그러한 플라톤식의 '개념'은 정태적이며, 최종적으로 완성된 후에 주어진다. 지금 현재는 그것을 향하여 가고 있다. 그 완성된 모습이 아직은 이 세계 속에 존재하지 않는다. 모든 것이 완성된 후에 주어질 이데아 세계에서의 모습이다. 그렇다면 우리가 정의할 수 있는 '개념'이란 무엇인가? 예를 들면, 지금 현재 어떤 '물질'에 대한 개념은 무엇인가? 즉 그것의 '이미지' 혹은 '의식'은 무엇인가? 베르그송에 의하면, 그 '물질'에 대한 이미지(의식)는 사물 안에도 있고, 우리 정신 안의 '의미지(의식)' 속에도 있다. 그리고 이 양자는 서로 관련을 가지고 있는데, '물질'에 대한 이미지는 '정신'에 의해서 변화를 겪게 된다. 따라서 참된 이미지는 '정신' 안에 내재하는 '이미지'이다. 이것이 어떤 '물질'에 대한 참된 '이미지'이며, '개념'이다. 그런데, 이 정신 안에 있는 이미지는 정신 속에 있는 '지속 현상'으로 인하여 변하고 있다. 즉, 그 사물에 대한 과거의 모든 경험이 축적된 상태에서 그것의 의식이 새롭게 생성되고 있기 때문이다.

따라서, 어떤 물질에 대한 '개념'은 이제 '과정' 속에 주어져야 한다. 최종적인 그 완전체의 모습이 정의되어서는 안 된다. 이러한 베르그송의 '과정'으로서의 '개념'은 그리스 철학자 헤라클레이토스의 로고스론에서 이미 출현하였었다. 화이트헤드의 과정철학이나 판넨베르그의 과정신학은 모두 베르그송의 영향 아래에 있다.

2절 의식에 직접 주어진 것들

1. 심리상태들의 강도 : 의식의 이중적 인식

가. '공간적'으로 표현되는 '강도의 차이'

우리는 감각, 감정, 열정, 노력과 같은 '비연장적인 성격'을 지닌 '의식들'에 대해서도 크기의 개념을 도입하여 언어를 구사한다. 예컨대, 더 덥다거나 더 슬프다고 말한다. 베르그송에 의하면, 여기에는 중요한 문제가 개입되어 있다고 말한다. 우리가 '공간'적인 사물에 대해서는 이러한 '더'나 '덜'의 용어를 사용하여 서로를 비교할 수 있다. 그런데, '감각'의 경우에는 그 '강도'를 어떻게 표현할 수 있을 것인가? 우리의 상식으로는 이러한 것이 문제없이 통용이 되고 있지만, 이러한 '강도의 차이'에 대한 '공간적 표현'의 이유에 대한 철학적인 해명이 필요하게 된다.

사람들은 보통 감각, 감정, 열정, 노력과 같은 의식의 상태들이 증가하거나 감소할 수 있다고 생각한다. 어떤 이들은 심지어 어느 한 감각이 같은 성질을 가진 다른 감각보다 두 배, 세 배, 네 배 더 강하다고 말할 수 있음을 확언한다. 나중에 살펴보겠지만 이것은 '정신물리학자'[43]들의 주장이다. 그러나 정신물리학의 반대자들조차 다른 감각보다 더 강한 감각, 다른 노력보다 더 큰 노력에 대해 이야기하고, 그리하여 순전히 내적인 상태들 사이에 양적인 차이를 수립하는 데에 아무런 장애도 느끼지 않는다. 게다가 그 점에 관해 상식이 취하는 태도는 조금의 주저도 없다. 사람들은 더 덥다거나, 더 슬프다거나 덜 슬프다고 말하며, 그러한 '더'와 '덜'의 구별이 주관적인 사실이나 비연장적인 사물의 영역으로 확장될 때조차 아무도 놀라지 않는다. 그러나 거기에는 매우 불분명한 점이 있으며, 일반적으로 생각하는 것보다 훨씬 중대한 문제가 있다.
가령 어떤 수가 다른 수보다 더 크다거나, 한 물체가 다른 물체보다 더 크다고 주장할 때, 사람들은 그것이 무엇을 말하는지 매우 잘 안다. 왜냐하면 조금 후에 자세히 증명되겠지만, 두 경우 모두 크기가 다른 공간에 관한 문제이며, 여기서 더 큰 공간이란 다른 [더 작은] 공간을 포함하는 공간을 일컫는 말이기 때문이다.
그러나 더 강한 감각의 경우에는 그것이 어떻게 더 약한 강도의 감각을 포함할 것인가? 전자가 후자를 내포하며, 더 높은 강도의 감각에 도달하려면 더 낮은

43) 정신물리학은 페히너가 창시한 것으로서 물리적인 자극과 그 자극이 발생시키는 감각 경험의 크기 사이의 관계를 탐구하는 이론이다. 베르그송은 이 이론을 비판한다.

강도를 먼저 거친다는 조건을 만족시켜야만 하고, 그리하여 여기서도 역시 어떤 의미에서는 포함하는 것과 포함되는 것의 관계가 존재한다고 할 것인가? 강도의 크기에 관한 이러한 관념은 상식의 관념으로 보이나, 그것을 철학적 설명으로 확립하려면 진정한 악순환을 범하지 않을 수 없을 것이다.(『시론』1-2)
…더 이상 외부의 원인으로부터 나오지 않는 깊은 심리적 사실들 사이에 우리가 세우는 '강도의 차이'는 전혀 설명되지 않는다.(『시론』4)
강도는 적어도 외관상으로는 분명 감각의 특성이다. 그리하여 항상 같은 질문이 제기된다. 어찌하여 우리는 더 높은 강도를 더 크다고 말하는가? 어째서 우리는 더 큰 양, 즉 더 큰 공간을 생각하는가?(『시론』5)

나. '양적 변화'로 표현 된 '질적 변화'

강도는 적어도 외관상으로는 분명 감각의 특성이다. 그런데, 왜 우리는 더 높은 강도를 더 크다고 말하여서, 더 큰 양, 즉 더 큰 공간을 생각하는가? 베르그송은 그 이유에 대한 분석을 시작하면서, 먼저 우리의 의식에는 "외부 대상의 지각과 결합되어 나타나는 현상"과 어떠한 "외연적인 요소도 개입되지 않은 자기 충족적인 영혼의 어떤 상태"가 있다고 한다. 우리의 의식에는 한 사건에 대해 이 두 요소가 모두 혼재하여 있다. 그러나 베르그송은 이 둘을 구분하여 판단하고자 한다.

이때 전자는 "감각이나 노력의 강도"가 그 사례이며, 후자는 "감정의 강도"로서 "깊은 슬픔과 기쁨, 숙고한 열정, 미적 감동" 등이 그러하다. 그런데, 이 양자는 '반성적 의식'에 의하여 서로 결합하여 있다. 즉, 우리의 의식은 외부적인 감각이나 노력 등의 결과, 궁극적으로는 감정의 영역에 머물게 된다. 그렇기 때문에 우리의 의식을 결정하는 궁극적 요소는 후자이다. 사실상 이것이 '순수한 강도'의 본질이다.

그런데, 중요한 것은 여기의 "감정의 강도"는 어떤 외부적인 요인 없이도 스스로 강해지고 약해지며 변화를 한다. 가령 막연한 욕망이 점점 깊은 열정으로 변하는 경우가 있고(『시론』6), 어떤 희망이 점점 강력한 즐거움으로 변하기도 하고(『시론』7), 한 구석에 있던 내적인 기쁨이 마음 전체를 차지하기도 하며(『시론』8), 미적 감정에서 나오는 아름다움의 느낌이 그러하다(『시론』9-10). 이것은 심리적 상태들을 물들이는 어떤 성질들과 느낌들의 환원일 뿐이다. 만일, 우리 의식에 일어난 '순수한 강도'의 변화가 이러한 성격을 가지고 있다면, 우리 감정의 변화는 '양'의 변화가 아니라, '질'의 변화였던 것이다. 그럼에도 우리는 이것을 '양'의 변화처럼 표현하고 있는 것이다.

그런데, 우리가 그렇게 생각하는 이유는 우리 안에 있는 '욕망과 열정'이 증가할 때, 우리 안에 있는 '반성적 의식'이 몸의 표면에서 행해지는 이러한 '노력의 강도'를 증가시키는 것처럼 가정하면서, 이것을 심리적 사실과 혼융시키기 때문이다. 그러나 이렇게 감정 변화의 요소가 서로 섞여 있다고 하더라도, 그 본질은 '크기의 변화'라기 보다는 '질의 변화'이다. 그 내용은 다음과 같다.

> 아마도 이 문제의 어려움은 특히 우리가 매우 성질이 다른 강도들, 이를테면 감정의 강도와 감각이나 노력의 강도를 동일한 이름으로 부르고, 동일한 방식으로 표상하는 데 기인하는 것 같다. 노력은 근육 감각을 동반하며, 감각 자체는 또 그 강도의 평가에 어떤 요인으로 작용할지도 모르는 모종의 신체적 조건에 연결되어 있다. 감각이나 노력은 모두 의식의 표면에서 일어나는 현상들이며, 나중에 살펴볼 것처럼 운동이나 외부 대상의 지각과 항상 결합되는 현상들이다.
> 그러나 영혼의 어떤 상태들은 옳든 그르든 자기 충족적으로 보인다. 깊은 슬픔과 기쁨, 숙고한 열정, 미적 감동이 그러하다. 순수한 강도는 어떠한 외연적 요소도 개입하지 않는 것처럼 보이는 그런 단순한 경우에 더 쉽게 정의되어야 한다. 왜냐하면 곧 보게 될 것처럼 그것은 여기서 크고 작은 덩어리의 심리적 상태들을 물들이는 어떤 성질이나 색조로, 또는 원한다면, 기저의 느낌에 스며드는 크고 작은 수의 단순한 상태들로 환원되기 때문이다.
> 가령 막연한 욕망이 점점 깊은 열정이 되는 경우가 있다. 당신은, 그 욕망의 강도가 약했던 것은 우선 그것이 고립되어 있었고, 당신의 내적 삶의 모든 나머지 부분에 대해 낯선 것으로 보였기 때문이었음을 간파할 것이다. 그러나 그 욕망이 조금씩 더 큰 수의 심리적 요소들에 침투하여 그것들을, 말하자면 자신의 고유한 색깔로 물들였다. 그리하여 지금은 이제 사태 전체에 대한 당신의 관점이 변한 것으로 보이는 것이 아닌가.… 한 대상이 영혼 속에 커다란 자리를 차지한다거나 심지어는 모든 자리를 차지한다고 말할 때, 그 말은 단지 그 대상의 상이 수많은 지각이나 기억들의 색조를 변경시켰고, 그러한 의미에서 그 상이 지각이나 기억들에 침투하였다는 의미로 이해되어야 한다. 그러나 그런 대단히 동적인 표상은 반성적 의식이 싫어하는 것인데, 그것은 반성적 의식이 말로 쉽게 표현되는 확연한 구별과 공간에서 발견되는 것처럼 분명하게 발견되는 것처럼

분명하게 윤곽이 정해진 사물들을 좋아하기 때문이다. 그러한 의식은 따라서 나머지가 동일하게 있는 한, 어느 한 욕망이 여러 크기들을 연속적으로 거쳐 온 것으로 가정할 것이다. 마치 다수성도 공간도 없는 곳에서도 여전히 크기를 말할 수 있기나 하다는 듯이! 우리는 그러한 의식이 몸의 표면에서 행해지는 점점 더 많은 수의 근육수축을 유기체의 주어진 한 점에 집중시킴으로써 그것을 점증하는 강도의 노력으로 만드는 것을 보게 될 것이며, 그와 마찬가지로 공존하는 심리적 사실들의 혼융된 덩어리에서 일어나는 점진적인 변화들도 따로 떼내, 커져 가는 하나의 욕망의 형태로 결정화할 것이다. 그러나 그것은 크기의 변화라기 보다는 질의 변화이다. (『시론』6-7)

다. 의식의 이중적 인식

베르그송은 우리가 질적 변화를 양적 변화로 표현하는 이유에 대하여 질적 변화가 반성적 의식에 의하여 그것의 원인이 된 외적 감각인 양적 변화로 섞여진 상태에서 인식하기 때문이라고 말한다. 즉, 우리의 의식은 이와 같이 그것의 원인이 된 감각 등이 반성적 의식을 매개로해서 질적 변화인 감정 등의 형태로 인식한다. 즉, 의식은 이중적으로 인식한다. 그런데 이에 대한 표현은 외부적 요인이 된 공간적 변화의 형태로 한다. (필자: 칸트에 의하면, 우리 인간 오성은 공간의 틀 속에서 모든 것을 인식하려한다.)

우리는 지금까지 감정이나 노력 등, 그 강도가 절대적으로 외부 원인에 의존하지는 않는 복잡한 상태들을 살펴보는 데 그쳤다. 그에 반해 감각은 우리에게 단순한 상태로 보인다. 그것의 크기는 어디에서 성립할 것인가? 감각의 강도는 외부 원인에 따라 변하는 바, 감각은 외부 원인의 의식적 등가물로 취급된다. 그렇다면 비연장적이며 그리고 이번에는 불가분적인 결과에 양이 침입하는 것을 어떻게 설명해야 할까?…(『시론』23-24)

우리는 심적 사실들이 그 자체로 순수한 질 또는 질적 다수성이며, 다른 한편으로 공간에 위치한 그 심적 사실들의 원인은 양이라는 것을 발견했다. 그런 질이 양의 기호가 되고, 질의 배후에서 양을 느끼는 한, 우리는 그것을 강도라고 부른다. 어떤 단순한 상태의 강도는 따라서 양이 아니라 양의 질적 기호이다. 당신은 그것의 원천을 의식의 사실인 순수 질과 필연적으로 공간인 순수 양 사이의 타협에서 발견할 것이다.…(『시론』169)

라. '공간표상'에 함축되어 있는 '수'의 관념

베르그송에 의하면, '수'의 관념은 '공간 표상'에 함축되어 있다고 말한다. 따라서 우리가 '감각'과 '감정'의 다수성이 '상호침투' 된 상태에서 이 의식을 '수'로 표현하고자 할 때, 우리는 이것을 공간에 투사하여 표현한다는 것이다.

따라서 그러한 조작이 이루어지는 것은 분명 공간 속에서이다. 그것은 더구나 우리가 의식의 심부로 더 침투해 들어감에 따라 점점 더 어려워진다. 거기서 우리는 감각과 감정의 다수성과 대면하는데, 그것들은 오직 분석만이 구별해 낼 수 있다. 그들의 수는 우리가 그것들을 셀 때 그것들이 채우고 있는 순간들의 수 자체와 혼융된다. 그러나 서로 더해질 수 있는 그러한 순간들은 아직도 공간의 점들이다. 거기서부터 결국 두 종류의 다수성이 있다는 결과가 나온다. 직접적으로 수를 형성하는 물질적 대상들의 다수성과, 필연적으로 공간이 개입하는 어떤 상징적 표상의 매개 없이는 수의 모습을 띨 수 없을 의식적 사실들의 다수성이 그것이다.…(『시론』65)

한 물체가 다른 물체 속으로 침투해 들어간다고 상상해 보라. 당신은 곧 후자에다가 전자의 입자들이 자리 잡을 빈틈을 만들 것이다. [다시] 그 입자들이 서로 침투해 들어가려면 이번에는 그 입자들 중 어느 하나가 나뉘어져 다른 것의 틈새를 채워야 할 것이다. 그리고 우리의 사유는 그런 조작을 무한히 계속할지언정, 두 물체를 동일한 장소에서 표상하지는 않을 것이다.…(『시론』65-66)

사람들은 감정, 감각, 관념 등 서로가 서로를 침투하며, 그 각각이 나름대로 영혼 전체를 차지하는 모든 것들을 세고 있지 않는가? 그렇기는 하다. 그러나 그것들이 공간 속에서 구별되는 위치를 차지하는 동질적 단위들, 따라서 더 이상 서로를 침투하지 않는 단위들로 표상된다는 조건 아래에서만 셀 수 있다. 그러므로 불가입성은 수와 동시에 나타난다.…(『시론』67)

표상적 감각은 그 자체로 생각하면 순수한 질이다. 그러나 연장성을 통해 보면, 그러한 질이 어떤 의미에서는 양이 된다. 사람들은 그것을 강도라고 부른다. 따라서 하나의 구별되는 다수성을 형성하기 위하여 심리상태들에 대해 행하는 공간으로의 투사는 그 상태들 자체에 영향을 미치고, 그것들에게 직접적 파악이 제공하지 않는 새로운 형태를 반성적 의식 속에서 부여한다.…(『시론』67)
간단히 말해서 우리는 시간을 공간에 투사하고, 지속을 연장으로 표현하며, 계기는 우리에게 그 부분들이 서로 스며드는 것이 아니라 서로 접하는 연속적인 선이나 사슬의 형태를 띤다.(『시론』75)

한편, 칸트에 의하면, 우리가 무엇을 인식할 때, 우리는 '시간'과 '공간'의 틀 속에서 인식한다고 말한다. 따라서, 이 의식에서 '시간'의 문제가 남아 있는데, 베르그송은 이것을 '지속'이라는 관념으로 전개한다.

2. '순수 지속, 혹은 시간'의 개념

가. 경험적 '직관'으로서의 '지속'

직관에 대한 개념은 학자마다 다르게 이해되어 왔다. 칸트의 경우, 직관은 시간과 공간의 경험세계를 뛰어넘는 더 우월한 형이상학적 직관을 의미하였다. 이에 대한 인식은 우리의 '순수이성(순수사유)'로는 불가능하여 '실천이성'을 내세웠다. 한편, 베르그송의 직관은 이와 다르다. 베르그송은 기본적으로 플로티누스의 그 '직관'을 수용하는데(『사유와 운동』 153-154), 신비주의자인 플로티누스의 직관은 '실재 자체(일자)에 대한 투시'였다. 한편, 베르그송은 우리의 경험적 인식에도 이 '직관'이 사용되고 있다고 말한다. 그는 우리 안에 있는 '직관'이 우리 안에 있는 '시간' 속에서 무의식적 자아의 운동을 사유하고 있다고 말한다. 우리가 어떤 사물을 경험한 후 일정 시간이 경과하였을 때, 이에 대한 개념의 강도가 처음 인식했을 때와 다르게 변화되어 있음을 발견하게 된다. 이것이 바로 베르그송의 '지속'으로 표현된 '시간' 개념이다. 칸트의 '시간' 개념은 베르그송에게 '지속'의 개념과 크게 다르지 않다.

이것은 가히 철학사에서의 혁명과 같은 발언으로서, 플라톤의 이데아, 칸트의 시산과 공간을 넘어서는 새로운 형태의 직관 개념이었는데, 이것은 엘레아 학파의 제논이 행한 '운동의 역설'이 새롭게 현대에 이르러서 부활한 것이었다. 그에 의하면, 지금까지는 철학이 지성이 수행하고 있는 이 '운동'을 사유하지 못하였다. 칸트의 시간은 흐르지 않는 시간으로서 모든 의식을 시간과 공간 위에 동질적으로 투사한다. 플라톤의 이데아는 운동이 반영되지 않은 고정불변의 틀에 모든 만물을 가둔다. 이러한 내용을 베르그송은 『사유와 운동』에서 구체적으로 열거하였다.

나. 의식의 '순수지속'

어떤 한 감각적인 경험이 있었으며, 어느 시점 후에 또 한 번의 동일한 감각적인 경험을 하게 되었다고 가정하자. 이때 첫 번째 경험에 대한 관념과 두 번째 경험에 대한 관념이 우리 안에는 다르게 형성된다. 그리고 이 둘 사이에는 의식이 존재하였다. 그렇다면, 이 '의식'은 '시간 혹은 지속' 안에서 연속된 '이질적 사건들'이 발생했다고 보아야 한다.

베르그송에 의하면, 우리의 자아 속에는 상호 외재성 없는 계기가 있으며, 자아 밖에는 계기 없는 상호 외재성이 있다고 말한다. 예컨대, 시계추의 진동을 생각해 보자. 우리가 시계의 추의 진동을 제거해도, 우리 자아에는 여전히 그 추의 진동을 계속된다. 또 역으로 우리 자아를 제거해도 그 추의 진동은 계속 된다. 그리고 그러한 외재성 없는 계기와 계기 없는 외재성 사이에서는 물리학자들이 삼투압 현상이라 부르는 것과 상당히 닮은 일종의 교환이 일어난다.

> 내가 시계의 숫자판 위에서 시계추의 진동에 대응하는 바늘의 운동을 눈으로 따라갈 때, 사람들이 믿는 것처럼 보이는 바대로, 나는 지속을 측정하는 것이 아니다. 나는 동시성을 세는 데 지나지 않으며, 그것은 분명히 다른 것이다.… 과거의 위치들 중 어느 것도 남아 있지 않기 때문이다. 내 속에서는 의식적 사실들의 유기적 조직화와 상호침투의 과정이 계속되며 그것이 진정한 지속을 이룬다. 내가 그런 방식으로 지속하기 때문에 나는 현재의 진동을 지각함과 동시에 내가 과거의 추의 진동들이라 부르는 것을 표상한다. 그런데 계기적이라고 불리는 그 진동들을 사유하는 나를 잠시 제거해 보자. 추의 오직 한 진동, 그 추의 오직 한 위치, 결국 지속의 한 점 밖에는 없을 것이다. 다른 한편, 추와 그 진동을 제거해 보자. 서로에 대해 외적인 순간들도, 수와의 관계도 없는, 자아의 이질적 지속 이외에는 더 이상 아무것도 없을 것이다. 따라서 우리의 자아 속에는 상호 외재성 없는 계기가 있으며, 자아 밖에는 계기 없는 상호 외재성이 있다. 이때 상호 외재성이라 한 것은 현재의 진동과 더 이상 존재하지 않는 이전의 진동이 근본적으로 구별되기 때문이지만, 계기가 없다는 것은, 계기는 오직 과거를 기억하고 두 진동이나 그들의 상징을 보조 공간에 병치하는 의식적 관객에게만 존재

> 하기 때문이다. 그런데, 그러한 외재성 없는 계기와 계기 없는 외재성 사이에서는 물리학자들이 삼투압 현상이라 부르는 것과 상당히 닮은 일종의 교환이 일어난다.(『시론』80-81)

즉, 이것이 곧 '순수의식의 작용'이다. '순수의식'이란, "의식에 직접적으로 주어지는 수없이 다양한 질(質)의 존재가 끊임없이 서로 삼투(滲透)하며 지속되는 유동적(流動的) 의식의 과정"을 말하며, "이것은 보통의 '시간'과는 달리 인간의 직관에 의해서만 포착되며, 이 세계야말로 진정한 실재의 세계이다"(『다음백과』). 베르그송의 가장 위대한 발견은 '시간'의 창조성이었다.(필자: 그리스 신화 등의 고대의 신화적 사유에 의하면, '시간'은 '크로노스'로서 창조를 수행하는 살아 있는 인격체이다. 베르그송에 의하면, 이 '지속'으로 불리는 이 '시간'이 우리의 '의식'에 작용을 하여 창조를 수행한다.) 이것이 곧 '시간, 혹은 지속의 운동성'이라는 개념이다.

다. '순수의식 혹은 시간'의 운동성

베르그송에 의하면, 어떤 현상들이 의식에 동시에 나타나고 사라지지만 지속이 없는 어떤 실재 공간이 있다고 가정해 보자. 이때 여기에 이질적인 순간들이 상호 침투 하지만 외적 두 실재에 대한 공간적 비교를 해보면, 그 두 공간에서 끌어낸 지속의 상징적 표상이 생긴다고 말한다. 그렇다면, 그 사이에는 의식(혹은 무의식적 자아 : 필자)의 '운동'이 있었다. 베르그송은 이것을 '시간'의 '공간'과의 교차라고 말한다. 베르그송은 '운동'은 공간이 아니라, 시간 속에서 일어난다고 말한다. 이것을 납득하기 위해서는 갑자기 별똥별이 떨어지는 것을 보았을 때 사람들이 경험하는 것을 생각해보는 것으로도 충분할 것이다. 별똥별은 사라졌는데, 우리의 의식 속에는 그 별이 여전히 존재하는데, 그때부터는 순수한 질적 감각의 형태로만 나타난다. 그리고 그 관념은 시간의 흐름 따라 변화한다.

> 현상들이 의식의 상태들과 동시에 나타나고 사라지지만 지속은 없는, 어떤 실재 공간이 있다. 그 이질적인 순간들이 상호 침투하지만 각 순간이 그와 동시적인 외적 세계의 한 상태에 접근할 수 있으며, 그 접근 자체의 결과에 의해 다른 순간들과 구별되는 어떤 실재 지속도 있다. 그 두 실재의 비교로부터 공간에서 끌어낸 지속의 상징적 표상이 생긴다. 지속은 그와 같이 동질적 장소라는 환상적

형태를 취하며, 지속과 공간이라는 그 두 항 사이의 연결선은 동시성이며, 그것은 시간의 공간과의 교차라고 정의될 수 있을 것이다.
외견상 동질적으로 보이는 지속의 살아 있는 상징인 운동의 개념을 동일한 분석에 회부하면, 같은 종류의 분해가 행해지게 될 것이다. 사람들은 아주 자주 운동은 공간 속에서 일어난다고 말한다. 그리고 운동이 동질적이며 나누어질 수 있다고 선언할 때 사람들이 생각하는 것은 [운동이] 지나간 공간이다. 마치 공간을 운동 자체와 혼동할 수 있기는 하다는 듯이. 그런데 그것을 좀더 반성해보면, 운동체의 계기하는 위치들은 실제로 분명히 공간을 점유하지만, 그것이 한 위치에서 다른 위치로 옮겨가는 움직임, 즉 지속을 점유하고 의식적 관객에 대해서만 실재성을 가지는 그 움직임은 공간을 벗어난다는 것을 알 것이다. 여기서 우리가 다루고 있는 것은 결코 사물이 아니라 진행이다. 한 점에서 다른 점으로의 이행인 한에 있어서 운동은 정신의 종합이며 심적인, 따라서 비연장적인 과정이다.… 따라서 여기에는 말하자면 질적인 종합, 즉 잇따른 감각들 서로 간의 점진적 조직화, 즉 선율의 한 소절의 통일성과 유사한 통일성이 있다는 것을 인정하지 않을 수 없다. 그것이 바로 운동만을 생각할 때, 즉 운동으로부터 이를 테면 운동성을 추출할 때, 우리가 운동에 대해 가지는 관념이다.
이것을 납득하기 위해서는 갑자기 별똥별이 떨어지는 것을 보았을 때 사람들이 경험하는 것을 생각해보는 것으로도 충분할 것이다. 극도로 빠른 그 운동 속에서는 우리에게 빛의 선의 형태로 나타나는 지나간 공간과, 운동 또는 운동성의 절대적으로 불가분적인 감각 사이의 분할이 저절로 일어난다. 눈을 감고 행하는 빠른 동작은, 지나간 공간을 생각하지 않는 한, 순수한 질적 감각의 형태로 의식에 나타날 것이다. 간단히 말해, 운동에는 구별해야 할 두 가지 요소가 있는 바, 지나간 공간과 그것을 지나가는 움직임, 이어지는 위치들과 그 위치들의 종합이 그것이다. 그 요소들 중 첫 번째 것은 동질적인 양이며, 두 번째 것은 우리의 의식 속에서만 실재성을 가진다. 그것을 질이라 하든 강도라 하든 원하는 대로이다. 그러나 여기서도 삼투압 현상, 즉 운동성의 순수하게 강도의 성격을 띤 감각과 지나간 공간의 외연적 표상 사이의 섞임이 일어난다. 사실 한편으로 우리는, 사물은 나눌 수 있지만 움직임은 나눌 수 없다는 것을 잊고 운동에 그것이 지나간 공간의 가분성 자체를 귀속시킨다. 그리고 다른 한편으로 우리는 그 움직임 자체를 공간에 투사하고 운동체가 지나간 선을 따라 적용시키는 데에, 한 마디로 그것을 응고시키는 데에 익숙해 있다. 진행을 그렇게 공간 속에 위치시키는

> 것이 마치 과거와 현재가 심지어 의식 밖에서도 공존한다는 것을 시인하는 것과 다르기라도 하듯이!
> 우리의 의견으로는 운동과, 운동체가 지나간 공간 사이의 그러한 혼동으로부터 엘레아 학파의 궤변이 태어났다.… (『시론』82-84)
> 직접적인 직관이 운동은 지속 속에 있고, 지속은 공간 밖에 있다는 것을 보여준다… (『시론』85)

라. '생명의 과정'으로서의 '순수 지속'

우리 안에 있는 의식에 이와 같은 '순수 지속'이 존재하여, 우리 안의 의식에 변화를 초래하는 것을 보았을 때, 우리는 이러한 변화된 관념을 그 이면에 존재하는 의식적 존재의 표상으로 보아야 한다. 이러한 의식의 변화에 대해, 흄은 "나의 의식에서 발견되는 것은 한 순간도 동일하게 남아 있지 않고 엄청난 속도로 빠르게 잇따르며 영원히 흐르고 움직이는 다양한 지각들의 집합이다"고 말한 바 있다. 그렇다면, 공간적 틀 속에서 흄이나 칸트가 보지 못했던 의식의 고유한 본성은 무엇으로 규정될 수 있는가? 이제까지의 논의가 보여주듯, 의식은 어느 한 순간에도 고정된 사물로 존재하지 않는다. 의식은 무엇보다도 하나의 진행으로서 존재한다. 유기화와 변화, 이행과 활동, 질적 도약과 재빠른 움직임, 의식의 본질은 이와 같은 운동성에 있는 것이다. 그리고 더 나아가서 지속이라는 것은 의식적 존재의 실제성을 말해주고 있다. 다음의 내용은 베르그송의 『창조적 진화』의 내용을 정리하여 소개하는 이선희의 논문을 인용한 것이다.

> 우리가 우리의 내적 경험으로 파고들 때, 의식은 질적인 다양성, 상호 침투의 역동성, 불가분한 변화의 연속성, 운동성 자체로서 지각된다. 그것은 공간에서의 상호 외재성, 연장의 관념을 배제하는 순수한 지속의 흐름이며, 또한 동일하면서도 동시에 변화하는 의식적 존재가 자신의 지속에 대해 가질 수 있는 표상이었다.…
> 주지하다시피, 인식의 토대를 통일된 '의식' 속에서 마련하고자 하였던 로크도 이미 그 의식의 동일성의 단초를 기억에서 찾은 바 있고, 흄 또한 나의 의식에서 발견되는 것은 한 순간도 동일하게 남아 있지 않고 엄청난 속도로 빠르게 잇따르며 영원히 흐르고 움직이는 다양한 지각들의 집합이라고 말한 바 있다.…

그렇다면 공간적 틀 속에서 흄이나 칸트가 보지 못했던 의식의 고유한 본성은 무엇으로 규정될 수 있는가? 이제까지의 논의가 보여주듯, 의식은 어느 한 순간에도 고정된 사물로 존재하지 않는다. 의식은 무엇보다도 하나의 진행으로서 존재한다. 유기화(organization)와 변화(changement), 이행과 활동, 질적 도약과 재빠른 움직임, 의식의 본질은 이와 같은 운동성에 있는 것이다. 그런데 의식의 이러한 역동성은 근본적으로 의식에 내재하는 시간적 구조, 즉 기억에서 비롯된다. 즉 의식의 지속은 흘러가지 않고 살아남는 과거에 의해 매 현재가 끊임없는 새로워지는 시간적 흐름으로, 또 그러한 변화의 연속으로 진행한다. 즉 의식의 지속은 과거의 보존이면서 동시에 새로운 생성의 연속이다. 매순간 과거는 현재와 뒤섞여 새로운 질을 생성한다. 그러한 변화와 생성을 통해 의식은 끊임없이 그 존재를 살찌우고 성장시키며, 살아 있게 하는 것이다. 즉 떨어져 나가는 자신의 과거를 끊임없이 주워 담아 매순간 변모하면서도 스스로를 생성하는 능동성, 베르그송은 의식이 내포하는 이와 같은 역동성을 '생명적 과정'이라 말하고 있다.(『창조적 진화』340)

생명은 실제로 심리적 질서에 그리고 심리적인 것의 본질에 있다. 수많은 항들을 서로 침투시키면서 하나로 감싸 안는 심리적인 것의 본성… 이러한 것이 나의 내적 생명이며, 생명 일반 또한 그와 같다.(『창조적 진화』258-259)

즉 나의 의식은 타성적인 물질과 같은 방식으로 존재하지 않는다. 그것은 그 자신에 내재한 추진력에 의해 스스로를 형성하며, 어느 한 순간도 동일하게 머무르지 않고 변화해 가는 생명의 근원적인 운동을 드러낸다. 끊임없이 스스로를 생성하는 능동성과 자발성, 의식은 바로 살아 있음 자체, 살아 있는 존재인 것이다.

내적 의식의 본래적 모습이 공간에서의 지성적 사유에 의해 포착되지 않는 이유, 또 의식적 존재에게 의식하는 나와 의식되는 나의 분리가 성립하지 않는 근본적인 이유는 바로 여기에 있다. 생명적 과정으로서의 순수지속은 일과 다가 분리되지 않는 영역, 정지와 타성을 모르는 생성과 능동성의 영역, 의식하는 것과 의식되는 것이 합일되는 시간의 영역이기 때문이다. 의식적 존재에게 지속한다는 것은 존재한다는 것과, 또 존재한다는 것은 지속한다는 것과 같다.[44]

44) 이선희, "베르그송의 의식과 지속에 관하여," 서울대학교 대학원, 석사(2013), 38-41.

3. 의식상태들의 조직화 : 자유

우리 안에 실재하는 '의식적 자아'는 '존재의 자발성'으로서의 '자유'를 가지고 있을까? 우리는 자유로운가, 아니면 물리적 결정론이나 심리적 결정론에 예속되어 있는 것일까? 우리의 의사결정에 인과적 결정의 법칙이 적용될까? 베르그송은 이 것을 분석한다. 의식적 자아의 '순수 지속(혹은 시간)'에는 '자유'가 존재함을 밝힌다. 즉, '공간'과 달리 '순수지속, 혹은 시간'에는 '인과적 결정 법칙'이 적용되지 않는다. 우리의 표면적 자아는 마치 자유로운 듯하지만, 유용성을 위하여 인과법칙을 좇아서 행위한다. 마치 자유가 없는 것 같다. 그러나 '내면의 자아'는 행위하지 못한 그것의 차이를 고스란히 기억 속에 저장하고 있다. 그리고 어느 순간에 그것을 표출한다. '순수 지속(혹은 시간)'에는 자신의 독창적인 창조력을 가지고 있기 때문이다.

한편, 칸트는 자연과학의 타당성을 분석할 때, '시간'과 '공간'을 모두 '인과적 결정의 법칙' 아래에 놓았다. 베르그송은 이 점을 지적하면서 과학을 위한 근세의 철학체계로부터 탈피하고자 한다. 우리의 의식, 우리의 생(삶)은 '과학적 법칙'의 지배를 벗어나 있다는 것이다. 이제 우리인간 인식의 본질을 설명할 때, '과학적 인식'이라거나 '과학을 위한 철학'이라는 주제를 가지면 안 된다. 인간의 인식 기능에는 여기에 '자유'가 추가되어 있다. 이제는 '생' 자체가 철학적 탐구주제이다. 우리는 이러한 것에 근거하여 베르그송을 '생철학'의 완성자라고 부른다.

가. 동일한 인격을 취하고 있는 두 자아

베르그송에 의하면, 지금까지의 결과를 정리했을 때, 우리에게는 두 자아가 존재하는데 하나는 '내적 자아(더욱 깊은 자아)'이며, 또 하나는 '표면적 자아'이다. 여기에서 '내적 자아'는 '순수 지속, 혹은 시간'에 관계된 자아이며, '표면적 자아'는 '공간' 혹은 '외부세계'와 관련된 자아이다. 그런데, 이 둘은 '하나의 동일한 인격'을 형성하고 있다. 그렇기 때문에 그들은 어쩔 수 없이 동일한 방식으로 지속하는 것처럼 보인다. 그리고, 최초의 외부 경험에 대한 인식도 동일한 것으로 생각하고 인식을 한다. 예컨대, 일련의 망치 두드리는 소리도 이와 같은 두 패턴을 한 인격이 인식한다.

이때, 우리의 표면적 자아는 그 표면으로부터 외부세계에 접촉한다. 그리고 표면에서의 우리의 심리적 삶은 동질적인 장소에서 기계적으로 전개된다. 그러나 그러한 표상의 상징적 성격은 여기에 그치지 않고 우리 의식의 심부로 파고 들어가, 느끼고, 열정을 발하고, 숙고하고, 결정한다. 우리의 내적 자아가 이러한 행위를 하는데, 그것의 상태와 변화는 은밀히 상호 침투하며 심대한 변화를 거치면서 그것들을 공간에 펼쳐놓는다. 내적 자아에서 이러한 힘이 산출된다.

> 우리가 일련의 망치 두드리는 소리를 들을 때, 그 소리들은 순수 감각인 한에서 불가분적인 선율을 이루며, 또한 우리가 동적인 진행이라 부른 것을 일으킨다. 그러나 동일한 객관적 원인이 작용하고 있다는 것을 아는 우리는 그러한 진보를 마디마디로 잘라서 그 각각을 이제는 동일한 것으로 생각한다. 그리고 그러한 동일한 항들의 다수성은 공간에서의 전개에 의하지 않고는 더 이상 생각될 수 없으므로, 우리는 또한 필연적으로 실재 지속의 상징적 상(像)인 동질적 시간이라는 관념에 도달하게 된다. 한 마디로, 우리의 자아는 그 표면으로 외부세계에 접촉한다. 계속되는 우리의 감각들은 비록 서로가 서로를 기반으로 한 것이지만, 그것들의 원인을 객관적으로 특징짓는 상호외재성으로부터 뭔가를 취하고 있다. 그리고 그렇기 때문에 표면에서의 우리의 심리적 삶은 동질적 장소에서 전개되고 있으며, 그러한 표상방식은 우리에게 큰 노력을 요구하지 않는다. 그러나 그러한 표상의 상징적 성격은 우리 의식의 심부로 파고 들어가 면 갈수록 점점 더 뚜렷해진다. 느끼고 열정을 발하며, 숙고하고, 결정하는 내적 자아는 그 상태와 변화가 은밀히 상호 침투하며 그것들을 공간에 펼쳐 놓기 위해 서로로부터 분리하자마자 심대한 변화를 겪는 어떤 힘이다. 그러나 그처럼 더욱 깊은 자아는 표면적 자아와 오직 하나의 동일한 인격을 형성하고 있기 때문에 그들은 어쩔 수 없이 동일한 방식으로 지속하는 것처럼 보인다.(『시론』93)

나. 물리적 결정론, 심리적 결정론 및 자유로운 행위

우리에게 자유는 존재하는가? 베르그송은 "물리적 결정론이나 심리적 결정론"(『시론』105-126)에 대한 논의를 통하여, "우리에게 자유로운 행위는 드물다.… 우리의 살아 있는 자아는, 명료하게 그려지고 서로로부터 분리되며 따라서 고정된 심리적 사실들의 외부 껍질로 덮여 있음이 밝혀졌다"고 말한다. 즉, "나는 의식이 있는 자동기계이며, 또한 내가 그러한 것은 거기에 모든 이익이 있기 때문이다"고 말한다. 우리의 일상적인 행동들 대부분은 그와 같이 이루어진다고 말한다. 그런데,

이러한 현상은 대체로 표층적 자아에게서 일어난다.

> 이렇게 이해하면(『시론』105-126), 자유로운 행위는 드물다. 자기 자신을 관찰하고 자기가 하는 것에 대해 따지는 습관을 아주 많이 가진 사람들에게조차도 그렇다. 우리는 대부분의 경우 공간을 통해 굴절되게 자신을 보고, 우리의 의식상태들은 말로 응고되며, 우리의 구체적 자아, 우리의 살아 있는 자아는, 명료하게 그려지고 서로로부터 분리되며 따라서 고정된 심리적 사실들의 외부 껍질로 덮여있음이 [앞에서] 밝혀졌다. 우리는 [또] 언어의 편의와 사회관계의 용이함을 위해 그 껍질을 뚫지 않는 데에 그리고 그것이 덮고 있는 대상의 형태를 그 껍질이 정확히 그리고 있다는 것을 인정하는 데에 우리의 모든 이익이 있다고도 덧붙였다.…
> 즉, 나는 여기서 의식이 있는 자동기계이며, 내가 그러한 것은 거기에 모든 이익이 있기 때문이다. 우리의 일상적 행동들 대부분은 그와 같이 이루어지며, 어떤 감각들, 어떤 감정들, 어떤 관념들이 기억 속에서 응고된 덕분에 외부로부터의 인상들이 의식적이며 심지어는 지적인 것이라 할지라도 많은 측면에서 반사적 행동과 닮은 운동을 우리에게 일으킨다는 것을 알 수 있을 것이다. 야상주의 이론이 적용되는 것은 그와 같이 매우 많으나 대부분 무의미한 행동들에 대해서이다. 그것들은 결합하여 우리의 자유로운 행위의 기저를 이루며, 유기체의 기능이 우리의 의식적 삶 전체에 대해 하는 것과 동일한 역할을 그런 활동에 대해 수행한다. 게다가 우리는 자주 더 중대한 상황에서도 자유를 포기하며, 우리의 인격 전체가 말하자면 진동해야 할 때, 타성에 의해서건 무기력에 의해서건, 그와 같은 국지적 과정만이 일어나도록 내버려둔다는 것을 결정론에 대해 인정할 것이다. 우리의 가장 친한 친구들이 한결 같이 우리의 어떤 중요한 행동에 대해 충고했을 때, 그들이 그토록 집요하게 표현한 감정들이 우리 자아의 표면에 와서 놓이고, 거기서 우리가 방금 말한 관념들과 같은 방식으로 응고된다. 그 감정들은 점점 우리의 개인적 감정들을 덮는 두꺼운 껍질을 형성할 것이며, 우리는 자유롭게 행동했다고 믿을 것이나, 얼마 후 거기에 대해 반성해 보고 나서야 비로소 우리는 우리의 잘못을 인정하게 될 것이다. 그러나 또한 행위가 이루어지려는 순간, 반란이 일어나는 일도 드물지 않다. (그것은 표면으로 올라오는 하부의 자아이다.)(『시론』126-127)

베르그송은 우리에게 "자유로운 행위"는 드물다고 말한다. 우리는 거의 외부 환경에 자유를 구속당하고 있다. 얼핏 보면, 우리는 "물리적 결정론이나 심리적 결정론"에 예속되어 있다. 그러나 '내면의 자아' 혹은 '하부의 자아'는 그 자체의 창조력과 생명력을 가지고 있기 때문에 수용되지 못한 모든 차이들을 그 안에 기이 간직한다. 그리고 그것이 일정하게 축적되면 터지듯 분출되어 나타난다. '자유'는 '창조적 충동'으로 존재하고 있었던 것이다. 자유로운 행위는 "지나치게 잘 익은 과일이 떨어지듯" 내부에서 시간이 변함에 따라 살찌고 있는 자아를 통해 표출된다.

그것은 표면으로 올라오는 하부의 자아이다. 그것은 외부의 껍질이, 감당 못할 충동력에 떠밀려 터져 버리는 것이다. 따라서 자아의 심층부에서 그리고 매우 논리 정연하게 병치된 그 논거의 하부에서, 아마도 무의식적은 아니겠지만 우리가 누르고 싶어하지 않았던 감정과 관념들의 들끓음, 그리고 바로 그렇기 때문에 그것들의 증가하는 긴장도 [또한] 진행되고 있었던 것이다. 그것들 잘 반성해 보면, 즉 우리의 기억을 조심스레 모아보면, 우리 스스로 그 관념들을 형성했고 우리 스스로 그 감정들을 살았으나, 그런 관념과 감정을 원하는 것에 대한 설명할 수 없는 혐오에 의해, 그것들이 표면에 떠오를 때마다 우리가 그것들을 우리 존재의 어두운 심층으로 밀어냈음을 알 수 있다. 그렇기 때문에 우리는 헛되이 우리의 갑작스러운 결정의 변경을 그에 앞선 외견적 상황에 의해 설명하려고 시도한다. 우리는 우리가 어떤 이유로 결심하게 되었는가를 알고 싶어하나, 아무 이유도 없이, 아마도 심지어는 모든 이유에도 불구하고 결심하게 되었다는 것을 발견한다. 그러나 어떤 경우에는 바로 그것이 가장 좋은 이유이다.… 따라서 인간은 이유 없이 선택할 수 있다는 것을 증명하기 위하여, 통상적이며 심지어 생명과 무관한 상황에서 예를 찾으려 하는 것은 잘못이다.(『시론』127-128)
… 자아는 반대되는 두 상태를 지나감에 따라 살찌고 풍부해지며, 변한다는 것에 주목해야 한다. 그렇지 않다면 도대체 어떻게 결정에 이르겠는가? 그러니까 바로 두 개의 반대되는 상태는 없고 다수의 계속되는 다른 상태들만이 있는데, 그 가운데에서 내가 상상의 노력에 의해 대립되는 두 방향을 끌어내는 것이다.… 우리의 상상력이 무엇보다도 언어의 편의를 위해 그 경향이나 상태들에 부여한 다른 두 방향을 지시한다는 것에 동의한다면, 우리는 더욱더 실재에 접근하게 될 것이다. 게다가 그것들은 상징적 표상이며, 실제로는 두 경향도 두 방향조차도 없고, 살아 있는 자아만이 있는 바, 그 자아는 자유로운 행동이 지나치게 익

은 과일처럼 떨어질 때까지 망설임 자체의 효과에 의해 발전된다는 것은 합의된 사항으로 남을 것이다.(『시론』132)

다. '공간 중심'에서 '시간 중심'의 철학으로의 이행

베르그송은 이제 철학이 '인과율' 곧 '과학'의 타당성을 증명하기 위한 '공간 중심의 철학'에서 탈피하기를 원한다. 이제는 '시간 중심'의 '생'을 위한 철학이라야 한다. 그는 칸트의 잘못은 시간을 동질적 장소로 간주한 것이라고 말한다.

과학이 외부세계에 대한 심화된 연구를 시도할 때, 과학은 연장성과 지속이라는 그 두 요소를 분리한다. 우리는 과학이 지속으로부터 동시성만을, 운동 자체로부터 운동체의 위치, 즉 부동성만을 간직했다는 것을 증명했다고 믿는다. 분리는 여기서 매우 명료하게 그리고 공간에 유리한 쪽으로 수행된다. 따라서 내적 현상을 연구할 때라면 여전히 그런 분리를 행하면서 이번에는 지속 쪽에 유리하게 해야 할 것이다.…(『시론』172)
그렇다면 자연과학이 외부세계에 대해 그토록 자연스럽게 행하는 지속과 연장성의 분리가, 내적 상태에 관한 것일 때에는 왜 그토록 노력을 요구하고 그토록 혐오를 일으키는가를 탐구하면서, 우리는 재빨리 그 이유를 알아차렸다. 과학은 그 주요한 목적이 예견하고 측정하는 것이다. 그런데 물리적 현상은 지속하지 않는다고 가정한다는 조건하에서만 예견되며, 측정되는 것은 공간뿐이다. 따라서 여기서는 질과 양, 진정한 지속과 순수 연장성 사이의 단절은 저절로 이루어진다.(『시론』173)
따라서 결국 서로 다른 두 개의 자아가 있게 될 것이다. 그 중 하나는 다른 것의 외적 투사, 즉 그것의 공간적인 그리고 말하자면 사회적인 표상과 같을 것이다. 우리는 어떤 깊은 반성에 의해 다른 자아에 도달할 것이다. 그런 반성은 우리의 내적인 상태들을 끊임없이 형성 도중에 있는 살아 있는 존재자로서, 즉 서로를 침투하고 측정에 저항하며 그 지속 속에서의 계기가 동질적 공간에서의 병치와는 아무런 공통점이 없는 상태로서 파악하게 한다. 그러나 우리가 그처럼 우리 자신을 다시 잡는 순간은 드물며, 그렇기 때문에 우리가 자유로운 때는 드물다. 대부분의 경우 우리는 우리에 대해 외적으로 살고 있으며, 우리 자아에 대해 그것의 탈색된 유령만을, 순수 지속이 동질적 공간에 투사하는 그림자만 볼 뿐이다. 따라서 우리의 삶은 시간보다는 공간 속에서 전개된다. 우리는 우리를 향해서라기 보다는 외부세계를 향해 산다. 우리는 사유하기 보다는 말한다. 우리는 스스로 행동하기보다는 (작용 받는다). 자유롭게 행동한다는 것은 스스로에 대한 소유를 되찾는 것이며 순수한 지속에 다시 자리 잡는 것이다.
칸트의 잘못은 시간을 동질적 장소로 간주한 것이었다.… 따라서 그가 공간과 시간 사이에 확립한 구별 자체는 근본을 파헤쳐 보면 시간을 공간과 그리고 자아의 상징적 표상을 자아 자체와 혼동한 것으로 귀착된다. (『시론』174)

3절 순수지각이론

1. '이미지'와 '나의 신체'

가. 이미지의 개념

베르그송은 그의 『물질과 기억』의 서론에서 가장 먼저 자신이 말하고자 하는 '이미지'가 무엇인지에 대한 설명을 한다. 우리의 '기억'이 곧 '이미지'이기 때문이다. 베르그송의 '이미지'는 근세철학에서 보통 '관념'으로 불려왔다. 그리고 이'관념'은 근세철학의 주된 주제 중의 하나였기 때문에 많은 다양한 철학적 개념 정의들이 이어져 왔다. 그래서 베르그송은 이 '이미지'를 설명함에 있어 '우리의 상식' 안에서 '이미지'를 생각하자고 말한다. 이 말을 그는 여러 차례 언급한다. 그는 자신의 '이미지'의 개념을 단순히 "사람들이 사용할 수 있는 가장 막연한 의미에서의 이미지들", 즉, "내가 나의 감관을 열면 지각되고, 내가 그것을 닫으면 지각되지 않는 이미지들"이라고 말한다. 그런데, 베르그송에 의하면, 이 사물의 '이미지'들은 우리 안에 작용을 하며, 나도 또한 '기억'을 되살림 등을 통해 이 '이미지'에 반작용을 하며, 이것은 나뿐 아니라 자연의 모든 요소들이 서로 그와 같이 하고 있다. 더 나아가, 베르그송에게 있어서, 이 '사물들의 총체적인 이미지'는 곧 '자연법칙'이다.

잠시 동안 우리가 물질에 관한 이론들과 정신에 관한 이론들에 관해, 외적 세계의 실재성이나 관념성에 관한 논의들에 대해 아무것도 알지 못한다고 해 보자. 그러면 나는 사람들이 사용할 수 있는 가장 막연한 의미에서의 이미지들,즉 내가 나의 감관들을 열면 지각되고, 내가 그것들을 닫으면 지각되지 않는 이미지들 앞에 있게 된다. 이 모든 이미지들은 내가 자연법칙이라고 부르는 항구적인 법칙들에 따라, 그것들의 모든 요소적인 부분들 속에서 서로에게 작용하고 반작용한다.(『물질과 기억』11)

나. '이미지'와 '이데아'의 비교

이와 같이 베르그송에게 있어서 이미지는 플라톤의 이데아와 같은 것이었다. 이에 대해 쉬잔 라코트와 황수영은 이에 대해 다음과 같이 설명한다.

베르그송에게서 이미지는 원본도, 어떤 잠재성도 갖지 않는다. 이미지는 그 자체로 실재하고 그 자체로 운동하며 부단한 변화 속에 있는 것으로 인식된다. 오히려 베르그송은 플라톤적인 이데아를 이미지들에서 추상된 것으로 설명한다. 이데아는 이미지의 내적 이질성과 다양성을 고려하지 않기 때문에 이미지 보다 더 적은 실재성을 가진다. 이미지가 이데아의 복제에 불과하다는 전통적 관념은, 그와는 반대로 이데아가 이미지로부터의 추상과 선별에 불과하다는 베르그송의 테제에 의해 전복되고 대체된다.(쉬잔 엠 드 라코트, 『들뢰즈: 철학과 영화』, 17)
베르그송은 플라톤이 이데아를 놓았던 자리에 지속을 놓는다. 플라톤의 이데아의 존재론에서 개개의 이미지는 그것의 복제에 불과했지만, 베르그송의 존재론에서 이미지는 지속의 복제가 아니라 지속의 일부가 고정된 것이다. 전체로서의 우주가 지속-사진기라면 개개의 존재자들이 사진-이미지인 셈이다. 베르그송이 말하는 지속은 전체로서의 우주의 질적 변화이며 각 영역마다 고유한 리듬을 갖는 진동, 즉 파동적 흐름이며 끊임없는 생성이다.(황수영, 『물질과 기억…』59)[45]

베르그송은 그의 『물질과 기억』 서론에서 "이 책은 정신의 실재성과 물질의 실재성을 주장하고, 전자와 후자의 관계를 정확한 예증, 즉 기억이라는 예증 위에서 규정하려고 시도한다"고 말한다. 이것은 근세철학의 주된 논쟁 중의 하나 였던 데카르트의 '정신-물질'의 이원론에 대한 일원론적인 반발에 관한 언급이었다. 이에 대해 베르그송은 "정신-이미지(이데아)-물질"의 일원론적인 체계를 시도하였던 것이다. 어떤 사람은 "베르그송의 '이미지'는 '정신'과 물질의 교류형식이었다"[46]고도

45) 재인용: 신은주, "베르그송의 이미지와 상상력 개념에 관한 연구," 홍익대학교 대학원, 석사(2012), 1-2.
46) 엄태연, "베르그송의 『물질과 기억』에서 이미지와 물질의 관계," 서울대학교 대학원,

말한다. 베르그송에게, 정신으로부터 이미지가 나왔으며, 동시에 "물질은 이미지의 총체"였다. 그는 '이미지'와 '자연만물'을 병치시켜 놓는다. 이 둘 다 "각각의 존재 양식"으로 존재한다.(필자: 베르그송에게 있어서 '물질'과 '이미지'는 서로 겹쳐져서 서로 분리될 수 없는 하나가 되어 있다.) 베르그송의 이미지 개념에 대한 통상적인 이해는, "베르그송이 물질을 이미지들의 총체로 규정함으로서 철학에 새로운 존재자를 도입했다"[47]는 것이 된다. 그 내용은 다음과 같다.

> 이 책은 정신의 실재성과 물질의 실재성을 주장하고, 전자와 후자의 관계를 하나의 정확한 예증, 즉 기억이라는 예증 위에서 규정하려고 시도한다.… 우리 책의 제1장의 목적은 관념론과 실재론(필자: 물질에 관한 버클리의 관념론과 유물론의 실재론)이 똑같이 지나친 주장들이라는 것, 물질을 우리가 그것에 대해 가지는 표상으로 환원하려는 것도 거짓이고, 물질을 그것이 우리 안에서 표상들을 산출할지는 모르지만 이 표상들과는 다른 본성에 속할지도 모르는 하나의 사물로 만드는 것 역시 거짓이라는 것을 보여주는 것이다. 우리에게 '물질'은 '이미지들'의 총체이다. 그리고 우리가 '이미지'로 의미하는 것은 관념론자가 표상이라고 부른 것 이상의, 그리고 실재론자가 사물이라 부른 것보다는 덜한 어떤 존재 - 즉 '사물'과 '표상' 사이의 중간 길에 위치한 존재 - 이다.(『물질과 기억』1)

플라톤의 철학은 훗날 플로티누스에 의하여 "일자(정신)-누우스(이데아, 로고스)-성령"으로 발전하였다. 플로티누스는 여기의 '일자'를 유대교에서 가져왔으며, 누우스 곧 이데아를 그리스철학에서 가져왔다. 이 플로티누스의 삼위일체론은 오리게네스를 통하여 기독교에 흡수되었고, 이 도식은 훗날 기독교의 삼위일체론을 이루었다. 한편, 베르그송의 이 '이미지' 혹은 '지속'은 현대 기독교 철학의 과정 신학의 모태가 되었다.

다. '이미지'에 변화를 초래하는 '나의 신체'

'자연' 혹은 '자연의 법칙'이라는 거대 '이미지'가 소우주인 '나의 신체' 안에 모두 들어온다. 여기에서 '나의 신체'는 베르그송의 특별한 개념인데, "다른 이미지와

석사(2016), 4.

47) 엄태연, "베르그송의 『물질과 기억』에서 이미지와 물질의 관계," 19.

구별되는 한 특별한 이미지"를 '나의 신체'라고 부르는데, 이것은 '이미지'로 표현되는 '정신'을 일차적으로 의미하는 것으로 보인다. 그에게 '정신'과 '이미지'는 일체이다. 심지어는 육체에 펴져있는 '신경'까지도 일체이다. 즉 "정신-이미지-신경을 포함한 육체"가 '이미지'로 대표되며, 이것을 '최소의 의식'[48]으로서의 '한 사람(개별자)'이라는 의미에서 '나의 신체'라고 부르는 것 같다.(필자)

근세철학자들은 '자연'이라는 '(거대한) 이미지'를 보고 과학을 발견하여 자연 속에서 일어날 일들을 계산도 하고 예측도 하였다. 그런데, 베르그송은 이 자연법칙이라는 '이미지'에, '나'라는 존재에게서 나온 새로운 '이미지'가 섞이고 있음을 발견한다. 즉, 인간은 '자연' 혹은 '자연의 사건들' 이라는 이미지의 작용을 받아 이에 대한 반작용으로서 '운동'으로 나타나기도 하지만, 일정기간 보존되었다가 나타나기도 한다. 그리고 이 쌓아진 '이미지들'은 어느 날 필요할 때, 혹은 위험한 상황이 닥쳤을 때, 운동하는 능력으로 나타난다.

그리고 이때 나타나는 것들 중에는 '이미지 변형'이 이루어진 것들도 존재한다. 특히 정념적 상태가 도달하는 곳은 엄밀히 말하면 기존의 현상들에 속한 것이 아니다. 거기에서는 '지속'에 의하여 '이미지의 변형'이 일어난 상태이다.(『시론』에 나타난 '지속'의 개념 참조) 그렇다면, '나의 신체' 안에서 오래토록 축적되고 정념에 의하여 변화가 수반된 새로운 이미지가 나타났다는 것이 된다. 이 이미지는 우주와 우주의 역사의 이미지에 새로운 어떤 것을 덧붙이는 것이 된다. 베르그송에게 이미지와 물질은 동일("물질들은 이미지들의 총체")하기 때문이다. 어떤 것은 오래토록 분출되지 못하고 있다가 갑자기 폭발하듯 분출되어 나타난다. 『창조와 진화』에서 베르그송은 이러한 것들을 역사 속에 나타난 제2의 창조활동으로 본다. 그 내용은 다음과 같다.

> 이 모든 이미지들은 내가 자연의 법칙들이라고 부르는 항구적인 법칙들에 따라, 그것들의 모든 요소적인 부분들 속에서 서로에게 작용하고 반작용한다. 그리고 이 법칙들에 대한 완벽한 과학이 이 각각의 이미지들 속에서 일어날 일을 아마도 계산하고 예측하도록 해 줄 것이기 때문에, 이미지들의 미래는 그것들의 현

---

48) 엄태연, "베르그송의 『물질과 기억』에서 이미지와 물질의 관계," 4 : 엄태연은 "이미지 개념은 단독으로 논의 속에서 등장하는 것이 아니라, 그 이미지를 지각하는 '나의 신체'와 밀접한 관련을 가지고 등장한다. 여기서 나의 신체는 단순히 받아들인 작용을 선택하고 지연시키는 능력만을 가진 '최소의 의식'으로 이미지들의 총체와 함께 전제된다"고 말한다.

재 속에 포함되어 있어야만 하고, 현재에다 어떤 새로운 것을 덧붙여서는 안 된다.(필자: 각각의 현재에 의해 쌓이는 것만 미래에 나타남) 그러나 내가 지각들에 의해서 밖으로부터 알 뿐만 아니라, '정념들(affections)'(필자: 감각들에 의해서 내 안에 형성된 감정들)에 의해서 내부로부터도 안다는 의미에서 다른 모든 이미지들과 뚜렷이 구별되는 하나의 이미지가 있다. 그것은 '나의 신체'이다. 나는 이 정념들이 산출되는 조건들을 검토해 본다. 나는 정념들이 언제나 내가 밖으로부터 받아들이는 진동들과 내가 행사할 운동들 사이에 와서 삽입된다고 생각한다. 마치 그것들이 최종적으로 진행과정에 잘못 결정된 영향을 행사함에 틀림없는 것처럼 말이다.

나는 다양한 내 정념들을 자세히 조사해 본다. 그것들은 각자 자신의 방식으로 행동에의 권유를 포함하는 것처럼 보이는데, 이는 동시에 기다리거나 심지어 아무것도 하지 않는 것도 허용한다. 좀 더 자세히 살펴보자. 나는 시작되었지만 아직 행사되지 않는 운동들, 더 혹은 덜 유용한 결정의 징표를 발견하지만, 선택을 배제하는 강제성을 발견하는 것은 아니다. 나는 나의 기억들을 떠올리고, 비교한다. 나는 유기적 세계의 어디에서나 이 같은 감수성(정념)이 다음과 같은 순간에 나타나는 것을 본다고 믿었던 것을 상기해 본다. 그것이 나타나는 정확한 순간은 자연이 생명적 존재에게 공간 속에서 운동하는 능력을 부여했기에, 종에게는 감각에 의해서 그것을 위협하는 일반적 위험들을 알리고, 개체들에게는 위험에서 피하기 위해 미리 대비할 것을 일임하는 때이다.

마지막으로 나는 나의 의식에게 그것이 정념 속에서 자기 것이라고 생각하는 역할에 대해 묻는다. 나의 의식은 대답하기를, 자신이 실제로 감정(sentiment) 또는 감각의 형태로 내가 주도한다고 믿는 모든 과정들을 목격하고 있으며, 반대로 나의 활동이 자동적이 되어서 의식을 더 이상 필요로 하지 않는다고 선언하자마자 그것은 쪼그라져 사라진다고 한다. 따라서 [이러한] 모든 외양들이 기만적이 아니라면 정념적 상태가 도달하는 작용은, 한 운동이 다른 하나의 운동으로부터 도출되듯이, 이전의 현상들로부터 엄밀하게 도출될 수 있는 현상들에 속하는 것이 아니다. 그렇다면 [정념의] 작용은 우주와 우주의 역사에 진정으로 새로운 어떤 것을 덧붙이는 것이다.

외양들에 멈추어서, 나는 내가 느낀 것 그리고 내가 본 것을 아주 단순하게 이렇게 공식화하겠다. "모든 일이 진행되는 모습을 내가 볼 때, 내가 우주라고 부르는 이 이미지들의 총체 속에서, 그 유형이 내 신체에 의해 제공되는 어떤 특별한 이미지들을 매개로 하지 않고서는 진정으로 새로운 것은 산출될 수 없는 것 같다."(『물질과 기억』11-12)

2. '순수지각(의식)'과 '물질'

가. '순수 지각'과 그것의 '기능'

베르그송은 위에서 언급된 '나의 신체' 중에서 '기억'의 부분은 일단 배제하고 논의를 시작하고자 한다. 즉, 그는 "'유사한 신체(뇌)'의 활동으로서의 '순수 지각'"을 먼저 연구하고자 한다. 그는 "'나의 신체'라고 부르는 이 특별한 이미지의 윤곽을 '나의 신체와 유사한 신체들'위에서 연구해보고자 한다"고 말한다. 베르그송에 의하면, 지각은 내적으로부터 형성되는 것은 아니다. 따라서, 지각의 본질은 외부와의 접촉일 뿐이며, "기억을 배제한 순수지각은 외부와 접촉하는 물질의 일부"[49]를 이룬다. 베르그송은 이와 같은 '순수지각'을 이해하기 위해서 '유사한 신체들'에 대한 연구를 수행하겠다고 말한다.

한편, 여기에서 이 '유사한 신체들'이란 이 '이미지'의 전달 경로인 '신경'을 의미한다. 그에 의하면, 이 '유사한 신체들(신경)'에는 '유입신경'과 '유출신경'이 있으며, 이것은 외부로부터 오는 '이미지'는 원심적 운동처럼 자연 등의 외부 이미지를 빨아들이며, 구심적 운동처럼 자신의 변형된 이미지를 자연 등의 외부에 표출한다. 이때, 베르그송은 "이러한 뇌와 이미지의 구심적 운동이 외적 세계에 대한 표상을 생겨나게 하는 것은 아니다"고 말한다. (필자: 표상의 창출은 '기억'이 개입할 때 일어난다.)
'뇌'를 중심으로 이루어지는 '이미지'는 '순수지각'을 의미한다. 이 '순수지각'이 '새로운 표상'을 생겨나게 하지는 않는다. 순수지각 속에서의 '나의 신체'는 외적 세계에서 일어나는 '외적 이미지'에 불과하다. 베르그송에 의하면, 이에 대한 작용과 반작용으로는 "나의 신체가 우주에 대한 나의 표상의 전체 또는 일부분을 산출할 수 없다"고 말한다. 이때의 나의 신체는 '행동의 중심'일 뿐이며, 그것이 표상을 생겨나게 할 수는 없다.

나는 이제 내가 '나의 신체'라고 부르는 이 특별한 이미지의 윤곽을 나의 신체와

49) 엄태연, "베르그송의 『물질과 기억』에서 이미지와 물질의 관계," 18.

유사한 신체들 위에서 연구하기로 한다. 나는 신경중추들에 진동들을 전달하는 유입신경들과, [반대로] 중추로부터 출발하여 진동들을 주변으로 인도하여 나의 신체의 일부분 혹은 전부를 움직이게 하는 유출신경들을 포착한다. 나는 생리학자와 심리학자에게 유입신경들과 유출신경들의 목적에 대해 묻는다. 그들은 만일 신경계의 원심적 운동들이 신체 혹은 그 일부분의 이동을 야기할 수 있다면, 구심적 운동들 또는 적어도 그것들 중의 어떤 것들은 외적 세계에 대한 표상을 생겨나게 한다고 대답한다. 이에 대해 어떻게 생각해야 하는가?

… 뇌가 물질적 세계의 일부를 이루는 것이지, 물질적 세계가 뇌의 일부를 이루는 것은 아니다. 물질적 세계라는 이름을 갖는 이미지를 제거해 보라. 그러면 당신은 뇌와 그 일부분인 뇌수의 진동을 동시에 제거하게 된다. 반대로 이 두 이미지들, 즉 뇌와 뇌수의 진동이 사라진다고 가정해보라. 가정상 당신은 그것들만을, 즉 아주 하찮은 것, 거대한 그림 속에서 미미한 세부만을 지우는 것이다. 그 그림 전체, 즉 우주는 전체적으로 존재한다. 뇌를 전체적 이미지의 조건으로 만드는 것, 그것은 진실로 자기 모순적이다. 왜냐하면, 뇌는 가정상 이 이미지의 한 부분이기 때문이다. 따라서 신경들도 신경중추들도 우주라는 이미지의 조건이 될 수 없다.

이 마지막 지점에 멈추어 보자. 여기에 외적 세계의 이미지들이 있고, 그 다음에는 나의 신체, 그리고 마지막으로 나의 신체가 주변의 이미지들에 가한 변양들이 있다. 나는 외적인 이미지들이 내가 나의 신체라고 부르는 이미지에 어떻게 영향을 주는지를 잘 안다. 그것들은 나의 신체에 운동을 전달한다. 또한 나는 이 신체가 외적 이미지들에게 어떻게 영향을 행사하는지를 안다. 나의 신체는 그것들에게 운동을 되돌려준다. 따라서 나의 신체는 물리적 세계의 전체 속에서 다른 이미지들처럼 운동을 받고 되돌려 보내면서 작용하는 이미지이며, 단지 자신이 받은 것을 되돌려 보내는 방식을 어느 정도까지는 선택할 수 있는 것처럼 보이는 것만이 다를 뿐이다. 그런데 어떻게 일반적으로 나의 신체가, 특히 나의 신경계가 우주에 대한 나의 표상의 전체 또는 일부분을 산출할 수 있겠는가? 나의 신체가 물질이라고 말하든, 이미지라고 말하든, 그것은 전혀 중요하지 않다. 만일 그것이 물질이라면, 그것은 물질적 세계의 일부를 이루고, 따라서 물질적 세계는 그것 주위에 그리고 그것의 밖에 존재한다. 만일 그것이 이미지라면, 이 이미지는 사람들이 거기에 다 놓게 될 것[신체의 속성들]만을 제공할 수 있을 것이다. 그리고 그것은 가정상 나의 신체의 이미지에 불과하기 때문에, 그것으로부터

> 우주 전체의 이미지를 끄집어내려고 하는 것은 부조리한 일일 것이다. 대상들을 움직이는 것을 목적으로 하는 대상인 나의 신체는 따라서 행동의 중심이다. 그것이 표상을 생겨나게 할 수는 없을 것이다.(『물질과 기억』13-14)

다만, "만일 나의 신체가 그것을 둘러싸고 있는 대상들에 대해 실제적이고 새로운 작용을 행사할 수 있는 대상이라면, 그것은 나의 신체를 둘러싸고 있는 대상들은 그것들에 대한 내 신체의 가능적 행동을 반영한다"(『물질과 기억』15)고 말한다. 그리고 이에 대해, 베르그송은 "나는 이미지들의 전체를 물질이라고 부르고, 나의 신체라는 어떤 결정된 이미지의 가능적 행동에 관련된 이 같은 이미지들을 물질에 대한 지각이라고 부른다"(『물질과 기억』16-17)고 말한다.

나. '두 체계(물질과 의식)'에 동일하게 존재하는 '이미지(표상)'

베르그송은 이제 "물질에 대한 지각"의 관계를 심화시켜 보도록 하자고 말한다. 이때 '물질'에 있는 것도 이미지이며, 우리의 뇌와 지각 속에 있는 것도 이미지인데, 이 양자가 동일하다. 즉 '뇌' 속에 있는 뇌수라는 분자적 운동과 우주 속에 있는 분자적 운동을 일으키는 것은 동일한 '이미지'이다. 그렇다면, 이제 여기에서 나타나는 문제가 있다. 이 '이미지'는 물질에서 나온 것인가? 그런데, 우리 안에 있는 '이미지'가 '물질'에서 나올 수 있는가? 이것은 분명히 나의 의식에서 나온 '나의 표상'이기 때문이다.

그렇다면, 물질이 없는데 '의식'은 '이미지'를 만들 수 있는가? 이에 대해 베르그송은 "우리의 지각들이 뇌수질의 분자적 운동들에 단순히 의존한다고 말하지 말자. 오히려 지각들은 이 운동들과 함께 변양되지만, 이 운동들 자체가 물질적 세계의 나머지와 분리될 수 없게끔 연결되어 있다고 말하자"라고 말한다.

그러면서 그는 '나의 지각'이라고 부르는 이미지 체계가 있으며, 다른 한편 동일한 이미지이면서도, 각자 자신을 따르는 이미지들로서 '우주'라는 이미지가 있다는 것을 상정하자고 말한다. 그는 이 두 체계가 공존하고 있다고 말한다. 즉, 두 상이한 체계가 있다. 그 내용은 다음과 같다.

> 이 후자의 관계("나의 신체라는 어떤 결정된 이미지의 가능적 행동에 관련된 이 같은 이미지들을 물질에 대한 지각이라고 부른다")를 심화시켜 보도록 하자. 나

는 내 신체를 유입신경들과 유출신경들, 그리고 중추신경들과 더불어 고찰한다. 나는 외적 대상들이 유입신경들에 진동을 각인하고, 이것들은 [신경] 중추로 퍼져나간다는 것, 중추들은 가지각색의 분자적 운동들의 무대이며, 이 운동들은 대상들의 본성과 위치에 좌우된다는 것을 안다. 대상들을 변화시키거나 그것들과 내 신체의 관계를 변형시켜 보라. 그러면 내 지각중추들의 내적 운동들 속에서 모든 것은 변한다. 그러나 또한 '나의 지각' 속에서도 모든 것은 변한다. 따라서 '나의 지각'은 이 분자적 운동들의 함수이며, 그것에 의존한다. 그러나 어떻게 그것에 의존하는가? 당신은 아마도 지각이 이 운동들을 번역한다고, 그리고 나는 결국 뇌수질의 분자적 운동들 이외에 어떤 다른 것도 표상하지 못한다고 말할 것이다.… 신경계와 그것의 내적인 운동들의 이미지는 가정상 특정한 물질적 대상의 이미지에 지나지 않으며, 나는 물질적 우주를 그 전체 속에서 표상하기 때문이다.… 그들은 우리에게 뇌수를 제시하는데, 이것은 물질적 우주의 나머지와 그 본질에 있어서 유사하며, 따라서 우주가 이미지라면 그것도 역시 이미지이다.… 물질은 이렇게 표상과는 극단적으로 다른 것, 따라서 우리는 그것에 대해 어떤 이미지도 가지지 못하는 것이 된다.…(『물질과 기억』17-18)

…내가 의심할 수 없는 것이 있는데, 그것은 내 신체의 내부에서 외적 대상들의 작용에 대한 나의 신체 반응을 시작하면서 준비하도록 되어 있는 운동들이다. [신체의 운동들의] 이미지들 그 자체가 [물질계의] 이미지들을 창조할 수는 없다.… 유물론자들과 이원론자들은 사실 이 점에 관해서는 일치한다. 그들은 뇌수질의 특정한 분자적 운동들을 따로 고려한다. 따라서 어떤 사람들은 우리의 의식적 지각에서 이 운동들을 따르며 그것들의 흔적을 비추는 인광(필자: 인과 같은 발광체에서 나오는 빛)만을 보고, 또 다른 사람들은 외피질의 분자적인 운동들을 끊임없이 자신의 방식으로 표현하는 의식 속에 우리의 지각들을 펼쳐놓는다. 전자의 경우나 후자의 경우에 지각이 그리거나 번역한다고 간주하는 것은 우리 신경계의 상태들이다. 그러나 신경계는 그것에 영양을 공급하는 유기체 없이, 유기체는 그것이 호흡하는 환경이 없이, 이 환경은 그것이 젖어 있는 지구 없이, 지구는 그것이 주위를 선회하는 태양 없이, 살아 있는 것으로 생각할 수 있는가?… 따라서 우리의 지각들이 뇌수질의 분자적 운동들에 단순히 의존한다고 말하지 말자. 오히려 지각들은 이 운동들과 함께 변양되지만, 이 운동들 자체가 물질적 세계의 나머지와 분리될 수 없게끔 연결되어 있다고 말하자.…

여기에 내가 우주에 대한 나의 지각이라고 부르는 이미지들의 체계, 나의 신체라는 어떤 특권적 이미지의 가벼운 변화만으로도 완전히 교란되는 이미지들의 체계가 있다. 이 이미지가 중심을 점유한다. 다른 모든 이미지들은 그것 위에서 조정된다.… 다른 한편 동일한 이미지이면서도, 각자 자신을 따르는 이미지들이 있다. 그것들은 아마도 서로에 대해 영향을 행사하겠지만, 결과가 언제나 원인에 비례하는 방식으로 존재한다. 나는 그것을 우주라고 부른다. 이 두 체계가 존재한다는 사실을, 그리고 같은 이미지들이 우주 안에서는 비교적 불변적인데, 지각 속에서는 무한히 변화가 가능하다는 것을 어떻게 설명할 것인가? 따라서 실재론과 관념론 사이에 아마도 유물론과 유심론 사이에도 걸려있는 문제는 우리가 보기에는 다음과 같은 용어들로 제기된다.…(『물질과 기억』18-20)

다. 물질과 의식의 두 체계 : 실재론과 관념론

베르그송은 위의 논의를 통해서 '자연의 체계'와 '의식의 체계'의 두 체계를 증명하였다. 이 두 체계 모두에는 동일한 '이미지들'이 존재하는 것이다. 이때 전자(유물론적 실재론)로부터 출발한 것이 과학이다. 즉, '자연의 체계' 속에서 우리의 의식이 이미지를 발견한 것이다. 반면 주관적 관념론은 후자로부터 전자를 도출한다. 그런데, 여기에서 실재론자는 이 체계 이외에 지각들이 있다는 것, 그래서 이 중심적 이미지의 가벼운 변양들에도 전체적으로 변모되는 체계들이 있다는 것을 확인하지 않을 수 없다. 지각은 지결정적 가치를 갖는 그러한 체계를 자신에게 덧붙이고 있기 때문이다.

어떠한 철학이론도 같은 이미지들이 두 상이한 체계들 안으로 동시에 들어갈 수 있다는 것에는 결코 이의를 제기하지 않는다. 그 하나는 과학에 속하는데, 거기서는 각 이미지가 단지 자기 자신만을 따르기 때문에 절대적 가치를 지니고 있으며, 다른 하나는 의식의 세계인데, 거기서는 모든 이미지들이 나의 시체라는 하나의 중심적 이미지를 따르며 그것의 변화를 좇는다. 따라서 실재론과 관념론 사이에 놓은 문제는 아주 명백하게 된다. 즉 이 두 가지 이미지들의 체계가 서로 간에 유지하고 있는 관계란 어떤 것인가? 또한 주관적 관념론은 첫 번째 체계를 두 번째 체계로부터 도출하는 것으로 구성되며, 유물론적 실재론은 두 번째 체계를 첫 번째 체계로부터 이끌어내는 것으로 이루어진다는 것을 어렵지 않게 알 수 있다.

실재론자는 사실상 우주로부터, 즉 불변적인 법칙들에 의해 상호 관계가 지배되는 이미지들의 전체로부터 출발하는데, 거기서 결과는 원인에 비례하고, 그것의 특성은 중심을 갖지 않는다는 것이며, 모든 이미지들은 무한히 연장되는 하나의 동일한 장에서 펼쳐진다.
그러나 실재론자는 이 체계 이외에 지각들이 있다는 것, 즉 이 동일한 이미지들이 그것들 중 단 하나의 이미지를 따르고, 이 이미지 주위의 상이한 평면들 위에서 단계적으로 배치되며, 이 중심적 이미지의 가벼운 변양들에도 전체적으로 변모되는 체계들이 있다는 사실을 확인하지 않을 수 없다. 관념론자가 출발하는 것은 바로 이 지각으로부터이다. 그리고 그가 자신에게 부여하는 이미지들의 체계 속에 한 특권적 이미지 즉 그의 신체가 있는데, 모든 이미지들은 이 이미지를 따라 조정된다.(『물질과 기억』21-22)
나는 왜 이 체계가 두 번째 체계, 즉 각 이미지가 하나의 중심적 이미지의 변천들 전체를 따르므로, 비결정적 가치를 갖는 그러한 체계를 자신에게 덧붙이는지를 알지 못한다. 따라서 지각을 산출하기 위해서는 의식-부대현상이라는 유물론적 가설과 같은 어떤 기계로부터의 신을 불러내야 한다.(『물질과 기억』23)

3. '순수 지각'에 존재하는 '이미지들의 선택'

가. '순수지각'에 나타난 '이미지들의 선택'

'자연의 물질 이미지'와 '순수 지각의 의식 이미지'는 동일한 이미지인데, 이것은 '신경'에 의하여 연결되어 있다. 즉, "물질-신경-의식"의 삼중관계로 형성되어 있다. 그런데, 여기에 동물계열의 신경계의 구조에 관한 고찰 속에서 '유물론적 실재론'은 심각한 고민 속에 빠지게 되었다. 특히 고등 척추동물들의 의지적 활동에는 자극에 의해서 전달된 구심적 운동에 대해 곧바로 원심적 운동으로 전개되는 단순한 '반사작용' 만이 존재하는 것이 아니라, 신경계가 우리 행동에 남겨 놓는 선택의 폭이 커져서 '이미지들의 선택'이라는 '비결정성'의 문제가 나타났던 것이다. 그런데, 베르그송은 이 작용은 뇌의 작용은 아니라고 말한다. 뇌는 자신이 받은 것에서 아무 것도 덧붙이지 않는다. 그렇다면, 우리는 이 문제를 '순수 지각'이 아닌 다른 것에서 그 원인을 찾아야 한다.

이제 이 두 교설들(실재론과 관념론)의 지반을 파내려 가면, 당신은 그것들에서 하나의 공통된 가정을 발견하게 되는데, 그것을 우리는 이렇게 공식화할 수 있다. 지각은 전적으로 사변적 관심을 갖는다. 그것은 순수인식이다. 과학적 이식에 대하여 이러한[지각적] 인식에 어떤 지위를 부여해야 하는가 하는 문제에 모든 논의가 향해져 있다. 어떤 사람들은 과학이 요구하는 질서를 놓고, 지각 속에서는 단지 혼란되고 잠정적인 의식만을 본다.…
그런데, 우리가 이의를 제기하는 것은 바로 이 가정이다. 그것은 동물 계열에서 신경계의 구조에 관한 아주 피상적인 고찰에 의해서조차 논박되었다. 또한 그 가정을 받아들일 경우 사람들은 물질과 의식과 그것들의 관계라는 삼중적인 문제를 아주 애매하게 만들게 된다.
실제로 단충에서부터 고등 척추동물에 이르기까지 외적 지각의 진보를 한 발짝씩 따라가 보면 어떨까?… 신경세포들이 나타나고, 다양화되며, 체계를 이루는 경향이 있다. 동시에 동물은 외적 자극에 더욱 다양한 운동들로 반응한다.… 반사 작용에서는 실제로 무슨 일이 일어나는가? 자극에 의해서 전달된 구심적 운동은 척수의 신경세포들을 매개로 해서 근육의 수축을 결정하는 원심적 운동으로 곧바로 반사된다. 다른 한편 뇌수 체계의 기능은 무엇으로 이루어져 있는가? 주변의 진동은, 척수의 운동세포로 직접 퍼져나가서 근육에다 필요한 수축을 새기는 대신에, 우선 뇌수로 거슬러 올라간 다음 반사 운동에 개입하는 척수의 동일한 운동세포들로 내려간다. 이 진동은 이러한 우회에서 도대체 무엇을 얻었으며, 뇌피질의 이른바 감각 세포들에 무엇을 찾으러 간 것인가? 나는 그 진동이 거기서 사물들에 대한 표상으로 변형될 기적적인 힘을 길러낸다는 것을 이해할 수 없으며, 앞으로도 결코 이해할 수 없을 것이다. 게다가 나는 이 가설을 잠시 후에 보겠지만 무용한 것으로 간주한다.… 따라서 뇌는 우리가 보기에는 일종의 중앙전화국과 다른 것일 수가 없다. 그것의 역할은 연락을 보내거나 연락을 기다리게 하는 것이다. 뇌는 자신이 받은 것에 어떤 것도 덧붙이지 않는다.(『물질과 기억』24-26)
신경계가 발달하면 할수록, 그것이 점점 더 복잡한 운동기제들과 관계 맺는 공간의 점들은 더욱더 많아지고 [서로 간에] 점점 멀어지게 된다. 이와 같이 해서 신경계가 우리 행동에 남겨 놓는 선택의 폭은 커지는데, 신경계의 완벽성이 증가한다는 것은 바로 이 사실로 이루어진다.… 그러므로 이 비결정성을 진정한 원리로 놓고 거기서부터 출발해보자. 이 비결정성을 일단 놓은 후에, 거기서부터

의식적 지각의 가능성 그리고 그 필연성까지도 도출할 수 있지 않을까 알아보자.(『물질과 기억』27)

나. '순수 기억'의 문제로의 이행

우리는 '순수 지각'은 행동과 관련된다는 것을 앞에서 살펴보았다. 그런데 고등동물들의 신경계는 분명히 여기에 '비결정성'을 제공하였다. 그리고 여기에 '기억'이 개입함을 통해서 '의식'이 작용하고 있다는 것을 느끼게 해준다. 그리고 '기억'은 우리의 '실제적 지각들'을 '신호'로 바꾸어놓는다. 그리고 하나의 지각이 아무리 짧다고 하더라도 사실 그곳에는 일정한 '지속'을 점유하고 있다. 여기에서 우리의 '감각적 성질들의 주관성'이 개입을 하고 있다. 그래서 인식의 주관적인 측면을 구성한다. 이 부분들이 '물질의 이미지'와 '나의 이미지'와의 차이이다.

우리는 운동들이 전달되거나 억제되어, 완성된 행동들로 변형되거나 시발적(막 생겨나기 시작한) 행동들로 펼쳐지는 것을 보았다. 이 운동들은 우리에게 행동에, 오직 행동에만, 관련되는 것처럼 보였다. 그것들은 표상의 [형성] 과정에는 완전히 낯선 것처럼 보였다. 그것들은 표상의 [형성]과정에는 완전히 낯선 것으로 남아 있다. 우리는 또 행동 자체와 그것을 둘러싸고 있는 비결정성, 즉 신경계의 구조에 내포된 비결정성을 고찰한 바 있는데, 신경계란 표상을 위해서라기보다는 이 비결정성을 위해 구성되었던 것처럼 보인다. 하나의 사실로서 받아들여진 이 비결정성으로부터 우리는 지각의 필연성, 즉 생명체와 그것에 관계된 대상들의 다소간 먼 영향들 사이에 있는 변화가능한 관계의 필연성을 결과로 이끌어낼 수 있었다. 그런데, 이 지각이 의식이라는 사실은 어디서 유래하며, 모든 일이 진행하는 모습이 마치 이 의식이 뇌수질의 내적인 운동들로부터 생겨나는 것처럼 보이는 것은 어째서인가?
이 물음에 답하기 위하여 우리는 우선 의식적 지각이 완성되는 조건들을 상당히 단순화하려고 한다. 사실 기억들로 배어 있지 않은 지각은 없다. 우리 감관의 직접적이고 현재적인 소여들에 우리는 우리의 과거 경험의 무수히 많은 세부적 내용을 혼합하고 있다. 이 기억들은 종종 우리의 실제적 지각들을 바꾸어 놓는다. 그래서 우리는 이 실제적 지각들로부터 단지 몇몇 지시들, 즉 우리에게 과거의 이미지들을 상기하도록 만들어진 단순한 '신호들' 만을 붙잡는다. 지각의 편리함과 신속성은 이것을 대가로 한다. 그러나 거기서부터 또한 모든 류의 착각들이 생겨나기도 한다.…(『물질과 기억』29-30)
하나의 지각을 아무리 짧다고 가정한다 하더라도, 사실상 그것은 항상 일정한 지속을 저유하고, 따라서 무수한 순간들을 서로서로의 안으로 연장하는 기억작용의 노력을 요구한다. 우리가 앞으로 보여주겠지만, 심지어 감각적 성질들의 '주관성'도 특히 실재에 대해 우리 기억이 가한 일종의 응축으로 이루어진다.… 즉 사물에 대한 우리 인식의 주관적인 측면을 구성한다.(『물질과 기억』31)

다. '기억'의 출처로서의 '정신'

만일 순수 기억이 순수 지각에 개입하는 것이라면, 기억은 원리적으로 물질과 절대적으로 독립적인 역량이 되어야만 한다. 따라서 만일 정신이 하나의 실재라면, 우리가 정신을 실험적으로 접촉해야만 하는 곳은 바로 여기, 기억이라는 현상 안에서이다. 이에 따라, 우리는 물질이 어떤 신비적이거나 불가지의 힘도 갖고 있지 않다고, 물질은 본질적인 점에서 순수 지각과 일치한다고 주장한다. 특별히 신경계는 의지적인 작용의 형태로 전달되는 운동들을 위한 통로들에 불과하다고 결론짓는다.

거기서 기억의 문제의 핵심적 중요성이 나온다. 만일 기억이 특히 지각에다 자신의 주관적인 특성을 전해주는 것이라면, 물질에 관한 철학이 우선 목표로 해야 할 것은 기억의 지분을 제거하는 것이다. 이제 우리는 다음과 같이 덧붙일 것이다. 순수 지각은 우리에게 물질의 전체 또는 적어도 물질의 본질적인 것을 제공하기 때문에, 그리고 나머지는 기억으로부터 와서 물질에 첨가하는 것이기 때문에, 기억은 원리적으로 물질과 절대적으로 독립적인 역량이 되어야만 한다. 따라서 만일 정신이 하나의 실재라면, 우리가 정신을 실험적으로 접촉해야만 하는 곳은 바로 여기, 기억이라는 현상 안에서이다. 그 때부터 뇌의 작용으로부터 순수기억을 도출하려는 모든 시도는 분석에 의해 근본적인 착각임이 드러날 것이다.
같은 내용을 더욱 명료한 형태로 말해보자. 우리는 물질이 어떤 신비적이거나 불가지의 힘도 갖고 있지 않다고, 물질은 본질적인 점에서 순수 지각과 일치한다고 주장한다. 거기서부터 우리는 생명체 일반, 특별히 신경계는 단지 자극의 형태로 받아들여져 반사적이거나 의지적인 작용의 형태로 전달되는 운동들을 위한 통로들에 불과하다고 결론짓는다. 이 말은 뇌수질에 표상을 산출하는 속성을 부여하는 것은 헛된 일이라는 것을 뜻한다. (『물질과 기억』76-77)

4절 '기억'에 관한 이론

1. 기억의 두 가지 형태들

가. 대상과 신체와 기억들

베르그송은 "대상-신체-기억들"이라는 층을 세운다. 대상이 신체에 영향을 행사하며, 이 신체는 그 운동을 받아들인 후, 이에 대한 반사작용으로서 작용을 하거나, 또는 반사작용으로 나타나지 않은 것에 대해서는 독립적인 다른 형태로 보존을 한다. 이때 반사작용으로서 작용을 하는 기억을 '운동기제'라고 하며, 보류되어 보관되는 것은 '독립적인 기억들'이라고 한다. 이 둘이 '기억의 두 가지 형태'이다. 이때 "대상-신체-운동기제-독립적 기억들"은 모두 이미지들로 볼 수도 있는데, 절단을 가정하면 그 이미지들의 층위를 살펴볼 수 있고, 이미지들이 어떻게 작용하고 반작용하며, 축적되었다가 그것이 또 다시 작용을 하는지를 살펴볼 수도 있다. 그리고 여기서는 다음과 같은 결과가 나오는데, 이른바 "이미지들은 [신체와는] 다른 방식으로 보존된다." 그리고 "과거는 두 가지 다른 형태로 존속하는데, 그것은 ① 운동기제들 속에, ②독립적인 기억들 속에 존재한다."

우리가 말한 바에 의하면 신체는 자신에게 작용을 가하는 대상들과 자신이 영향을 행사하는 대상들 사이에 놓여 있다. 신체는, 단지 운동을 받아들이고, 그것들을 자신이 잡아두지 않을 경우에는, 어떤 운동기제에 전달하는 책임을 지고 있는 전도체에 불과하다. 이때 [신체의] 작용이 반사적이면 운동기제도 결정되어 있고, 작용이 의지적일 경우 그것은 선택된다. 따라서 사태가 진행되는 양상은, 마치 하나의 독립적인 기억이 있어서 시간에 따라 이미지들이 생겨남과 동시에 그것들을 모아들이는 듯하고, 또한 우리 신체는 자신을 둘러싸고 있는 것과 더불어 이 이미지들 중의 어떤 하나의 이미지에 불과한 듯하다. 이 이미지는 우리가 생성 일반 속에서 어떤 순간적인 절단을 하면서 매순간 얻게 되는 것이다.
이 절단 작용에서 우리 신체는 중심을 차지한다. 우리 신체를 둘러싸고 있는 사물들은 신체에 작용하며, 우리 신체는 그것들에 반작용한다. 우리 신체의 반작용은, 경험이 그것의 실질 속에 만들어 놓은 기구들의 본성과 수에 따라 다소간 복잡하기도 하고 다양하기도 하다. 따라서 우리의 신체가 과거의 작용을 축적할 수 있는 것은 운동 장치들의 형태 아래서이며, 오로지 그것들 아래서만 가능하다. 거기서부터 다음과 같은 결과가 나올지도 모른다. 이른바 이미지들은 [신체와는] 다른 방식으로 보존되며, 따라서 우리는 다음과 같은 첫 번째 가설을 공식화하지 않을 수 없다.

“과거는 두 가지 다른 형태로 존속한다. 그것은 ①운동기제들 속에, ②독립적인 기억들 속에 존재한다.” (『물질과 기억』81-82)

나. ‘습관-기억’과 ‘이미지-기억’

베르그송은 먼저 기억을 두 종류의 기억으로 나눈다. 하나는 신체 운동을 위한 기억(습관-기억)이며, 또 하나는 이미지(이미지-기억)로서의 기억이다. 우리가 무엇을 암기한다고 해보자. 어떤 암기는 ‘학과의 암기’와 같이 내가 차례로 지나쳐 온 구절들을 떠올리는 형태의 암기가 있다.(습관-기억) 또 하나는 ‘독서의 암기’와 같이 역사의 특정한 사건처럼 지나가는 형태의 암기가 있다.(이미지-기억) 이 경우의 이미지는 필연적으로 전체기억 속에 단번에 새겨지며, 이것은 하나의 표상이고, 그 기억은 내가 내 맘대로 늘이거나 줄일 수 있는 정신의 직관 속에 들어온다. 반면에 암기된 학과의 기억은 단번에 포착하는 것이 아니라 하나하나의 발음을 통한 시간을 요청한다. 따라서 그것은 더 이상 표상이 아니라, 행동을 위한 것이다. 따라서 전자의 기억은 ‘신체의 운동(작동) 메커니즘’ 속에 습관-기억의 형태로 보존이 되며, 후자는 ‘신체와 독립된 기억들’ 속에 이미지-기억의 형태로 보존된다.

내가 어떤 학과를 공부한다고 하자. 그것을 암기하기 위해 나는 우선 각 구절을 또박또박 읽는다. 그리고 나서 나는 그것을 여러 번 반복한다.…

반대로 어떤 특별한 독서의 부분 기억은,… 그것의 이미지는 필연적으로 전체 기억 속에 단번에 새겨진다.… 그것은 내 삶의 하나의 사건과 같다.…(『물질과 기억』83)

사람들은 이 두 기억들, 독서의 기억과 학과의 기억이 단지 더하거나 덜할 정도의 차이만 있다고 할지도 모른다.… 의식은 우리에게 이 두 종류의 기억들 사이에 심층적인 차이, 즉 본성의 차이를 드러내 준다고 말할 수도 있다. 어떤 특정한 독서의 기억은 하나의 표상, 단지 하나의 표상일 뿐이다. 그 기억은 내가 내 맘대로 늘이거나 줄일 수 있는 정신의 직관 속에 들어온다. 나는 그것에다 임의적인 어떤 지속을 할당할 수 있다. 그것은 하나의 그림처럼 단번에 포착하는 것을 방해하는 것은 아무것도 없다.
반면에 암기된 학과의 기억은 비록 내가 이 학과를 내적으로 반복하는 데 지나지 않을 때조차 어떤 정해진 시간을 요구한다. 즉 그것은 비록 상상 속에서라도 필요한 발음의 운동들을 하나하나 전개시키기 위한 만큼의 시간을 요구한다.… 그것은 표상되기 보다는 체험되고, '작동'된다.(『물질과 기억』85)
이 근본적인 구별을 끝까지 밀고 가면 이론적으로 독립적인 두 기억을 생각할 수 있을지도 모른다. 첫 번째 기억은 우리 일상적인 삶의 모든 사건들이 펼쳐짐에 따라 그것들을 이미지-기억들의 형태로 기록할 것이다. 이 기억은 어떤 세부 사항도 소홀히 하지 않는다. 이 기억은 각각의 사실과 각각의 동작에 그 위치와 날짜를 남겨 놓을 것이다. 유용성이나 실제적 적용이라는 속셈이 없이 그 기억은 과거를 오로지 자연적 필연성의 결과로 축적할 것이다.…
그러나 모든 지각은 시발적인 행동으로 연장된다. 일단 지각된 이미지들이 이 기억 속에 고정되고 배열됨에 따라 이미지들을 연장하는 운동들은 유기체를 변화시키고 신체 속에 새로운 행동의 성향들을 만들어 낸다. 이처럼 신체 속에 축적되는 아주 다른 종류의 경험이 형성되는데, 그것은 완벽하게 만들어진 일련의 운동기제들이며 외적 자극들에 점점 증가하고 다양화되는 반작용들과 함께 끝없이 증가하는 많은 가능한 질문들에 이미 준비된 답변들을 동반한다. 우리는 이 운동기제들을 그것들이 작동되는 순간에 의식한다. 그리고 현재 속에 축적된 과거의 노력들 전체에 대한 이러한 의식도 물론 역시 기억이다. 그러나 그것은 첫 번째 기억과는 심층적으로 다르다. 언제나 행동을 향해 있으며 현재 속에 자리잡은 채 단지 미래만을 바라보고 있는 기억이다.…(『물질과 기억』86)

다. 두 기억의 기능

우리의 행위 속에서 '이미지-기억'은 과거의 경험을 '상상'하게 하여 대상을 그 경험에 고려하여 '식별'하게 한다. 그러나 '습관-기억'은 학습에 의하여 야기된 것으로서 기계적인 행동을 유발한다. 예컨대, 정확하게 단정할 수는 없지만, 개의 주인을 향한 태도도 이 둘의 기능을 통해서 설명될 수 있을 것이다.

이 두 기억들 중 하나는 상상(이미지-기억)하고, 다른 하나는 반복(습관-기억)하는데, 후자는 전자를 보충할 수 있고, 종종 그것이 전자라는 환상을 줄 수도 있다. 개가 그의 주인을 보고 즐겁게 짖고 비벼대면서 반길 때, 그 개가 주인을 식별한다는 것을 확실하다. 그러나 이 식별이 과거의 어떤 이미지를 떠올리고 이 이미지를 현재적 지각에 접근시키는 것을 의미하는 것일까? 그것은 오히려 그 개가 자신의 신체에 의해서 채택된 어떤 특별한 태도로부터 가지는 의식이 아닐까? 즉 주인과의 친밀한 관계들로부터 조금씩 구성되어, 이제 개가 주인을 단지 보기만 해도 기계적으로 야기되는 그러한 태도에서 나오는 의식이 아닐까? 그러나 너무 멀리 가지는 말자! 동물에게도 과거의 모호한 이미지들은 아마 현재적 지각을 넘칠 것이다. 심지어는 동물의 과거 전체가 그의 의식 속에서 잠재적으로 그려진다고 생각할 수도 있다.(『물질과 기억』87)

라. '운동기제들'와 '이미지 기억들'

'습관-기억'은 반복을 통해 우리에게 깊이 새겨진 인상이지만, 이것이 '이미지화' 되지는 않는다. 반면, 이러한 자극은 반복에 의해서 우리 안에 하나의 '운동기제'를 창조하고, 여기에서는 삶의 일반적인 목적인 적응이 생겨난다.

한편, 우발적으로 습득된 기억은 '이미지'화 된다. 그리고 이것은 '기억들'이 되어 쌓이며, 이것은 시간의 흐름에 따라 '생성과 변화'를 나타낸다.

심리학자들이 기억을 길들여진 습관, 즉 반복함에 따라 점점 더 깊게 새겨지는 인상인 것처럼 말할 때, 그들은 우리의 기억들의 어마어마한 대부분이 우리 삶의 사건들과 세부사항들에 근거한다는 사실, 그것의 본질은 어떤 날짜를 가지며, 따라서 결코 다시 일어나지 않는 것이라는 사실을 망각하고 있다. 사람들이 의지적으로 반복해서 획득한 기억들은 드물며, 예외적인 것들이다. 반대로 독특한 이미지들과 사실들을 기억에 의해 기록하는 것은 지속의 매순간에 잇따른다. 그러나 학습된 기억들이 가장 유용한 것이기 때문에 사람들은 그것들에 더욱 주목한다.… 그러나 반복에 의해서 구성되어야만 하는 것과 본질상 반복될 수 없는 것 사이에 극단적인 차이가 있다는 것을 어떻게 모를 수 있는가? 우발적인 기억은 동시에 완벽하다. 시간은 거기에 무언가를 덧붙이면 반드시 그 이미지를 변질시키게 된다. 시간은 그 기억에 대해 그것의 위치와 날짜를 보존할 것이다. 반대로 학습된 기억은 학과가 더 잘 암기됨에 따라 시간 밖으로 나와서 점점 더 비개인적인 것, 우리 과거의 삶에 점점 더 낯선 것이 될 것이다. 따라서 반복은 결코 우발적인 기억을 습관적 기억으로 전환시키는 효과를 갖지 않는다.(『물질과 기억』88)

우리가 이 대상들 각각을 지각하는 순간 그 대상들은 우리가 그것들에 적응할 수 있도록 적어도 시발적인 운동들을 우리 안에 야기한다. 이 운동들은 반복되면서 하나의 운동기제를 창조하고, 습관의 상태로 이행하며, 우리 안에서 사물들의 지각을 자동적으로 따르는 태도를 고정한다. 이미 말한 바 있듯이 신경계는 이와 같은 것을 목적으로 한다. 유입신경들은 뇌에 자극을 가져오고, 이 자극은 자신의 길을 명민하게 선택한 후 반복에 의해서 창조된 운동기제들에 전달된다. 이렇게 해서 적절한 반작용, 환경과의 균형, 한 마디로 삶의 일반적인 목적인 적응이 생겨난다.…의식은 그것이 차례로 지나쳐 간 상황들의 이미지를 보존하고, 그것들을 일어난 순서대로 정렬한다.

이 이미지-기억들은 어디에 사용되는 것인가? 기억 속에 보존되고 의식 속에서 재생되면서, 그것들은 실재와 꿈을 혼합하고, 따라서 삶의 실용적 성격을 변질시키는 것이 아닌가? 우리의 현실적 의식, 즉 현상황에 대한 신경계의 정확한 적응을 반영하는 의식이 과거의 이미지들 중 현실적 지각과 정돈될 수 없고, 그것과 더불어 유용한 전체를 형성할 수 없는 모든 이미지들을 배척하지 않는다면, 그럴 가능성이 있다.… 우연한 사고가 일어나 뇌수가 외적 자극과 운동적 반응 사이에서 유지하는 균형이 교란되면 어떻게 될까? 주변에서 나와 중추를 통해 다시 주변으로 가는 [신경] 섬유들의 긴장을 한 순간 늦추어 보라. 그러면 숨어 있던 이미지들이 곧바로 밝은 곳으로 밀고 들어온다. 아마도 수면 중에 꿈꿀 때 나타나는 것이 바로 이런 조건일 것이다. 따라서 우리가 구별한 두 기억들 중 능동적이거나 운동적인 두 번째 기억은 항상 첫 번째 기억을 억제하거나, 아니면 이 기억 중에서 현 상황을 조명하고 유용한 방식으로 보완할 수 있는 것만을 받아들임에 틀림없을 것이다.(『물질과 기억』89-90)

마. 기억의 두 가지 본성

베르그송은 위와 같은 내용들을 근거로 해서 기억의 두 가지 본성을 정리한다.

과거의 이미지는 먼저 과거를 이용하는 운동기제들의 형태로 축적되며, 다른 하나는 과거의 모든 사건들을 그리는 개인적인 이미지-기억들의 형태로 축적된다. 이 첫 번째는 진정으로 자연의 방향을 향해 있으며, 노력에 의해 획득되고 나의 의지에 의존한다, 반면 두 번째는 전적으로 우발적인 것인데, 보존에는 충실한 만큼 재생에는 변덕스럽다. 이것은 첫 번째 기억의 선택을 조명하기 위해 현재적 상황에 유사한 상황들로부터 선행했거나 뒤따랐던 것의 이미지들을 그 기억에 제시하는 것이다.

> 과거는, 우리가 예측한 바와 같이, 극단적인 두 형태로 축적되는 것으로 나타난다고 해 보자. 그것은 한편으로는 과거를 이용하는 운동기제들의 형태로, 다른 한편으로는 시간 속에서 그것들의 윤곽, 그것들의 색깔, 그리고 그것들의 장소를 갖는 과거의 모든 사건들을 그리는 개인적인 이미지-기억들의 형태 아래로 축적된다.
> 이 두 기억들 중 첫 번째는 진정으로 자연의 방향을 향해 있으며, 두 번째는 그 자체로 놓아두면 오히려 반대 방향으로 갈 것이다. 첫 번째는 노력에 의해 획득되고 나의 의지에 의존하며, 두 번째는 전적으로 우발적인 것인데, 보존에는 충실한 만큼 재생에는 변덕스럽다. 두 번째 기억이 첫 번째 기억에 할 수 있는 규칙적이며 확실한 유일한 봉사는, 첫 번째 기억의 선택을 조명하기 위해 현재적 상황에 유사한 상황들로부터 선행했거나 뒤따랐던 것의 이미지들을 그 기억에 제시하는 것이다. 관념들의 연합은 그와 같은 것으로 이루어진다. 떠오르는 기억이 반복하는 기억에 규칙적으로 따르는 경우는 이외에는 결코 없다. 게다가 도처에서 우리는 필요한 경우 이미지를 다시 그리게 해주는 운동기제를 구성하기를 더 좋아한다.(『물질과 기억』94-95)

2. 일반적 식별과 특별한 식별

가. 기억의 실제적인 작용

베르그송은 "기억의 실제적인 작용"을 '식별'이라고 말한다. 앞에서 우리는 기억의 두 가지 형태를 말하였는데, 이것의 신체 내에서의 기능이라고 말할 수 있겠다. 그것은 '운동기제'와 '표상(이미지-기억)'을 말하는데, 전자는 대상으로 나오는 어떤 작용에 대한 반응으로서 '자동적인 작동'에 의해서 이루어지고, 후자는 주체에서 나오는 '정신의 작업'으로서 이루어진다.

그렇다면 기억의 실제적인 작용, 따라서 그것의 일상적인 작용, 그리고 현재적 작용을 위한 과거 경험의 이용, 즉 결국 식별(reconnaissance)이란 두 가지 방식으로 완성됨에 틀림없다. 식별은 때로는 행동 자체 속에서, 그리고 상황에 알맞은 운동기제들의 완전히 자동적인 작동에 의해서 이루어질 것이다. 그것은 또 때로는 현실적 상황에 가장 잘 삽입될 수 있는 표상들을 현재로 향하게 하기 위해 과거 속으로 찾으러 갈 정신의 작업을 내포할 것이다. 거기서부터 두 번째 명제가 도출된다.
"현재적 대상의 식별은 대상으로부터 나올 때는 운동들에 의해 이루어지고, 주체로부터 나올 때는 표상(이미지-기억)들에 의해서 이루어진다."(『물질과 기억』 82)

나. 식별의 일반적 기능 : 이미지를 통한 식별

'이미 본 것'의 감정을 설명하는 일상적인 방식에는 두 가지가 있다. 하나는, '현재적 지각'을 식별하는 것은 그것을 사유에 의해 과거의 환경 속에 삽입하는 것이라고 한다.(인접성에 의한 연합) 이것은 지각과 기억이 연합하는 것을 말하는데, 이것은 식별의 과정을 충분히 설명하기에 부족하다. 또 하나는 현재적 지각이 항상 자신과 닮은 이전 지각의 부분기억을 찾으러 전체기억의 심층으로 들어간다고 가정한다.(유사성에 의한 연합) 이에 의하면, '이미 본 것'의 감정은 지각과 기억 사이의 병치 또는 혼합으로부터 비롯될 것이다. 이에 대해 베르그송은 후자가 적절한 설명이다고 말한다.

어떤 사람들은 '현재적 지각'을 식별하는 것은 그것을 사유에 의해 과거의 환경 속에 삽입하는 것이라고 한다. 내가 어떤 사람을 처음 만난다. 이 때 나는 그를 단순히 지각할 뿐이다. 만일 내가 그를 다시 만난다면, 나는 그를 식별하게 된다. 이는 원초적인 지각의 동반적인 상황들이 나의 정신에 다시 나타나면서 현실적 이미지의 주변에 현실적으로 지각된 틀이 아닌 다른 틀을 그려낸다는 의미에서 그렇다는 것이다. 따라서 식별하는 작용이란 현재적 지각에 이전에 그것과

'인접'하여 주어진 이미지들을 연합하는 것이다.
그러나 사람들이 올바르게 관찰했듯이 [거기서] 다시 나타난 지각이 원초적 지각에 동반하는 상황들을 암시할 수 있는 것은, 단지 원초적인 지각이 우선적으로 자신을 '닮은' 현실적 지각에 의해 환기될 때만 가능하다.
최초의 지각을 A라 하자. 동반적인 상황들인 B, C, D는 인접성에 의해 거기에 연합되어 있다. 만일 내가 재생된 동일한 지각을 A'이라고 부른다면 B, C, D란 항들과 연결되어 있는 것은 A이지 A'이 아니기 때문에, B, C, D란 항들을 떠올리기 위해서는 우선 유사성의 연합이 A를 출현하게 해야 한다. 사람들이 A'를 A와 동일하다고 주장한다 하더라도 소용이 없다. 이 두 항들은 아무리 유사하더라도 수적으로 구별되며, 적어도 A'은 지각이고 반면에 A는 하나의 기억에 불과하다는 단순한 사실에 의해서 서로 다르다. 이처럼 우리가 예고했던 두 해석 중에서 첫 번째(인접성에 의한 연합)는 두 번째(유사성에 의한 연합) 속에서 기초되는데, 이제 두 번째를 고찰하겠다.
사람들은 이번에는 현재적 지각이 항상 자신과 닮은 이전 지각의 부분기억을 찾으러 전체기억의 심층으로 들어간다고 가정한다. [이에 의하면] '이미 본 것'의 감정은 지각과 기억 사이의 병치 또는 혼합으로부터 비롯될 것이다. 물론 사람들이 깊이 관찰한 바 있듯이 유사성은 정신이 접근시키는 항들, 따라서 정신이 이미 소유하는 항들 사이에서 정신에 의해 세워진 관계이며, 따라서 유사성에 대한 지각은 연합의 원인이라기보다는 오히려 연합의 결과이다. 그러나 정신에 의해서 파악되고 도출된 요소의 공통성으로 이루어지는 제한되고 지각된 이 유사성 옆에, 이미지들 자체의 표면 위에 퍼져 있는 그리고 상호 인력의 물리적 원인처럼 작용할지도 모르는 모호한 유사성, 말하자면 객관적인 유사성이 있다.… (『물질과 기억』96-99)

다. 특정한 종류의 식별 : 신체만이 할 수 있는 식별

한편, 베르그송은 한 가지 실험의 결과를 소개하는데, '이미지'는 기억하는데, 그 구체적인 '운동의 과정' 속에 들어가자 전혀 식별을 하지 못하는 사례를 발견한 것이었다. 그러면서, 샤르코의 연구를 통해 '이미지'는 소멸되었으나, '지각'은 소실되지 않은 사례를 발견하였다. 베르그송은 이것을 통해 식별에는 위에서 언급된 "식별의 일반적인 기능"이 있을 뿐 아니라, "특별한 종류의 식별"이 있다는 것을 발견하게 되었다. 그것은 '지각'을 위한 식별로서, 어떤 명백한 기억들을 개입시키지 않고도 신체만으로 할 수 있는 운동기제와 관련한 식별이었다. 즉, 순간적인 식별, 즉 어떤 명백한 기억들을 개입시키지 않고도 신체만이 할 수 있는 식별이 있었다. 그것은 표상이 아니라 행동으로 이루어진다.

> 샤르코가 연구하여 고전적이 된 경우에서 시각적 이미지들은 완전히 소실되었으나 지각들의 식별이 전부 폐지되지는 않았다. 이 경우의 내용을 자세히 읽어보면 사람들은 그것을 어렵지 않게 납득할 수 있을 것이다. 그 환자는 그가 태어난 도시의 길들의 이름을 말할 수도 방향을 분간할 수도 없었다는 점에서 더 이상 그것들을 식별하지 못했다. 그러나 그는 그것이 길이라는 것, 그리고 그가 집들을 보고 있다는 것은 알고 있었다. 그는 더 이상 자신의 아내오 ㅏ자녀들을 식별하지 못했다. 그럼에도 불구하고 그는 그들을 보면서 그들이 여자이고 어린 아이들이라는 것은 말할 수 있었다. 만일 그에게 절대적인 의미에서의 정신맹이 있었다면, 이런 현상은 전혀 가능하지 않았을 것이다. 따라서 소멸된 것은 식별의 일바적 기능이 아니다 우리가 나중에 분석하려고 하는 특정한 종류의 식별이었다. 결론적으로 모든 식별이 지나간 이미지의 개입을 항상 요구하지는 않으며, 사람들은 또한 지각을 이미지들과 일치시키는 데 성공하지 않고도, 이 이미지들을 불러올 수 있다. 그러면 결국 도대체 식별이란 무엇인가? 그리고 우리는 그것을 어떻게 정의할 것인가?
> 우선 극한적 경우 순간적인 식별, 즉 어떤 명백한 기억들을 개입시키지 않고도 신체만이 할 수 있는 식별이 있다. 그것은 표상이 아니라 행동으로 이루어진다.…(『물질과 기억』99-100)
> 따라서 식별의 기초에는 운동적 질서에 속하는 현상이 있을지도 모른다. 어떤 일상적 대상을 식별한다는 것은 무엇보다도 그것을 사용할 줄 아는 데 있다.(『물질과 기억』101)

라. '부주의적 식별'과 '주의적 식별'

우리는 이제 운동들에 의해서 이루어지는 자동적 식별(부주의적 식별)에서 이미지-기억들의 규칙적인 개입을 요구하는 식별(주의적 식별)로 넘어가야 한다. 운동적 활동이 유용한 반응들에 의해 지각을 연장하는 대신에 그것을 포기하면, 이제 이미지들이 이 지각의 틀 속으로 더 이상 우연적으로가 아니라 규칙적으로 흘러들어올 것이다. 이것이 곧 변화와 생성이다.

> 그러나 우리는 이제 특히 운동들에 의해서 이루어지는 자동적 식별에서 이미지-기억들의 규칙적인 개입을 요구하는 식별로 넘어가야 한다. 첫 번째 것은 부주의 상태에서의 식별이고, 두 번째는, 우리가 곧 보겠지만 주의적 식별이다.
> 주의적 식별 역시 운동들에 의해서 시작한다. 그러나 자동적 식별에서 운동들이 지각을 연장하는 것은 그것으로부터 유용한 결과들을 이끌어내기 위해서이며, 따라서 그것은 우리를 지각된 대상으로부터 멀어지게 하는 데 반해, 주의적 식별에서는 반대로 대상의 윤곽을 강조하기 위해 운동들이 우리를 대상 앞으로 데려간다. 그 결과 이미지-기억들은 거기서 더 이상 부수적이 아니고 지배적인 역할을 하게 된다. 실제로 운동들이 실용적 목적을 포기하고, 운동적 활동은 유용한 반응들에 의해 지각을 연장하는 대신에 그것의 두드러진 특징들을 그리기 위해 길을 되돌아간다고 가정해보자. 그러면 현재 지각과 유사한 이미지들, 즉 이 운동들에 의해 이미 형식이 갖추어졌을 이미지들은 이 [지각] 틀 속으로 더 이상 우연적으로가 아니라 규칙적으로 흘러들어올 것이다. 물론 자신이 쉽게 들어올 수 있도록 자신들의 많은 세부사항을 포기하는 것을 무릅쓰고 말이다.(『물질과 기억』107)

3. ‘기억들’에서 ‘운동들’로의 점진적 이행

가. ‘표상들(이미지-기억)’의 보존과 운동기제들과의 관계

사실 여기서 마지막 문제가 제기되는데, 그것은 이 표상들이 어떻게 보존되고, 그것들이 운동기제들과 어떤 관계를 유지하느냐 하는 것이다. 이와 관련하여 우리는 먼저 신체를 생각해 보아야 하는데, 우리의 신체는 우리의 과거가 미래 속으로 끊임없이 밀고 들어가는 움직이는 질점으로 말할 수 있다. 이때 ‘기억’이라고 불릴 수 있는 ‘과거’는 ‘반복-학습’ 되어 ‘운동기제’를 이루어 뇌에 형성되며, 또한 어떤 ‘기억’은 ‘이미지, 표상’으로 형성되어 ‘물질’이 아닌 어떤 세계 속에 보존된다. 이러한 것은 ‘뇌’의 손상이 이 ‘이미지’를 지우지 못하는 것에 대한 임상을 통해서 확인된다.

이것이 사실이라면, 먼저 우리의 어떤 '정신'에는 "시간을 따라 배열된 기억들(표상들)이 존재한다"는 것을 알 수 있으며, 이러한 '기억들'은 "미세한 단계들"을 통해, "운동들로 이행하고 있다"는 것을 알 수 있다. 이것이 '기억이론'의 세 번째 명제이다. 그리고 더 나아가서, 이와 같이 "이미지-기억들"이 "현재적 지각"에 규칙적으로 결합하는 경우에, 지각은 기억들의 출현을 기계적으로 결정하는가, 아니면 기억들이 지각 앞으로 자발적으로 향해 가는가의 문제가 또 다시 떠오른다.

사실 여기서 마지막 문제가 제기되는데, 그것은 이 표상들이 어떻게 보존되고, 그것들이 운동기제들과 어떤 관계를 유지하느냐 하는 것이다. 이 물음은 다음 장에서, 우리가 무의식을 다루고, 과거와 현재가 근본적으로 어떻게 구별되는지를 다룰 때 비로소 심층적인 의미를 띠게 될 것이다. 그러나 지금부터 우리는 신체를, 미래와 과거 사이에서 움직이는 한계로, 우리의 과거가 미래 속으로 끊임없이 밀고 들어가는 움직이는 질점으로 말할 수 있다.
우리의 신체는, 유일한 순간 속에서 고려될 경우, 단지 자신에게 영향을 미치는 대상들과 자신이 작용하는 대상들 사이에 놓인 하나의 전도체에 불과하지만, 흐르는 시간 속에 다시 놓이게 되면, 언제나 나의 과거가 행동으로 사라져버리는 지점에 정확히 위치한다. 따라서 내가 뇌의 운동기제들이라고 부르는 이 특별한 이미지들은 매순간 나의 과거 표상들의 계열을 완료하고, 최종적으로는 이 표상들을 현재 속으로 연장하며, 그것들의 실재와의 연결지점 즉 행동과의 연결지점이 된다.
이 연결을 절단해 보라. 아마도 과거의 이미지는 파괴되지 않겠지만, 이미지가 실재에 대해 작용할 수 있는 모든 수단들, 따라서 이미지가 실현되는 모든 수단이 제거된다는 것을 곧 알게 될 것이다. 뇌의 상해가 기억에서 무언가를 삭제할 수 있다는 것은 바로 이런 의미, 오로지 이런 의미에서만 타당하다. 거기서 우리의 세 번째이자 마지막 명제가 도출된다.
"사람들은 시간을 따라 배열된 기억들로부터, 미세한 단계들을 통해, 공간 속에서 그것의 시발적이거나 가능적인 행동을 그리는 운동들로 이행한다. 뇌의 상해는 이 운동들에 해를 입힐 수 있지만, 이 기억들에 대해서는 그럴 수 없다."(『물질과 기억』82-83)
우리는 여기서 논의의 핵심에 이르렀다. '식별(필자: 기억이 포함된 지각)'이 주의적인 경우에, 즉 이미지-기억들이 현재적 지각에 규칙적으로 결합하는 경우에,

> 지각은 기억들의 출현을 기계적으로 결정하는가, 아니면 기억들이 지각 앞으로 자발적으로 향해 가는가?(『물질과 기억』107)

나. '이미지-기억들'과 '뇌'의 관계

베르그송에 의하면, 모든 지각 속에는 신경들을 통해서 지각 중추들에 전달되는 진동이 있다. 그런데, 이때 "운동은 운동만을 산출할 수 있다"고 한다. 따라서 우리의 행동에 있어서 '기억'의 요소가 '식별(두 번째 이상의 지각)'에서 나타난다는 것은, 마치 전적인 뇌의 '진동 작용'인 것처럼 보이지만, 사실은 "뇌의 지각적 진동의 역할은 신체에다가 기억들이 삽입될 수 있는 어떤 태도를 개시하는 것일 뿐이다"고 말한다. 따라서 기억은 뇌 이외의 다른 곳에서 찾아야 한다.

> 뇌가 기억 사이에 설정할 관계들의 본성은 이 물음에 대한 답변에 달려 있다. 실상 모든 지각 속에는 신경들을 통해서 지각 중추들에 전달되는 진동이 있다. 이 운동을 다른 대뇌 피질 중추들에 전파하는 것이 거기서 이미지들을 출현하게 하는 실제적 결과를 갖는다면, 사람들은 엄밀히 말해 기억이란 단지 뇌의 기능에 불과하다고 주장할 수 있을지도 모른다. 그러나 만일 우리가 다른 곳에서와 마찬가지로 여기서도 운동은 운동만을 산출할 수 있으며, 지각적 진동의 역할은 단순히 신체에다 기억들이 삽입될 수 있는 어떤 태도를 개시는 것이라는 것을 확립할 수 있다면, 그 때 물질적 진동들의 전체 효과는 이 운동적 적응이라는 작업 속에서 고갈되기 때문에, 기억은 다른 곳에서 찾아야 한다.(『물질과 기억』 108)

베르그송은, 기억이 뇌 이외의 곳에 보존되고 있다는 것은 신경생리학적으로도 확인되는데, 이 문제에 대한 논증 이전에 "기억이 어떻게 어떤 태도나 운동 속에 점차 삽입되는지를 먼저 알아야 하겠다"고 말한다.(『물질과 기억』109)

다. 주의 작용

우리의 주의 작용을 통해서 우리는 새로운 지식을 끌어낸다. 그런데, 이것이 뇌 에너지의 특별한 긴장을 통한 '정신의 집중'이나 '통각적 노력'의 산물인가? 새로운 지식의 확대를 지성에 의해 채택된 어떤 태도로 보는 것은 애매한 면이 있다.

하다. 베르그송은 이에 대해, "같은 기관이 같은 환경에서 같은 대상을 지각하면서 점점 많은 것들을 거기서 발견하는 신비스러운 작용을 어떻게 설명할 것인가 하는 일이 남게 된다"고 말한다. 즉, 이것은 '정신의 작업'으로 보아야 한다는 것이다.

> 주의 작용이란 무엇인가? 한편으로 주의 작용은 지각을 더욱 강렬하게 만들고, 지각으로부터 세부사항을 이끌어 내는 것을 중요한 결과로 갖는다. 따라서 질료의 측면에서 고찰되면, 주의 작용은 지적인 상태의 일정한 증대로 환원될 것이다. 그러나 다른 한편 의식은 이러한 [내적인] 강도의 증가와 외적인 자극이라는 더 커다란 힘에 기인하는 [강도의] 증가 사이에 환원 불가능한 형식의 차이를 확인한다. 그러한 증가는 실제로 내부에서부터 나오고, 지성에 의해서 채택된 어떤 태도를 증거하는 것처럼 보인다. 그러나 여기서 바로 애매함이 시작된다. 왜냐면 지적인 태도의 관념이란 명석한 관념이 아니기 때문이다. 사람들은 지각을 판명한 지성의 시선 아래 놓기 위해, '정신의 집중'에 관해서 말하거나, 아니면 '통각적 노력'에 관해서 말할 것이다. 어떤 이는 관념을 물질화하면서, 뇌 에너지의 특별한 긴장을 가정하거나,…할 것이다.…
> 실제로 의지적인 주의 작용에 동반되는 운동들이 정지의 운동들이라고 가정한다면, 그것에 상응하는 정신의 작업, 즉 같은 기관이 같은 환경에서 같은 대상을 지각하면서 점점 많은 것들을 거기서 발견하는 신비스러운 작용을 어떻게 설명할 것인가 하는 일이 남게 된다.… (『물질과 기억』109-110)

베르그송은 과거의 '이미지'에 대한 회상이 '정신의 작업'이라고 한다. 외적 대상에 대한 우리의 지각은 운동을 야기한다. 그런데, 기억은 받은 지각 위로 그것을 닮은, 과거의 이미지들을 향하게 한다. 그래서 그것을 이중화한다. 이때 상기된 이미지가 지각된 이미지의 모든 세부사항을 덮지 못할 경우에는 그것은 미지의 세부사항들에 투사될 때까지 마치 전보를 발신하듯이 호출을 던진다. 이러한 반사작업을 지속적으로 수행하여 지각을 종합의 노력에 의해 재생하고 재구성한다. 따라서 '주의적 지각'은 반성(반사)를 전제로 한다. 반성이란 대상과 동일하거나 유사하게 그 윤곽들을 따르는 이미지들을 능동적으로 창조하여 외적으로 투사하는 것이다.

> 외적 지각이 실제로 우리에게 그것의 핵심적 윤곽을 그리는 운동들을 야기하는 반면, 우리의 기억은 받은 지각 위로 그것을 닮은, 그리고 우리의 운동들이 이미

소묘를 한 바 있는 과거의 이미지들을 향하게 한다. 이처럼 기억은 현재적 지각을 새롭게 창조하거나 또는 오히려 현재적 지각에 그것의 고유한 이미지나 동일한 종류의 이미지-기억을 보냄으로써, 그것을 이중화한다. 만일 상기된 이미지가 지각된 이미지의 모든 세부사항을 덮는데 이르지 못하면, 다른 기지의 세부사항들이 와서 미지의 세부사항들 위에 투사될 때까지 기억의 가장 심층적이고 가장 멀리 있는 지역들에 호출을 던진다. 그리고 이런 작용이 끊임없이 계속되어서 기억은 지각을 강화하거나 풍부하게 하고, 한편 지각은 점점 전개되면서 자신 쪽으로 점증하는 수의 보충적 기억들을 끌어당긴다.…

우리는 이미지 대 이미지로 작업하는 주의의 요소적인 작용을, 중요한 전보를 접수하고 그것의 정확성을 보증하기 위해 단어 대 단어로 원본의 자리에 전보를 재발신하는 전신기사의 작업에 비유하는 것이 나을 것이다. 그러나 전보를 보내기 위해서는 기구를 다룰 줄 알아야 한다. 마찬가지로 우리가 지각으로부터 받았던 이미지를 거기에 반사하기 위해서는, 지각을 종합의 노력에 의해서 재생, 즉 재구성할 수 있어야 한다. 사람들은 주의 작용이 분석의 기능이라고 말한 바 있는데, 그것은 옳다.… (『물질과 기억』111)

지각은 정신이 수집하거나 정교하게 하는 인상들로만 이루어지는 것이 아니다. 그것은 기껏해야 받아들이자마자 곧바로 흩어지는 지각들, 즉 우리가 유용한 행동들로 전개하는 지각들에 대해서만 그러하다. 그러나 모든 주의적 지각은 진실로 말의 어원적 의미에서, '반성(반사)'을 전제한다. 반성이란 대상과 동일하거나 유사하게 그 윤곽들을 따르는 이미지들을 능동적으로 창조하여 외적으로 투사하는 것이다. 한 대상에 시선을 고정한 후, 갑자기 이를 돌리면, 우리는 뒤따르는 그것의 '이미지'를 얻게 된다.…(『물질과 기억』112)

라. 주의적 식별의 회로

베르그송은 '주의적 지각'이란 단선으로 이어지는 일련의 과정은 아니라고 한다. 반성적 지각이란 하나의 순환을 형성하는데, 지각된 대상 자체를 포함하는 모든 요소들이 전기 회로에서처럼 대상으로부터 출발한 어떤 진동도 정신의 심층 속에서 중간에 멈추지 않고, 언제나 대상 자체로 회귀한다. 그런데, 여기에는 각각 다른 두 개념 규정이 있게 된다. 하나는, 각 순간에 첨가되어 나오는 새로운 요소들은 일반적인 교란을 야기하지 않고 체계의 변형을 요구하지도 않은 채 이전의 요소들과 결합되어 나타나는 지적팽창의 회로이다. 또 하나는 정신과 그 대상 사이의 어떤 연대성으로서 지각된 대상 이외에는 공통점을 갖지 않는 새롭게 창조된 회로로서, 반성에 의한 회로이다.

> 사람들은 보통 주의적 지각을 단선으로 이어지는 일련의 과정으로 생각한다. 즉 대상은 감각들을 자극하고, 감각들은 자신들 앞에 관념들을 출현시키고, 각 관념은 지적인 실질로부터 더 멀리 밀려나 있는 점들을 점점 가까지 진동시킨다는 것이다. 따라서 거기에는 직선적 진행이 있을 것이고, 이에 따르면 정신은 대상으로부터 점점 멀어져 다시 되돌아 올 수 없을 것이다.
> 반대로 우리는 반성적 지각이란 하나의 순환을 형성한다고 주장하는데, 이 순환에서는 지각된 대상 자체를 포함하는 모든 요소들이 전기 회로에서처럼 상호 긴장 상태에 있으며, 따라서 대상으로부터 출발한 어떤 진동도 정신의 심층 속에서 중간에 멈출 수 없다. 그것은 언제나 대상 자체로 회귀해야만 한다.…
> 이러한 차이는 단순히 말의 문제만을 보아서는 안 된다. 문제는 지적인 작업에 관한 근본적으로 다른 두 개념 규정이다. 첫 번째에 따르면, 사태는 기계적으로 그리고 완전히 우연적인 계열에 따라 잇따라 첨가됨으로써 일어난다. 예를 들어, 한 주의적 지각의 한 순간에 정신의 가장 심오한 지역으로부터 나오는 새로운 요소들은, 일반적인 교란을 야기하지 않고 체계의 변형을 요구하지도 않고도 이전의 요소들에 결합될 수 있다.
> 반대로 두 번째 개념 규정에서 주의의 작용은 정신과 그 대상 사이에 어ㄸ너 연대성을 내포한다. 그것은 너무도 잘 닫힌 회로여서, 더 높은 정신집중 상태로 넘어가기 위해서는 반드시 최초의 회로를 감싸는 회로, 지각된 대상 이외에는 공통점을 갖지 않는 그 만큼의 새로운 회로를 완벽하게 창조해 낸다. (『물질과 기억』114)

위의 내용은 다음과 같은 회로의 형태로 표현될 수 있다. 다음의 그림에서 실선의 A, B, C, D는 '지각'의 '지적인 팽창'을 의미한다. 그리고 이러한 지각이 발생하는 곳에는 이에 대한 전체가 '기억'으로 들어온다. 그리고 이 '기억'은 모두 현재에 무한히 축적 된다. 그러나 '지각'은 축적될 필요가 없는데, 모두 운동으로 표출되었으며, 현재의 '팽창된 지식'을 이루고 있기 때문이다. 한편, 이 '기억'들은 대상위에 그 '대상 자체의 세부사항들'을 지속적으로 반사한다. 그리고 이러한 체계는 점점 더 크게 재구성되어 간다.

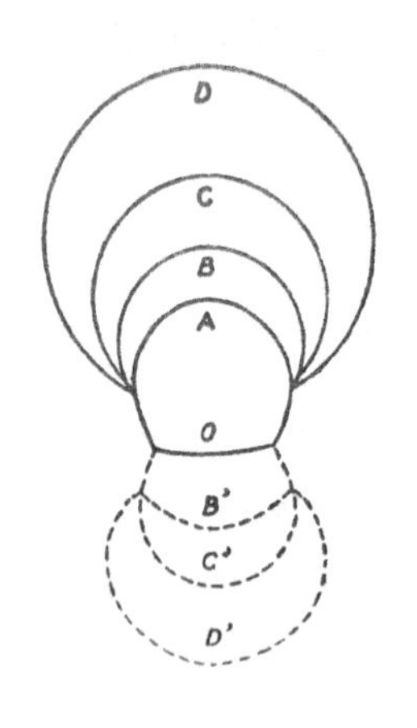

우리가 자세히 탐구하게 될 기억의 상이한 원들 중에서 가장 좁은 원인 A는 직접적 지각에 가장 가까이 있다. 그것은 단지 대상 O 자체와 그것을 덮으러 오는 뒤따르는 이미지만을 포함한다. 그 뒤에 B, C, D라는 점점 더 커지는 원들은 지적인 팽창의 증가하는 노력들에 상응한다. 곧 보게 될 것이지만 이 각각의 회로들 안에는 기억의 전체가 들어온다.

왜냐하면 기억은 항상 현재적이기 때문이다. 그러나 그 유연성으로 인해 무한히 팽창할 수 있는 이 기억은, 대상 위에 점점 증가하는 수의 암시적 사물들을 - 때로는 대상 자체의 세부사항을, 때로는 대상을 조명하는 데 기여할 수 있을 동반적인 세부사항들을 - 반사한다. 이처럼 지각된 대상을 하나의 독립적 전체의 방식으로 재구성한 후에, 우리는 그 대상과 더불어 대상이 체계를 형성할 조건들을 점점 더 멀리까지 재구성한다. 대상의 뒤에 위치한, 그리고 대상 자체와 함께 잠재적으로 주어져 있으며, 점점 깊은 곳에 위치하는 이 원인들을 B', C', D'라고 하자. 사람들은 주의의 진보가 단순히 지각된 대상뿐만 아니라, 그 대상이 관련될 수 있는 점점 더 커다란 체계들을 새로이 창조하는 효과를 갖는다는 것을 보게 된다. 따라서 B, C, D라는 원들의 기억의 점점 더 높은 확장을 나타냄에 따라, 그것들의 반영은 실재의 더욱 깊은 층들인 B', C', D'에 도달한다.
따라서 동일한 심리적 삶이 전체기억의 잇따르는 단계들에서 무한히 반복될 것이고, 정신의 동일한 행위가 다수의 상이한 높이들에서 일어날 수 있을 것이다.… 보통 우리 정신의 방향을 결정하는 것은 현재적 지각이다. 그러나 우리 정신의 방향을 결정하는 것은 현재적 지각이다. 그러나 우리 정신이 취한 긴장의 정도에 따라, 그것이 위치하는 높이에 따라, 이 지각은 우리 안에서 다소간 많은 수의 이미지-기억들을 전개시킨다. 다시 말해서 결국 개인적이고 정확히 국재화된 이미지-기억들은 계열을 이루며 우리의 과거 존재의 흐름을 그려주고, 함께 통합되어 우리 기억의 최후의 가장 넓은 외곽을 구성한다. 이 이미지-기억들은 본질적으로 달아나는 것들이기 때문에 단지 우연적으로만 구체화된다.(『물질과

기억』114-116)

마. 뇌의 국재화 가설에 대한 비판

베르그송은 정신 병리학적 관찰을 통해 "지적인 상태들은 뇌에 축적되어 있다"고 말하는 '뇌의 국재화 가설'을 비판한다. 그리고 뇌에 손상이 온다고 하더라도, 그것은 특정한 회상(기억)에 도달할 수 없는 상황인 것이지, 그렇다고 하여서 회상(기억)이 파괴되는 것은 아니라고 말한다. 엄태연은 이것을 다음과 같이 정리한다.

> 만일 뇌의 상해가 직접적으로 회상을 직접적으로 파괴하는 것이라면, 뇌의 상해는 구체적인 회상을 파괴할 것이다. 파괴된 그 특정한 회상은 완전히 사라져서 다시 상기되지 못하고 나머지 회상들은 피해 없이 완전히 보존되어 있을 것이다. 하지만 정신 병리적 관찰은 뇌의 상해가 감소시키는 것은 회상들을 상기하는 일반적인 능력이지, 구체적인 회상들의 수가 아니라는 것을 보여준다. 환자는 자신의 기억 속에서 특정한 회상의 사라짐을 경험하는 것이 아니라, 특정한 회상에 도달할 수 없음을 경험한다. 게다가 이 경우 회상은 완전히 파괴되지도 않는다.…(사례는 생략)… 이상의 논의는 우리의 뇌가 회상을 저장하기보다는 회상을 상기하는 역할을 한다는 것을 보여준다.50)

베르그송은 '식별'과 관련한 질병을 다양하고도 방대한 생리병리학적 설명과 함께 설명한다. 그리고 그 결과, 그는 '기억'이 축적되는 곳은 '뇌'가 아니라 '정신'이다는 것을 입증하였다.

> 식별에 관한 이 상해들은 결코 기억들이 상해 받은 지역을 점하고 있다는 사실에서 비롯되지는 않을 것이다. 그것들은 틀림없이 두 가지 원인들에 기인할 것이다. 즉 때로는 우리 신체가 밖에서 오는 자극 앞에서 우리 이미지-기억들 사이에 선택을 작동하게 하는 정확한 태도를 더 이상 자동적으로 취할 수 없다는 사실에 기인하고, 때로는 기억들이 신체 속에서 더 이상 적용 지점을, 즉 행동으로 이어지는 수단을 발견하지 못한다는 사실에 기인한다.
> 첫 번째 경우에, 상해는 모아들여진 진동을 자동으로 행사된 운동으로 연장시키

50) 엄태연, "베르그송의 『물질과 기억』에서 이미지와 물질의 관계," 53.

는 운동기제들에 관련될 것이다. 이 때 대상은 더 이상 주의를 [자동적으로] 고정할 수 없을 것이다. 두 번째 경우에 상해는 의지적 운동들이 필요로 하는 선행적 감각을 제공하면서 이 운동들을 준비하는 피질의 특수한 중추들에 관련될 것이다. 이 때 주체는 더 이상 주의를 [의지적으로] 고정할 수 없을 것이다. 그러나 전자의 경우든 후자의 경우든 현실적 운동들이 상해를 입거나 미래의 운동들이 준비될 수 없게 된다. 즉 기억들의 파괴는 일어날 수 없을 것이다.
그런데, 병리학은 이러한 예측을 확증해 준다. 병리학은 정신맹과 정신적 난청, 그리고 실독증과 어농이라는 절대적으로 구별되는 두 종류가 존재함을 우리에게 알려준다. 첫 번째 종류에서 시각적 기억들 또는 청각적 기억들은 환기되고 있음에도 불구하고, 더 이상 상응하는 지각들에 적용될 수 없다. 두 번째 종류에서는 기억들의 환기 자체가 억제된다. 우리가 말했듯이, 상해는 정말로 첫 번째 경우에서는 자동적 주의의 감각-운동적 기제에 관련되고, 두 번째 경우에서는 의지적 주의의 상상적 기제에 근거하는 것인가? 우리의 가설을 입증하기 위해 우리는 정확한 예에 한정해야 한다.…이하 생략… (『물질과 기억』118-119)

5절 순수 기억 이론

1. 순수기억

가. 순수기억의 개념

베르그송에 의하면, '이미지-기억'의 '주의 작용'으로 인해 '완결된 지각'이 나타난다. 만일 주의 작용이 없다면, 기계적인 반작용만 나타날 것이다. 그런데 '이미지-기억' 중에서 '완결된 지각'으로 나타나지 않은 부분은 '순수 기억'으로 환원되어 무용한 상태에 머물게 된다. 이것을 '순수 기억'이라고 하며, 잠재적이기 때문에 그것을 끌어당기는 지각에 의해서만 현실화 될 수 있다.

완결된 지각은 단지 우리가 그것 앞으로 던지는 이미지-기억과의 유착에 의해서만 정의되고 구별된다. 주의 작용은 바로 이런 대가로 가능한 것이다. 주의 작용이 없다면 기계적인 반작용을 동반하는 감각들의 수동적 병렬만이 있게 된다. 그러나 다른 한편… 이미지-기억 자체는 순수 기억의 상태로 환원되면 무용한 상태로 머무를 것이다. 이 [순수] 기억은 잠재적이기 때문에 그것을 끌어당기는 지각에 의해서만 현실화될 수 있다. 또한 무력하기 때문에 자신의 생기와 힘을 자신이 그 안에서 구체화되는 현재적 감각에서 빌려온다. 그 사실은 결국 판명한 지각은 대립된 방향의 두 흐름, 즉 외적대상으로부터 오는 구심적 흐름과 우리가 '순수 기억'이라고 부르는 것을 출발점으로 취하는 원심적 흐름에 의해 야기된다는 것을 뜻하는 것이 아닌가? 첫 번째 흐름은 그것만을 놓고 볼 때 단지 기계적 반작용을 동반하는 수동적 지각만을 낳을 것이다. 그 자체로 내버려두면, 두 번째 흐름은 현실화된 기억을, 즉 이 흐름이 가속화됨에 따라 더욱 현실적이 되는 기억을 낳는 경향이 있다. 이 두 흐름이 결합하여 만나는 지점에서 그것들을 판명하고 식별된 지각이 된다.(『물질과 기억』142)

위의 순수기억에 대한 개념에 의하면, 지각은 결코 현재적 대상과 정신의 단순한 접촉이 아니다. 지각에는 항상 그것을 해석하면서 완결시키는 이미지-기억들이 배어 있다. 이때 이미지-기억은 순수기억과 자신을 구체화하는 지각에 동시에 참여한다. 이런 관점에서 보면 '이미지-기억'이 오히려 시발적인 지각으로 정의될 수 있다.

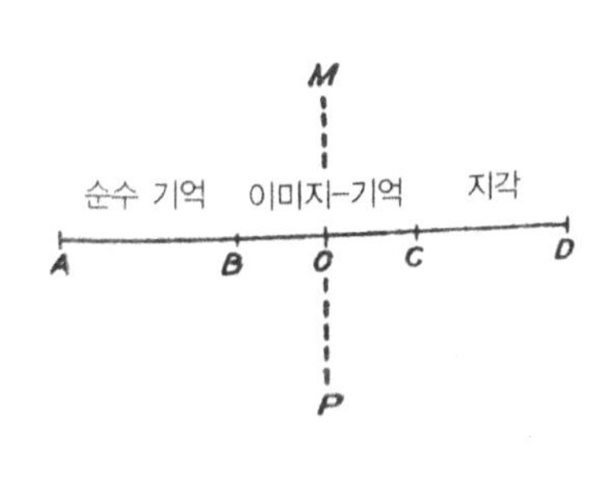

앞에서 언급했던 것을 간단히 요약해 보자. 우리는 순수 기억, 이미지-기억, 지각이라는 세 항들을 구별했는데, 이 항들 중 어느 것도 사실상 단독으로 생겨나지 않는다. 지각은 결코 현재적 대상과 정신의 단순한 접촉이 아니다. 지각에는 항상 그것을 해석하면서 완결시키는 이미지-기억들이 배어 있다.

이미지-기억 쪽에서 보면, 그것은 자신이 구체화하기 시작하는 '순수 기억'과 자신을 구체화하는 지각에 [동시에] 참여한다. 이런 관점에서 볼 때 이미지-기억은 시발적인 지각으로 정의될 것이다.

마지막으로 순수 기억은, 아마 권리적으로는 독립적이라 하더라도, 보통은 그것을 드러내는 생생한 이미지 속에서만 나타난다. 이 세 항들을 한 동일한 직선 AD의 잇따르는 선분들 AB, BC, CD라는 상징으로 나타내면, 우리의 사유는 이 선을 A에서 D로 가는 연속적 운동으로 그리고 있다고 할 수 있고, 그 항들 중의 하나가 어디서 끝나고, 어디서 다른 항이 시작하는지를 정확하게 말하는 것은 불가능하다고 할 수 있다.(『물질과 기억』147-148)

나. 현재의 구성과 순수기억과의 관계

베르그송은 '나의 현재'의 심리상태는 무엇인가를 묻는다. 그리고 그것은 직접적 과거에 대한 지각 혹은 감각임과 동시에 직접적 미래에 대한 결정 혹은 운동이라고 한다. 그리고 나의 현재가 하나의 불가분적 전체를 형성하기 때문에, 이 운동은 이 감각에 기인하며 그것을 행동으로 연장해야 한다. 따라서 '나의 현재'는 '감각-운동적'이라고 한다. 그것은 나의 현재가 나의 신체에 대해 가지는 의식으로 이루어진다는 것을 뜻한다. 따라서 나의 현재 속에 나의 과거와 미래가 모두 축약하여 있다.

더 나아가서 이러한 '나의 현재'는 모두 '나의 신체' 속에 반영되어 있다. 따라서 나의 신체는 나의 생성의 현실적 상태, 나의 지속 속에서 형성 중에 있는 것을 나타낸다. 우리의 신체는 물질적 세계의 중심을 점한다. 현재는 우리의 실존의 물질성 자체, 즉 감각들과 운동들의 전체이지 다른 것이 아니다. 그리고 이 전체는 결정된 것이며 지속의 각 순간에 유일한 것이다. 그 이유는 바로 감각들과 운동들이 공간의 장소들을 점유하고 있으며 같은 장소에는 동시에 여러 가지 것들이 있을 수 없기 때문이다.

한편, 사람들은 이 나의 신체의 현실적 감각과 순수기억 사이에 본성의 차이는 존재하지 않는다고 생각하려 한다. 그러나 베르그송에 의하면, 나의 신체의 현실적 감각들과 순수기억 사이에는 어떤 부분에도 관련되지 않는다. 만약 그것이 구체화되어서 감각들을 생겨나게 할 경우, 그것은 곧 바로 순수기억이기를 멈추고, 현실적으로 체험된 현재적 사물의 형태로 이행한다.

내가 '나의 현재'라고 부르는 것은 나의 과거와 나의 미래를 동시에 잠식한다. 그것은 우선 나의 과거를 잠식하는데, 왜냐하면 "내가 말하는 순간은 이미 나로부터 멀리 있기" 때문이다. 그것은 또한 나의 미래를 잠식하는데, 그 이유는 이 순간이 향해 있는 것이 바로 미래이고, 내가 지향하는 것이 미래이며,… 미래의 방향이기 때문이다. 따라서 내가 '나의 현재'라고 부르는 심리적 상태는 직접적 과거에 대한 지각임과 동시에 직접적 미래에 대한 결정이다. 그런데, 우리가 곧 보겠지만, 지각되는 한에서 직접적 과거는 감각이다. 왜냐하면 모든 감각은 요소적 진동들이 매우 길게 이어지는 것을 나타내기 때문이다. 그리고 직접적 미래는 결정되는 한에서 행동 또는 운동이다. 따라서 나의 현재는 감각인 동시에 운동이다. 그리고 나의 현재가 하나의 불가분적 전체를 형성하기 때문에, 이 운동은 이 감각에 기인하며 그것을 연장해야 한다. 이로부터 나는 나의 현재는 감각들과 운동들이 결합된 체계로 이루어져 있다고 결론짓는다. 나의 현재는 본질적으로 감각-운동적이다.
그것은 나의 현재가 내가 나의 신체에 대해 가지는 의식으로 이루어진다는 것을 뜻한다. 공간 속에 연장된 나의 신체는 감각들을 느끼고 동시에 운동들을 행사한다. 감각들과 운동들은 이 연장의 결정된 지점들에 자리잡고 있기 때문에, 주어진 순간에 운동들과 감각들의 체계는 단지 하나만 있을 수 있다. 따라서 나의 현재는 나에게는 절대적으로 결정된 것, 나의 과거로부터 뚜렷이 구분되는 것처럼 보인다. 나의 신체는 자신에게 영향을 주는 물질과 자신이 영향을 주는 물질 사이에 위치해서, 행동의 중심이고 받은 인상들이 완성된 운동들로 변형되기 위해 자신들의 길을 영리하게 선택하는 장소이다. 따라서 나의 신체는 나의 생성의 현실적 상태, 나의 지속 속에서 형성 중에 있는 것을 나타낸다. 더 일반적으로는 실재 자체인 생성의 이 연속성 속에서 현재적 순간은, 흐르는 유동체 속에서 우리의 지각이 실행하는 거의 순간적인 절단에 의해서 구성된다. 그리고 이 절단이 바로 우리가 물질세계라고 부르는 것이다. 우리의 신체는 물질적 세계의 중심을 점한다.…
현재는 우리의 실존의 물질성 자체, 즉 감각들과 운동들의 전체이지 다른 것이 아니다. 그리고 이 전체는 결정된 것이며 지속의 각 순간에 유일한 것이다. 그 이유는 바로 감각들과 운동들이 공간의 장소들을 점유하고 있으며 같은 장소에는 동시에 여러 가지 것들이 있을 수 없기 때문이다.(『물질과 기억』152-154)
(현실적 감각과 순수기억 사이의 본성적 차이를 인식하지 못하는) 그 이유는 바로 사람들이 현실적 감각들과 순수기억 사이에 본성의 차이가 아니라 정도의 차이만을 보려고 고집하기 때문이다. 우리가 보기에 그 차이는 극단적이다. 나의 현실적 감각들은 내 신체 표면의 결정된 부분들을 점유하는 것들이다. 반대로 순수 기억은 내 신체의 어떤 부분에도 관련되지 않는다. 아마도 그것은 구체화되면서 감각들을 생겨나게 할 것이다. 그러나 바로 이 순간에 순수 기억은 기억이기를 멈추고, 현실적으로 체험된 현재적 사물의 상태로 이행한다.(『물질과 기

억』154-155)

내가 나의 현재라고 부르는 것은 직접적 미래에 대한 나의 태도이자 긴박한 행동이다. 그러므로 나의 현재는 물론 감각-운동적이지만, 이 행동에 협조할 수 있으며, 이 태도 속에 삽입될 수 있고, 한마디로 유용하게 될 수 있는 것만이 내 과거의 이미지가 되며, 따라서 적어도 시발적인 감각이 된다. 그러나 내 과거가 이미지가 되자마자, 그것은 순수 기억의 상태를 떠나 내 현재의 어떤 부분과 섞이게 된다. 따라서 이미지로 현실화된 기억은 순수 기억과는 근본적으로 다르다.(『물질과 기억』154-156)

다. 무의식의 실체화

베르그송은 만일 의식이 단지 현실적으로 체험되고 작용되는 것의 표식이라면, 그 때 작용하지 않으면서도 분명하게 존재하는 것, 그것이 곧 무의식이라고 말한다.

만일 의식이 단지 현재적인 것의 표식, 즉 현실적으로 체험된 것, 다시 말해 결국 작용하는 것의 특징적인 표식에 불과하다면, 그 때 작용하지 않는 것은 그것이 어떤 방식으로 필연적으로 계속 존재하는 데도 의식에 더 이상 속하지 않을 수 있을 것이다. 다른 말로 해서 심리학적 영역에서 의식은 실존과 동의어가 아니라, 단지 실제적 작용 또는 직접적 효율성과 동의어이다. 그리고 이 용어의 외연이 이와 같이 제한된다면, 무의식적 심리상태, 요컨대 무력한 심리적 상태를 표상하는 데 있어서 어려움을 덜 갖게 될 것이다.…(『물질과 기억』157)
… 널리 퍼져 있는 편견에도 불구하고 무의식적 표상이라는 관념은 명백한 것이다.(『물질과 기억』158)
… 당신은 분명히 당신의 의식에는 부재하지만 그것의 밖에 주어져 있는 그 만큼의 지각들을 생각하고 있다. 그것들은 당신의 의식이 그것들을 받아들임에 따라서 창조되는 것이 아니다. 그것들은 어떤 방식으로 이미 있었다.(『물질과 기억』158)

이어서 베르그송은 우리의 지각 속에서 이 의식과 무의식이 어떻게 펼쳐지는 지를 설명하고자 한다. 베르그송에 의하면, 우리의 지각은 시간과 공간의 두 노선 속에서 펼쳐지는데, 공간은 동시적인 모든 대상을 고려하며, 또 하나는 현재라는 시간 속에서 펼쳐진다. 그런데, 이 현재라는 시간 안에는 과거의 모든 기억과 미래의 운동이 담겨 있다. 베르그송은 공간을 AB라는 수평적 선분에 위치시키고, 시간을 나의 신체라는 지점 위에 CI라는 수직선으로 표시한다. 그리고 이 양자가 만나는 그 지점이 지각과 관념이 발생하는 지점이다. 그리고 우리에게는 이 '지각된 현재' I 만이 우리에게 진실로 존재하는 것처럼 보이는 유일한 점이다. 그렇다면, CI는 무엇을 의미하는가?

우선 AB라는 선분을 따라 배열된 대상들은, 우리가 보기에는 우리가 지각할 것을 표현한다. 반면에 선분 CI는 이미 지각된 것만을 포함한다. 그런데, 이 지각된 것은 둘로 나뉘는데, 그 중 하나는 자신의 가능한 작용을 다 소진해 버린 것이 있으며, 또 하나는 현재적 생기를 빌려 옴으로써만 영향을 회복하는 것이 있다. 이 중에서 후자만 남아 있다.

그리고 직접적 미래는 긴박한 행동으로, 아직은 소비되지 않은 에너지로 이루어진다. 물질적 우주에서 아직 지각되지 않은 부분은 약속과 위협으로 가득 차 있으며, 그것은 우리에 실재성을 갖는다. 그리고 여기에서 나타난 삶의 실제적 유용성과 그 필요가 우리의 정신 속에서 더욱 선명한 형이상학적 구분으로 나타난다. 그리고 이러한 필연성에 의해서만 과거의 기억들, 곧 무의식들이 의식에 다시 나타난다.

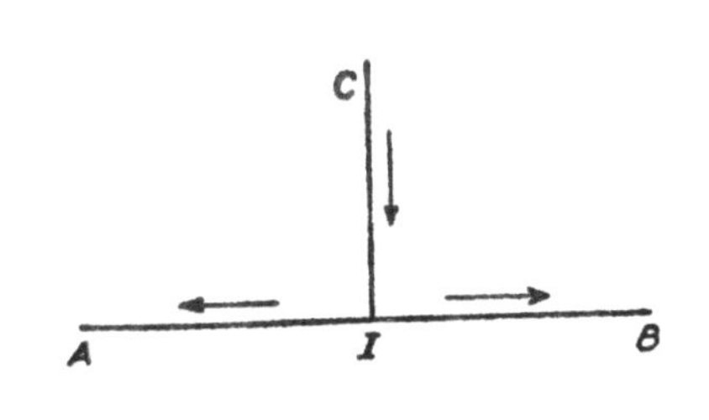

우리의 지각은 현실적이든 잠재적이든 두 노선을 따라 펼쳐진다. 하나는 AB라는 수평선인데, 그것은 공간 속에서 동시적인 모든 대상들을 포함하며, 다른 하나는 CI라는 수직선인데, 시간 속에서 이어지면서 배열된 우리 기억들이 그 위에 놓인다. 두 선분의 교차점인 I는 우리 의식에 현실적으로 주어진 유일한 점이다. 그런데, 수평선 AB전체의 실재성이 비록 지각되지 않은 채로 있다 하더라도, 우리는 그 실재성을 상정하는 데 주저하지 않는다. 반대로 수직선 CI에 대해서는 현실적으로 지각된 현재 I만이 우리에게 진실로 존재하는 것처럼 보이는 유일한 점이다.…

우선 AB라는 선분을 따라 배열된 대상들은, 우리가 보기에는 우리가 지각할 것을 표현한다. 반면에 선분 CI는 이미 지각된 것만을 포함한다. 그런데, 과거는 자신의 가능한 작용을 소진해 버렸거나, 아니면 현재적 지각의 생기를 빌려 옴으로써만 영향을 회복할 것이다.
반대로 직접적 미래는 긴박한 행동으로, 아직은 소비되지 않은 에너지로 이루어진다. 물질적 우주에서 아직 지각되지 않은 부분은 약속과 위협으로 가득 차 있으며, 따라서 그것은 우리에 대해 어떤 실재성을 갖는다. 우리의 지나간 실존에서 현실적으로 지각되지 않은 기간들은 이러한 실재성을 가질 수도 없고 가져서도 안 되는 것이다. 그러나 오직 삶의 실제적 유용성과 물질적 필요들에 관계되는 이 구분은 우리의 정신 속에서 점점 더 선명한 형이상학적 구분의 형식을 취한다.… 따라서 공간 속에서의 거리는 시간 속에서 위협 또는 약속의 근접성의 척도를 나타낸다. 그리하여 공간은 이처럼 우리의 근접 미래의 도식을 우리에게 단번에 제공한다. 그리고 이 미래는 무한히 흐르고 있음에 틀림없기 때문에, 미래를 상징하는 공간은 그 부동성 속에서 무한히 열린 채로 머무는 속성을 가지고 있다.…
그러나 우리는 우리가 이처럼 현재적 실재들로 세워 놓는 이 물질적 대상들에 매달려 있다고 느끼는 데 반해, 지나간 것으로서의 우리의 기억들은 우리가 우리 자신과 함께 이끌고 가면서도 차라리 치워버린 척하고 싶어 하는 그런 쓸모없는 것들이다.… 우리의 내적인 삶에서는 현재적 순간과 함께 시작하는 것만이 우리에게 실재적인 것처럼 보인다. 그 나머지는 거의 폐지된다. 따라서 하나의 기억이 의식에 다시 나타날 때는, 그것의 신비스러운 출현을 특수한 원인들에 의해서 설명해야 하는 유령의 효과를 우리에게 만들어낸다. 사실상 이 기억이 우리의 현재적 상태에 유착되어 있는 것은 지각되지 않은 대상들이 우리가 지각하는 대상들에 유착되어 있는 것과 완벽하게 비교될 수 있다. 그리고 무의식은 이 두 경우에서 같은 부류의 역할을 한다.
…말하자면 내가 모든 의식의 밖에 존재하는 대상들에 관해 말할 때, 내가 실체화하는 것은 바로 이러한 필연성이다.(『물질과 기억』158-161)

2. 기억

가. '이미지들'의 창고는 '과거에 대한 지각'

기억의 이미지들이 뇌 속에 분자 형태로 존재하는 것이 아니라면, 기억의 저장소는 어디인가? 그것은 필연적일 때 의식 속으로 등장하는 것을 보았을 때, 분명히 존재한다. 그런데 뇌 속에는 존재하지 않는다는 것은 수많은 논증을 통해서 입증하였다. 그렇다면, 기억은 어디에 존재하며, 기억의 저장소는 어디인가? 이에 대해 베르그송은 그 장소를 '공간'에서 찾지 않고, '시간'에서 찾는다. '시간'이나 '공간' 모두 존재하고 있기 때문이다. '현재'를 있는 것으로 정의하듯이, '과거'도 또한 있는 것이라고 말한다. 과거는 존재하기를 그친 것이 아니라, 유용하기를 그쳤을 뿐이다. 그리고 지각 속에는 수조의 파동들이 자리 잡고 있는데, 지각은 이미 계산할 수 없을 정도로 많은 상기된 요소들로 이루어진다. 사실인즉, 지각은 이미 기억이다. 즉, '이미지들'은 '과거' 속에 저장되어 있으며, 좀더 구체적으로는 '과거로 구성된 지각' 속에 저장되어 있다.

기억이 어디에 보존되는지를 묻지 않을 수 없는 것이다. 우리는 물리화학적인 현상들이 뇌 속에서 일어났고, 뇌는 신체 속에 있고, 신체는 그것이 잠겨 있는 공기 속에 있다는 것 등등을 상상한다. 그러나 일단 완성된 과거는, 만일 그것이 보존된다면, 어디에 있는가? 기억을 뇌수질 속에 분자적인 변양의 상태로 놓는 것은 단순하고 명백한 것처럼 보인다. 왜냐하면 우리는 그 때 현실적으로 주어진 저장소를 가지고 있으며, 잠재적 이미지들이 의식 속으로 흘러들어가게 하기 위해서는 문을 여는 것으로 충분할 것이기 때문이다. 그러나 만일 뇌가 이와 같은 용도로 사용될 수 없다면, 우리는 축적된 이미지들을 어떤 창고에 놓을 것인가?… 당신은 기억을 물질 속에 축적하는 행위에서 아무것도 얻지 못할 것이다.…
그러나 가정상 존재하기를 그친 과거가 어떻게 스스로에 의해 보존될 수 있겠는가? 거기에 진정한 모순이 있지는 않은가? 문제는 정확히 과거가 존재하기를 그쳤는지 아니면 단순히 유용하게 되기를 그쳤는지를 아는 일이라고 우리는 대답하겠다. 현재란 단순히 생성되는 것인데, 당신은 현재를 있는 것이라고 독단적으로 정의한다. 만일 당신이 현재적 순간을 미래로부터 과거를 분리하는 이 불가분적인 한계라고 한다면, 현재적 순간보다 못한 것은 아무것도 없다. 우리가 이 현재를 있어야만 하는 것으로 생각한다면, 그것은 아직 존재하지 않는다. 그리고 우리가 그것은 있는 것으로 생각한다면 그것은 이미 지나간 것이다. 반대로 만일 당신이 구체적이며 의식에 의해 실제로 체험된 현재를 생각한다면, 이 현재

> 는 대부분 직접 과거로 이루어진다고 말할 수 있다. 빛에 대한 가능한 가장 짧은 지각이 지속되는 한 순간 속에도 수조의 파동들이 자리 잡고 있는데, 그것의 첫 번째 파동은 마지막 파동으로부터 어마어마하게 나누어진 간격에 의해서 분리된다. 따라서 당신의 지각은 아무리 순간적인 것이라 하더라도, 계산할 수 없을 정도로 많은 상기된 요소들로 이루어진다. 사실인즉, 모든 지각은 이미 기억이다. 순수한 현재는 미래를 잠식하는 과거의 포착할 수 없는 전진이기 때문에, 우리는 실제로는 단지 과거만을 지각한다.(『물질과 기억』165-167)

나. 두 형태의 기억들의 연관관계

우리는 앞에서 '기억'에는 두 가지가 있다고 말하였다. "신체의 운동기제"와 "상상하고 반복하는 기억"인데, 이때 전자는 신체로서, 그것 자체가 하나의 이미지로서 신체는 이미지들을 축적할 수 없다. 그것은 받은 운동들과 보내는 운동들의 통행로이고, 나와 사물들 간의 연결선이고, 한마디로 감각-운동적인 현상들의 자리일 뿐이다.

다음의 그림에서 '신체의 이미지'는 평면 P에 접하고 있는 S에 집중되며, 평면 P의 일부를 이루고 있다. AB는 과거 속에 자리잡아 부동적으로 머물러 있는 '진정한 기억'인데, 원뿔 SAB는 나의 기억 속에 축적된 기억들 전체를 나타낸다.

한편, 이 두 기억들은 분리된 두 가지를 이루는 것이 아니고, 신체의 기억은 단지 경험의 움직이는 평면 속에 기억을 삽입하는 움직이는 점에 불과하기 때문에, 이 두 기능들이 서로 받침점을 제공하고 있다. 한편으로 과거의 기억은 감각-운동적 기제들에 기억들을 제시하여 그 기제들이 임무를 완수하게 인도하고, 운동적 반응들을 경험의 가르침에 의해 암시된 방향으로 이끈다. 그 내용은 다음과 같다.

> 우리는 근본적으로 구분되는 두 기억이 있다고 말한 바 있다. 하나는 유기체 속에 고정되어 있는데, 그것은 가능한 다양한 질문들에 적합한 대응을 보장하는 명민하게 만들어진 운동기제 전체와 다르지 않다. 그것은 우리를 현재적 상황에 적응하게 하고, 우리가 겪는 작용들을 때로는 완성되고, 때로는 단순히 시발적인 운동으로, 그러나 항상 다소간 적응된 반응들로 이어지게 한다. 기억이라기보다는 오히려 습관이므로, 그것은 우리의 과거 경험을 작동시키는 것이지, 그것의 이미지를 떠올리는 것이 아니다.

다른 하나는 진정한 기억이다. 그것은 의식과 동연적이어서 우리의 모든 상태들이 생겨남에 따라 차례로 보존되고 정렬하며, 각 사실에 그것의 위치를 남기고, 그것의 날짜를 표시하며, 첫 번째 종류의 기억처럼 끊임없이 다시 시작하는 현재 속에서가 아니라 결정적인 과거 속으로 매우 실제적으로 움직인다.
그러나 이 두 형태의 기억들을 근본적으로 구별하면서도 우리는 그것들의 연관을 제시하지 않았다. 지나간 행동들의 축적된 노력을 상징하는 신체의 운동기제와 더불어 있는 신체 위에는, 상상하고 반복하는 기억이 허공에 매달린 채로 떠다닌다. 그러나 만일 우리가 우리의 직접 과거만을 지각한다면, 만일 현재에 대한 우리의 의식이 이미 기억이라면, 우리가 처음에 분리했던 두 항은 전체가 내밀하게 접합될 것이다. 이 새로운 관점에서 고려될 경우, 실로 우리의 신체는 우리의 표상을 언제나 다시 태어나게 하는 부분이자 항상 현재적인 부분, 아니면 오히려 매순간 방금 지나간 부분과 결코 다른 것이 아니다. 그 자체가 이미지인 이 신체는 이미지들을 축적할 수 없다. 왜냐하면 그것은 이미지들의 일부를 구성하고 있기 때문이다. 따라서 지나간 지각들을 또는 현재적 지각들까지도 뇌 속에 국재화하려는 시도는 비현실적인 것이다.… 따라서 그것은 받은 운동들과 보내는 운동의 통행로, 즉 나에게 작용하는 사물들과 내가 작용을 행사하는 사물들 사이의 연결선, 한마디로 감각-운동적인 현상들의 자리이다. 원뿔 SAB로 나의 기억 속에 축적된 기억들 전체를 나타낸다고 하면, 밑변 AB는 과거 속에 자리 잡아 부동적으로 머물러 있는 반면, 꼭지점 S는 매 순간 나의 현재를 그리며, 끊임없이 앞으로 나아가서, 또한 끊임없이 우주에 대한 나의 현실적 표상의 움직이는 평면인 P에 접하고 있다. 신체의 이미지는 S에 집중된다. 그리고 이 이미지는 평면 P의 일부를 이루면서, 그 평면을 구성하는 모든 이미지들로부터 나오는 작용들을 받고 되돌려 보내는 데에 머문다.

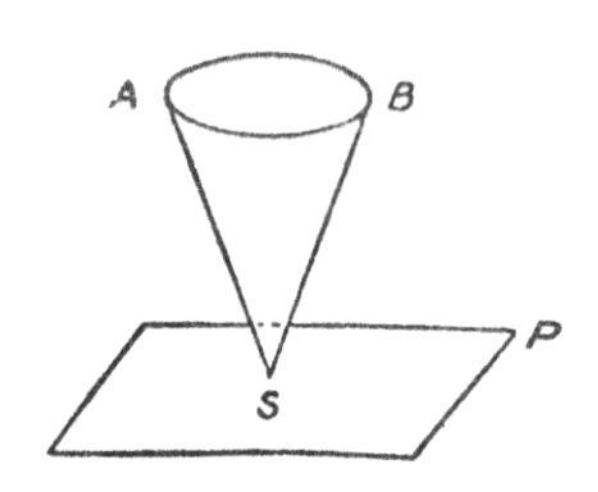

신체의 기억은 습관이 조직한 감각-운동 체계들의 전체로 구성되므로 과거의 진정한 기억이 그것의 기초로 사용하는 거의 순간적인 기억이다. 이 두 기억들은 분리된 두 가지를 이루는 것이 아니고, 우리가 말한 바 있듯이, 신체의 기억은 단지 경험의 움직이는 평면 속에 기억을 삽입하는 움직이는 점에 불과하기 때문에, 이 두 기능들이 서로 받침점을 제공하고 있다는 것은 자연스러운 것이다. 실로 한편으로 과거의 기억은 감각-운동적 기제들에 기억들을 제시하여 그 기제들이 임무를 완수하게 인도하고, 운동적 반응들을 경험의 가르침에 의해 암시된 방향으로 이끈다. 인접성과 유사성에 의한 연합작용들은 바로 이런 사실로 이루어진다.(『물질과 기억』167-169)

3. 일반관념과 관념들의 연합

가. 일반관념의 개념

우리의 관념에는 지각만을 유일한 기원으로 가지고 있어서 물질적 대상과는 거리가 먼 관념들도 있다. 한편, 베르그송은 이러한 관념은 제외하고 물질적 대상들과 관련된, 유사성들의 지각에 기초하고 있는 일반관념들만을 먼저 고려해보고자 한다. 아마 우리의 정신은 우리 안에 있는 전체적 기억을 운동적 습관 속으로 삽입하려고 부단히 노력할 것이다. 즉, 우리는 전체적 기억 속에서 현재의 지각에 대해서 '유사성'있는 과거의 기억들을 부단히 찾아서 현재의 지각대상에 대한 개념을 형성한다. 베르그송에게는 이것이 '일반성'이며, 이것이 곧 '일반관념' 혹은 '개념'이다.

반면, 기존의 유명론이나 개념론에서는 이와 달리 '일반관념'을 정의하는데, 유명론자들은 일련의 개별적 대상들의 '외연'에서 공통적인 성질들을 추상하여 일반관념이 나타난다고 말한다. 개념론에서는 이와 반대로 '유' 개념이 먼저 지성에 의해 정의되고, 개별적인 사물들에게서 이 '성질'을 '내포'하고 있는지를 분석한다. 그러나 이러한 일반화를 위해서는 추상을 할 줄 알아야 한다. 그런데 그러한 추상은 오히려 경험과 기억을 통해서 배워야 하는데, 베르그송은 기억을 통해서 추상을 배우는 그러한 단계로서의 '유사성'을 말하고 있는 것이다.

이 '유사성' 개념은 상당히 실용적인 필요에 의해 발생하는데, 일반적으로 동물들의 지각은 자신의 유용한 것에 대한 분별에서 시작된다. 예컨대, 초식동물을 끌어당기는 것은 '풀'이다. 이것의 기초 위에서 '차이'를 낳는 기억들이 생겨난다. 또한 그 가운데에 있는 '유사성'은 객관적으로 하나의 힘처럼 작용하며, 동일한 반응들을 야기한다. 그리고 이러한 겉보기에 상이한 작용들에 대한 반응의 동일성이야말로, 인간 의식이 일반관념으로 발전시킨 씨앗이다.

이 관념들 중에는 지각을 유일한 기원으로 가지고 있어 물질적 대상들과는 관련이 아주 먼 것들도 있다. 우리는 이런 관념들은 제쳐 놓고 우리가 유사성들의 지각이라고 부르는 것 위에 기초하는 일반관념들만을 고려해 보자. 우리는 순수기억 즉 전체적 기억을, 그것이 운동적 습관 속으로 삽입되기 위해 들이는 연속적 노력에서 따라가고자 한다. 그렇게 함으로써 우리는 이 기억의 본성과 역할을 더 잘 인식하게 될 것이다. 그러나 그렇게 함으로써 또한 우리는 아마도 유사성과 일반성이라는 동일하게 모호한 두 개념을 아주 특별한 측면에서 고려함으로써 조명할 수 있을 것이다.
일반화하기 위해서는 우선 추상해야만 한다. 그러나 유용하게 추상하기 위해서는 이미 일반화할 줄 알아야 한다. 유명론과 개념론은 의식적이든 무의식적이든 각각이 다른 것의 불충분성을 특히 자신에 대해 간직하면서, 이 순환 주변을 맴돈다. 실제로 유명론자들은 일반관념에서 단지 그것의 외연만을 고려하면서, 거기서 단순히 열려 있는 무한한 일련의 개별적 대상들을 본다.… 이 단어는 무한한 수의 다른 사물들로 확장되는 능력 또는 습관에 의해 강화된 후, 그 때서야 일반관념으로 세워진다.… 따라서 일반화는 공통적인 성질들을 추상적으로 고려하지 않고서는 진행되지 못하는 것처럼 보인다. 점진적으로 유명론은 일반관념을 더 이상 그것이 처음에 원했던 대로 단지 외연이 아니라 내포에 의해서 정의하는 데 이르게 될 것이다. 개념론은 바로 이 내포에서 시작된다. 이에 따르면 지성은 개체의 표면적인 단일성을 다양한 성질들로 분해하는데, 각각의 자신을 제한했던 개체로부터 고립되면, 바로 그 사실 자체에 의해 하나의 유를 대표하는 것이 된다.…
과연 선험적으로, 일반관념들에 대한 명확한 표상이 지성의 정제를 거치듯이, 개별적인 대상들의 선명한 구별은 일종의 지각의 사치인 것처럼 보인다. 유에 대한 완벽한 개념규정은 아마도 인간 사유에 고유한 특성일 것이다.… 따라서 우리는 개체 지각에 의해 시작하는 것도 아니고, 유의 개념규정으로부터 시작하는 것도 아니며, 오히려 일종의 중간적인 인식에 의해, 즉 눈에 띄는 성질 또는 유사성이라는 모호한 감정에 의해 시작한다. 이 감정은 충분히 사유된 일반성과 분명하게 지각된 개별성으로부터 동일하게 떨어져 있으면서 그것들을 둘 다 일종의 분리의 방법에 의해 야기한다. 반성적 분석은 이 유사성의 가정을 일반관념으로 정제하고, 분별하는 기억은 그것을 개별적인 것의 지각으로 고정한다. 그러나 그것은 우리가 사물들에 대한 우리 지각의 전적으로 실용적인 기원들을 참조한다면, 명백한 것처럼 보인다.… 필요는 곧바로 유사성이나 성질로 향하며, 개별적인 차이를 만들 필요가 없다. 일반적으로 동물들의 지각은 이 유용한 것의 분별에 한정된다. 초식동물을 끌어당기는 것은 풀 일반이다. 어떤 힘으로 느껴져서 따르지 않을 수 없는 풀의 냄새는 초식동물의 외적 지각에 유일하게 직접적으로 주어진 것들이다. 이러한 일반성이나 유사성의 기초 위에서 초식동물의 기억은 차이를 낳는 작용이 생겨날 수 있는 대조들을 두드러지게 할 수 있을 것이다.… 이 유사성은 객관적으로 하나의 힘처럼 작용하며, 전체의 같은 결과들이 같은 심층적 원인들을 따르도록 하는 전적으로 물리적인 법칙 덕분에 동일한 반응들을 야기한다.… 겉보기에 상이한 작용들에 대한 반응의 동일성이야말로 인간 의식이 일반관념으로 발전시킨 씨앗이다.(『물질과 기억』173-178)

나. 일반관념의 출현

그렇다면, 베르그송의 일반관념은 어떻게 출현하는가? 베르그송에 의하면, '오성'과 '기억'의 이중적 노력에 의해 지각과 유의 개념이 구성된다. 베르그송은 이러한 절차를 외부 지각을 가져오는 행동의 영역과 이것의 과거 기억과의 상호작용 관계를 보여줌을 통해서 설명한다.

정신이 출발한 유사성은 느껴지고 체험된 유사성 또는 자동적으로 작동된 유사성이라고도 할 수 있다. 정신이 도달한 유사성은 명민하게 파악되거나 사유된 유사성이다. 바로 이러한 전진의 과정에서 오성과 기억의 이중적 노력에 의해 개체들의 지각과 유의 개념이 구성된다. 기억은 자연적으로 추상된 유사성들을 명확하게 구분하고, 오성은 유사성의 습관으로부터 일반성의 명백한 관념을 이끌어낸다.… 우리는 이 작용 자체에 대해 이루어진 반성의 노력에 의해, 유에 대한 일반관념으로 이행했다.…(『물질과 기억』179)

실로 일반관념의 본질은 행동의 영역과 순수기억의 영역 사이를 끊임없이 움직이는 것이다. 그러면 우리가 이미 그렸던 도식을 참조해 보자.

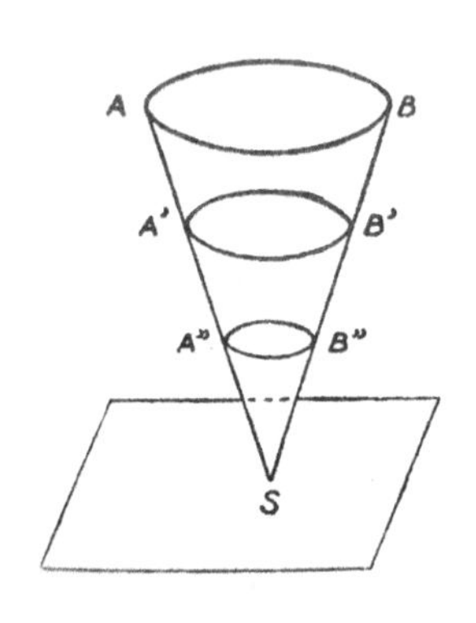

S지점에 내가 나의 신체로부터, 즉 어떤 감각-운동적 평형으로부터 가지는 현실적 지각이 있다. 밑면 AB의 표면 위에는 나의 기억들 전체가 놓여있다고 할 수 있다. 이렇게 규정된 원뿔에서 일반관념은 꼭지점 S와 밑변 AB사이를 계속 왕복할 것이다. 일반관념은 S에서는 어떤 신체적 태도나 발성된 말의 아주 선명한 형식을 취할 것이고, AB에서는 자신의 허약한 통일성을 부수어 버릴 무수한 이미지들의, 마찬가지로 선명한 측면을 띄게 될 것이다. 그런 이유로 이미 만들어진 사실에 만족하는 심리학, 사물만을 인식하고 과정을 무시하는 심리학은 이 운동으로부터 그것이 왕복하는 극단만을 파악할 것이다.… 그러나 사실인즉 일반관념은 우리가 그것을 이 두 극단들 중 하나에 고정한다고 주장하자마자 우리를 벗어난다. 일반관념은 이 두 극단의 한 곳에서 다른 곳으로 가는 이중적 흐름으로 이루어진다. 그 과정에서 그것은 언제나 발성된 말들로 결정화되거나 아니면 기억들로 증발할 준비가 되어 있다. 그것은 결국 다음과 같은 말이 된다. 점 S에 의해 그려진 감각-운동적 기제들과 AB에 놓여 있는 기억들 전체 사이에는, 우리가 앞 장에서 예감하게 했듯이, 동일한 원뿔에서 A'B', A"B" 등과 같은 만큼의 분할면들에 의해서 그려진, 우리의 심리적 삶의 무수한 반복들을 위한 자리가 있다. 우리는 꿈의 삶을 살기 위해 우리의 감각적이고 운동적인 상태로부터 풀려남에 따라 AB로 분산되는 경향을 갖는다. 그리고 우리는 우리가 운동적 반응들에 의해 감각적 자극들에 응답하는 현재적 실재성에 더욱 완고하게 밀착될수록 S로 집중하려는 경향을 갖는다. 사실 정상적 자아는 결코 이 극단적인 입장들 중 어느 하나에 고정되지 않는다. 그것은 그 사이를 움직이며, 중간적인 분할면들에 의해 대표된 입장들을 차례로 채택한다. 또는 다시 말하면 자아는 자신의 표상들[각 분할면들이 나타내는]이 현재적 행동에 유용하게 협조할 수 있는 바로 그만큼의 이미지와 관념을 그것들에 제공한다.(『물질과 기억』180-181)

다. 관념들의 연합

이 하부의 정신적 삶에 대한 개념규정으로부터 관념들의 연합법칙이 도출 될 수 있다. 정신에 출현하는 모든 관념이 앞서의 정신적 상태와 유사성 또는 인접성의 관계를 갖는다는 것은 의심의 여지가 없기 때문이다. 유사성에서 개념이 도출되었다면, 이제 이 개념과 인접하여 있는 곳에서 관념들의 연합이 발생한다. 그런데, 이러한 작업이 기억에 대한 반성 속에서 발생한다. 이 경향은 주어진 상황에서 유용한 면을 추출하고, 가능한 반응을 동일한 종류의 상황들에 이용되게끔 운동적 습관의 형태로 축적하려는 모든 유기체의 경향이다.

> 이 하부의 정신적 삶에 대한 개념규정으로부터 관념들의 연합법칙이 도출 될 수 있다.… 정신에 출현하는 모든 관념이 앞서의 정신적 상태와 유사성 또는 인접성의 관계를 갖는다는 것은 의심의 여지가 없다.(『물질과 기억』181)
> 앞서 그렸던 도형에서 우리 정신적 삶의 가능한 가장 단순화된 지점에 상응하는 S라는 점에 위치해 보자. 이 사애에서 모든 지각은 자신으로부터 적절한 반응들로 연장된다. 왜냐하면 이전의 유사한 지각들은 작동을 시작하기 위해 동일한 호출의 반복만을 기대하는 다소 복잡한 운동적 기구들을 세웠기 때문이다. 거기에 또한 인접성에 의현 연합이 있다. 왜냐하면 이 이전의 지각에 정렬되는 무수한 작용들을 야기할 수도 있기 때문이다. 따라서 우리는 여기서 유사성에 의한 연합과 인접성에 의한 연합을 그것들의 근원 자체에서 거의 함께 혼합된 채로 - 물론 결코 사유된 것이 아니라 작동되고 체험된 상태로 - 포착한다. 그것들은 결코 우리 심리적 삶의 우연적인 형식들이 아니다. 그것들은 유일하고 동일한 근본적인 경향의 상보적인 두 측면을 나타낸다. 이 경향은 주어진 상황에서 유용한 면을 추출하고, 가능한 반응을 동일한 종류의 상황들에 이용되게끔 운동적 습관의 형태로 축적하려는 모든 유기체의 경향이다.(『물질과 기억』186)

6절 창조적 진화

베르그송 철학의 핵심 개념인 『의식에 직접 주어진 것들에 관한 시론』에서 '지속'은 '의식적 자아의 순수 지속'을 말하는데, 여기서의 '지속'은 '시간'을 의미하는데, 그것은 창조의 기능을 수행하는 '시간'이었다. 따라서, 여기에서 의식적 자아의 순수 지속이란 '자아의 의식(이미지)'의 '시간적 지속'을 의미하였다. 그리고 『물질과 기억』에서는 "물질은 '이미지'의 총체"로서, '물질'의 이면은 '이미지'이다. 그리고 여기에서의 진정한 이미지는 '기억'이었다. 그리고 『창조적 진화』에서 이 '이미지, 의식, 혹은 기억'은 '생명, 생성, 창조'를 의미한다. 결국 의식의 "지속-기억-창조"는 연속적 변화 속에 있는 것이다.

1. 생명 진화

가. '의식'의 '지속' : 지속일반에 관하여

베르그송은 그동안 정의해 왔던 '의식'에 관한 문제를 다시금 『창조적 진화』에서 새롭게 전개시킨다. 여기에서 우리는 베르그송의 '의식'을 제대로 이해하여야 한다. 먼저, 베르그송의 '의식'은 "감각, 감정, 의지, 표상들의 변양들"인데, 이것이 바로 '나'라는 '존재'이다. 반면, 데카르트에게 '나'라는 '존재'는 오히려 이러한 '생각하는 주체'였다.

만일 이러한 비유를 그리스 철학에서 찾는다면, 데카르트의 존재는 파르메니데스의 '일자'(하나)였으며, 베르그송의 존재는 헤라클레이토스의 '로고스'였다. 사실 이 양자는 기독교의 삼위일체론을 통해서 결합되었다. 기독교의 삼위일체론에서는 1위 신으로서 '일자'와 2위 신으로서의 '로고스'는 각각 자신들의 독자적인 실체를 가지면서도, 서로 결합하여 있다. 심지어는 각각의 위는 다른 위에게 상호침투 되어서, 각각의 위가 전체를 대표하기도 한다. 우리는 베르그송의 '의식'도 이와 같이 이해할 수 있다. 이 '의식' 안에 그 '의식'의 주체도 모두 함께 존재한다고 이해하여야 한다. 베르그송의 이 '의식'은 존재 자체인데, 그것은 이러한 삼위일체론적인 맥락에서 이해될 수 있다. 그런데, 베르그송은 '의식'을 헤라클레이토스식으로만 이해하여, '의식'은 존재자체이며, 존재는 곧바로 의식이다. 이것은 기독교의 '과정신학'으로 이어지는데, '로고스'론의 유동개념이 너무 강조되어 불변하는 존래로서의 '일자(하나님)' 개념과 대치를 이루고 있다. 한편, 고대 삼위일체론에는 이 양자가 개별적 실체로서 존재하면서도 일체를 이루고 있다.

그래서 베르그송의 '존재' 개념은 '의식'인데, 이것은 헤라클레이토스의 '로고스'와 유사하다. 따라서 '로고스'가 끊임없이 변하듯이, '의식'이 끊임없이 변한다. 그리고 동시에 그것 자체가 '생명'이자 '존재'이다. 그리고 그 '의식, 생명' 안에는 과거의 모든 경험이 그곳에 모두 응축하여 있다. 그리고 그 모든 경험을 기반으로 하여서 그 존재는 끝없이 변한다. '생명'은 이 '의식의 지속'인데, 이것은 끝없이 변한다. 한편, 베르그송의 '의식'은 "감각, 감정, 의지, 표상들(기억을 포함한 이미지들)"을 포괄적으로 일컫는 용어이다. 즉, 우리의 '사유'가 곧 그의 '의식'이다. 그는 이것을 생명 자체로 보았으며, 나의 존재로 보았다.

> 우리가 가장 확신하고 있으며 가장 잘 알고 있는 존재는 의심할 여지없이 우리 자신이다. 왜냐하면 우리는 다른 모든 대상들에 대해서는 외적이며 피상적이라고 판단할 수 있는 개념들을 가지고 있으나 우리 자신은 내적이고 심층적으로 지각하기 때문이다. 이때 우리가 확인하는 것은 무엇인가? 이 특권적인 경우에서 "존재한다"는 말의 정확한 의미는 무엇인가? 여기서 이전 저작의 결론을 간단히 상기해 보기로 한다.
> 나는 우선 내가 상태에서 상태로 이행하고 있음을 확신한다. 나는 덥기도 하고 춥기도 하며, 즐겁기도 하고 슬프기도 하다. 나는 일을 하기도 하고 다른 것을 생각하기도 한다. 감각, 감정, 의지, 표상들, 내 존재는 바로 그러한 변양들로 나누어지며, 그것들은 내 존재를 차례로 채색한다. 즉 나는 끊임없이 변화한다. 그러나 그렇게 말하는 것은 충분하지 않다. 변화는 사람들이 처음에 믿었던 것보다 훨씬 더 뿌리가 깊다.(『창조적 진화』1)

베르그송은 '생명'을 '의식'으로 보고 있는데, 이제 이것을 창조의 세계 전반에 확장시킨다. 그 근거는 『물질과 기억』에서 "물질은 모든 이미지들의 총체"라고 논증하였기 때문이다. 여기에서 '의식'이란 '이미지'이며, 그리스-로마 철학자들(특히 플로티누스)의 '이데아, 누우스(마음), 로고스'와 유사하며, 이것은 '신적 관조(신의 바라봄, 신의 사유)'로서, 이것이 자연법칙을 이룬다. 그는 이것을 모든 '무기체들'에게 적용시키고(『창조적 진화』8-11), '유기체들'에게(『창조적 진화』12-14), 더 나아가서는 '배(胚 : 유전자)'에게 적용시킨 후(『창조적 진화』15-23), "창조적 진화"의 방식(『창조적 진화』23-26)에 대해서 말한다.

나. '변화'와 '창조'

베르그송의 '변화' 개념은 상태와 상태의 비교가 아니다. 순간 순간이 변화이기 때문이다. 심지어는 내 의식이 바라보는 대상으로서의 사물도 초극단위로 변화하고 있는데, 더 중요한 것은 내 의식의 그보다 더욱 심하다. 내 과거 모두가 내 무의식 속에 쌓여서 끝없이 운동하며, 의식의 변화를 초래하고 있다. 베르그송은 이것을 그의 『물질과 기억』에서 입증하였다. 베르그송은 이렇게 나의 성격은 출생 이후의 모든 역사를 다 담고 있다고 말한다. 심지어는 출생이전의 역사까지 담고 있다. 그는 "우리의 지속은 비가역적이다('지울 수 없음'의 의미)"고 말한다. 그리고 더 나아가서, "거기서 우리는 우리 삶의 제작자들이다. 우리 삶의 각 순간들은 일종의 창조이다"고 말한다.

> 나는 사실상 나의 상태들 각각이 하나의 전체를 이루는 것처럼 말하고 있다. 나는 내가 변화한다고 말하고 있지만 변화는 한 상태에서 다른 상태로의 이행 속에 존재하는 것처럼 보인다. 즉 각 상태를 따로 취할 경우, 그것은 생성되는 시간 내내 있는 그대로의 모습으로 남아 있다고 나는 믿고 싶어하는 것이다. 그렇지만 가벼운 주의의 노력을 기울이기만 해도 나는 정념이건, 표상이건, 의지이건 매순간 변양되지 않는 것은 없음을 알게 될 지도 모른다. 영혼의 한 상태가 변화하기를 멈춘다면 그 지속은 흐르기를 멈추게 될 것이기 때문이다.
> 내적 상태들 중 가장 안정된 것으로서 외적이고 부동인 대상의 시지각을 취해보자. 대상이 같은 것으로 남아 있다고 해도 소용없으며 내가 그것을 같은 빛 아래, 같은 쪽에서 같은 각도로 바라본다고 해도 소용없다. 즉 내가 갖는 시각은 내가 방금 가졌던 것과는 역시 다른 것이다. 단지 그것이 한 순간 낡아졌다는 사실 때문에라도 그러하다. 내 기억이 거기 있어서 그것은 이 과거의 무언가를 현재로 밀어 넣는다.
> 내 영혼의 상태는 시간의 길 위를 전진하면서 그것이 끌어 모으는 지속으로 끊임없이 부풀어 간다. 그것은 말하자면 자기 자신을 가지고 눈사람을 만든다. 하물며 단순한 시지각 처럼 불변의 외적 대상에 대응하는 것이 아닌, 더욱 심층적인 상태들, 즉 감각, 정념, 욕망 등에 대해서는 더 말할 나위가 없을 것이다.…
> 변화는 연속적인 것이다. 그러나 우리는 각각의 심리적 상태의 부단한 변화에 눈을 감고 있기 때문에, 변화가 너무 현저해서 우리의 주의에 고정될 때, 우리는 마치 새로운 상태가 이전의 상태에 병렬된 것처럼 말할 수밖에 없게 된다.(『창조적 진화』2)
> 만약 우리의 존재가 무감동한 '자아'에 의해 종합되는 분리된 상태들로 구성되어 있다면, 우리에게 지속은 없을지도 모른다. 왜냐하면 변화되지 않는 자아는 지속하지 않으며, 자기 자신과 동일한 것으로 남아 있는 심리적 상태는 잇따르는 상태에 의해 대치되지 않으면 더 이상 지속하지 않기 때문이다.…

지속은 과거가 미래를 잠식하고, 전진하면서 부풀어 가는 부단한 과정이다. 과거가 끊임없이 증식하기 때문에 그것은 또한 무한히 보존된다. 기억은 우리가 증명하려 하였듯이 추억들을 서랍 속에 분류하거나 장부에 기입하는 능력이 아니다.… 과거 위에서 과거를 축적하는 것은 중단 없이 이어지기 때문이다. 사실상 과거는 그 자체로 자동적으로 보존된다. 과거는 아마도 그 전체로서 매순간 우리를 따라온다. 우리가 최초의 유년기부터 느끼고 생각하고 원했던 모든 것이 거기 있으며, 곧 그것에 합류하게 될 현재에 기대어, 그것을 밖에 남겨 두고자 하는 의식의 문을 밀어내고 있다. 두뇌의 운동기작은 거의 모든 기억을 무의식 속에 억압하기 위해서, 그리고 의식 속에서 현재 상황을 조명하고 행동이 준비되는 것을 도와 결국에는 유용한 일을 낳을 수 있는 것만을 끌어들이기 위해서 만들어진 것이다.… 실제로 우리는 무엇이며, 우리의 성격이란 무엇인가? 그것은 우리가 출생 이후부터 살아온 역사를 응축한 것이고, 심지어 출생 이전의 역사를 응축한 것이기도 하다. 왜냐하면 우리는 출생 이전의 성향들도 더불어 간직하고 있기 때문이다. 아마도 우리는 우리 과거의 아주 작은 부분만을 가지고 생각할지 모른다. 그러나 우리가 욕망하고 의지하고 행위하는 것은 우리의 원초적 영혼의 만곡을 포함하는 과거 전체와 더불어서이다. 따라서 우리의 과거는, 비록 그것의 아주 작은 부분만이 표상으로 된다 하더라도, 전체가 그 추진력에 의해 그리고 경향의 형태로 남김없이 우리에게 나타난다.

과거가 이와 같이 잔존하므로 의식에 있어서 같은 상태를 두 번 지나가는 것은 불가능하다는 결과가 나온다. 상황이 같은 것으로 남아 있다 하더라도 소용이 없다. 그것이 작용하는 대상은 자신의 역사의 새로운 순간에 있기 때문에 더 이상 같은 사람이 아니다.… 바로 이 때문에 우리의 지속은 비가역적이다. 우리는 지속의 한 조각도 다시 살 수가 없다. 왜냐하면 [그러기 위해서는] 뒤따라온 모든 기억을 지움으로써 시작해야 할 것이기 때문이다. 엄밀히 말하면 우리응 이 기억을 지성으로는 지울 수 있지만 의지로는 지울 수 없다.

그와 같이 우리의 인격은 끊임없이 뻗어 나가고 성장하며 성숙한다. 그것의 각 순간은 새로운 것으로서 이전에 있던 것에 덧붙여진다. 너 나아가, 그것은 단지 새로운 것이 아니며 또한 예측불가능한 것이기도 하다.…

우리의 삶의 순간들도 그러하다. 거기서 우리는 우리 삶의 제작자들이다. 우리 삶의 각 순간들은 일종의 창조이다.…

우리가 탐구하는 것은 단지 "존재한다"는 말에 대해 우리 의식이 정확히 어떤 의미를 부여하는가 하는 것이다. 그리고 우리가 발견하는 것은 의식적 존재에 있어서 존재한다는 것은 변화하는 것이고 변화한다는 것은 성숙하는 것이며 성숙한다는 것은 자신을 무한히 창조하는 것으로 이루어진다는 것이다. [그러면] 존재 일반에 대해서도 그와 같이 말할 수 있을까? (『창조적 진화』4-7)

다. 무기체들과 시간에 대하여

베르그송은 위의 '의식'의 '지속'을 물질적 대상들(무기체들)에게도 적용시키고자 한다. 칸트는 우리 인식의 틀로서 '시간'과 '공간'을 말하였는데, 베르그송은 칸트의 '시간'은 '추상적 시간'일 뿐이며, 진정한 '시간'은 그것이 아니다. 칸트의 '시간'은 과학적 시간으로서 '순간'의 시간만을 다룬다. 이것은 과학적 분석을 위해 '특정 시점'에서 '공간'의 모든 사물들을 '동시성' 안에서 고려하기 위한 시간이다. 베르그송에게 이것은 잘못된 '시간' 개념이다. 베르그송의 '시간'은 나의 무의식적 자아가 인식하는 '지속'에 해당하는데, 나의 "모든 과거와 현재와 미래의 시간"이다. 내 안의 자아는 그것을 '관조(바라봄), 혹은 의식'한다. 그러면서 현재의 나에 대한 변화가 초래된다. 이때 이 '시간'은 분명히 존재하기는 하지만, 그것은 어떤 '공간' 속에는 존재하지 않고, '무의식의 공간'에 존재한다. 따라서 이 '시간'은 '공간'과 '계(차원)'가 다르다. 베르그송의 '시간'은 '정지된 순간'이 아니라 '흐름'이다.

그래서 베르그송은 '시간'은 모든 '물질'의 변화를 일으킨다. 한편, 베르그송의 '시간'은 그리스 신화의 '크로노스(시간)'와 동일하여, 그것 자신이 신으로서 '창조력'을 가지고 있다. 그리스 신화에 의하면, '시간(크로노스)'은 '하늘 혹은 공간(우라노스)'의 아들이다. 한편, 베르그송은 『물질과 기억』에서 '초인간적인 지성'의 존재를 가정하는 버클리의 관념론을 수용하는데, 버클리는 '물질'을 '신의 의식(관념)'이라고 말한다.

베르그송은 마치 '시간'의 '의식'이 물질인양 말하는 것 같다. 그는 "물질은 모든 이미지(의식)들의 총체"라고 말한다. 그는 "물에 녹는 설탕"의 예를 통해 '시간'이 그와 같은 변화의 일을 한다고 말한다. 시간이 없으면 그 설탕은 물에 녹지 않기 때문이다. 그리고 그는 "녹는 과정은 아마도 추상일 것이다.… 이 전체는 아마도 의식과 같은 방식으로 진행할지도 모른다"고 말하고 있다.

그러면서 그는 이러한 사실은 태양계를 넘어 우주 전체에 적용시킨다. 우리가 시간의 본성을 심화시켜 볼수록 더욱더, 우리는 "지속(시간)이 발명과 형태의 창조를 연속적으로 만들어 낸다"는 것을 확인할 수 있다고 한다.

> 대상들에 대한 우리의 믿음, 과학이 고립시키는 체계들에 대한 우리의 모든 조작은 사실상 시간이 그것들을 부식시키지 않는다는 생각을 근거로 한다.… 과학이 물질적 대상이나 고립된 계에 부여한 추상적 시간 t는 일정수의 동시성들 또는 더 일반적으로 말하면 대응점들로 구성되어 있다는 것, 그리고 그 대응점들을 서로 분리하는 간격들의 본성에 관계없이 그 수는 일정하다는 것이다. 사람들은 무기물질에 대해 언급할 때 이 간격들을 전혀 문제 삼지 않는다. 또 사람들이 이를 고려하는 것은 새로운 대응들을 헤아리기 위해서이고 이 대응들 사이에서는 여전히 사람들이 원하는 생겨날 수 있을 것이다. 분리된 대상들에만 몰두해 있는 상식은, 고립된 계들만을 고려하는 과학과 마찬가지로, 그 간격들의 극단에 위치하며 간격들 자체를 따르지는 않는다.… t라는 수는 언제나 같은 것을 의미할 것이다. 그것은 대상들이나 계의 상태들과, 그것들이 그리는 선의 점들 사이에서 여전히 같은 수의 대응점들을 헤아릴 것이며, 이 그려진 선은 이제 '시간의 흐름'이 될 것이다.
> 그렇지만 [시간적] 잇따름은 물질세계에서도 의심의 여지가 없는 사실이다.… 만약 내가 설탕물 한 컵을 만들려고 한다면 그렇게 해도[서둘러도] 소용이 없고, 설탕이 녹기를 기다려야 한다. 이 작은 사실이 알려주는 바는 상당하다. 왜냐하면 내가 기다려야 하는 시간은, 물질계의 전체 역사가 공간 속에서 단번에 펼쳐질 때조차도 그것[물질계의 역사]에 마찬가지로 적용될 수 있을지 모르는 저 수학적 시간은 아닌 것이다. 내가 기다려야 하는 시간은 나의 조바심, 즉 마음대로 늘이거나 줄일 수도 없는 나의 고유한 지속의 몫과 일치한다. 그것은 더 이상 사유된 것이 아니라 체험된 것이다. 그것은 더 이상 관계가 아니라 절대적인 것에 속한다. 그것은 다음과 같은 것을 말하는 것 아닌가? 한 컵의 물, 설탕 그리고 설탕이 물에 녹는 과정은 아마도 추상일 것이다. [그러나] 내 감관과 지성이 그것들을 전체로부터 분리할 때 이 전체는 아마도 의식과 같은 방식으로 진행할지도 모른다.
> …태양을 우주의 나머지와 연결하는 실은 아마도 매우 가늘 것이다. 그러나 전 우주에 내재하는 지속이 우리가 사는 세계의 작은 부분에까지 바로 이 실을 따라서 전달되는 것이다. 우주는 지속한다. 우리가 시간의 본성을 심화시켜 볼수록 더욱더 우리는 지속이 발명과 창조, 절대적으로 새로운 것을 연속적으로 만들어

낸다는 의미임을 이해하게 될 것이다. 과학에 의해 한정된 계들은 단지 우주의 나머지에 불가분적으로 연결되어 있기 때문에 지속하는 것이다.…(『창조적 진화』 8-11)

라. 유기체들

베르그송은 무기체들과 유기체들(생명체들)을 논한다. 그리고 유기체들을 논하면서 '진화'를 말한다. 과학에서는 전자를 물리학이라고 한다면, 후자는 생물학에 속한다. 어떻게 보면 베르그송의 관심은 생명체들이며, 이 생명체들은 '의식'이 있으며, 고등동물인 인간의 경우에는 이것이 오히려 주를 이루므로, 생물학으로는 모두 다 담을 수 없다.

오히려 이 생명체들은 '물질적 대상들'을 '지각'을 통해서 재단하며, '행동'으로 이것을 지배한다. 물질 위에 자신의 잠재적 행동을 투사하며, 모든 물체들을 만들어간다. 이들은 '창조의 기능'을 수행하고 있다. 이들은 다른 물체들과 분명히 다른 물체이다. 그럼에도 불구하고 이 생명체는 연장으로 이루어져 있으며, 그러한 상태에서 나머지 모든 연장을 가진 존재와 연대되어 있다. 그리고 또한 물질과 마찬가지로 물리화학적 법칙에 종속되어 있다. 그러나 고립된 물질을 세분하는 것은 우리 생명체의 지각에 상대적이며, 질점들의 닫힌 계를 구성하는 것도 우리 생명체의 과학에 상대적이다. 그러나 생명체는 자연 자체에 의해 고립되고 닫혀 있다. (필자: 어떻게 보면 계층을 이루고 있다.)

이 생명체들은 상호보완하는 이질적 부분들로 이루어져 있으며, 서로에 대해서 함축하는 다양한 기능을 수행한다. 그것은 개체이면서도, 완전한 개체는 아니다. 그러나 그렇다고 해서 거기서 생명의 특징적인 속성을 보기를 거부할 이유는 없다. 완벽한 정의는 완성된 실재에서만 볼 수 있기 때문이다. 그런데 이 생명적 속성들은 결코 완전히 실현되지 않으며 실현되는 과정 혹은 경향에 있다.

그리고 이 과정(tendances)은 다른 것과 모순이지 않을 때만 목표를 이룬다. 그렇다면 이 경향은 생명의 영역에서 어떻게 나타날 것인가? 이것은 생식과 유전을 통해서 진행된다. 유기체는 이렇게 끊임없이 성장하고 변형을 이룬다. 여기에서 특히 고등생물 혹은 인간의 경우 '의식'이 큰 영향을 미친다. 따라서 그것은 상태들이라기 보다는 경향들이다. 이것은 생식을 통하여 자신을 재생산한다. 그러는 과정 속에서 이것들은 끝없이 자신에게서 새로운 것들을 생성하면서 진화를 한다. 이것이 곧 '창조적 진화'이다.

따라서 베르그송의 '창조적 진화'는 "자연자체에 의해 고립되고 닫혀 있는 생명체들"에 관한 이야기이다. '자연자체'에서 일어나고 있는 '형이상학적 현상'으로서의 '진화'에 대하여 논의하고 있는 것이다. 베르그송은 기존의 생물학적 지식에다 '의식'을 삽입하는데, '의식'의 끝없는 진화를 말한다. 따라서 베르그송의 진화론은 이 "의식하는 생명체들 자체의 창조나 물질 자체의 창조"를 말하는 것은 아니다. 그것은 이미 먼저 존재하고, 이것의 '의식'을 통한 새로운 생성을 보았을 때, 그것은 '창조적 진화'라는 것이다. 또한 베르그송은 특히 '물질 일반'에 대해서 논하는 것이 아니라, '생명체들의 의식'에 집중하여 그의 '진화론'을 전개한다. 따라서 베르그송의 '과정 철학'은 '기존의 철학'과 조화를 이루어야 한다.

> 이제 우리는 물질적 대상들을 아무렇게나 취해서 고찰해 보았다. [그런데] 특권적 대상들은 없을까? 우리가 말한 바 있듯이 무기물체들은 자연이라는 천에서 지각에 의해 재단된 것이며, 지각이라는 가위는 말하자면 행동이 지나갈 길들의 점선을 따라가는 것이다. 그러나 이러한 행동을 수행할 물체, 실제적 행동을 완수하기 전에 이미 물질 위에 자신의 잠재적 행동들의 계획을 투사하는 물체, 즉 실재의 흐름을 결정된 형태로 고정시키고, 그렇게 하여 다른 모든 물체들을 만들어내기 위해서 단지 감각 기관들을 그 흐름 위로 향하게 하기만 하면 되는 물체, 한 마디로 생명체는 다른 물체들과 같은 물체일까?
> 물론 생명체도 역시 한 부분의 연장으로 이루어졌으며, 이것은 그 연장의 나머지에 연결되어 전체와 연대하고 있으며, 물질의 임의의 부분을 지배하는 것과 동일한 물리화학적 법칙에 종속되어 있다. 그러나 물질을 고립된 물체들로 세분하는 것은 우리의 지각에 상대적이고, 질점들의 닫힌 계를 구성하는 것은 우리의 과학에 상대적인 반면 생명체는 자연자체에 의해 고립되고 닫혀 있다.
> 생명체는 상호 보완하는 이질적 부분들로 이루어져 있으며 서로 함축하는 다양한 기능들을 수행한다. 그것은 개체이며, 다른 어떤 대상에 대해서도(대해서는: 필자) 그와 같이 말해질 수 없다. 결정 같은 것도 이질적 부분들과 다양한 기능들을 갖지 않기 때문이다. 아마도 유기적 세계 내에서도 개체인 것과 개체 아닌 것을 결정하기는 어려울 것이다. 어려움은 동물계에서 이미 크며, 식물이 문제될 때는 거의 극복하기 힘들다.… 그러나 그렇다고 해서 거기서 생명의 특징적인 속성을 보기를 거부할 이유는 없다. 기하학자 처럼 탐구하는 생물학자는 여기서

우리가 개체성에 대한 정확하고도 일반적인 정의를 할 수 없다는 사실로 너무 쉽게 의기양양해 하지만 완벽한 정의란 완성된 실재에만 적용되는 것이다. 그런데 생명적 속성들은 결코 완전히 실현되지 않으며 언제나 실현과정에 있다. 그것은 상태들이기 보다는 경향들이다. 그리고 하나의 경향은 다른 어떤 경향과 모순이지 않을 때에만 자신이 목표하는 것을 얻는다.
그렇다면 이러한 경향(혹은 과정, tendances)이 생명의 영역에서 어떻게 나타날 수 있겠는가?… 개체화하는 경향이 유기체 곳곳에 현존한다고 해도 그것은 생식의 경향과 도처에서 경쟁한다. 개체성이 완벽하기 위해서는 유기체의 어떤 부분도 거기서 떨어져 나와서는 살 수 없어야 한다. 그러나 그 경우 생식은 불가능하게 될지도 모른다. 실제로 생식은 과거의 유기체에서 떨어져 나온 조각을 가지고 새로운 유기체를 재구성하는 것이 아니라면 무엇이겠는가?… 성게 알의 조각들이 그만큼의 완전한 배(胚, germe, 싹, 유전자)로 발달한다는 것을 알고 있다.… 유기체가 끊임없이 성장하고 변형되는 것을 뚜렷한 특성을 가지고 있다고 가정한다면, 그것이 처음에는 하나였다가 다음번에는 여럿이 되는 데 대해 전혀 놀랄 것이 없다. 단세포 유기체의 생식은 바로 그렇게 이루어지며, 생명체는 [여기서] 두 개의 절반으로 나누어져 각각 완전한 개체가 된다. 물론 더 복잡한 동물들에서 자연은 성세포라는 거의 독립적인 세포 안에 전체를 새로이 산출할 수 있는 힘을 위치시킨다.…
따라서 다음과 같은 결론을 내리도록 하자. 개체성은 결코 완전하지 않으며, 개체인 것과 개체가 아닌 것을 말하기는 종종 어렵고 이따금 불가능하다. 그래도 생명은 역시 개체성의 추구를 나타내며 자연적으로 고립되고 자연적으로 닫힌 계를 구성하는 경향이 있다.(『창조적 진화』12-15)

마. 유전(老化와 개체성)과 진화

베르그송은 생명체를 우리의 지각과 과학이 인위적으로 고립시키고 그 무한한 발전 가능성을 고립시키고 닫아 버리는 것은 오류라고 말한다. 여기에서 특히 베르그송은 하나의 논리적 비약을 하는데, 살아 있는 유기체는 일정한 물질적 대상이 아니라, 차라리 물질적 우주의 전체와 동일시해야 할 것이라고 말한다.[51] 왜냐면

51) 『물질과 기억』에서 베르그송은 자연에 대한 '의식(이미지)'과 인간의 '의식(이미지)'가 동일하다고 말한다. 여기서의 자연에 대한 '이미지'는 하나의 '자연법칙'을 말하며, 이것은 인간의 '의식' 속에 들어와 있다. 이때 자연 속에 있는 '이미지'는 정체된 데 반

이 양자는 함께 작용하면서 지속하기 때문이다. 즉, 우주가 영원하다면, 유기체의 역사와 생명도 생식과 유전을 통하여 영원하기 때문이다. 그리고 이 유기체의 '의식과 이미지'가 우주에 영향을 미치고 있다면, 이 유기체의 '의식과 이미지'는 지금 끝없이 생성 중에 있다. 왜냐면, 이 유기체의 '의식과 이미지'의 생성구조는 그것의 '과거 기억'을 기반으로 하여 끝없이 새롭게 '창조, 생성'되는 것이기 때문이다. 따라서 이 우주의 본질은 '창조적 진화'에 있다고 말해질 수 있다.

> 그러므로 생명체는 우리의 지각이나 과학이 인위적으로 고립시키고 닫아 버리는 모든 것과 구분된다. 따라서 그것을 한 [물질적] 대상과 비교하는 것은 잘못일지도 모른다. 우리가 무기계에서 비교할 수 있는 용어를 찾는다면, 살아 있는 유기체는 일정한 물질적 대상이 아니라 차라리 물질적 우주의 전체와 동일시해야 할 것이다. 사실 [여기서] 비교는 별로 중요한 일에 소용되지 않는다. 왜냐하면 한 생명체는 관찰 가능한 것인 반면 우주 전체는 사유에 의해 구성되거나 재구성되는 것이기 때문이다.
> 그러나 적어도 그렇게 해서 우리는 유기 조직의 본질적 특성에 주의를 촉구하게 될지도 모른다. 전체로서의 우주 그리고 개별적으로 취해진 의식적 존재와 마찬가지로 살아 있는 유기체는 지속하는 것이다. 그것의 과거 전체가 그것의 현재 속에 연장되어 거기서 현재화되고 작용하고 있다. 그렇지 않다면 유기체가 일정한 단계들을 거치며 나이를 먹는다는 것, 결국 역사를 갖는다는 것을 이해할 수 있겠는가? 특히 내 신체를 고려해 보면 나는 그것이 내 의식과 유사하게 유년기부터 노년까지 조금씩 성숙한다는 것을 알게 된다. 나와 마찬가지로 그것은 늙어간다. 심지어 성숙과 노화는 엄밀히 말하면 내 신체의 속성들에 지나지 않는다.… 다시 한 번 강조하지만 어떤 생명체에도 그 자체로 자동적으로 적용되는 보편적인 생물학적 법칙은 존재하지 않는다. 단지 생명이 종들 일반을 분출시키는 방향들이 있을 뿐이다. 각각의 특정한 종은 자신을 만드는 행위 자체 속에서 자신의 독립을 확립하고 자신의 변덕을 따르며 다소간에 탈선을 하기도 하고, 심지어는 이따금 내려온 사면을 되올라가서 원래의 방향에 등을 돌리는 것처럼 보이기도 한다.… 그리고 각 세포를 따로 취해보면, 그것도 결정적인 방식으로

하여, 인간 속의 '이미지'는 과거가 쌓일수록 현재와 미래의 변화는 지대하다. 인간의 이미지가 이렇게 무한히 생성되고 있다면, 인간의 지각대상인 자연 또한 무한히 생성될 것이다. 이것이 베르그송의 '창조적 진화'이다. (필자)

진화하고 있다. 무언가가 살고 있는 곳에서는 시간이 기입되는 장부가 어딘가는 열린 채로 있다.(『창조적 진화』16)

노화의 원인은 좀 더 심층적인 것임에 틀림없다. 우리는 배(胚, 유전자)의 발달과 성체의 발달 사이에 중단 없는 연속성이 있다고 판단한다. 생명체를 성장, 발달, 노화시키는 추진력은 생명체에게 배의 생활 단계를 경과하게 한 바로 그것이다. 배의 발달은 영속적인 형태 변화이다. 배의 발달에서 잇따르는 모든 양태들을 기록하려는 사람은, 연속성을 대할 때 일어나는 일처럼, 무한 속에서 길을 잃을 것이다.[52] 생명은 이러한 탄생 이전의 발달의 연장이다.… 생명체의 발달은 배의 발달처럼 지속의 연속적인 기록, 즉 현재속의 과거의 존속과, 따라서 적어도 외형상으로는 유기적인 기억의 기록을 함축한다.… 생명을 구성하는 진화 현상들의 유기적 창조에 관해서는 우리는 그 현상들이 어떻게 수학적으로 다루어질 수 있을지 가능성조차 엿볼 수 없다.(『창조적 진화』18-20)

오늘날 선천적인 지적 경향들은 생명이 자신의 진화 과정에서 창조한 것임에 틀림없으며, 우리에게 생명에 대한 설명을 제공하기 위한 것이 아니라 그것과는 전혀 다른 목적으로 생겨난 것이다.(『창조적 진화』21)

요컨대 수학자가 조작하는 세계는 매순간 죽고 다시 태어나는 세계, 즉 데카르트가 연속적 창조에 관해 말했을 때 생각한 세계이다. 그러나 그렇게 상정된 시간 속에서 어떻게 진화를, 즉 생명의 고유한 특성을 생각할 것인가? 진화, 그것은 과거가 현재 속에 실제적으로 연속되어 있다는 것, 지속이 그 연결 부호임을 함축한다. 다시 말하면 생명체, 즉 자연적 체계의 인식은 지속의 간격 자체를 근거로 하는 인식이며, 반면에 인공적 체계 즉 수학적 체계의 인식은 극단에만 관계한다. 변화의 연속, 과거의 현재 안의 보존, 진정한 지속, 생명체는 이 속성들을 의식과 더불어 공유하는 것처럼 보인다. 우리는 더 나아가서 생명이 의식적 활동과 같은 발명이자 부단한 창조라고 말할 수 있을까?(『창조적 진화』22-23)

베르그송은 위와 같은 자신의 우주관 하에 기존의 기계론과 목적론에 대해서 논의한다. 기계론은 자연의 법칙에 국한해서 말하고 있기 때문에, 의식을 생산하는 유기체에 의해 지배되고 있는 자연과 생명일반에 대해서는 제대로 말할 수 없다.

52) 인간의 현재 의식이 과거의 모든 이미지들의 끝없는 반복 작용에 의해서 새롭게 창조되어 결정되고, 이것이 '배'에 의해서 유전이 되고 있다면, 여기에 잇따르는 모든 양태들을 기록하고, 그것을 통해 미래를 예측하기 위해 과학적으로 분석하다는 것은 불가능할 것이다. (필자)

(『창조적 진화』26) 목적론은 거꾸로 된 기계론으로서 라이프니츠의 예정조화론 처럼 우주의 최종적의 목적이 이미 모든 사물과 유기체에 주어졌다고 생각한다. 이에 의하면, 우주에는 발명도 없고 창조도 없고 예측도 없다.(『창조적 진화』39)

베르그송의 우주론은 '생명체(인간)의 의식(이미지)'과 '자연의 이미지'가 동일하다는 것에 근거하고 있다. 이 인간의 의식이 끝없이 생성되고 진화하고 있다면, 이에 지배를 받고 있는 자연 또한 그렇다는 것이다. 그리고 이제는 그러한 형태의 철학이 요청된다는 것이다. 이러한 베르그송의 '과정 철학'은 판넨베르그 등을 통해서 '과정 신학'으로 자리 잡았다.

2. 마비, 지성, 본능 : 진화에서의 인간의 위치

베르그송의 『창조적 진화』2장의 제목을 "마비, 본능, 지성"으로 정하고, 그 안에서 진화론으로서의 '엘렝 비탈의 가설'을 소개하며, '진화의 다양성'을 논하고, 여기에서 '인간 지성의 역할'을 논한다.

가. 진화와 엘랑 비탈(생명의 약동력)

베르그송은 이 세계의 구조를 '생명체'와 '물질'로 보고 있다. 그렇기 때문에 그의 진화론의 가장 큰 특성은 '진화'를 물질적 과정으로만 보는 것을 거부하는 데에 있다. 오히려 '의식, 이미지'를 가진 인간 지성의 역할이 이 진화를 주도한다. 이 생명현상은 우주 속에서 물질적 운동과 대립하는 운동으로 존재하며 적절한 조건이 갖추어지면 물질의 운동 속에 삽입된다. 이러한 관점을 가지고 기존의 '진화론'을 평가하는 것이다. 이에 대해 황수영은 다음과 같이 이 주제를 요약한다.

> 베르그송은 생명 탄생과 진화 과정을 물질적 과정으로만 보는 것을 거부하고 물질과 생명의 차이를 인정하는 데서 시작한다. 생명의 추동력을 상징하는 생명적 도약의 가설은 둘 간의 차이를 극단적으로 밀고 나갈 때 도달할 수 있는 정제된 가설이다. 이 점은 과학과 철학의 차이를 인정하는 그의 입장과도 일관되게 이해할 필요가 있다.…
>
> 실제로 과학은 물질의 분자구조의 복잡성의 증가로 유기조직의 탄생을 설명하고, 복잡한 유기체로의 진화에 대해서는 다윈의 점진적 진화론과 다양한 보조가

설들 및 오늘날에는 유전학의 발달로 보완을 시도한다. 반면에 베르그송의 철학은 진화를 사실로 인정하나 광범위한 우연성을 의심하고, '어떻게' 보다는 '왜'를 설명하고자 한다. 그에 따르면 생명은 우주 속에서 물질적 운동과 대립하는 운동으로 존재하며 적절한 조건이 갖추어지면 물질의 운동 속에 삽입된다. 베르그송은 생명적 힘의 분출과 물질적 필연성의 대립을 화약의 폭발력과 저항하는 금속으로 이루어진 유탄에 비유한다. 이것은 상호 모순적인 관계로 인해 폭발하고, 그 과정에서 질적 변화를 겪는다. 진화는 이 폭발과 변화가 계속 되어 종과 개체들로 분산되는 과정이다.

생물학자들의 가정에 따르면 초보적 유기체의 성장과 분열이 오래 계속되고 분열 과정에서 상호간의 통일성과 연속성이 보존되어 다세포 생물이 생겨난다. 세포들이 독립성과 연속성을 동시에 나타내는 것은 이러한 사실에 기인한다는 것이다. 따라서 생명체는 이질성을 통합하는 힘으로 나타난다. 이는 물질성에 적응하기 위해 생명의 힘을 분산한 결과인 동시에 본래 생명에 내재하는 다양한 잠재태의 현실화 작용이기도 하다. 생명적 힘은 물질에 불확정성을 삽입하는 것이어서 종과 개체들은 비록 안정된 형태를 띤다고 해도 언제나 변화 가능성을 내포한다. 진화는 이러한 변화 가능성이 예측 불가능한 방식으로 전개되는 과정이다. 베르그송은 이를 질적 변화, 창조적 진화라고 부른다. 이 점에서 볼 때 기계론적 해석은 차후적 설명에 불과하다. 『시론』에서 고찰한 자유행위에 대한 결정론적 해석이 이와 유사하다. 따라서 기계론적 해석은 생명계의 역사가 다 쓰인 후에나 가능하겠지만 이는 불합리한 가정이다.

초보적 유기체에서 벗어난 생명은 물질적 저항을 극복하는 정도만큼 고등 생명체로 도약한다. 그러나 종과 개체에 따라 생명의 본래적 특성을 다소간 소유하고 있는데 그것은 이질적 경향들과 이를 종합하는 통일성이다.…(황수영, 『창조적 진화』역자주해, 563-565)

나. 진화의 다양성

베르그송은 먼저 이 세계 속의 생명체들을 그 특성별로 구분한다. 먼저 식물계와 동물계를 나누고, 그 다음에는 동물계에서 감각과 의식의 발달로 특징지어진 구분을 시도한다. 그래서 동물 중에서는 궁극적으로 "절지동물과 척추동물은 본능과 지성의 형태로 만개한다"고 말한다. 그리고 이제 그는 이 '본능과 지성'의 관계를 고찰하려고 한다. 왜냐하면 이들이 모든 물질에 영향을 미치고 있기 때문이다. 그 내용을 황수영은 다음과 같이 정리한다.

> 베르그송은 거시 세계의 의미 해석을 위해 생명계를 식물계와 동물계로 나눈다. 물론 여기서도 두 계를 엄밀히 가르는 수학적인 기준은 없고 두드러진 경향들에 의해 구분할 수 있을 뿐이다. 식물은 자연계에서 직접 광물 원소를 흡수하고 여기서 유기물을 만들어 냄으로써 고착적 삶의 방식을 택하게 된다. 그 결과 식물은 무감각, 무의식으로 특징지어진다. 동물은 다른 생명체를 이용하는 삶의 방식을 택한 결과 감각, 의식의 발달로 특징지어진다. 에너지를 축적하는 기능과 소비하는 기능으로 비교하면 식물보다는 동물이 생명적 폭발의 의미를 더 잘 실현하고 있다. 동물에서 에너지의 소비의 촉발 장치는 감각-운동 기능이 조직화된 신경계이다. 시경계의 진보는 비결정성의 증가, 즉 자유도를 나타낸다. 동물 진화의 방향을 보면 크게 네 가지를 구분할 수 있다. 우선 연체동물, 극피동물은 반수면 상태에 빠져 의식의 퇴화와 식물에서 볼 수 있는 것과 같은 마비에 이른다. 반면 절지동물과 척추동물은 본능과 지성의 형태로 만개한다.(황수영, 『창조적 진화』역자주해, 565-566)

다. 진화에서 지성이 갖는 의미

모든 생명체 중에서 인간만이 유일하게 본능과 지성을 가지고 있다. 일반 다른 생물체들은 주로 본능만을 소유한다. 지성을 가진 인간은 추리하며, 과거를 이용해 창의력을 가지고, 발명하고 제작한다. 따라서 인간은 지성을 활용하여 물질을 무한하게 활용하여 새로운 장을 연다. 한편, 인간에게는 이 지성 외에도 '직관'이라는 본능이 있다. 이 본능은 지성을 월등히 뛰어넘는 창조적 직관이다. 베르그송은 이것이 진화에서의 인간의 위치라고 말한다. 이에 대해 황수영은 다음과 같이 정리한다.

> 본능과 지성은 다 물질로부터 무언가를 획득하려는 생명적 기능이다. 생명이 식물성과 동물성으로 분기된 것처럼 본능과 지성은 대립적 방향으로 분기되었으나 상보적 특성을 갖는다. 지성은 추리 기능인 동시에 과거 경험을 현재에 이용하는 창의력을 나타낸다. 발명, 제작의 기능은 호모 파베르로서의 인간 본성에 기

원을 둔다. 지성적 능력의 핵심은 인위적인 대상들을 제작하고 이를 무한히 변형하는 능력이다. 반면 본능은 유기화 작업의 연장선상에 있다. 유기화는 생명체의 조직을 구성하는 자연의 기본적인 작용이며 본능은 신체의 유기적 도구를 사용하거나 구성하는 능력이다.…

지성은 자신이 인위적으로 제작한 도구를 임의적 용도에 사용하므로 결과는 불완전하지만 일반적인 용도로 확장할 수 있다. 지성은 부단히 새로운 기능을 창출하고, 이에 따라 활동의 무한한 장이 열린다. 지성의 발달은 의식의 각성을 동반하므로 베르그송은 의식의 본성을 고찰한다. 표상적 의식은 "가능적 또는 잠재적 행동의 지대에 내재하는 빛"이다. 자동운동에서처럼 실제적 행동이 지배하는 경우 표상적 의식은 나타나지 않지만 가능한 여러 행동들이 실행되지는 않고 표상되기만 하는 경우 의식은 강렬해진다. 즉 의식은 주저나 선택으로 구성된다. 따라서 본능은 무의식에 가깝고 지성은 의식에 가까워진다. 본능적 인식은 행동으로 직접 작동이 되고, 지성적 인식은 행동 이전에 사유되는 것이다. 즉 지성과 의식은 행동의 결핍에서 나타난다. 결핍이라는 문제를 해결하는 과정에서 주저와 선택이 있고 충족된 욕구는 다른 욕구를 무한히 불러일으키며 이 과정에서 인간의 의식은 다른 동물과는 다른 각성의 단계로 올라선다.…

베르그송은 『시론』의 연장선상에서 지성의 본성을 고찰한다. 지성의 기능은 제작을 목표로 하는데, 제작은 재료들을 부동의 고체로 다룬다. 고체에는 연장 실체가 그러하듯이 상호 외재성, 불연속성, 가분성, 불가침투성이라는 특징들이 있다. 이 특징들은 물질에 대한 우리의 행동 도식을 반영하는 것이다. 제작적 지성은 물질을 조작가능성에 따라 거대한 재료로 생각하고 그 본래적 유동성을 외면한다. 이런 사고방식은 공간이라는 틀 위에서 가능하다. 지성의 본성은 물질을 조작하는 것이므로 물질에 관한 인식에는 커다란 문제에 봉착하지 않으나 생명에 관해서는 문제가 된다. 지성은 생명을 이해할 때도 물질로 환원해서 이해하기 때문이다. 이는 생명을 죽은 것으로 취급하는 경우에만 가능하다. 따라서 지성은 본성적으로 생명을 이해할 수 없다.

본능은 생명을 내부로부터 인식한다. 그러나 그것은 행동으로 고갈되기 때문에 반성적 의식으로 내재화되지 않는다. 본능은 생명과의 공감이지만 특정한 대상에서만 가능하고 일반적으로 확대가 불가능하다. 만약 그것을 생명 일반에 확대할 수 있다면 본능은 생명을 이해하는 열쇠가 될 것이다. 인간에 와서 의식은 고도의 각성에 도달함으로써 이해관심에서 벗어나 본능을 일깨우고 의식화할 수 있다. 이렇게 깨어나는 본능이 직관이다. 직관은 무사심하며 자기 의식적이고 대상을 무한히 확장시킬 수 있게 된 본능이다. 지성은 생명을 외부에서 분석하지만 직관은 내부로 침투한다. 베르그송은 예술가의 창조적 직관을 예로 든다. 직관은 지성을 초월하며 지성의 완고함을 보완, 인도하는 역할을 한다.
이제 베르그송은 진화에서 인간의 위치에 관해 말한다. 베르그송은 여기서 일종의 비유를 사용한다. 즉 성공적 진화가 생명의 자유를 표현하는 것이라면 진화의 존재이유는 인류에서 실현된다고 말할 수 있다. 그것은 자유가 의식의 각성에서 가장 잘 실현되기 때문이다.(황수영, 『창조적 진화』역자주해, 566- 569)

3. 자연의 질서와 지성의 형식

가. 생명체의 지성과 물질의 관계

『창조적 진화』3장은 "자연의 절서와 지성의 형식"의 제목으로 되어 있는데, 베르그송은 이곳에서 '지성'과 '물질'의 기능을 밝히고, 이 양자가 어떻게 '상호발생'하는지의 관계를 파악하고자 한다. 이때 지성은 행동과 삶의 필요에 의해 나타난 기능이다. 또한 물질도 역시 지성을 가진 생명과 연속적인 흐름인데, 물질은 생명체들에 의해 인식되고, 지성에 의해 수학화 되기 때문이다. 이와 같이 지성과 물질은 상호적응하며 발달되어 왔다. 황수정은 이것을 다음과 같이 정리한다.

3장의 주제는 지성성과 물질성의 관계를 밝히고 그것들의 상호 발생을 추적하는 것이다. 이러한 문제는 형이상학의 고유한 영역에 속한다. 물질과 지성의 동시적 발생을 추적하는 작업은 지석의 능력을 넘어서는 것이지만, 진화의 질적 비약을 인정한다면 원칙적으로 불가능한 것은 아니다. 새로운 습관은 기존의 범주를 넘어서는 것이다. 행동은 이론의 악순환을 깨뜨릴 수 있다.
물론 지성을 절대적인 사변적 본성을 갖는 것으로 간주하면 기원이나 발생을 밝히는 것은 불가능하다. 지성은 플라톤의 동굴의 비유에서 나오는 것처럼 감각들의 종합도 아니고 지적 직관도 아니다. 지성은 행동과 삶의 필요성에서 나온 기능이다. 지성은 '생명의 대양' 속에서 국부적인 '응고'로 형성된 것, 즉 유동적 실재 속에서 나온 일종의 고체화된 기능이다. 물질 역시 궁극적으로 생명과 하나인 연속적 흐름이다. 물질은 생명체들에 의해 고체화된 것으로 인식되고 지성에 의해 수학화 된다. 물론 물질 자체에 고체적인 것으로 파악하게 하는 경향이 있다. 지성과 물질은 시간 속에서 상호적응하며 전개되어 왔다.(황수영, 『창조적 진화』역자주해, 570-571)

나. '정신성'과 '물질성'의 교류 장소

베르그송은 자신의 의식 속으로 들어가 보고자 하는 일종의 실험을 하고자 한다. 그는 우리의 가장 깊은 내면을 '순수 지속'의 자리(과거의 경험이 축적된 무의식적 공간)이라고 한다. 이곳에서는 과거가 끊임없이 움직이면서 전혀 새로운 현재에 의하여 끊임없이 불어나고 있는 팽팽한 '집중'의 상태가 존재한다. 이러한 상태 속에서 우리는 과거의 모든 '순수 지속'을 기반으로 하여 '현재'를 창조해 낸다. 이 때의 우리의 활동이 가장 자유로울 수 있다.

그런데, 이와 같은 지속에 대한 우리의 느낌이 현재 우리가 경험하는 우리 자신의 지성의 틀과 일치하지 않을 수 있다. 그러나 그 지속에 대한 우리의 느낌이 깊어질수록, 그 느낌과 우리 자신과의 일치가 완전해질수록, 우리가 복귀하는 생명은 지성을 초월하면서 그것을 흡수한다. 베르그송은 여기에서 "지속에 대한 느낌"과 "지성이 파악한 모습"을 비교하는 '정신적 존재'를 전제하고 있는 것으로 보인다(필자). 그는 그것을 '복귀하는 생명'이라고도 말한다. 이 지성을 벗어난 '차이'가 곧 '잠재성'이었다.

또 다른 상태를 가정할 수 있는데, 그것은 '순수 지속'의 아무런 활동이 없는, 긴장이 완전히 풀린 '이완'의 상태, 순수지속의 절대적인 수동의 태도도 있다. 이 경우의 우리의 의식 속에는 외부의 '물질성' 만이 우리의 의식 공간에 가득하게 될 것이다. 이것이 순수한 물질의 존재인데, 이러한 경우는 없다. 왜냐면 아무리 미세하게 라도 '순수 지속'은 우리 안에서 작동하고 있기 때문이다.

그러면 우리가 소유한 요소들 가운데 외부로부터 되도록 멀리 떨어져 있고, 동시에 보다 지성의 작용이 덜 미치는 어떤 요소에 우리의 노력을 집중시켜 보자. 자신의 경험 가장 깊은 곳으로 내려가, 우리 고유의 생명에 가장 내적인 지점을 찾아보자. 그러면 우리는 순수의식 속에 잠기게 되고, 그 지속에서는 과거 끊임없이 움직이면서 전혀 새로운 현재에 의하여 끊임없이 불어나고 있다. 그와 동시에 우리는 우리 의지의 용수철이 팽팽하게 늘어날 대로 늘어나 있음도 느낀다. 자신의 인격을 그 인격 자체에 격렬하게 응축시킴으로써, 우리는 빠져나가려는 과거를 모아 담고, 떨어져나가려는 과거를 밀집시키며, 과거가 들어옴으로써 창조될 현재 속으로 그 응축되고 밀집된 합성물(구성요소들의 합성)을 밀어 넣어야만 한다. 현재는 이런 식으로 창조되는 것이다. 우리가 이 점에 있어 자기 자신을 포착하는 순간은 매우 드물다. 그러한 순간에 진실로 우리의 활동은 자유로울 수 있다.
그러나 그와 같은 순간에도 우리는 자기 자신을 결코 전적으로 장악하고 있지 않다. 지속에 대한 우리의 느낌에는, 다시 말하면, 우리 자신과 우리의 느낌과의 일치에는 여러 등급이 있다. 그러나 느낌이 깊어지면 깊어질수록, 그리고 그 느낌과 우리 자신과의 일치가 완전해질수록, 우리가 복귀하는 생명은 지성을 초월하면서 그것을 흡수한다. 왜냐하면 지성의 본질적인 기능은 동일물을 동일물끼리 연결시키는 데 있으며, 그러한 지성의 틀에 완전하게 들어맞는 것은 반복되는 사실 뿐이기 때문이다. 그런데 우리의 지성은 순간이 지나온 본질적인 지속의 실질적 순간들을 이해할 수 있는데, 우리는 외부에서 볼 일련의 모습을 가지고 새로운 상태를 재구성함으로써 그렇게 할 수 있다. 그리고 그 외부에서 본 일련의 모습을 가지고 새로운 상태를 재구성함으로써 그렇게 할 수 있다. 그리고 그 외부에서 본 일련의 모습은 하나하나가 기지(旣知)의 무언가와 가능한 한 흡사한 모습이다. 그런 의미에서 그 상태는 지성을 '잠재적으로' 포함한다고 말할 수 있다. 그러나 그 새로운 상태는 불가분하고 새롭기 때문에 지성을 벗어난 것이며, 또 지성과 비교할 수 없다.
그러면 이제 긴장을 풀고, 과거의 가능한 한 많은 부분을 현재 속으로 밀어 넣는 노력을 중단해 보자. 만약 긴장이 완전히 풀리면, 기억도 의지도 없어져 버릴지 모른다. 그 말은 우리가 절대적으로 자유로울 수 없듯이, 그러한 수동 상태에 빠져 버리는 일도 결코 없다는 뜻이다. 그렇지만 극한에서 우리는 끊임없이 새로 시작되는 현재라는 것으로 이루어지는 존재를 잠시 엿보게 된다. 거기에는 무한히 사라졌다 다시 소생하는 순간적인 것 외에 실질적인 지속은 흔적도 없다. 바로 그것이 물질의 존재인가? 반드시 그렇지 않다. 물질을 분석해 보면 기본적인 여러 진동으로 분해되는데, 그 진동들 중 진동의 진폭이 가장 좁은 것이라 해도 그 지속이 거의 사라졌을 뿐이지 아주 없다고는 할 수 없기 때문이다. 하여튼 물리적 존재는 이완의 방향으로, 심리적인 존재는 집중의 방향으로 기울어지고 있다고 가정할 수 있다.(『창조적 진화 외』, 이희영 역, 동서문화사, 291-292)

베르그송은 "정신이 만들어내는 순수공간이라는 표상"이라는 용어를 사용한다. 즉, 베르그송은 우리 안에 '순수 공간'을 상정하고 있다. 베르그송은 우리 실제 사물의 공간에 비하여 이 공간을 '기하학적 공간'이라고 한다. 위의 내용은 이 '순수공간'에서 일어나는 작용들이며, 이곳에서 '정신성'과 '물질성'의 상호 작용들이 위와 같이 펼쳐진다. 하나는 '집중'의 상태에서 '정신성'의 밑바탕에 있는 순수지속이 이 공간에 나타나며, '이완'의 상태에서 '물질성'의 감각이 여기에 나타난다. 이러한 상반되는 두 가지 방향이 여기에 있다. 베르그송은 이 두 성질의 상반되는 두 가지의 방향을 다음과 표현한다.

> 그러므로 '정신성'의 밑바탕에는, 또 한편으로는 지성을 포함한 '물질성'의 밑바탕에는 방향이 상반되는 두 가지 과정이 있다. 그리고 우리는 반전(방향전환)에 의해서, 또는 단순한 방해에 의해서 한쪽에서 다른 쪽으로 옮겨가게 된다.…
> 순수 지속 속에서 우리 자신의 진전을 의식함에 따라, 점점 우리는 존재의 여러 가지 부분들이 서로 상대방 속에 들어가고, 우리의 인격 전체가 하나로 되어 한 지점이라기보다는 오히려 하나의 예리한 날 끝에 집중됨을 느낀다. 그리고 우리의 인격은 미래를 잠식하면서 끊임없이 그 안으로 들어간다. 자유로운 생명, 자유로운 활동이란 바로 그렇게 우리의 인격이 어떤 예리한 날 끝에 집중되어 있는 현상이다. 이번에는 반대로 우리를 그대로 내버려두자. 그리고 활동하는 대신에 꿈꾸어 보자. 그 즉시 우리의 자아는 흩어져 버리고 만다. 우리의 과거는, 그때까지는 그 과거가 우리에게 전달해 주는 불가분한 행동 속에 압축되어 있지만 지금은 수천 가지 추억으로 분산되어 그 추억들은 서로 외향적인 것이 된다. 그 추억들은 응고됨에 따라 서로 상대 속에 잠입하기를 포기한다. 그래서 우리의 인격은 다시 공간의 방향으로 내려온다. 게다가 인격은 감각 속에서 끊임없이 공간을 따라 걸어간다.(『창조적 진화 외』, 이희영 역, 동서문화사, 292-293)

다. 정신이 가진 공간형식

만일 정신이 '공간형식'을 획득하고 있다면, 이제 정신은 위의 '순수 공간'에서 펼쳐진 '이미지(의식)'를 공간 속에 펼쳐낼 것이다. 왜냐면, "물질은 이미지의 총체"로서, "물질 속의 이미지"나 "정신 속의 이미지"는 같아야 하기 때문이다. 인간의 정신은 이 일을 물질 속에 실현해 낼 것이다. 이것이 정신의 본래적 운동이며, 생동의 운동이다.

물질이란 여기서 보다 앞으로 진전된 동일 운동으로 이루어지며, 물리학은 단순히 심리학이 전도된 이론이라고 가정해보자. 그렇다면 공간에 대한 보다 선명한 표상을 물질이 정신에게 암시하는 즉시, 정신은 자신감을 가지고 움직이게(추론하게) 되고, 공간 안에서 자연스럽게 왕래함을 이해하게 될 것이다. 정신은 자기 긴장의 우연적인 해이, 즉 자신의 가능한 확장(생각의 확장)에서 갖게 된 느낌 속에 공간적으로 함축적인 표상을 지니고 있었다. 정신은 공간을 사물 속에서 발견하지만, 만일 상상력이 풍부하여 정신의 자연적 운동을 역방향으로 극한에까지 밀고 거슬러 올라갈 수 있다면, 사물 없이도 공간을 얻을 수 있었을 것이다. 또 한편, 이러한 방법으로 우리가 정신적 안목으로 바라 볼 때, 물질이 물질성을 더욱 강조한다는 사실을 이해할 수 있다. 처음에 물질은 정신으로 하여금 물질의 경사를 거슬러 오르도록 도와서 정신에게 충동을 주었다. 그런데 정신은 한 번 출발한 뒤에는 자기의 길을 계속 간다. 정신이 만들어내는 순수 공간이라는 표상은, 그러한 운동이 도달하고야 말 종국을 도식으로 표시한 데에 지나지 않는다. 공간 형식을 획득한 뒤에 정신은 그 형식을 그물로 사용한다. 그 그물은 마음대로 맺거나 풀거나 할 수 있고, 그 그물에 걸린 물질은 우리의 활동이 요구하는 대로 분할된다. 그리하여 우리의 기하학 공간과 사물의 공간성은, 본질이 동일한 두 개의 사항이 반대 방향으로 진행하면서 서로 작용하고, 또 반작용해서 생겨난다. 공간은 상상만큼 우리(생물)의 본성에 무관하지는 않으며(즉, 공간 속에 존재하는 우리의 외면적 모습은 어느 정도 우리의 본성을 나타내주며), 물질은 우리의 지성이나 감각이 표상하는 만큼 완전히 공간 속에 (시각적으로) 확대되어 있지는 않다.(『창조적 진화 외』, 이희영 역, 동서문화사, 293-294)

라. 물질의 운동과 생명의 운동

결국 정신의 본래적 운동은 생명적 운동의 방향을 따르며 “이미 만들어진 것”이 아니라 “스스로 만들어 가고 있는 것”이다

정신의 본래적 운동은 생명적 운동의 방향을 따르며 “이미 만들어진 것”이 아니

라 "스스로 만들어 가고 있는 것"이다. 개별적 의식의 자유는 바로 거기에 존재한다. 개인적 의식의 한계는 물질성의 한계이다. 육체의 생리적 작용의 한계로 정신력이 고갈되었다고 느낄 때 우리는 정신성과 반대로 작용하는 물질적 힘을 느낀다. 철학에 나타난 다양한 체계들은 생명적 직관에서 활력을 얻는다. 이후 변증법적 개념구성을 통해 체계가 수립된다. 이것은 직관의 이완이자 시험이다.…

생명적 운동과 물질적 운동의 관계는 어떠한가? 긴장과 이완이 정신과 물질을 설명하는 용어이지만 우주적 운동에서 생명은 "생성하는 운동"과 물질은 "해체되는 운동"으로 표현된다. 전자는 생명적 흐름의 자기 창조이며 후자는 자동성을 향해 가는 운동이다. 이것은 1장에서 각각 상승운동과 하강운동으로 표현된 것이다. 생명은 "물질이라는 경사면을 거슬러 올라가는 노력"처럼 나타나며 물질은 이러한 노력이 점차 소진되어 가는 모습을 보여준다.(황수영, 『창조적 진화』역자 주해, 576-577)

7절 베르그송에 대한 평가

베르그송 철학의 위대성은 참으로 대단하였다. 과학중심의 철학으로 최고봉에 이른 칸트의 철학을 극복하게 해 주었다. 그는 근세철학을 벗어나는 현대철학의 시조와 같은 존재가 되었다. 그는 '생철학'의 완성자로 유명하다. 한편, 그의 철학은 들뢰즈에 의해 활용되어 그는 또한 구조주의 철학의 선구자이기도 하다. 또한 그는 파르메니데스의 '일자론'과 플라톤의 '이데아론'을 극복하는 새로운 '개념'의 정의를 내어놓았다. 모든 것이 변화 가운데 있는데, 기존의 철학 개념에서는 항상 완성된 상태에서의 어떤 개념을 이야기했던 것이다.

베르그송은 이러한 칸트 철학의 한계를 최초로 지적한 철학자로 보여진다. 그는 칸트의 철학은 심리적 요소가 반영되지 않은 '물질'에 관한 철학, 즉 과학을 위한 철학이라고 하였다. 즉, 움직이거나 변하지 않는 정태적인 상태에서 어떤 법칙을 규정하고 있기 때문이다. 특히 '시간'에 대한 개념이 그렇다. 베르그송에 의하면, 칸트의 '시간'은 오직 '현재'라는 정지된 '단층' 밖에 없다고 말한다. 그리고 이것이 물질에 대해서는 그렇게 틀리지도 않다고 한다. 그러나 '물질'의 파트너로서 '인간'의 심리 혹은 정신이 여기에 개입하여 '물질'을 변화시키고 있다면, 이때의 시간 개념은 틀리게 된다.

왜냐면, 인간에게 '시간'은 '과거-현재-미래'가 모두 한 순간의 '현재'속에 있기 때문이다. 동물에게 과거는 그다지 큰 영향을 미치며 존재하지 않을 수도 있다. 그러나 인간에게 과거는 지금의 현재를 이루는 과거이다. 생생하게 존재하는 과거로서 그 과거들이 고스란히 의식 속에 쌓여서 현재를 변화시키며 구성하고 있다. 따라서 인간이 개입하게 되면, 이제 과학적 법칙은 맞아 떨어지지 않게 된다.

칸트의 철학이 자연과 과학을 위한 철학이라면, 베르그송의 철학은 과학을 극복하는 생철학이다. 근세철학으로부터 벗어나는 현대철학이 이제 시작된 것이다. 그는 현대철학의 선구자였다. 만일 그가 꼴레즈-드-프랑스의 교수가 아니라, 소르본느 대학의 교수가 되어서 그의 학파를 형성할 수 있었다면 지금의 프랑스 철학은 지금의 이 모습이 아니었을 것이다.

베르그송은 인간의 의식(이미지)와 물질의 관계를 가장 탁월하게 분석하였다. 그런데, 인간의 의식(이미지)는 사실은 정신에게서 나타난 이미지라고 보아야 한다. 그가 말하는 것은 아니지만, 엄밀히 말하자면, 그의 존재론은 '정신-이미지-물질'의 삼위일체론적 존재론이다. 그런데, 그는 '이미지'와 '물질'의 관계만을 심층적으로 다룬다. 그는 "인간의 의식으로서의 이미지"와 "물질에 있는 이미지"를 같은 것으로 본다. 그래서 그는 "물질의 총체는 이미지이다"고 말한다. 그는 이러한 이론을 버클리의 관념론과 유물론적 실재론의 오래된 논의에서 가져왔다. 결론적으로, 그에 의하면, 인간의 의식 속에는 '순수 공간'이 있으며, 소우주이다.

베르그송에 의하면, 인간 안에는 '무의식적 장소'가 존재한다. 그곳에는 과거가 '지속'으로서 존재한다. 그곳에는 그 자신의 모든 역사가 담겨 있으며, 심지어는 유전을 통해서 과거의 모든 역사까지도 담겨 있다. 그리고 그 과거는 '순수 지속'으로서 현재의 '이미지'에 영향을 미친다. 그리고 이 정신의 '이미지'는 '물질'의 이미지에 영향을 미친다. 인간은 '물질'에 대한 '제작자'이다. 인간의 '의식' 속에서 끝없는 생명과 생성이 솟구쳐난다. 이것이 모든 '생명체'와 '물질'에 대한 '창조적 진화'를 주도하고 있다. 한편, 기독교의 신비가들은 자신의 내부에 있는 이 '이미지'를 변화시킴을 통해서 기도 응답이나 기적을 행하기도 한다.

베르그송은 인간의 무의식에 대한 개척자이다. 그는 구조주의의 선구자였다. 그의 철학은 후에 들뢰즈에 의해 부활하여 구조주의 철학의 주류로 편입하게 된다.

한편, 이에 대해 베르그송은 그러한 플라톤식의 '개념'은 정태적이며, 최종적으로 완성된 후에 주어진다. 지금 현재는 그것을 향하여 가고 있다. 그 완성된 모습이 아직은 이 세계 속에 존재하지 않는다. 모든 것이 완성된 후에 주어질 이데아 세계에서의 모습이다. 그렇다면 우리가 정의할 수 있는 '개념'이란 무엇인가? 예를 들면, 지금 현재 어떤 '물질'에 대한 개념은 무엇인가? 즉 그것의 '이미지' 혹은 '의식'은 무엇인가? 베르그송에 의하면, 그 '물질'에 대한 이미지(의식)는 사물 안에도 있고, 우리 정신 안의 '의미지(의식)' 속에도 있다. 그리고 이 양자는 서로 관련을 가지고 있는데, '물질'에 대한 이미지는 '정신'에 의해서 변화를 겪게 된다. 따라서 참된 이미지는 '정신' 안에 내재하는 '이미지'이다. 이것이 어떤 '물질'에 대한 참된 '이미지'이며, '개념'이다. 그런데, 이 정신 안에 있는 이미지는 정신 속에 있는 '지속 현상'으로 인하여 변하고 있다. 즉, 그 사물에 대한 과거의 모든 경험이 축적된 상태에서 그것의 의식이 새롭게 생성되고 있기 때문이다.

따라서, 어떤 물질에 대한 '개념'은 이제 '과정' 속에 주어져야 한다. 최종적인 그 완전체의 모습이 정의되어서는 안 된다. 이러한 베르그송의 '과정'으로서의 '개념'은 그리스 철학자 헤라클레이토스 의 로고스론에서 이미 출현하였었다. 화이트헤드의 과정철학이나 판넨베르그의 과정신학은 모두 베르그송의 영향 아래에 있다.

한편, 다음에 소개하는 내용에는 몇 가지 검토가 필요하다.

먼저, 베르그송의 '순수 지속' 혹은 '무의식'은 과거의 쌓인 경험을 기반으로 하여서 생성행위를 한다. 그렇다면, 그것은 닫힌 행위이다. 순수지속이 산출하는 새로운 생성이 아무리 새로운 창조일지라도, 그것은 기존의 경험에 포함된 요소를 극복할 수는 없다. 따라서 이것은 근본적인 의미에서의 '창조'는 아니다. 그것은 '창조적 진화'라야 한다. 물론, 그 경험 속에는 '상위계'도 포함되어 있다. 그러나 그 경험은 '상위계'의 전체를 경험하는 것이 아니라, 추정에 의한 '표적'일 뿐이다. 기본적으로 '상위계'에 대한 경험은 추정을 통한 경험일 뿐이다.

따라서, 이 '과정 철학'은 기존의 '전통철학'과 종합을 이루어야 한다. 과거, 파르메니데스의 '일자론'과 헤라클레이토스의 '로고스론'은 서로 상충되는 듯이 보였으나, 후에 로마 기독교 철학자들에 의해서 이 양자는 기독교의 삼위일체론으로 통합을 이루었다. 기존의 전통철학이 전자라면, 베르그송은 후자의 전통 속에 있다. 이와 같이 베르그송이 말하는 '과정 철학'은 기존의 '기계론이나 목적론'의 철학과 종합을 이루어야 하지, 어느 하나가 폐기되는 그러한 관계가 아니다. 이런 관점에서

'과정 신학'도 또한 '전통 신학'과 조화를 이루는 것이 바람직하다.

세 번째, 베르그송의 오류는 '이미지' 안에 '정신'을 내포시켜 버린 데에서 기인한다. 이 양자는 서로 독립적이면서 내포적이라야 한다. 베르그송 자신의 말처럼 '정신'이 '의식'과 분리된 상태에서 독자적인 기능을 수행하고 있기 때문이다.

4장 후 설

1절 에드몬드 후설(1859-1938)의 생애와 저술

가. 유년시절과 수학 전공자로서의 학업

후설은 1859년 당시 오스트리아 메렌주에서 출생하였다. 그는 라이프치히, 베를린, 비인대학에서 수강하였으며, 유명한 수학자인 바이어슈트라스 교수 밑에서 수학을 공부했고, 파울센 교수 밑에서 철학을 공부하였으며, 빈대학에서는 그의 일생의 학문방향을 결정짓는 브렌타노 교수를 만났다. 한편, 그의 초기 학문은 수학자로서의 삶이었다.

그는 메렌 주(당시 오스트리아령) 프로스니츠(현재 체코슬로바키아의 프로스초프)에서 출생하였다. 그는 1876년(17세) 올뮈츠에서 고등학교 시험에 합격하였고, 처음에는 라이프치히 대학에서 3학기를, 그리고 베를린으로 옮겨서 6학기를 수강하였다. 그리고 1881년(22세)에는 비인대학으로 가서 수강하였다. 대학시절에 그는 유명한 수학자인 바이어슈트라스 교수 밑에서 수학을 공부했고, 파울센 교수 밑에서 철학을 공부하였으며, 빈대학에서는 그의 일생을 결정짓는 브렌타노 교수와 만나게 되었다.
그는 1882년(23세)에서 1883년(24세)에 걸쳐, 변수 계산에 관한 학위논문을 완성했고, 그 후로도 오랫동안 바이어슈트라스 교수의 조교로 베를린 대학에서 연구생활을 했다. 이것이 그의 학창시절의 결산이었고 수학자로서의 인생을 시작하는 과정이었다.(이영호.이종훈, 『현상학의 이념 외』해제, 14-15)

나. 심리학적 수학의 시기

후설은 수학자로서의 학업을 시작하였다가 철학으로 전향을 하였다. 그는 그의 스승 바이어슈트라스 교수로부터 “순수 수학은 단지 수 위에서만 성립될 수 있고, 그것 이외의 어떤 다른 전제도, 다른 요청도 그리고 다른 어떤 가정도 필요로 하지 않는 학문이다”는 ‘명증성’을 강조하였다. 후설은 이 일을 평생의 과업으로 삼았다. 그는 당시의 수학의 문제와 관련하여서 “자연수란 무엇인가?”의 문제에 당도하였고, 이 문제는 수학 자체로부터 답해질 수 없다는 것을 알았다. 그는 이 문제와 관련하여서 1887년(28세) 그의 교수 자격논문인 "수 개념에 관하여-심리학적 분석"에서 자신의 견해를 밝혔다. 그는 수학의 기초를 공고히 하기 위하여 수 개념에 대한 분석에 착수하였는데, 이때 그는 논리학과 심리학의 분석 방법을 원용하여 이것을 해결하려 하였다. 이때 그는 심리학적 분석의 개념을 브렌타노의 영향 아래에서 도입한다.

그 해(1887년)에 그는 할레 대학에서 사강사로 취임하였으며 1901년까지 근무하였다. 그는 맨 처음에는 "인식론과 형이상학 입문"이라는 주제로 흄을 강의하였다. 그리고 같은 해 8월에 말비네 샤로테와 결혼하여 슬하에 3남매를 두었다. (이영호. 이종훈, 『현상학의 이념 외』해제, 16-18)

그는 '수학적 심리학'의 연구의 방법을 브렌타노의 기술 심리학적 분석방법으로부터 얻었는데, 이 시기에 프레게의 비판의 영향을 받아 심리학 주의에 비판을 시도하고 순수 논리의 연구로 들어가게 된다. 이 시기에 대해서 이영호.이종훈은 다음과 같이 말한다.

> 『산술의 철학』에 있어서 연구의 목표는 수학의 기본 개념을 일정한 심리학적 행위로부터 유도하려는 것이었다. 이 연구의 동기를 후설은 브렌타노의 기술 심리학적 분석방법으로부터 얻는다. 그러나 후에, 특히 프레게의 비판의 영향을 받아 심리학의 도움이 불충분하다는 것을 깨닫고 심리학 주의에 대한 비판을 수행함으로써 스스로 극복하고 순수 논리의 연구에 전념했다.(이영호.이종훈, 『현상학의 이념 외』해제, 21)

다. 순수 논리학의 시기 : 『논리연구』

1901년에서 1906년경까지의 괴팅겐 대학 강사로 재직하였으며, 이어서 1916년까지 교수로 재직하였다. 우리는 이 시기를 그의 사상의 전개에 따라 둘로 나눌 수 있는데, 먼저는 순수 논리학의 시기로서 『논리연구(순수논리학 서설) 1권』(1900), 『논리연구(현상학과 인식이론) 2-1권』, 『논리연구 2-2권』(1901)을 출간한 시기이다. 그는 이 시기에 '심리학주의'의 한계를 인식하고, 순수 논리학으로 나아간다. 그런데, 순수 논리학의 개념을 더욱 분명하게 하기 위해서는 또 다시 명석한 인식론이 요청되었으며, 이때부터 초기의 현상학이 출현하게 되었다. 이에 대해 이종훈은 다음과 같이 소개한다.

후설은 1900년 『논리연구 1권』에서 논리법칙을 경험적 사실에 입각한 심리법칙으로 이해해 논리학의 근거를 심리학에서 찾는 심리학주의는 객관적 진리 자체를 주관적 의식체험으로 해소시키는 회의적 상대주의에 빠질 뿐이라고 비판하고, 학문으로서의 순수 논리학을 정초하고자 했다. 그 비판의 핵심은 이념적인 것과 실재적인 것 그리고 이념적인 것이 실천적 계기로 변형된 규범적인 것의 근본적 차이를 인식론적으로 혼동한 기초이동을 지적한 것이다. 물론 이것은 주관적 심리학주의뿐 아니라 주관에 맹목적인 객관적 논리학주의도 비판한 것이다.
그는 이것들의 올바른 관계를 파악하기 위해 경험이 발생하는 사실이 아니라 경험이 객관적으로 타당하기 위한 권리, 즉 "어떻게 경험적인 것이 이념적인 것 속에 내재하며 인식될 수 있는가?"를 해명하고자 1901년 『논리연구, 2권』에서 의식의 다양한 체험들을 분석해 그 본질구조가 곧 지향성이라는 점을 분명하게 밝혔다. 결국 형식 논리학과 모든 인식에 타당성과 존재의미를 부여하는 궁극적 근원인 순수의식을 해명하는 선험논리학의 영역으로 들어선 것이다. (이종훈, 『논리연구 1』역자 해제, 17-18)

라. '순수 현상학' 준비의 시기

후설은『논리연구, 2권』(1901)이후『이념들, 1권』(1913)까지 줄곧 논리적, 실천적, 가치 설정적 이성 일반에 대한 비판에 집중했으나 이에 관한 강의나 연구 초안 가운데 어떤 것도 발표하지 않았다. 그런데, 이 시기에 주목할 만한 일이 세 가지가 있었다. 그 첫 번째는 1904-1905년 겨울학기 강의 <현상학과 인식론의 주요 문제>에서 제기된 '현상학적 시간'에 관한 것으로서 나중에 이것은『시간의식』으로 출간되었다. 하이데거의 『존재와 시간』의 기원은 여기에 있다. 두 번째는 1905년 선험적 현상학의 중심 개념인 '환원'과 대상의 '구성'에 관한 문제를 처음으로 다룬 강의이다. 이것은 나중에 『이념들』등으로 발간된다. 세 번째는 1910년에 준비하여 이듬해 『로고스』창간호에 발표한 『엄밀한 학문』이다. 그는 여기에서 자연주의와 역사주의를 비판하였다. 이에 대해 이종훈은 다음과 같이 소개한다.

첫째, 1904-1905년 겨울학기 강의 <현상학과 인식론의 주요 문제>이다. 이 가운데 순수한 감각자료의 시간적 구성과 그 구성의 기초인 현상학적 시간의 자기 구성을 다른 부분은 시간의식의 지향적 성격을 밝힘으로써 이른바 후기 사상의 전개 축인 발생적 분석의 지침을 생생하게 제시하고 있다.… 하이데거는 이 자료를 편집해 1928년 『연보』제9권에 발표했고, 1966년 출간된 후설전집 제10권 『시간의식』은 여기에 1893년부터 1911년까지의 자료를 수록했다.…
둘째, 1905년 여름 제펠트에서 젊은 현상학도들과 연구했던 초고이다. 여기에서 선험적 현상학의 중심 개념인 '환원'과 대상의 '구성'에 관한 문제를 처음으로 다룬다. 이 환원은 의식체험에 대한 분석이 지각에서 회상과 감정이입까지 확장될 수 있는 실마리이다. 이 주제로 행한 1907년 강의의 총론인 <다섯 개 강의>는 1950년 후설전집 제2권 『이념들』으로, 그 각론인 <사물에 대한 강의>는 1973년 후설전집 16권 『사물과 공간』으로, 이들과 밀접히 관련된 1906-1907년 강의는 1984년 후설전집 24권 『논리학과 인식론』으로 출간되었다.…
셋째, 1910년 크리스마스 휴가부터 다음 해 초까지 작성해『로고스』창간호에 발표한 『엄밀한 학문』이다. 그는 모든 존재를 수량화해 규정하고 의식과 이념을 자연화(사물화)하는 자연주의는 의식의 지향성을 파악할 수 없고, 우연한 경험적 사실로 보편타당한 이념적 규범을 정초하는 모순일 뿐만 아니라 삶에서 가치와 의미의 문제가 소외된다고 비판하였다. 사회와 문화의 발전을 직관적 체험을 통해 추후로 이해하는 역사주의는 각 역사적 입장을 모두 부정하는 회의적 상대주의가 되며, 세계에 대한 세속적 경험과 지식을 강조하는 세계관 철학은 각 세계관을 모두 인정하는 역사주의적 회의론이 된다고 비판했다. 그 자치 평가의 원리가 이념적 영역에 있기 때문이다.(이종훈, 『논리연구 1』역자 해제, 19-20)

마. 순수 현상학의 시기 : 『이념들』

후설은 1906년 이래 준비해왔던 자료를 토대로 1913년에 『이념들, 1권』을 발표하였다. 『이념들, 1권』은 "순수현상학의 일반적 입문"의 부제를 가지고 있으며, 본래 기획한 3부 가운데 1부이다. 1912년에 완결된 2부의 초고는 1952년 후설전집 제4권과 5권으로 출간되었는데, '경험적 실재론'으로 해석된다. 3부는 "현상학적 철학의 이념들"인데, 전혀 다루어질 수 없었다. 이에 대해 이종훈은 다음과 같이 말한다.

1906년 겨울학기 이래 준비해왔던 자료를 토대로 자신이 1913년 공동 편집인으로 창간한 『철학과 현상학적 탐구 연보』에 『이념들, 1권』을 발표하였다.… 그는 여기에서 현상학의 최고 원리가 "원본적으로 부여하는 모든 직관이 인식의 권리 원천"이며, 규범은 "의식 자체에서 본질적으로 통찰할 수 있는 명증성만 요구할 것"이고, 문제 영역은 이성(순수의식)이 본질 구조를 지향적으로 분석하는 새로운 인식비판이라고 분명히 제시했다. 또한 그 방법으로 '판단중지(Epoché)'와 '형상적 환원'과 '선험적 환원'을 최초로 소개했다.

'판단중지'는 자연적 태도로 정립된 실재 세계의 타당성을 괄호 속에 묶어 일단 보류하는 것이다. 예를 들어 어떤 빨간 장미꽃을 보았을 때, 이것에 관해 자신이 과거에 경험한 것이나 개인적 편견에 따라 판단하는 것을 일시적으로 중지하는 것이다. 그러나 그 꽃이 실제로 존재함을 부정하거나 회의하는 것이 아니라 그것을 바라보는 관심과 태도를 변경해 경험의 새로운 영역을 볼 수 있게 만드는 것이다.

'형상적 환원'은 개별적 사실에서 보편적 본질로 이끄는 것이다. 즉 빨간 장미꽃에서 출발해 상상 속에서 자유롭게 변경함으로써 빨간 연필, 빨간 옷 등을 만들고, 이들이 서로 합치하는 것을 종합해 '빨간색'이라는 본질, 즉 형상을 직관한다. 이 본질은 어떤 신비적인 형이상학적 실체가 아니라 의식에 의해 보편화된 새로운 대상, 즉 그 경험이 구조적으로 밝혀질 수 있는 최소한의 필요조건이다.

'선험적 환원'은 의식의 작용들과 대상들에 통일성을 부여하고 그것의 동일한 의미를 구성하는 원천인 선험적 자아와 그 대상 영역으로 드러내는 것이다. 선험적 자아와 동일한 자아이지만 서로 다른 양상인 경험적 자아는 구체적으로 존재하는 세계와 일상적으로 교섭하는 사실적 자아이고, 선험적 자아는 자연적 태도의 경험들을 판단중지하고 남은 기저의 층으로 환원을 수행하는 자의 구체적인 체험흐름이다.

…제1권 "순수현상학의 일반적 입문"은 본래 계획한 3부 가운데 제1부이다. 1912년 완결된 제2부의 초고는 슈타인이 1913년과 1918년 두 차례 수기로 정리했고,… 30년 이상 지나서야 비로소… 1952년 후설전집 제4권(구성에 관한 현상학적 분석)과 제5권(현상학과 학문의 기초)으로 출간되었다.

그 결과 흔히 '선험적 관념론'으로 알려진 『이념들, 제1권』과 '경험적 실재론'으로 해석되는 『이념들, 제2권』은 하나의 동일한 저술로서보다 마치 다른 주제를 다른 시기에 작성한 것처럼 되었다. 물론 제2권과 제3권도 본래의 구상에서 제2

> 부의 제1편과 제2편일 뿐이다. 즉 제3부 "현상학적 철학의 이념들"은 전혀 다루어질 수 없었다.(이종훈, 『논리연구 1』역자 해제, 21-23)

바.『이념들』이후의 시기

후설은 1916년부터 1928년까지 프라이부르크 대학의 교수로 있었다. 그는『이념들, 1권』 이후에도 현상학적 철학의 이념을 밝히고자 부단히 노력했지만, 스스로 그 성과에 만족하지 못해 프라이부르크 대학교의 교수직에서 은퇴하기 까지 어떤 저술도 발행하지 않았다. 그의 노력은 계속되었지만, 그는 끝내 현상학의 결론인 제3부는 제목만 남기고 미완성으로 끝났다.

> 후설은『이념들, 1권』 이후 선험적 현상학, 즉 현상학적 철학의 이념을 밝히고자 부단히 노력했지만, 스스로 그 성과에 만족하지 못해 1929년『형식 논리학과 선험 논리학』까지 어떤 저술도 발표하지 않았다. 그러나 그 흔적은 다음과 같은 데서 추적해 볼 수 있다.
> 우선 1922년 6월 런던대학교에서의 강연 <현상학적 방법과 현상학적 철학>에 나타난다. 그는 이것을 확장해 1922-1923년 <철학입문>과 1923-1924년 <제1철학>을 강의했다.… (제1철학이라는 명칭은 1920년대 말부터 점차 '선험적 현상학' 또는 '선험철학'으로 대체된다.)
> 그런데 이미 여기에서 제1철학에 이르는 길로 데카르트가 방법적 회의를 통해 자의식의 확실성에 도달한 것처럼, 직접적인 길 이외에 객관적 자연과학에 대한 비판을 통한 길, 즉 생활세계를 통한 길 그리고 자연적 태도에 입각한 경험적 심리학에 대한 비판을 통한 길 등 간접적인 길들이 모색되고 있다. 그것은 1925년 여름학기 강의 <현상학적 심리학 강의>, 1926-1927년 겨울학기 강의 <지향적 심리학의 가능성 문제>, 1928년 여름학기 강의 <지향적 심리학>에서 확연히 드러난다.
> 그리고 1927년 하이데거와 함께 집필을 시작해 두 차례 수정 작업을 거치면서 학문적으로뿐 아니라 인간적으로도 결별하게 된『브리태니커 백과사전』(1929)의 <현상학>에서 찾을 수 있다. 그는 여기에서 심리학과 선험적 현상학의 정초관계를 해명함으로써 보편적 학문으로서의 철학, 즉 선험적 현상학의 이념을 밝히고자 했다. 그러나 <현상학>의 결론인 제3부는 제목만 밝힌 채 미완성으로 남겼

다. 선험철학의 이념을 체계적으로 제시하기에는 여전히 부족하다고 느꼈기 때문이다.(이종훈, 『논리연구 1』역자 해제, 23-24)

사. 은퇴 이후의 시기

그는 은퇴후 1929년 『형식 논리학과 선험 논리학』을 발표하고, 또 다시 왕성하게 활동을 전개하였다. 그는 『논리연구, 1권』이래 오랜 침묵을 지켰던 순수 논리학의 이념을 더욱 명확하게 해명하였던 것이다. 그 후 그의 다른 강연들은 『데카르트적 성찰』『상호주관성, 3권』『선험적 방법론』『위기』등으로 출간되었다.

1928년 11월부터 다음해 1월까지 『형식논리학과 선험논리학』을 작성해 발표하였다. 여기에서 술어적 판단 자체의 진리와 명증성은 판단의 기체들이 주어지는 근원적인 선술어적 경험의 대상적 명증성에 근거하기 때문에, 형식논리학은 선험논리학에 의해 정초되어야만 참된 존재자, 즉 세계에 관한 논리학이 될 수 있음을 밝혔다. 이것은 『논리연구, 1권』이래 오랜 침묵을 지켰던 순수 논리학의 이념을 더욱 명확하게 해명한 것이었다.
그리고 1929년 2월 프랑스학술원 주관으로 파리 소르본대학교 데카르트 기념관에서 선험적 현상학을 데카르트 전통에 입각해 체계적으로 묘사한 <선험적 현상학 입문>을 강의하였다. 레비나스가 주로 번역한 '강연 요약문'은 1931년 프랑스어판 『데카르트적 성찰』로 출간되었다. 그는 이 '파리 강연'을 독일어판으로 확장해 출간하는 일을 필생의 작업으로 삼고 수정해 갔다. (이 원고는 1973년 후설전집 15권 『상호주관성, 3권』으로 출간되었다.)
한편 그는 칸트학회의 초청으로 1931년 6월 프랑크푸르트 대학교, 베를린 대학교, 할레 대학교에서 <현상학과 인간학>을 강연하였다.… 이것은 1932년 8월 핑크에게 위임해 『선험적 방법론』을 구상시키고 함께 검토해 갔다.…
더구나 후설은 1934년 8월 프라하 국제철학회로부터 <우리 시대의 철학적 사명>이라는 주제의 강연을 요청받았다.… 그는 이렇게 준비한 성과를, 1935년 5월 오스트리아의 빈문화협회에서 <유럽 인간성의 위기에서 철학>을, 11월 프라하의 독일대학교와 체코대학교에서 <유럽 학문의 위기와 심리학>을 강의했다.…
한편 이것의 제3부는 1954년 후설전집 6권 『위기』로 출간되었다.

2절 ‘심리주의 논리학’의 ‘사실’ : 순수 논리학

후설은 “그것 이외의 어떤 다른 전제도, 다른 요청도 그리고 다른 어떤 가정도 필요로 하지 않는 학문”, 즉 ‘명증성’을 평생토록 추구하였다. 즉, 모든 학문의 가장 우선적인 기초가 될 수 있는 학문이 무엇인가였다. 그는 수학을 그러한 학문으로 간주하였으나, 수학으로 더욱 깊이 들어갔을 때, 논리적 요소 혹은 심리적 요소가 존재하고 있다는 것을 발견하였다. 그리고 수학은 논리학의 한 부분임을 발견하였다. 그는 이러한 이유로 인해 논리학으로 전향하였다. 한편, 그는 심리주의 논리학을 비판하면서, 여기에서 문제가 되는 것은 ‘논리적 원리(순수 논리학)’의 문제가 아니라 ‘사실’의 문제라고 말한다.

1. 논리학에서의 논쟁

가. 논리학에 대한 정의와 논쟁

후설은 밀이 연구한 논리학의 성과를 통해 논리학에는 심리학적 경향, 형식적 경향 그리고 형이상학적 경향이 존재한다고 말한다. 그것은 작가들 대부분이 서로 다른 생각을 표현하기 위해 오직 동일한 말을 사용하기 때문이었다. 이 중에서도 심리학적 경향이 가장 활발하였다. 이에 대해, 후설은 논리적 학문을 판단중지하고, 이러한 모든 전제가 되는 요소를 배제한 더욱 엄격한 ‘순수 논리학’은 가능한가라는 질문을 던지고 있다.

> “논리학 자체를 다룰 때와 마찬가지로 이 학문을 정의하는 데도 많은 견해들이 격렬하게 논쟁하고 있다. 이것은 어떤 대상의 경우 작가들 대부분이 서로 다른 생각을 표현하기 위해 오직 동일한 말을 사용했던 것과 관련해 당연히 예상될 수 있다.” 밀이 이러한 글로 자신의 귀중한 논리학 저술을 시작한 이래 수십 년이 지났고, 어느 쪽으로 견해를 지지하든 뛰어난 사상가는 논리학에 최대한 힘을 기울였으며, 항상 새롭게 서술해서 풍부한 성과를 거두었다.… 물론 현대 논리학의 모습이 19세기 중엽의 논리학과 동일하지는 않을 것이다. 특히 탁월한 사상가인 밀의 영향으로 논리학에서 세 가지 주요한 경향, 즉 심리적 경향, 형식적 경향, 그리고 형이상학적 경향 가운데 심리학적 경향이 수적으로, 비중적으로 명백하게 우세했다. 그렇지만 다른 두 경향도 여전히 계속 전파되었고, 논리학을

> 서로 다르게 정의하면서 논쟁하는 원리의 문제는 해결되지 않은 채 남았다.… "서로 다른 작가가 서로 다른 생각을 표현하기 위해 오직 동일한 말을 사용한다"는 것이 여전히 들어맞고, 오히려 이전보다 더 잘 들어맞는다.… 매우 활발한 계열, 즉 심리학적 논리학의 계열은 분과의 경계 설정과 그 학문의 목표 및 방법에 관해서만 확신의 통일성을 보여준다. 하지만 [위에서] 제시된 학설, 특히 예전부터 공식이나 학설에 대립하는 해석에 관해 '만인의 만인에 대한 투쟁'이라 해도 과장된 표현이 아니다. 논리적 학문을 판단중지해 엄격한 존립요소와 그 유산을 미래의 실질적 명제들이나 이론들의 총합에 한계를 설정하려는 시도는 헛된 일이다.(『논리연구 1』57-58)

나. 원리적 문제에 대한 논의 : 기초이동

후설에 의하면, 모든 학문분야는 객관적으로 완결된 통일체인데, 그 자신의 독자적인 학문으로 이루어져 있지 않고, 여러 타학문의 요소가 함께 결집되어 있다고 말한다. 그런데, 이러한 이질적인 학문들이 통일체에 혼합하는 것은 "주목되지 않은 다른 류(類)로의 기초이동"이 발생하여 논리적인 층들을 뒤죽박죽으로 만든다고 말한다. 특히, 그는 논리학에 대하여, 학문의 경계를 뒤섞는 일은 학문을 확대하는 것이 아니라, 훼손하는 것이라고 말하며, 특히 심리학과의 뒤섞임을 말하고 있다.

> 어느 한 학문의 분야는 객관적으로 완결된 통일체이다. 즉 우리는 진리의 분야를 어디에서 또 어떻게 설정하는지를 마음대로 정할 수 없다. 진리의 세계는 그 분야가 객관적으로 구분된다. [학문의] 탐구는 이러한 객관적 통일체에 따라야 하고 학문으로 결집되어야 한다. 수에 관한 학문, 공간도형에 관한 학문, 동물의 본성에 관한 학문은 있지만, 소수, 부등변 삼각형, 사자 또는 심지어 이 모두를 총합한 것에 관한 독자적 학문은 없다. 함께 속한 것으로 끈질기게 달라붙는 인식들과 문제들의 그룹을 하나의 학문으로 제정하는 곳에서 경계를 적절하지 않게 설정하는 것은 다만 그 분야의 개념을 주어진 것에 관해 우선 너무 좁게 파악하는 것일 뿐, 일련의 정초하는 연관이 고찰한 분야를 넘어서면 더 넓은 분야에서 비로소 체계적으로 완결된 통일체로 집중한다. 그런데 지평을 그와 같이 제한하는 것은 학문을 순조롭게 진척시키는 데 불리한 영향을 끼치지 않는다.

이론적 관심은 처음에는 더 좁은 범위에 만족해야 하고, 여기에서 더 깊고 폭넓게 논리적으로 분파되지 않는 연구가 참으로 무엇보다 필요할 것이다.
그러나 분야를 설정하는 데는 다른 불완전함이 훨씬 더 위험하다. 그와 같이 주목되지 않은 '다른 류로의 기초이동'은 자신에게 지극히 해로운 영향을 끼친다. 즉 부당한 목표를 내세우고, 그 분과의 참된 대상들과 어울릴 수 없기 때문에 원리적으로 전도된 방법을 따르며, 참된 기초적 명제들과 이론들이 종종 매우 이상한 변장으로 완전히 생소한 계열의 생각 사이에서 겉으로 부차적인 계기나 부수적인 귀결로서 밀쳐질 정도로 논리적 층들을 뒤죽박죽 섞는다. 이러한 위험은 특히 철학적 학문의 경우 심각하다.… 특히 칸트는 논리학과 관련해 우리가 채택한 다음과 같은 말을 했다. "학문의 경계를 뒤섞는 일은 학문을 확대하는 것이 아니라 훼손하는 것이다." 사실상 다음의 연구를 통해 이제까지의 논리학, 특히 심리학에 기초한 현대 논리학이 거의 예외 없이 방금 위에서 언급한 위험에 처해 있다는 사실, 이론적 기초를 오해함으로써 또한 이렇게 생긴 분야들을 혼합함으로써 논리적 인식에서 진보가 본질적으로 억제되었다는 사실이 명백해지기를 바란다.(『논리연구 1』60-61)

다. 선택해 나아갈 길 : 순수 논리학

그동안에 논리학은 본래 다음 둘뿐이다. 즉 그 하나는 '논리학은 심리학에 독립적인 이론적 분과이며, 동시에 형식적이고 논증적인 분과이다'라고 판단한다. 다른 하나는 논리학을 심리학에 종속적인 기술학으로 간주한다. 이에 대해 후설은 논리학을 하나의 기술학으로 규정을 하고, 그것의 정당성을 밝히겠다고 말한다. 그리고 그는 여기에 이어서 자연적으로 발생하는 심리학적 요소를 규명하겠다고 하며, 우리의 인식을 심리학적 요소로 본다. 그는 이것을 우선적으로 배제하고 순수한 이론적 학문을 선별해 내고자 한다. 그는 이것을 '형식 논리학' 혹은 '순수 논리학'이라고 말한다.

논리학의 경계 설정과 연관된 전통적 논쟁은 다음과 같다. "1) 논리학은 이론적 분과인가, 실천적 분과(기술학)인가. 2) 논리학은 다른 학문, 특히 심리학이나 형이상학에 독립적인 학문인가. 3) 논리학은 형식적 분과인가, 또는 흔히 파악해 왔듯이 '인식의 단순한 형식'과 관련되는가, 그 '질료'도 고려하는가. 4) 논리학은 아프리오리(apriori)한 논증적 분과의 특성을 띠는가, 또는 경험적인 귀납적 분과의 특성을 띠는가." 이 모든 논쟁은 서로 밀접하게 연관되어 있어 이 가운데 어느 한 가지 입장은 적어도 어느 정도까지 다른 입장을 함께 조건 짓거나 사실적으로 영향을 끼친다. 그런데 진영은 본래 다음 둘뿐이다. 즉 그 하나는 '논리학은 심리학에 독립적인 이론적 분과이며, 동시에 형식적이고 논증적인 분과이다'라고 판단한다. 다른 하나는 논리학을 심리학에 종속적인 기술학으로 간주한다. 그래서 이 진영은 그 반대 측에 본보기인 산술의 의미에서 논리학이 형식적인 논증적 분과의 특성을 갖는다는 점을 물론 배제한다.
우리가 본래 이 전통적 논쟁에 참여하는 것이 아니라 이 논쟁에서 작동하는 원리적 차이를 해명하고 궁극적으로 순수 논리학의 본질적 목적을 해명할 것을 겨냥했기 때문에, 다음과 같은 길을 선택하려 한다.
즉, 우리는 논리학을 하나의 기술학으로 규정하는 것 - 이것을 현대는 거의 일반적으로 받아들인다. - 을 출발점으로 삼고 그 의미와 정당성을 밝힌다. 여기에는 당연히 이러한 분과의 이론적 기초에 관한 문제, 특히 심리학과의 관계에 관한 문제가 이어진다. 이 문제는 비록 전체는 아니더라도 어쨌든 주요 부분에 따라 인식의 객관성과 관련된 인식론의 주된 문제와 본질적으로 일치한다. 이와 관련해 우리가 연구한 결과는 학문적 인식의 모든 기술학에 대해 가장 중요한 기초를 형성하며, 아프리오리하고 순수한 논증적 학문의 특성을 지닌 새롭고도 순수한 이론적 학문을 선별해 내는 것이다. 이것이 곧 칸트의 '형식 논리학' 또는 '순수 논리학'의 그 밖의 대표자들이 의도했지만 그 내용과 범위를 올바로 파악하고 규정하지 못한 것이다. 이렇게 고찰한 최종적 성과로서 논쟁하는 분과의 본질적 내용을 분명하게 윤곽짓는 이념이 생기며, 그래서 자연히 제기된 논쟁에 분명한 입장이 주어질 것이다.(『논리연구 1』62-63)

2. 심리학 주의의 경험론적 귀결

가. 모호한 경험을 일반화한 심리학

후설은 "심리학주의 논리학의 토대에 잠시 서서, 논리적 규칙들의 본질적인 이론적 기초가 심리학 속에 있다고 가정해 보자"고 하며, "이 분과가 어떻게 정의되더라도, 심리학은 사실학문이고 그래서 경험에서 나온 학문이라는 점에 모든 진영의 의견은 일치한다"고 말한다. 그런데 이 심리학에는 이제까지 여전히 참된 정밀법칙이 결여되어 있으며, 단지 모호한 경험을 일반화한 것일 뿐이다고 한다.

심리학주의 논리학의 토대에 잠시 서서, 논리적 규칙들의 본질적인 이론적 기초가 심리학 속에 있다고 가정해 보자. 이 분과[심리학]가 – 심리적 현상 또는 의식의 사실이나 내적 경험의 사실에 관한 학문, 체험하는 개인에 종속되는 체험에 관한 학문 등등 – 어떻게 정의되더라도, 심리학은 사실학문이고 그래서 경험에서 나온 학문이라는 점에 모든 진영의 의견은 일치한다. 심리학에는 이제까지 여전히 참된 정밀한 법칙이 결여되었다는 점, 심리학 자체가 법칙에 대한 명성으로 존경한 명제가 매우 가치가 있지만 어쨌든 단지 모호한 경험을 일반화한 것일 뿐이고, 공존하거나 계기하는 것의 – 정밀하게 규정된 상황에서 함께 존재하거나 일어나야만 할 것을 반드시 명백하게 규정해 확인하는 요구를 전혀 제기하지 않는 – 대략적 규칙성에 관해 진술한 것일 뿐이라는 점을 첨부해 말하면, 우리는 반론에도 직면하지 않을 것이다. 예를 들어 연상심리학이 심리학의 근본법칙의 지위와 의의를 인정해 줄 관념연상의 법칙을 고찰해 볼 수 있다. 이 법칙의 경험적으로 정당화된 의미를 적절하게 공식화하려고 노력하자마자 그것은 즉시 가장된 법칙의 성격을 상실한다. 이러한 사실을 전제하면, 심리학주의에 입각한 논리학자에게는 당연히 미심쩍은 다음과 같은 귀결이 생긴다.(『논리연구 1』 123-124)

나. 모호한 규칙 : 논리학의 원리, 삼단논법의 법칙 등

후설은 많은 논리학적 규칙에 경험적인 모호함이 부착되어 있다는 것은 의심의 여지가 없다고 말한다. 예컨대, 삼단논법의 법칙 등은 분명히 논리법칙으로서 정밀한 것임은 맞는데, 여기에서 '단순히 경험적인 것'을 제거하지 않으면, 그것은 정밀한 것이 될 수 없을 것이다.

첫째, 모호한 규칙은 단지 모호한 이론적 기반 속에 근거할 수 있다. 만약 심리학적 법칙이 정밀성을 결여하면, 논리적 규칙의 경우에도 정밀성이 없다. 이 많은 규칙에 물론 경험적으로 모호함이 부착되어 있다는 사실은 의심할 여기가 없다. 그러나 논리학이 정초의 법칙으로서 모든 논리학의 본래 핵심 – 논리학의 원리, 삼단논법의 법칙, n에서 n+1까지 베르누이 추론이나 등식 추론 같은 그 밖의 여러 종류의 추론, 개연성 추론의 원리 등 -을 형성한다고 이전에 우리가 인식했던 적확한 의미에서 이른바 논리법칙은 바로 절대적으로 정밀한 것이다. 논리법칙에 경험적으로 정해지지 않은 것을 깔아 놓고 그 타당성을 모호한 '상황'에 종속하는 것으로 만들려는 모든 해석은 논리학의 참된 의미를 근본적으로 변경시킬 것이다. 하지만 논리법칙은 진정한 법칙이며, '단순히 경험적인 것', 즉 대략적 규칙이 아니다.

만약 로체가 생각했듯이 순수수학이 독자적으로 발전된 논리학의 한 부분일 뿐이라면, 무궁무진한 순수수학의 법칙도 방금 말한 정밀한 논리법칙의 영역에 속한다. 더 이상의 모든 반론에서 순수수학의 영역도 이 논리학의 영역과 더불어 주목해야 할 것이다.(『논리연구 1』124-125)

다. 법칙의 타당성을 정초하지 못하는 귀납

후설에 의하면, 어떤 자연법칙도 우리는 아프리오리하게 인식할 수 없다고 말한다. 그래서 우리는 경험의 개별적 사실들을 통한 귀납의 방법을 이용한다. 그러나 그 경험이라는 사실 자체에서 심리적 개연성이 개입하며, 여기에는 개연성의 심급이 매겨져야 한다. 그것은 개연성이지 순수 논리법칙은 아니다. 따라서 아프리오리하게 타당한 것은 순수논리 법칙이라야 하며, 그 정당화는 귀납이 아닌 필증적 명료성을 통해서라야 한다. 모순율에도 추측이 개입하고 있는 '심리적인 사유법칙'에 불과하며, 귀납을 통해 검증되는 자연법칙에 대해서도 어느 자연과학자도 그것을 절대적으로 타당한 법칙이라고 말하지 않는다. 이러한 모든 것은 논리학에서는 거꾸로 명백한 불합리로 바뀐다. 따라서 최종적으로 등장하는 판단이 심리적 성격의 것이기 때문에, 이것은 어떤 종류의 기분이며, 그 이상의 무엇도 아니다. 따라서 확실히 심리학은 더 이상을 주지 못한다. 초경험적이며 절대적인 정밀한 법칙을 줄 수 없다.

첫 번째('모호한 규칙') 반론을 피하기 위해 누군가 심리학의 법칙이 전반적으로 정밀하지 않음을 부정하고, 방금 특징지은 부류의 규범을 사유작용의 추정적으로 정밀한 자연법칙에 근거 지으려 한다면 여전히 많은 것을 획득하지 못할 것이다.

어떠한 자연법칙도 아프리오리하게 인식할 수 없다는 것은 그 자체로 명료하게 정초할 수 있다. 그와 같은 법칙을 정초하고 정당화하는 유일한 길은 경험의 개별적 사실들에서 귀납하는 것이다. 그러나 귀납은 법칙의 타당성을 정초하지 못하고, 이러한 타당성의 다소 간에 높은 개연성만 정초할 뿐이다. 즉 명료하게 정당화된 것은 개연성이지 법칙이 아니다. 그 결과 논리법칙도 예외 없이 단순한 개념성의 등급을 가질 게 틀림없다. 그에 반해 '순수 논리' 법칙이 총체적으로 아프리오리하게 타당하다는 것보다 더 명백한 것은 없어 보인다. 이 법칙이 정초와 정당화를 발견하는 것은 귀납을 통해서가 아니라 필증적 명증성을 통해서이다. 명료하게 정당화하는 것은 순수 논리 법칙의 타당성에 단순한 개연성이 아니라 그 타당성 또는 그 진리 자체이다.

모순율은 두 가지 모순된 판단에서 어떤 판단이 참이면 다른 판단은 거짓이라고 추측하는 것을 뜻하지 않는다. AAA양식(삼단논법의 추론)은 "모든 A는 B이다"와 "모든 B는 C이다"라는 두 형식의 명제가 참이면 이에 속하는 "모든 A는 C이다"라는 형식의 명제가 참이라고 추측하는 것을 뜻하지 않는다. 그리고 이것은 어디에서나, 순수수학의 명제의 영역에서도 그러하다. 그렇지 않으면 실로 우리는 언제나 단지 제한된 경험의 범위를 확장하는 경우 억측이 증명되지 않을 가능성을 열어 두어야만 할 것이다. 아마 이때 우리의 논리법칙은 참으로 타당하지만 우리가 도달할 수 없는 사유법칙에 '접근하는 것'에 불과하다. 자연법칙의 경우 그와 같은 가능성은 진지하고 또 당연하게 검토된다. 비록 만유인력 법칙이 극도로 포괄적인 귀납과 검증으로 추천되더라도, 어쨌든 오늘날 어떤 자연과학자도 이것을 절대적으로 타당한 법칙으로 파악하지 않는다.… 그러므로 우리는 뉴턴의 만유인력 법칙처럼 무한히 많은 법칙이 동일한 것을 수행할 수 있고 수행해야만 하는 것을 아프리오리하게 안다. 즉 결코 관찰의 부정확성을 제거할 수 없는 유일한 경우 유일하게 참된 법칙을 추구하는 것이 실로 어리석은 일이라는 사실을 안다.

그런데, 이것은 정밀한 사실과학에서의 상태이다. 논리학에서는 결코 그렇지 않다. 사실과학에서 정당한 가능성은 논리학에서 거꾸로 명백한 불합리로 바뀐다. 정말 우리는 단순한 개연성이 아니라 논리법칙의 진리에서 통찰을 갖는다.

…이때 정초는 최종 항으로 등장하는 '판단'이, 일정한 정상적 상황에서 필연적 귀결의 성격을 띠고 나타나는 인간의 독특한 사유가 경과하는 것뿐이다. 이러한 성격은 그 자체로 심리적 성격이고, 어떤 종류의 기분이며, 그 이상의 무엇도 아니다. 그리고 이 모든 심리적 현상은 물론 고립되어 있지 않고, 심리적 현상, 심

리적 성향, 그리고 인간의 삶이라는 유기체의 과정이 복잡하게 얽힌 망에서의 개별 실낱이다. 이러한 상황에서 어떻게 경험적 일반성 이외에 다른 것을 결과로 얻을 수 있겠는가? 심리학은 어디에서 그 이상을 주겠는가? "확실히 심리학은 더 이상을 주지 못한다."는 것이 우리의 답변이다. 바로 이 때문에 심리학은 모든 논리학의 핵심을 형성하는, 필증적으로 명증하고 그래서 초경험적이며 절대적인 정밀한 법칙을 줄 수 없다.(『논리연구 1』125-127)

라. 추정적 자연법칙인 사유법칙

후설은 우리가 규정하고 있는 자연법칙이 사유법칙의 개연성에 깊이 연루되어 있음을 밝힌다. 따라서 모든 그러한 법칙적 규정에는 그 개연성의 등급이 마련되어야 한다. 특히 우리의 '판단'이 그러하다. 판단의 경우, 그 판단의 동기에 따라서 그 결과가 달라진다. 이때의 동기에는 인과의 작용에 '항으로서의 법칙'과 인과의 작용에 '규칙으로서의 법칙'이 있는데, 여기에 혼동이 일어나는 것이다. 즉, '이념적인 것'와 '실재적인 것' 사이의 혼동이 일어나 판단에 개입을 하고 있으며, 심리학주의 논리학자는 이것을 놓치고 있다고 말한다.

인식이 그것에 따라 영혼의 연관 속에 생기는 자연법칙으로서의 사유법칙은 단지 개연성의 형식으로만 주어질 수 있을 것이다. 그래서 어떠한 주장도 올바른 주장으로 확실히 판정될 수 없을 것이다. 왜냐면 모든 올바름의 근본척도로서 개연성은 각각의 인식에 단순한 개연성의 낙인을 찍어야만 하기 때문이다. 그 결과 우리는 극단적인 개연론에 직면할 것이다. 모든 앎은 단순히 개연적인 것일 뿐이라는 주장도 단지 개연적으로만 타당할 것이다. 이 새로운 주장도 또 다시 그럴 것이고 이렇게 무한히 계속될 것이다. 다음에 이어지는 각 단계가 바로 이전 단계의 개연성의 등급을 어느 정도 밀어내리기 때문에, 우리는 모든 인식의 가치를 진지하게 걱정해야만 한다.…

여기에 몇 가지 당연하다고 생각되는 혼동이 심리학주의의 오류에 길을 터 준 것으로 보인다. 우선 논리법칙과 이 논리법칙이 어쩌면 인식되는 판단하는 작용의 의미에서 판단을 혼동하고, 그래서 판단 자체와 '판단의 내용'으로서의 법칙을 혼동한다. 판단 자체는 그 원인과 결과를 갖는 실재적 사건이다. 특히 법칙적 내용의 판단은 종종 우리의 사유체험이 진행하는 것을 바로 그 내용, 즉 사유법칙이 지시하는 것과 같이 규정하는 사유의 동기로 작동한다.…
그러나 법칙을 법칙에 대한 인식작용인 판단작용과 혼동하고 이념적인 것을 실재적인 것으로 혼동하면, 법칙은 우리의 사유가 경과하는 것을 규정하는 힘으로 나타낸다. 그렇다면 아주 이해하기 쉽게 두 번째 혼동, 즉 인과의 작용에 항으로서의 법칙과 인과의 작용에 규칙으로서의 법칙 사이에 혼동이 이어진다.… 그와 같이 본질적으로 서로 다른 사항을 진지하게 혼동하는 것은 우리의 경우 이전에 이미 일어난 법칙과 법칙에 대한 인식의 차이를 혼동함으로서 명백하게 조장되었다.…(『논리연구 1』128-130)
심리학주의 논리학자는 이념적 법칙과 실재적 법칙, 규범화하는 규제와 인과적 규제, 논리적 필연성과 실재적 필연성, 논리적 근거와 실재적 근거 사이의 근본에서 본질적이며 영원히 다리를 놓을 수 없는 차이를 보지 못하고 놓친다. 생각해 볼 수 있는 어떠한 단계를 만들어도 이념적인 것과 실재적인 것 사이를 중재할 수는 없다.…(『논리연구 1』132)

3. '심리학주의 논리학'의 '사실' 문제

가. 인식작용적 회의주의와 논리적 회의주의

만일 심리주의가 위와 같다면, 이제 심리주의는 회의주의에 빠지게 된다. 이 회의주의는 "이론 일반의 가능성에 대해 명증적 조건을 위반한다"는 것이다. 여기에서 가능성의 명증적 조건이라는 요건이 중요한데, 여기에는 두 가지 관점이 있다.
하나는 주관적 관점으로서 "인식의 가능성에 아프리오리한 조건이 존재하지 않는다"는 것이다. 즉 판단하는 자가 그 자체로 판단하는 상태에 있지 않아서, 명증적 판단이 어렵다는 것이다. 후설은 이것을 '인식작용적 회의주의'라고 부른다.

여기에서 이중의 관점으로 모든 이론 일반의 '가능성'의 명증적 '조건'을 이야기할 수 있다. 첫째는 주관적 관점이다. 이 관점에서 중요한 문제는 직접적 또는 간접적 인식의 가능성과 그래서 모든 이론의 이성적 정당화의 가능성이 의존하는 아프리오리한 조건이다. 인식을 정초하는 것으로서 이론은 그 자체로 하나의 인식이며, 그 가능성에 따라 이 인식 및 인식하는 주관의 관계에서 순수하게 개념적으로 근거하는 일정한 조건에 의존한다. 예를 들어 엄밀한 의미에서 인식의 개념에는 진리에 들어맞는 요구를 제기할 뿐만 아니라, 이러한 요구의 정당성을 확신하고 실제로 이러한 정당성을 지닌 판단이어야 한다는 사실이 포함된다.
하지만 판단하는 자가 판단을 정당화하는 표식(명증성)을 자체 속에 체험하고 그 자체로 파악하는 상태에 결코 있지 않다면, 모든 판단의 경우 그 판단을 맹목적 선입견과 구별하며 참으로 간주할 뿐만 아니라 진리 자체를 소유한 명백한 확실성을 그 선입견에 부여하는 명증성이 그에게는 결여될 것이다. 그렇다면 판단하는 자의 경우 인식을 이성적으로 수립하고 정초하는 것은 이론과 학문에 관한 논의가 아닐 것이다. 그래서 어떤 이론이 이러한 예에 따라 맹목적 판단에 대립해 명증적 판단의 모든 우위를 부정할 때 이론 일반으로서 그 가능성의 주관적 조건에 위반되면, 그 이론 자체를 자의적인 부당한 주장과 구별함으로써 그 이론은 폐기된다.
우리는 여기에서 그 가능성의 주관적 조건으로 가령 개별적 판단의 주체나 판단하는 존재자의 변하는 종(예를 들어 인간 종) 속에 뿌리내린 실재적 조건이 이해되는 것이 아니라, 주관성 일반의 형식과 인식의 이러한 관계 속에 뿌리내린 이념적 조건이 이해된다는 사실을 안다. 이것들을 구별하기 위해 이념적 조건을 인식작용적 조건이라 부르고자 한다.(『논리연구 1』180-181)

논리학은 진리.명제.대상.성질.관계 등의 개념 속에 순수하게 근거한다. 요컨대 이론적 통일체의 개념을 본질적으로 구성하는 개념 속에 근거한다. 그런데, 이 하나 하나의 개념들이 '명증성'을 결여한다면, 이제 그 법칙으로서의 명제 속에 나타난 '술어'가 모두 부정된다.

[둘째] 객관적 관점에서 모든 이론이 가능한 조건에 관한 논의는 인식의 주관적 통일체로서의 이론이 아니라 근거와 귀결의 관계를 통해 결합된 진리 또는 명제의 객관적 통일체로서의 이론에 관련된다. 여기에서 조건은 순수하게 이론의 개념 속에 근거한 법칙 모두이다. 이러한 법칙은, 특별하게 말하면, 진리.명제.대상.성질.관계 등의 개념 – 요컨대 이론적 통일체의 개념을 본질적으로 구성하는 개념 – 속에 순수하게 근거한다. 따라서 이러한 법칙을 부정하는 것은 이론.진리.대상.성질 등 문제가 되는 술어 모두 일관성 있는 의미를 결여한다는 주장과 같은 뜻이다. 어떤 이론이 그 내용에서 그것 없이는 이론 일반이 '이성적' 의미를 전혀 가질 수 없을 법칙을 위반할 경우 그 이론은 이러한 객관적-논리적 관

점에서 폐기된다.

그 이론이 논리적으로 위반하는 것은 전제 속에, 이론적 결합의 형식 속에 또한 결국 증명된 논제 자체 속에 있을 수 있다. 각 논제의 이성적 가능성과 논제 일반을 각기 정초할 이성적 가능성이 의존하는 이 법칙을 부정하는 것이 이론적 논제의 의미에 속하는 경우 논리적 조건이 가장 현저하게 손상되는 것은 명백하다. 그리고 이와 유사한 것이 인식 작용적 조건에 대해서도, 그리고 이 조건을 위반하는 이론에 대해서도 적용된다. 따라서 우리는 거짓된 이론, 불합리한 이론, 논리적이고 인식작용적으로 불합리한 이론, 그리고 마지막으로 회의적 이론을 구별한다. 마지막 명칭[회의적 이론]으로 그 논제가 이론 일반의 가능성에 대한 논리적 조건이나 인식작용적 조건이 거짓이라는 것을 명백하게 진술하거나, 아니면 분석적으로 자체 속에 포함하는 모든 이론을 포괄한다.

이것으로써 회의주의라는 술어에 뚜렷한 개념을 획득하는 동시에 논리적 회의주의와 인식작용적 회의주의를 명석하게 구분했다. (『논리연구 1』181-182)

나. 개인적 상대주의와 종적 상대주의

후설은 위에서 언급된 '회의주의'를 '상대주의'라고 부른다. 왜냐면 위의 이야기가 절대적인 이야기는 아니기 때문이다. 위의 이야기가 맞다고 해서 우리의 인식이 하나도 인정되지 못할 만큼 절대적으로 잘못된 것은 아니기 때문이다. 이 상대주의를 극단으로까지 몰아간 학자가 그리스의 프로타고라스인데, 그에 의하면 "인간은 만물의 척도이다"는 이슈였다. 그는 이러한 이슈를 통해 보편타당한 객관적 진리를 부정했다. 이것을 '개인적 상대주의'라고 한다. 그리고 이 문구를 인간이라는 '종'에게 확대시키면, '인간학주의' 혹은 '종적 상대주의'라고 말할 수 있는데, 그것은 자연은 아닌 인간에게만 타당한 법칙이 된다.

심리학주의를 비판하는 목적에 대해 우리는 여전히 주관주의 또는 상대주의라는 개념을 구명해야만 한다. 그 근원적 개념 가운데 하나는 "인간은 만물의 척도이다"(이 문구를 "개별적 인간이 모든 진리의 척도이다"라는 의미로 해석하는 한)라는 프로타고라스의 문구로 달리 표현된다. 각자에게 참으로 나타나는 것은 각자에게 참이고, 어떤 사람에게 이것은, 이것이 다른 사람에게 마찬가지로 나타나는 한에서, 다른 사람에게 그와 반대되는 것이다.

그러므로 여기에서 "모든 진리(인식)는 우연적으로 판단하는 주관에 상대적이다"라는 문구도 채택할 수 있다. 반면 주관 대신 관계가 관련되는 점으로서 사람의 우연적 종(Spezies)을 받아들이면, 상대주의는 새로운 형식이 생긴다. 따라서 "인간 그 자체가 모든 인간의 진리의 척도이다." 인간의 종적인 것, 즉 이 종적인 것을 구성하는 법칙 속에 뿌리내린 모든 판단은 -우리 인간에 대해 - 참이다. 이러한 판단이 일간의 주관성(인간의 '의식 일반')의 형식에 속하는 한, 여기에서도 주관주의(궁극적 인식의 원천 등으로서 주관)에 관해 이야기한다. 상대주의라는 술어를 선택하고 개인적 상대주의와 종적 상대주의를 구별하면 더 적절하다. 인간의 종으로 한정하는 관계는 이 경우 종적 상대주의를 인간학주의로 규정한다.(『논리연구 1』185-186)

한편, 위의 주장에 대해 후설은 '개인적 상대주의'와 '종적 상대주의'를 비판한다. 그는 '개인적 상대주의' 비판과 관련하여 "모순율과 같이 명제가 진리의 단순한 의미 속에 근거한다는 것" 자체마저도 통찰하지 못한다고 말한다. 그렇다고 하여서 그들이 어떤 참된 사실을 주장하는 것도 아니라고 말한다. 또한 종적 상대주의에 대해서는 "종의 구조는 하나의 사실이다"고 말한다.

그 학설은 제기되자마자 즉시 논박된다. 그러나 물론 모든 논리적인 것의 객관성을 통찰하는 사람만 논박할 뿐이다. "모순율과 같이 명제가 진리의 단순한 의미 속에 근거한다는 것", 그리고 "명제에 적합하게 어떤 사람에게는 이것이고 다른 사람에게는 반대되는 것인 주관적 진리에 관해 논의하는 것은 곧 이치에 어긋난 것으로 간주해야만 한다는 점"을 통찰할 수 있는 소질이 일단 결여되었다면, 우리는 명백한 회의주의자 일반과 마찬가지로 주관주의자를 확신시킬 수 없다.… 심지어 주관주의자는 자신의 주관적 의견을 말하는 사실을 단순히 자기 자신의 자아에 대해 주장하지만, 그 자체로 참된 사실로서 주장하는 것은 아니다.…
…3) 종의 구조는 하나의 사실이다. 그런데 사실로부터는 언제든 다시 사실만 도출될 뿐이다.… 4) 모든 진리가 일반적인 인간의 구조 속에 자신의 유일한 원천을 갖는다면, 그 구조가 없을 경우 어떠한 진리도 없을 것이라는 주장도 타당하다. 이러한 가정적 주장의 논제는 이치에 어긋난다. 왜냐하면 "어떠한 진로도 없다"라는 명제는 "어떠한 진리도 없다는 진리가 있다"라는 명제와 그 의미상 똑

같은 가치를 갖기 때문이다.…(『논리연구 1』187-193)

다. '논리적 원리'와 '사실'

후설은 논리학에 내재하고 있는 '심리주의'의 문제점을 재기하였지만, 그렇다고 하여서 이것이 프로타고라스처럼 절대적인 회의주의에 빠지는 것을 경계한다. 그는 논리적 원리(순수 논리학)는 문제가 되지 않으나, 논리적 원리를 어떤 사실에서 끌어낼 경우 이론에 문제가 발생한다는 것을 밝힐 뿐이다. 심리주의가 상대적인 이유는, 사실이 다르면 논리법칙도 다를 것이기 때문이다. 즉, 단지 논리법칙이 정초하는 사실에 대해서만 상대적일 뿐이다. 그러나 순수 논리법칙으로 모든 이념적 법칙은 그 개념의 의미 속에 순수하게 근거한다. 다만, 논리적 원리를 어떤 사실에서 이끌어 낼 경우, '논리적 원리'와 '사실'이 일반적 의미와 충돌한다. 따라서 이 '사실'의 문제를 해결하는 것이 문제이며, 여기에서 '사태 자체로'라는 이슈가 등장하게 된다.

> '사실'은 '우연적'이며, 그래서 아주 똑같이 존재하지 않을 수도 있고 다르게 존재할 수도 있다. 그러므로 '사실'이 다르면 논리법칙도 다르다. 따라서 논리법칙도 우연적일 것이고, 단지 논리법칙을 정초하는 사실에 대해서만 상재적일 뿐이다.
> 이에 반해 나는 논리법칙의 필증적 명증성과 그 밖에 우리가 이전 절에서 타당하게 간주한 것을 지적할 뿐만 아니라. 여기에서 중요한 다른 점도 지적하려고 한다. 이제까지의 논의에서 이미 알아차렸겠지만 나는 순수 논리법칙으로 모든 이념적 법칙(이것은 순수하게 진리, 명제, 대상, 성질, 관계, 결합, 법칙, 사실 등 개념의 의미 속에 근거한다)을 이해한다. 더 일반적으로 말하면, 그 논리법칙은 학문의 개념에 따르면 학문 그 자체가 그것에서 구성되는 건축 석재의 범주를 나타내기 때문에 모든 학문의 상속 재산에 속하는 그 개념의 의미 속에 순수하게 근거한다. 어떠한 이론적 주장도, 어떠한 정초나 이론도 이러한 종류의 법칙을 위반하면 안 된다. 그러지 않으면 그 주장이 거짓일지 모르기 때문이 아니라. 그 주장이 그 자체로 이치에 어긋날 것이기 때문이다.…
> 논리적 원리를 어떤 사실에서 이끌어 내는 모든 이론은 이러한 적확한 의미에서 논리적으로 이치에 어긋난다는 사실은 이제 분명하다. 논리적 원리를 사실에서

이끌어 내는 것은 '논리적 원리'와 '사실'이라는 개념의 일반적 의미와 충돌한다. 또는 더 정확하고 더 일반적으로 말하기 위해, "개념의 단순한 내용 속에 근거한 진리"와 "개별적 현존재에 관한 진리"라는 개념의 일반적 의미와 충돌한다. 또한 우리는 앞에서 논의한 상대주의적 이론에 대한 반론이 그 주안점에 따라 보면 가장 일반적인 의미에서 상대주의에도 해당된다는 사실 역시 쉽게 알게 된다.(『논리연구 1』194-195)

후설은 이 '인식의 객관성' 문제를 제기하는 '심리학 주의', 특히 '논리학에서의 인간학 주의'에 관한 지그바르트과 에르트만의 논리학에서 인간학 주의를 논한 후에 "무엇이 우리가 이 경우 갖고 있는 주관적 확실성을 유효하게 하는가"라고 말하며, "회의적 상대주의인 심리학 주의"에 대한 주제의 결론을 맺고 있다.

이때 심리학주의가 '선험적 심리학'에 의지하고 형식적 관념론으로서 인식의 객관성을 구출한다고 믿든지, 경험적 심리학에 의지하고 상대주의를 불가피한 사실로서 받아들이든지 매한가지이다.…(『논리연구 1』196)
유감스럽게도 에르트만의 방책은 충분하지 않다. 그가 말하듯이, 확실히 우리가 다른 사람과 일치함을 주장하는 판단은 이러한 일치함 자체가 아니다. 그러나 무엇이 이것을 유효하게 하는가? 그리고 무엇이 우리가 이 경우 갖고 있는 주관적 확실성을 유효하게 하는가? 어쨌든 우리의 주장은 오직 우리가 이러한 일치함을 알 경우에만, 즉 이 일치함의 진리를 잘 깨달을 경우에만 정당화될 것이다. 또한 사람들은 "어떻게 우리가 모든 사람의 일치함에 관한 주관적 확실성에도 도달할 수 있는지 그리고 결국 이 어려움을 도외시하기 위해, 마치 진리가 모든 사람의 경우에는 발견되고 오히려 일부 선택된 사람의 경우에는 발견되지 않는 것처럼, 보편적 확실성을 요구하는 것이 도대체 정당화될 수 있는지"를 심문할 수 있을 것이다.(『논리연구 1』230-231)

라. 이러한 논쟁에서 결정적인 문제

후설은 "심리학 주의의 편견"이라는 주제의 장을 설정하고, "심리학주의의 논증 자체에 대한 반론"을 전개한다. 그래서 세 가지의 심리학주의의 편견 세 가지를 제시하고 논한 후에 "이러한 논쟁에서 결정적인 문제"는 "실재적인 것과 이념적인 것의 차이를 올바로 인식하는 데 달려있다"고 하며, 이 양자의 차이를 분명하게 인식하여야 한다고 말한다.

> 결국 그리고 최종적으로 이러한 논쟁에 궁극적인 해명도 우선 가장 근본적인 인식론적 차이, 즉 실재적인 것(Reales)과 이념적인 것(Ideales)의 차이를 올바로 인식하는 데 또는 이 차이가 분석되는 그 모든 차이를 올바로 인식하는 데 달려있다. 그것은 실재적 진리, 법칙, 학문과 이념적 진리, 법칙, 학문 사이의, 실재적(개체적) 일반자나 마찬가지의 개별자와 이념적(종적) 일반자나 마찬가지의 개별자 등 사이에 반복해 강조된 차이이다. 물론 어떤 방식으로는 누구나 이 차이를 확실하게 알며, 심지어 흄 같은 극단적 경험론자마저도 '관념의 관계'와 '사실의 문제'를 근본적으로 구별했고, 그에 앞서 위대한 관념론자인 라이프니츠가 '이성의 진리'와 '사실의 진리'라는 표제로 이러한 구별을 이미 가르쳤다. 그러나 인식론적으로 중요한 구별을 한 것이 그 구별의 인식론적 본질을 올바로 파악한 것을 뜻하지 않는다.
> [이에 따라] "도대체 이념적인 것은 그 자체로 무엇이며 실재적인 것과의 관계는 무엇인지", "이념적인 것이 어떻게 실재적인 것에 관련되는지", "이념적인 것이 어떻게 실재적인 것에 내재하며 그래서 인식될 수 있는지"가 분명하게 이해되어야만 한다.… (『논리연구 1』268)

4. '선험 논리학'으로의 진행

위의 논의들은 결국 '논리법칙' 보다 이미 앞서 존재하는 '인식에 타당성'과 그것의 '존재의미'의 문제로 귀착된다. 이에 대한 연구는 『논리연구 2』에서 진행된다. 그는 여기에서 의식의 다양한 체험들을 분석함을 통해서 그 본질구조가 곧 '지향성'이라는 점을 분명하게 밝힌다. 그는 '인식에 타당성'을 부여하는 궁극적 근원으로서 '순수의식'을 말한다. 그리고 이것을 해명하는 것이 곧 '선험 논리학'의 영역에 속한다. 이에 대해 이종훈은 다음과 같이 말한다.

> 후설은 1900년 『논리연구 1』에서 논리법칙을 경험적 사실에 입각한 심리법칙으로 이해해 논리학의 근거를 심리학에서 찾는 심리학주의는 객관적 진리 자체를 주관적 의식체험으로 해소시키는 회의적 상대주의에 빠질 뿐이라고 비판하고, 학문이론으로서의 순수논리학을 정초하고자 했다. 그 비판의 핵심은 이념적인 것과

실재적인 것 그리고 이념적인 것이 실천적 계기로 변형된 규범적인 것의 근본적 차이를 인식론적으로 혼동한 '기초이동'을 지적한 것이다. 물론 이것은 주관적 심리학뿐 아니라 주관에 맹목적인 객관적 논리학주의도 비판한 것이다.
그는 이것들의 관계를 파악하기 위해 경험이 발생하는 사실이 아니라 경험이 객관적으로 타당하기 위한 권리, 즉 "어떻게 경험적인 것이 이념적인 것 속에 내재하며 인식될 수 있는가?"를 해명하고자 1901년 『논리연구 2』에서 의식의 다양한 체험들을 분석해 그 본질구조가 곧 지향성이라는 점을 분명하게 밝혔다. 결국 형식논리학과 모든 인식에 타당성과 존재의미를 부여하는 궁극적 근원인 순수의식을 해명하는 선험논리학의 영역에 들어선 것이다.(이종훈,『논리연구 1』 역자해제, 18)

후설은 순수 논리학을 엄밀하게 정초하기 위해 인식론으로 관심을 전향한다. 그는 여기에서 "이것들의 올바른 관계를 파악하려면 경험이 발생하는 사실이 아니라 경험이 객관적으로 타당하기 위한 권리, 즉 어떻게 경험적인 것이 이념적인 것 속에 내재하며 인식될 수 있는가"(이종훈,『논리연구 1』역자해제, 33)를 찾았다. 그리고 후설은 여기에서 의식의 지향성 개념을 발견하게 된다. 그리고 여기에서 새로운 형태의 철학, 곧 현상학이 출현한다. 후설은 그의 평생토록 한 길로만 학문적 정진을 하였는데, 그것은 후설에게 있어서 현상학으로 귀착되었으며, 그 현상학은 아무 전제에도 구애되지 않는, 소위 "무전제성 위에 그 자체로 자명한 철학", 즉 "엄밀한 학으로서의 철학"을 구축하는 방법에 대한 추구였다. 그의 학문적 정진이 갖는 의미를 이영호는 다음과 같이 정리한다.

후설의 전 생애는 한순간도 한 눈 팔지 않고 오직 학문의 길에만 정진한 일생이었다. 수학자로 시작하여 철학자로 끝을 맺은 그의 평생은 외적인 측면에서 보면 화려하지도 않고 굴곡도 없는 평범한 평교수의 단순한 생애였으나, 사상 발전의 내적인 측면에서 보면 끝없는 모색의 과정이고, 그 과정 속에서 일어나는 자기 투쟁의 일생이었다. 반성과 재검토를 통하여 자기모순이 발견될 때마다 주저하지 않고 새로운 영역으로의 탐구를 계속하였다. 그리하여 그의 철학은 계속되는 변신과정을 겪었으며, 이 점이 후세 사람들이 그의 철학을 이해하는데 어려움을 야기시키게 하였다.…
그가 평생에 걸쳐 찾아 헤매었던 것은 새로운 형태의 철학, 즉 현상학이었다.…

후설에게 있어서 현상학은 일단 아무 전제에도 구애되지 않는, 소위 무전제성 위에 그 자체로 자명한 철학, 즉 "엄밀한 학으로서의 철학"을 구축하는 방법의 발견이며, 후기에 가서는 그 자체가 선험적 관념론으로서의 학문 자체이다.(이영호.이종훈, 『현상학의 이념 외』해제, 13)

3절 표현과 의미 : 지향성

사실을 정확하게 논리법칙에 반영할 때, 그 논리법칙은 유효한 것이 된다. 그리고 그 사실과 가장 밀접하게 관련되어 있는 것은 우리 안의 '의식'이었다. 이제 후설은 그의 『논리연구 2』(1901)에서 의식의 다양한 체험을 분석한다. 후설은 의식체험의 표층적 구조를 "표상(지각, 판단 작용), 정서작용, 의지작용"으로 구분한다. 그리고 이 중에서도 '표상'을 가장 기본적인 1차적 지향작용으로 보는데, 이것은 '이론'의 영역이다. 그리고 '정서작용'이나 '의지작용'은 '실천'의 영역이다. 모든 인식의 타당성과 그 존재의미를 부여하는 근원인 '순수의식'에 대한 연구는 그로 하여금 더욱 '선험적 탐구'를 향하게 한다. 그 과정 속에서 그는 그 의식의 본질적 구조는 '무엇에 대한 의식', 즉 '지향성'이라고 밝혔다.

한편, 『논리연구 2』는 총 6개의 '연구'로 되어 있다. 여기에서는 의식의 지향성을 중심으로 논의하기 위해 '서론', '제1연구, 표현과 의미', '제5연구, 지향적 체험과 그 내용', 및 '제6연구, 인식에 대한 현상학적 해명의 기초'를 중심으로 살펴본다. 본 절은 『논리연구 2』의 '서론'과 '제 1연구'의 내용이다. 제5연구와 제6연구는 절을 달리하여서 살펴본다.

1. 현상학 연구의 대상

후설의 『논리연구 1』과 『논리연구 2』(1901)는 서로 출판 연도는 다르지만 저술은 1898년경에 동시에 마무리 되었다. 따라서 이 두 저술은 서로 연관되어 있으며, 『논리연구 1』을 이 전체에 대한 '서론'으로 삼고 있다. 여기에서 논의된 것은 궁극적으로 '형식 논리학'에 어떻게 심리학적 요소가 배제된 정확한 '사실'을 적용시키느냐 였다. 그리고 이러한 노력은 이제 '인식론적 연구'로 이어지게 되었는데, 그는 여기에서 '무전제성의 원리'를 찾고자 한다. 우리의 경험에서 나온 자의성이 배제된 선험적으로 주어진 어떤 인식을 찾고자 하였던 것이며, 이것을 그는 '무전제성의 원리'라고 표현한다.

가. 현상학적 연구의 필요성

후설의 모든 논의는 논리학에서 시작하였으며, 그는 여전히 그 논리학을 완성하기 위한 기반 위에 서있다. 이 논리학은 결국 언어의 규명에서 시작된다. 그런데, 문제는 이 언어의 문법적 규명이 아니라, 그 언어의 본질 규명이 더욱 필요하게 되었다. 언어는 '인식'에서 시작되어 '사유체험'을 거쳐서 '인식체험에 대한 순수자아의 나타남(현상)'이기 때문이다. 이때, 후설은 여기에 나타난 '순수 현상'은 '순수 자아'의 '사유에 대한 직관'이며, '경험적으로 통각 된 체험'과는 무관하다고 말한다. 즉, 이것은 경험과 무관한 '아프리오리'한 '사실'에 대한 진술을 의미한다. 따라서 이것은 '심리학' 보다 앞서 존재하고 있으며, 더 나아가서는 '순수 논리학'에 제공하는 '사실'의 요소이다.

논리학을 언어의 규명에서 시작해야 할 필요성은 논리적 기술학의 관점에서 종종 인정되었다. 밀은 다음과 같이 말한다. "언어는 확실히 사유의 가장 고상한 수단이자 도구 가운데 하나다.…" 밀은 논리학을 언어의 분석과 더불어 시작해야 할 필연성의 더 깊은 근거를, 언어를 분석하지 않으면 논리학 자체의 '문지방에 있는' 대상인 명제의 의미를 연구하는 것이 불가능할 것이라는 점에서 파악했다.…

언어를 규명하는 것이 순수 논리학을 구축하는 데 철학적으로 절대 포기할 수 없는 준비단계임은 확실하다. 왜냐하면 언어가 규명되어야만 비로소 논리적 탐구 본래의 객체, 심지어 이 객체의 본질적 종류와 차이가 오해 없이 명석하게 부각될 수 있기 때문이다. 그러나 이때 중요한 문제는 역사적으로 주어진 어떤 언어와 관련된 경험적 의미에서의 문법적 규명이 아니라, '인식의 객관적 이론'과 (이 이론과 가장 밀접하게 연관된) '사유체험'과 '인식체험의 순수현상학'이라는 더 넓은 영역에 속하는 가장 보편적인 규명이다. 이것을 포괄하는 순수 현상학과 같이, 체험 일반의 이 순수 현상학은 순수 본질의 보편성에서 직관 속에서 파악하고 분석할 수 있는 체험에만 관계하지, 실재적 사실로서 경험적으로 통각이 된 체험에는 관계하지 않는다.

순수현상학은 본질직관 속에 직접 파악된 본질과, 순수하게 본질 속에 근거한 연관을, 본질의 개념과 법칙적 본질의 진술로 기술해 순수하게 표현한다. 그러한 모든 진술은 그 말의 가장 탁월한 의미에서 아프리오리한 진술이다. 이 영역은 순수 논리학을 인식비판으로 준비하고 해명할 목적으로 철저하게 탐구되어야 할 영역이며, 그래서 우리의 연구는 이 영역 속에서 전개될 것이다.
순수 현상학은 서로 다른 학문들의 근원인 중립적 탐구의 한 영역을 드러낸다. 순수 현상학은 - 특히 사유작용과 인식작용의 현상학으로서 - 순수한 직관적 처리절차로 표상.판단.인식의 체험을 본질에 적합한 보편성으로 분석하고 기술한다. 그러나 심리학은 이러한 체험을 동물의 자연적 실재성의 연관 속에 일어난 실제적 사건의 부류로, 경험적으로 파악해 경험과학적 탐구에 떠맡긴다.
다른 한편 현상학은 순수논리학의 근본 개념과 이념 법칙이 '발생하는' '원천'을 드러내고, 순수논리학을 인식비판으로 이해하는 데 필요한 '명석함과 판명함'을 마련하기 위해 다시 그 원천으로 소급해 추적해야 한다. 따라서 순수 논리학의 인식론적 또는 현상학적 기초를 놓는 것은 대단히 어렵지만 또한 비할 데 없이 중요한 탐구를 포괄한다. 만약 이 『논리 연구 1권』(『서론』)에서 순수 논리학의 과제에 대해 상술한 것을 기억하면, 이때 겨냥한 것은 모든 인식에 객관적 의미와 이론적 통일성을 마련해 주는 개념과 법칙을 확립하고 해명하는 일이었다. (『논리연구 2권 1』17-20)

나. '사태 자체'로 돌아감

우리가 논리학이 탐구하려고 겨냥한 '객체'는 언어 혹은 문법의 옷을 입고 주어지는데, 이것은 우리의 직관에 의하여 '의미지향과 의미충족'의 기능을 하며, '현상학적 통일체'를 형성한다. 우리는 이러한 '현상학적 통일체'의 형성과정을 이해할 필요가 있는데, 그것은 우리 직관의 '표상작용, 판단작용, 및 인식작용'을 통해서 이루어진다. 따라서 이와 같이 우리의 직관에 의해서 '현상'된 것은 우리에게 인식론적으로 명석하고 판명하다는 것을 의미한다. 여기에 현상학적 분석이 시작된다. 타당한 '사유의 통일체'로서 논리적 개념은 그 기원이 반드시 직관 속에 있다. 따라서 우리는 '사태 자체'로 되돌아가려 한다. 현실적으로 수행된 추상 속에 완전히 전개된 직관이 우리를 명증성으로 이끈다. 이 자료가 형식논리학과 접목을 이루어야 한다.

순수 논리학이 탐구하려 겨냥한 객체는 처음에는 문법의 옷을 입고 주어진다. 더 정확하게 말하면, 그 '객체'는 '의미지향(직관이 의미를 부여하는 작용) 또는 의미충족(직관이 의미를 입증하고 강화하며 예시하는 작용)' - 의미충족의 관점에서 예시하거나 명증적으로 만드는 직관으로 - 의 기능에서 어떤 언어적 표현에 속하고, 이 표현과 함께 '현상학적 통일체'를 형성하는, 이른바 구체적인 심리적 체험 속에 깊이 파묻힌 것으로 주어진다.
이러한 복잡한 '현상학적 통일체'에서 논리학자는 그가 관심을 두는 구성요소, 따라서 우선 논리적 '표상작용', '판단작용', '인식작용'이 수행되는 작용의 성격을 포착해야 하며, 그 자신의 본래 논리적 과제를 추진하는 데 유리할 만큼 이 작용의 성격을 기술해 분석하면서 연구해야 한다.…
그러므로 논리적 이념과, 또 이 이념과 함께 구성된 순수법칙이 이렇게 주어진 것만으로는 충분치 않다. 그래서 논리적 이념, 개념과 법칙을 인식론적으로 명석하고 판명하게 이끄는 중대한 과제가 생긴다. 그리고 여기에 현상학적 분석이 시작된다. 타당한 사유의 통일체로서 논리적 개념은 그 기원이 반드시 직관 속에 있다. 그 개념은 어떤 체험에 근거해 '이념화하는' 추상을 통해 생기며, 이 추상을 새롭게 실행함으로써 언제든 다시 새롭게 확증되고, 반드시 그 이념성에서 자기 자신을 동일하게 파악된다.…
따라서 우리는 '사태 자체'로 되돌아가려 한다. 현실적으로 수행된 추상 속에 완전히 전개된 직관이 우리를 명증성으로 이끌려 한다. 그리고 '인식 실천적으로' 재생산할 수 있는 직관(또는 추상을 직관적으로 수행함)을 충분히 반복해 측정함으로써, 그 의미를 확고부동한 동일성 속에 확보할 성향을 우리 속에 일깨우려 한다.…
방금 논의한 현상학적 분석의 동기는, 쉽게 이해하듯이, 가장 보편적인 인식론적 근본물음에서 생기는 동기와 본질적으로 연관된다. 왜냐하면 [한편으로] 우리는 이 물음을 가장 넓은 보편성에서 파악하고, 그런 다음 순수논리학의 이념을 완전히 해명하는 데 필요한 물음의 범위에 통합하기 때문이다. [다른 한편으로] 모든 '사유작용'과 '인식작용'이 대상이나 사태에 관계하며, 그 '그 자체의 존재(An-sich-sein)'가 실제로 가능한 사유의 작용이나 의미의 다양체 속에서 동일화할 수 있는 통일체로 드러나야 할 방식으로 명목상 적용되어야 하기 때문이다. 더구나 그 이상의 사실, 즉 이념적 법칙에 지배되는, 게다가 인식 일반의 객관성이나 이념성을 한정하는 법칙에 지배되는 하나의 사유형식이 모든 사유작용

에 내재한다는 사실 때문이다.…(『논리연구 2권 1』20-21)

다. 인식론적 연구의 무전제성 원리

우리가 논리학에 삽입하려 하는 것은 문장이나 언어 등으로 구성된 '사태 자체'로서의 '진술', 즉 '본질직관'으로 산출된 '인식의 의미'를 말한다. 따라서 현상학의 대상은 '의식'이다. 이 의식과 관련한 "사유작용과 인식작용 일반"에 관한 것이다. 이때 여기에서 유의하여야 할 것이 있는데, 이 '의식'을 초월하는 '심리적 실재성'과 '물리적 실재성'을 가정하는 권리 등은 순수인식론과는 별개의 문제이다. 즉, 현상학의 대상은 '의식'이기 때문이다.

학문적 성격을 진지하게 요구하는 인식론적 연구는, 자주 강조했듯이, 무전제성의 원리가 충족되어야 한다. 그러나 우리는 이 원리가 현상학적으로 완전히 실현될 수 없는 모든 진술을 엄밀하게 배제하는 것을 뜻할 뿐이라고 생각한다. 모든 인식론적 연구는 순수 현상학적 근거에서 수행되어야 한다. 이러한 연구 속에서 쟁취되는 '이론'은 참으로 "사유작용과 인식작용 일반은 무엇인지, 즉 그 유(類)에 적합한 순수 본질에 따라 무엇인지", "사유작용과 인식작용에 본질적으로 결합된 특성과 형식은 무엇인지", "그 대상적 관계는 어떠한 내재적 구조를 포함하는지",… 등에 관해 성찰하고 명증적으로 이해하는 것일 뿐이다.
인식의 의미를 이렇게 성찰하는 것이 단순한 사념이 아니라 여기에서 엄밀하게 요구되듯 통찰로 앎(지식)을 산출하려면, 주어진 사유체험과 인식체험 가운데 범례적 근거에 입각해 순수한 본질직관으로 실행되어야 한다.…
우리가 '의식'을 초월하는 '심리적' 실재성과 '물리적' 실재성을 가정하는 권리에 관한 문제… 등의 문제는 순수인식론과 분리된 것이다.(『논리연구 2권 1』37-38)

2. 표 현

논리학이 정교하기 위해서는 '형식 논리학'에 정확한 '사실'이 반영되어야 한다. 한편, 논리학에서의 '사실'은 '언어'를 의미한다는 것은 당연하다. 그렇다면, 어떤 '언어'가 정확한 '사실'을 나타내는가? 이것을 위해서는 이제 '언어'의 본질을 검토하여야 한다. '언어'는 무엇을 상징하는 '기호'이다. 그렇다면, 여기의 '언어 기호'에서 그 '기호'는 무엇을 의미하는가? '언어 기호'는 어떤 사실에 대한 '표시(지시)'

인가? 아니면, 우리 순수자아의 어떤 사물에 대한 '표현'인가? 이 양자는 분명한 차이를 가지고 있다. 예컨대, '둥근 사각형'의 경우에는 '표현'은 가능하여서 모든 사람들이 이 말의 뜻을 알아듣는다. 그래서, 그것은 언어가 '표현'이라는 관점에서 보면 유의미하다. 그러나 그것은 그러한 '지시체'가 존재하지 않는다. 따라서 언어를 '표시(혹은 지시)'의 측면에서 본다면, 그것은 무의미한 말이다.

현대철학의 시작의 시기에 영미 분석철학의 창시자인 프레게는 '언어'의 본질을 '표시'로 보았다. 따라서 모든 언어에는 그 언어가 지시하는 것이 있으며, 프레게는 그것이 어떤 보이지 않는 세계인 예지계에 존재한다고 까지 말하였다. 모든 언어는 그 '지시하는 것'(지시체)이 있다는 것이다. 그리고 이것을 극단적으로 발전시킨 그룹이 논리 실증주의 이단이다. 이에 반하여, 현대철학의 또 다른 방향은 대륙 현상학으로 나타났다. 이때 후설은 '언어'의 본질을 순수자아의 '의식' 혹은 '표현'으로 보았다. 순수자아의 '표현'의 내용이 다른 사람들에게 '통지' 되고 이것이 이해되면, 그것은 '의미'를 갖는 것이다. 이러한 '표현'으로서의 '언어'가 형식 논리학에 접목되는 '사실'에 속하는 것이다.

이렇게 순수자아의 '표현'을 선험적인 자명한 것으로 보는 것은 근대철학의 창시자인 데카르트와 그 취지를 함께 한다. 데카르트는 "생각하는 나"에서 '나'가 곧 후설의 '순수자아'이다. 그리고 이 '나'의 '본유관념'이 곧 후설의 '순수 자아'의 '표현' 혹은 '순수 의식'이다. 다음에 소개하는 『논리연구 2』의 1연구 "표현과 의미"는 바로 이러한 의도 하에 서술되었다.

가. '기호'라는 용어의 이중 의미 : '표현'과 '표시'

우리의 의식은 보통 언어를 통해 표현된다. 이때 언어는 무엇을 지시하는 기호(좁은 의미: 지시체, 그 용어가 가리키는 대상)라고 말한다. 한편, 논리학에서 '사실'에 속하는 '언어'를 이해하기 위해서는 '언어'의 본질을 살펴보아야 한다. 이때 '언어'는 '기호'인데, 이것은 의식의 '표현'의 의미도 있으며, 어떤 것에 대한 '표시'의 의미도 가지고 있다. 일반적으로, 이 '표현'과 '표시'는 같은 뜻으로 보여질 수 있지만, 항상 그런 것은 아니다. 예컨대, '둥근 사각형'이라는 언어는 '표현'의 기능은 하지만, 실제는 존재하지 않으므로 '표시'는 아니기 때문이다.

이에 따라, 후설은 언어로서의 '언어'라는 '(넓은 의미의)기호'를 이제는 '표시'와 '표현'이라는 두 가지 용어로 구분하여 사용하고자 한다. 언어라는 기호는 '표시'

(표지, 부호) 즉 무엇을 지시하는 작용이 있으며, 이와 별도로 순수 자아에 의해 나타난 의미 작용으로서 '표현'이 존재한다. 이때 표시는 개별자들 하나하나에 대해서 지시가 이루어지므로 표현에 비해 그 외연이 넓다. 그러나 표현은 보편자의 개념이며, 따라서 진정한 의미에서의 일종의 기호(Zeichensein)의 작용을 한다. 한 예로서 표현은 그것이 더 이상 표시로서 기능하지 않는 고독한 영혼의 삶에서도 그 의미기능을 발휘한다.

> 표현(Ausdruck)과 기호(Zeichen)라는 용어는 종종 같은 뜻으로 다루어진다. 그러나 일반적인 언어 관습상 어디서나 일치하지는 않는다. 모든 기호는 무엇에 대한 기호이지만, 모든 기호에 의해 표현된 뜻(Sinn, 필자: 의미)인 의미(Bedeutung, 필자: 지시체)는 갖지 않는다. 많은 경우 기호가 그것에 대해 기호라 부르는 것을 '표시한다'(bezeichnen)고 말할 수 조차 없다. 심지어 이렇게 말하는 방식이 허용되는 경우에도 표시하는 작용이, 그 표현을 특징짓는, 그 '의미하는 작용'으로서 항상 타당하지 않다는 점을 관찰해야 한다. 즉 기호는 표시(Anzeigen) - 표지.부호 등 - 의 의미에서, 그것이 지시하는(Anzeichen) 기능 이외에 어떠한 의미의 기능도 충족시키지 않는 한 아무것도 표현하지 않는다.
> 우리가 표현에 대해 논의할 때 자기 뜻과 상관없이 실행하고는 하듯 생생한 대화에서 기능하는 표현에 우선 한정하면, 이 경우 표시한다는 개념은 표현이라는 개념과 비교해 그 외연이 더 넓어 보인다. 따라서 표시한다는 개념은 내포와 관련해 결코 유(類) 개념이 아니다. 의미하는 작용은 지시하는 의미에서 일종의 기호로 있는 것(Zeichensein)이 아니다. 의미하는 작용의 외연은 단지 "의미하는 작용이 (전달하는 발언.논의에서) 항상 그것이 표시로 있는 것(Anzeichensein)과의 관계에 엮여 있다"는 사실을 통해서만 더 좁은 개념이며, 이것은 다시, 표시로 있는 것도 바로 그와 같이 엮이지 않고 등장할 수 있다는 사실을 통해 더 넓은 개념을 정초한다. 표현은 그것이 더 이상 표시로서 기능하지 않는 고독한 영혼 삶에서도 그 의미기능을 발휘한다. 따라서 참으로 두 가지 기호의 개념은 결코 더 넓은 개념과 더 좁은 개념의 관계에 있지 않다.(『논리연구 2권 1』43-44)

나. '지시'의 본질 : '판단작용'을 일으키는 '표시(지시체)작용'

'의식'의 형성과정에서 가장 먼저 작용하는 것은 '표시 작용'이다. 즉, 어떤 대상이나 상태는 사유하는 자에게 그것의 존립 요소를 지시해준다.(필자: 후설의 '표시작용'은 '인식'의 결과 나타남) 그래서 사유하는 자가 지시된 사태가 구성되는 판단작용들 사이에서 기술적 통일성을 수립하게 한다. 그래서 그것은 궁극적으로 판단작용을 통해 추정된 통일적 사태를 갖게 한다. 즉, '표시작용'은 '판단작용'을 불러일으킨다.

> '기호'라는 말에 부착된 두 가지 개념에서 우선 '표시'의 개념을 고찰하자. 우리는 여기에서 존재하는 관계를 지시(Anzeige)라 한다. 이러한 의미에서 낙인은 노예에 대한 기호, 국기는 국가에 대한 기호이다. 일반적으로 근원적인 말의 의미에서 '징표'는 이 징표가 부착된 객체를 능숙하게 식별할 수 있는 '특징적' 성질로서 여기에 속한다.…
> 자기 뜻대로, 또 지시하는 의도로 형성된 기호의 경우에만 우리는 '표시작용'에 대해 이야기하며, 한편으로는 부호를 만들어 내는 작용과 관련해, 다른 한편으로는 지시 자체의 의미에서, 결과적으로 지시할 수 있는 객체 또는 표시된 객체와 관련해 이야기한다.
> …그것이 어떤 사유하는 존재자에게 사실적으로 어떤 것에 대한 지시로서 이바지하는 경우에 그것은 본래적 의미에서 오직 표시라 부를 수 있다.… 즉 누군가 그 존립요소에 관한 현실적 지식을 갖는 어떤 대상이나 사태는 - 한쪽의 존재에 대한 확신이 그에게는 다른 쪽 존재에 대한 확신이나 추측을 위한 동기로서 체험된다는 의미에서 - 어떤 다른 대상이나 사태의 존립 요소를 그에게 지시해 준다.
> 동기를 부여하는 것은 사유하는 사람에 대해 지시하고, 지시된 사태가 구성되는 판단작용들 사이에서 기술적 통일성을 수립하며, 이 통일성은 가령 판단작용 속에 기초가 된 '형태의 질'로서 파악될 수 있는 것이 아니다. 즉 그 통일성 속에는 지시의 본질이 놓여 있다. 더 명확하게 말하면, '판단 작용'에 동기를 부여하는 통일성은 그 자체로 판단의 통일체 성격을 띠며, 그래서 (그것은) 자신의 전체성에서 나타나는 대상적 상관자, 즉 그 통일체 속에 존재하는 것으로 보이고(는) 그 통일체 속에 추정된 통일적 사태(Sachverhalt)를 갖는다.(『논리연구 2권 1』44-45)

후설의 위의 논의는 다음과 같이 이해된다. 우리가 어떤 사물을 바라보면, 그 사물은 우리의 망막 속에 어떤 인상을 세울 것이다. 이때 이 인상은 우리에게 표시작용을 한다. 즉, 특정 사물을 지시하고 있는 것이다. 이때 이와 더불어서 우리의 순수자아 안에서는 어떤 판단작용이 일어나며, 이러한 것의 반복은 우리 안에 어떤 통일적인 보편개념을 세우고, 관념의 연상이 발생하는 의식작용이 일어난다. 이렇게 하여 우리의 의식은 유의미한 기호가 되어 표현되어 나타난다. 이러한 의식의 표현이 곧 언어이다. 한편, 우리 안에 있는 이러한 모든 '의식'은 순수 자아의 직관에 의한 것이다. 따라서 현상학의 대상은 '의식'이 된다.

다. 추론과 증명

우리가 어떤 사물이나 사태를 인식하였다고 하여서 곧바로 의식이 형성되는 것은 아니다. 먼저, 그것은 어떤 또 다른 사태를 '앞서 지시'(추론)하게 하기도 하고, 이것은 또 다른 어떤 사태에 대한 '증명'이 되기도 한다. 그리고 이것은 '연상'을 일으키며, 어떤 '이념적 통일체'로서 '이념적 내용' 즉 '명제'를 발생시킨다. 여기에는 '전제'와 '결론'이 있으며, '전제'는 '결론'을 증명한다. 이 점에서 이념적 합법칙성이 드러난다. 이것이 우리 안에서 일어나는 '판단 기능'이다.

> 사실상 어떤 사태의 존립을 다른 사태의 존립에서 통찰해 추리하는 경우, 후자는 전자에 대한 지시나 기호가 아니라고 부른다. 거꾸로 논리학의 본래적 의미에서 증명하는 것이 문제 되는 것은, 통찰되거나 가능한 방식으로 통찰된 추론의 경우일 뿐이다. 우리가 증명으로, 가장 단순한 경우 추리라 말하는 많은 경우는 확실히 통찰된 것이 아니며, 심지어 잘못된 것이다.
> 그런데 이렇게 말하는 가운데, 어쨌든 우리는 그 결과가 통찰될 수 있기를 요구한다. 다음은 이와 연관된다. 즉 주관적 추리작용과 증명작용에는 객관적 추리와 증명 또는 근거와 귀결의 객관적 관계가 상응한다. 이러한 이념적 통일체는 관련된 판단체험이 아니라 그 판단체험의 이념적 '내용', 즉 '명제'이다. 누가 전제와 결론, 그리고 이 둘의 통일체를 판단하든 전제는 결론을 증명한다. 이 점에서 이념적 합법칙성이 드러난다.(『논리연구 2권 1』46)
> …추리와 추론에 대한 논의는 논리적 의미에서뿐 아니라 지시의 경험적 의미에서도 참으로 일반적이다.… (『논리연구 2권 1』49)
> 순수하게 내용 속에 근거한 이 통일체, 예를 들어 시각의 장 속에서 시각적 내

용의 통일체는 물론 연상을 방해할 수 없다. 그러나 연상은 그 위에 새로운 현상학적 성격과 통일체를 만들어 내는데, 이 현상학적 성격과 통일체는 그 필연적 법칙의 근거를 바로 체험된 내용 자체 속에, 즉 체험된 내용의 추상적 계기의 유(類) 속에 갖지 않는다.… (『논리연구 2권 1』50)

라. 유의미한 기호로서의 '표현'

순수 자아에 의한 위와 같은 이념적 통일체가 유의미한 명제가 되어 언어라는 기호로 나타난다. 따라서 언어는 이념적 통일체로서의 명제이지 각각 분리된 개별적인 단어가 아니다.

한편, 이 '표현'에는 일반적으로 두 가지 요소가 존재한다. 하나는 물리적 기호로서의 표현과, 또 하나는 심리적 체험의 어떤 총체이다. 그리고 이때 후자가 '뜻(Sinn) 또는 의미(Bedeutung)'이다. 그런데, 후설은 여기의 심리적 체험에 한 가지를 더 추가하여 '통지'의 기능을 말한다. 즉 심리적 체험으로서의 어떤 '명사'는 그 명사가 의미하는 것(의미, 명사적 표상의 '내용')과 그 명사가 부르는 것(표상의 '대상')이 구별된다. 그리고 이 후자를 '의사소통 기능'으로서의 '표현'이라고 부른다.

우리는 지시하는 기호와 유의미한 기호인 표현을 구별한다.…(『논리연구 2권 1』51)

우리는 표현과 관련해 다음 두 가지를 구별하곤 한다. 1) 물리적 측면의 표현(감성적 기호, 분절된 음성복합, 종이에 쓴 문자 등). 2) 표현에 연상적으로 연결된, 또한 이것에 의해 그것을 무엇에 관한 표현으로 만드는 심리적 체험의 어떤 총체. 적어도 이 심리적 체험을 표현의 '뜻(Sinn) 또는 의미((Bedeutung)'라 부르며, 게다가 그렇게 부름으로써 이러한 용어가 통상 논의에서 의미하는 것을 맞추려는 의견에서 그러하다.

그러나 이러한 파악은 옳지 않다. 물리적 기호와 의미를 부여하는 체험 일반을 단순히 구별하는 것, 게다가 논리적 목적을 위해 구별하는 것은 충분하지 않다.

특히 명사(Name)에 관해 여기에 속한 것도 이미 오래 전에 주목했다. 우리는 모든 명사에서 이 명사가 '통지하는(kundgeben)' 것 - 즉 그 심리적 체험 -과 그 명사가 의미하는 것을 구별했다. 또한 그 명사가 의미하는 것(의미, 명사적 표상의 '내용')과 그 명사가 부르는 것(표상의 '대상')을 구별했다.(『논리연구 2권

1』53)

마. 의사소통 기능에서의 '표현'

심리적 표현의 기능으로서의 의사소통이라는 기능은 또 다른 사람과의 정신적 교류를 의미한다. 그가 그것을 이해해야만 교류가 가능하기 때문이다. 그리고 이것이 의미하는 바는 어떤 기호의 타당성을 암시한다. 즉, 양자 간의 순수자아의 직관이 합치하였다는 것이다. 한편, 이 '통지기능'은 그 기호를 듣는 상대방에게 '표시로서의 기능'을 수행한다. 이것은 듣는 사람의 심리적 체험에 대한 기호로서 이바지한다. 언어적 표현의 이러한 기능을 통지기능이라고 한다.

> 분절된 음성복합(또는 작성된 문자 등)이 이야기된 말과 전달하는 논의 일반이 되는 것은 말하는 사람이 '자신을', '무엇에 관해 표명하려는' 의도로 그 음성복합을 산출함으로써, 즉 말하는 사람이 어떤 심리적 작용 속에서 그가 듣는 사람에게 전달하려는 어떤 의미를 그 음성복합에 부여함으로써 비로소 이루어진다. 하지만 이러한 전달은 듣는 사람이 말하는 사람의 의도를 이해해야 가능해진다. 또한 듣는 사람이 말하는 사람의 음성을 발성할 뿐만 아니라 그에게 말하는 사람으로서, 음성과 동시에 그가 자신에게 통지하거나 그 의미를 전달하려는 어떤 의미를 부여하는 작용을 수행하는 사람으로서 파악하는 한, 듣는 사람은 말하는 사람의 의도를 이해한다. 정신적 교류를 무엇보다 가능하게 하고, 말하는 사람과 듣는 사람을 결합하는 논의를 진정한 논의로 만드는 것은, 논의의 물리적 측면을 통해 전달된, 서로 교류하는 사람들이 함께 속한 물리적 체험과 심리적 체험의 이러한 상관관계 속에 놓여 있다. 말하는 것과 듣는 것, 말하는 가운데 심리적 체험을 통지하는 것과 듣는 가운데 심리적 체험을 통지 받는 것은 서로 종속된다.
>
> 이러한 연관을 개관해 보면, 우리는 모든 표현이 의사소통하는 논의에서 표시로서 기능한다는 사실을 곧 인식한다. 모든 표현은 듣는 사람에게 말하는 사람의 '생각'에 대한 기호, 즉 전달하려는 의도를 지닌 그 밖의 심리적 체험과 마찬가지로, 말하는 사람이 의미를 부여하는 심리적 체험에 대한 기호로서 이바지한다. 언어적 표현의 이러한 기능을 통지 기능이라 한다.…
>
> 통지를 이해하는 것은 가령 통지를 개념적으로 알거나 일종의 진술로 판단하는

것이 아니다. 듣는 사람이 말하는 사람을, 이러저러한 것을 표현하는 하나의 사람으로 직관적으로 파악(통각)할 때, 또는 단도직입적으로 말할 수 있듯이, 그와 같은 것으로 지각할 때다.… 듣는 사람은 통지를, 그가 통지하는 사람 자체를 지각하는 것과 동일한 의미로 지각한다.(『논리연구 2권 1』54-55)

바. '표현'의 본질로서의 '상상' : 고독한 영혼 삶에서의 표현

우리는 앞에서 '표상'이 '통지'의 기능을 하는 것으로 살펴보았다. 그렇다면, 영혼의 독백과 같은 것은 어떻게 판단되어야 하나? 무엇에 대한 '표현'은 자기 자신에게도 그 관심을 의미로 향하여 하고, 자기 자신에게 표시로 이바지하여 현존하여 스스로에게 지각을 주는 것처럼 보인다. 후설은 이에 대해 이러한 표상을 실제의 말 대신 표상된 말에 만족하여야 한다고 말한다. 예컨대, '켄타우로스'와 같은 상상의 대상이 없고 단순히 '상상의 내용'만이 존재하는 '상상의 표상'이 존재한다. 이것이 우리에게 시사하는 바는 '표현'의 본질은 '상상의 표상'이라고 말한다. 그리고 이것이 '통지하는 기능'과 결합하였다는 것이다. 즉, 이 기호를 매개로 사념한 것이 나타난 것이다. 그래서 '표현'은 자기 자신에게서 관심을 '의미'로 향하게 하고, '지시(표시)'가 아닌 '의미'를 앞서 지적하는 것으로 보인다. 즉, '통지'의 본질은 '의미지향'이다.

이제까지 의사소통 기능에서 나타나는 표현을 고찰했다. 이는 의사소통의 기능은 본질적으로 표현이 표시로 작동한다는 점에서 기인한다. 그렇지만 교류하는 가운데 전달하지 않는 영혼 삶 속에서도 표현은 중대한 역할을 한다. 그렇다면 변경된 기능이 표현을 표현으로 만드는 것에는 분명히 들어맞지 않는다. 표현은 이전과 마찬가지로 이후에도 자신의 의미를 가지며, 대화의 경우와 마찬가지로 동일한 의미를 갖는다.… 우리가 말을 이해하며 살아가는 경우, 그 말이 누구에게 향해 있든 향해 있지 않든 그 말은 무엇을 표현하며, 또 동일한 것을 표현한다.
이것에 따라 표현의 의미와 그 밖의 표현에 본질적으로 속하는 것은 표현이 통지하는 작업 수행과 일치할 수 없다는 점이 분명해 보인다. 또는 가령 우리는 고독한 삶 속에서도 표현으로써 무엇을 통지한다고 말해야 하는가? 우리는 고독한 말하는 사람이 자기 자신에게 말하며, 이 말은 그에게도 기호로서, 즉 자기 자신의 심리적 체험에 대한 표시로서 이바지한다고 말해야 하는가?
그런 견해는 견지될 수 없다. 말은 물론 여기에서도 기호로서 기능한다. 그리고 심지어 우리는 어디에서나 바로 앞서 지적함에 대해 말할 수 있다. 표현과 의미의 관계를 반성해 보고, 이러한 목적에서 의미가 충족된 표현의 복잡하고 내적으로 통일된 체험을 '말'과 '의미'라는 두 가지 요소로 분석해 보면, 우리에게 말 자체는 그 자체로 타당한 것으로 나타나지만 의미는 그 말로 '겨냥한 것', 즉 이 기호를 매개로 사념한 것으로 나타난다. 그래서 '표현'은 자기 자신에게서 관심을 의미로 향하고, 의미를 앞서 지적하는 것으로 보인다.
그러나 앞서 지적하는 것은 우리가 앞에서 규명한 의미에서, 지시하는 것(Anzeigen)이 아니다. 기호의 현존은 의미의 현존을, 더 정확하게 말하면, 의미의 현존에 대한 우리의 확신에 동기를 부여하지 않는다. 우리에게 표시(표지)로서 이바지할 것은 현존하는 것으로서 우리에게 지각되어야 한다. 이것은 전달하는 논의의 표현에는 해당되지만, 독백의 표현에는 해당되지 않는다. 후자의 경우 우리는 사실상 통상적으로 실제의 말 대신 표상된 말에 만족한다. 말하거나 인쇄된 언어기호는 상상 속에서 우리 눈앞에 아른거리지만, 그것은 결코 존재하지 않는다.
어쨌든 우리는 상상의 표상이나, 심지어 그 기초가 되는 상상의 내용을 상상된 대상과 혼동하지 않는다. 상상된 말소리나 활자가 존재하는 것이 아니라, 이에 대한 상상의 표상이 존재한다. 그 차이는 상상된 켄타우로스와 이것에 대한 상상의 표상에 대한 차이와 같다.… 그러나 그것이 중요한 문제가 되는 경우, 그때 의미하는 기능에는 바로 통지하는 기능이 결합된다. 즉 생각은 다만 어떤 의미의 방식으로 표현될 뿐만 아니라 통지함을 매개로 전달되기도 한다. 당연히 이것은 실제로 말하고 듣는 것 속에서만 가능할 뿐이다.
…문제가 되는 [심리적] 작용은 참으로 동일한 순간 우리 자신에 의해 체험된다.(『논리연구 2권 1』56-58)

3. 의미

가. 의미지향과 의미충족으로서의 '표현'

만일 '표현'에서 '통지'의 기능이 '의미'에 대한 매개의 기능이라면(필자: 언어의 본질적인 기능이 아니라면), 이제 통지함에 속하는 체험은 도외시하고, 그 '의미'의 기능을 중심으로 살펴볼 수 있다. 그렇다면 이제 '표현'은 '표현 자체'의 물리적 현상과, 그 의미로서 '표현하는 것' 즉 '직관적 충족'으로 구분된다. 그리고 이 후자의 작용에 의해 '표현'은 단순한 말소리 이상이 된다. 이때 표현은 무엇을 뜻하고, 또 '무엇을 뜻함'(의미)으로서 '대상적인 것'(표시)과 관계된다. 이 대상적인 것은 수반하는 직관에 의해 현실적으로 현재하지만 적어도 현전화된 것(상상의 상)으로 나타나며, 이러할 경우 대상성과의 관계가 실현된다. 하지만, 이것이 일어나지 않는 경우에도 표현은 유의미하게 된다. 이때 그 대상성과의 관계가 실현되거나, 통일체에 의미를 부여하면, 이것은 '충족된 의미지향'이며, 그렇지 않을 경우 그것은 '공허한 의미지향'에 속하게 된다.

이제 체험, 특히 통지함에 속하는 체험은 도외시하고, 독백에서 기능하든 대화에서 기능하든 동일한 방식으로 표현에 속하는 구별에 관한 표현을 고찰하면, 한편으로는 표현 자체와, 다른 한편으로는 표현이 그 의미로서(그 뜻으로서) 표현하는 것, 이 두 가지가 남는다. 그런데 여기에는 여러 관계가 서로 얽혀 있으며, '표현된 것'에 대한 논의와 '이미'에 대한 논의는 이에 상응하여 다의적이다. 만약 우리가 순수기술(記述)의 토대 위에 서면, 의미를 불어넣은 표현의 구체적 현상은 한편으로는 표현이 그 물리적 측면에 따라 구성되는 물리적 현상과, 다른 한편으로는 표현에 의미를, 어쩌면 직관적 충족을 주며 표현된 대상성과의 관계가 구성되는 작용으로 구분한다. 이 후자의 작용에 의해 표현은 단순한 말소리 이상이 된다.
표현은 무엇을 뜻하고, 무엇을 뜻함으로써 대상적인 것과 관계된다. 이 대상적인 것은 수반하는 직관에 의해 현실적으로 현재하지만 적어도 현전화 된 것으로 - 예를 들어 상상의 상(像) 속에 - 나타나며, 이러할 경우 대상성과의 관계가 실현된다. 하지만 이것이 일어나지 않은 경우에도 표현은 유의미하게 기능하며, 비록 표현이 기능하는 직관, 즉 표현에 대상을 부여하는 직관이 없더라도 언제든 공허한 말소리 그 이상의 것이다. 대상에 대한 표현의 관계는, 그 관계가 단순한 의미지향 속에 포함되는 한, 지금 실현되지 않는다. 예를 들어 명사(Name)는 모든 상황에서 자신의 대상을(즉, 명사가 그 대상을 뜻하는 한) 명명하다. 그렇지만 대상이 직관적으로 현존하지 않아 명명된 것(즉 사념된 것)으로도 현존하지 않는 경우에는 단순한 사념에 그치고 만다. 최초의 공허한 의미지향이 충족됨으로써 명명하는 것은 명사와 명명된 것 사이에 현실적으로 의식된 관계가 된다.

직관이 공허한 의미지향과 충족된 의미지향 사이의 이러한 근본적 구별을 기초에 놓으면, 또한 표현이 말소리로서 나타나는 감성적 작용을 제외하면 다음 두 가지 작용 또는 작용의 계열이 구별될 수 있다. 즉 한편으로는 표현이 여전히 표현, 즉 의미를 불어넣은 말소리인 한 표현에 본질적으로 작용하는 작용의 계열이다. 이것을 '의미를 부여하는 작용' 또는 '의미지향'이라 한다.
다른 한편으로는 표현 그 자체에 비본질적이지만 그 의미지향을 다소 적절하게 충족시키는(입증하고 강화하며 예시하는) 그래서 표현의 대상적 관계를 현실화하기 위해 표현의 논리적 근본에 관계된 작용이다. 인식의 통일체나 충족의 통일체에서 의미를 부여하는 작용과 융합된 이 작용을 '의미를 충족시키는 작용'이라 한다. 요약된 표현인 의미충족은 어떤 의미지향이 상관적 작용 속에서 충족되는 총체적 체험과 밀접한 혼동이 배제된 경우에만 사용할 수 있다. 표현이 그 대상성과의 실현된 관계에서 의미를 불어넣은 표현은 의미충족의 작용과 일체가 된다. 말소리는 우선 의미지향과 일체가 되고, 이 의미지향은 다시 관련된 의미충족과 일체가 된다. 우리는 '단순한' 표현에 대한 논의가 아닌 한 실로 표현 자체로서 통상 의미를 불어넣은 표현을 다룬다. 그래서 본래 "'표현'은 자신의 의미(지향)를 표현한다"라고 말하면 안 된다. 여기에서는 표현에 대한 다른 논의가 더 적절한데, 이 논의에 따르면, 예를 들어 "진술은 지각이나 상상에 표현을 부여한다"라는 진술에서와 같이 "충족시키는 작용은 완전한 표현을 통해 표현된 작용으로서 나타난다."
…의미를 부여하는 작용은 심지어 통지하는 것의 본질적 핵심을 형성한다. 의미를 부여하는 작용을 듣는 사람에게 바로 알게 하는 것은 무엇보다 전달하는 지향의 관심사여야만 한다. 듣는 사람이 의미를 부여하는 작용을 말하는 사람에게 삽입함으로써만 듣는 사람은 말하는 사람을 이해한다.(『논리연구 2권 1』59-61)

나. 현상학적 통일체

'표현'에 있어서 '의미지향'은 심리적 요소인데, 이에 반해 '표현 자체'는 물리적 요소이다. 이 둘은 동시에 주어진 것으로서, 이 둘은 내적으로 융합된 독특한 성격의 통일체를 형성한다. 그리고 우리가 언어를 들음으로써 언어의 표상을 체험하는 동안, 우리는 언어를 표상하는 작용에 먼저 전념하지 않고, 오직 언어의 의미를 수행하는 데에, 즉 언어가 의미하는 작용에 전념한다. 즉 우리는 의미지향에 몰두하면서, 그 의미지향에 의해 명명된 대상으로 향한다. 이때, 직관적 언어의 표상 기능은 '의미 부여'를 불러일으키고, 이 기능 속에서 직관을 통해 주어진 것을 '앞서 지적하며' 우리의 관심을 오직 이러한 방향으로 밀어붙인다.

그래서 이렇게 우리의 '앞서 지적하는' 행위는 A와 B라는 사태의 기술시, 그것을 단순한 객관적 사실로서 기술하지 않는다. 그것은 은폐된 '심리학적 조정' 때문에 체험된 통일체에서의 하나의 기술적 계기가 된다. 즉 물리적 기호가 나타나는 것과 이것을 의미지향의 '표현'으로 나타내는 것에는 차이가 존재한다. 이 지각의 대상은 말의 성격을 상실한다. 이때 말이 다시 말로서 기능하면, 그 말이 가진 표상의 성격은 총체적으로 변경된다.

즉, 물리적 언어의 나타남이 구성되는 '직관적 표상'은, 그 대상이 '표현'의 타당성을 받아들일 경우, 어떤 본질적인 '현상적 변양'을 겪는다(필자: 후설에게 '표현'은 '사태에 대한 표현'을 의미하는 것으로 보임). 이제 여기에서는 현상학적 물음에 더 깊게 파고드는 것을 중지하지만, 현상학적 상태를 올바로 기술하려 할 때 상황성이 적지 않게 필요하다는 점을 인지할 수 있다.

> 한편으로 표현이 나타나는 작용과, 다른 한편으로는 의미지향(경우에 따라 의미충족도)의 작용은 이것들이 단순히 동시에 주어진 것처럼, 의식 속에 어떠한 단순한 함께 있음도 형성하지 않는다. 오히려 그 작용들은 내적으로 융합된 독특한 성격의 통일체를 형성한다. 표현과 의미에 의해 표현된(명명된) 대상의 관계는, 똑 같지 않음이 반영되는 양 측면의 존립요소의 가치가 똑같지 않음을 누구나 자신의 내적 경험으로 알고 있다. 언어의 표상과 의미를 부여하는 작용은 체험된다. 하지만 언어의 표상을 체험하는 동안, 어쨌든 우리는 결코 언어를 표상하는 작용에 전념하지 않고 오직 언어의 의미를 수행하는 데에, 언어가 의미하는 작용에 전념한다. 그리고 이렇게 하는 가운데, 의미지향을 실행하고 어쩌면 의미지향을 충족시키는 데 몰두하는 가운데, 우리의 온 관심은 의미지향 속에 지향된 것과 의미지향에 의해 명명된 대상으로 향한다. 언어(또는 오히려 직관적 언어의 표상)의 기능은 바로 우리가 의미를 부여하는 작용이라 한 것을 불러일으키고, 이 의미를 부여하는 작용 '속에' 지향되며, 어쩌면 충족하는 직관을 통해 주어진 것을 '앞서 지적하며' 우리의 관심을 오직 이러한 방향으로 밀어붙인다.
> 이렇게 '앞서 지적하는' 것은 가령 어떤 것에서 다른 것으로 관심을 규칙적으로 전환하는, 단순한 객관적 사실로서 기술하는 것이 아니다. 가령 어떤 것에서 다

른 것으로 관심을 규칙적으로 전화하는, 단순한 객관적 사실로서 기술하는 것이 아니다. 한 쌍의 표상의 객체 A와 B가 은폐된 심리학적 조정 덕분에 "A의 표상작용에 의해 B의 표상작용이 규칙적으로 일깨워지고, 이 경우 관심이 A에서 떠나 B로 이행되는" 관계에 있는 이러한 상황은 여전히 A를 b의 표사에 대한 표현으로 만들지 못한다. 오히려 '표현으로-있음'은 기호와 이 기호로 표시된 것 사이에서 체험된 통일체에서 하나의 기술적 계기가 된다.

물리적 기호가 나타나는 것과 이것을 표현으로 낙인찍는 그 의미지향의 기술적 차이에 관해서는, 우리의 관심을 우선 기호 그 자체에만 향하면, 가령 인쇄된 말 그 자체에 향할 때 그 차이는 가장 명확하게 부각된다. 이렇게 하면 우리는 다른 어떤 지각과 마찬가지로 외적 지각(또는 외적인 직관적 표상)을 가지며, 이 지각의 대상은 말의 성격을 상실한다. 이때 말이 다시 말로서 기능하면, 그 말이 가진 표상의 성격은 총체적으로 변경된다. 말(외적인 개체로서)은 우리에게 여전히 직관적으로 현재적이고 여전히 나타난다. 그렇지만 그 말을 겨냥하지 않았고, 본래적 의미에서 그 말은 더 이상 지금 우리의 '심리적 활동' 대상이 아니다. 우리의 관심, 지향, 사념(이것들은 적절한 범위의 경우 정말 같은 뜻의 표현일 뿐이다)은 오직 의미를 부여하는 작용 속에서 사태로만 향한다.

순수하게 현상학적으로 말하면, 그러나 이것은 다음과 같은 것을 뜻할 뿐이다. 즉 물리적 언어의 나타남이 구성되는 직관적 표상은, 그 대상이 표현의 타당성을 받아들일 경우, 어떤 본질적인 현상적 변양을 겪는다. 그 직관적 표상에서 대상의 나타남을 형성하는 것이 변경되지 않고 남아 있는 동안 체험의 지향적 성격은 변화된다.

…우리는 여기에서 현상학적 물음에 더 깊게 파고드는 일을 중지한다. 이제까지 제시한 잠정적 기술에서 이미 현상학적 상태를 올바로 기술하려 할 때 상황성이 적지 않게 필요하다는 점을 인지할 수 있다.(『논리연구 2권 1』61-63)

다. '이념적 통일체'로서의 '표현'과 '의미'의 구별

우리의 순수자아가 어떤 사태를 경험할 때, 그 모든 사태는 먼저 인상으로서 우리에게 주어질 것이다. 이때 우리의 순수자아는 이것을 있는 그대로 표현해 내는 것이 아니라, '의미를 부여하고 강화시키는 체험'을 통해서 그것을 '표현(표현 자체)'한다. 즉, 이때 물리적 언어의 나타남이 구성되는 직관적 표상은 최초의 주어진 인상과 관련하여 어떤 본질적인 현상적 변양을 겪는다. 여기에서 '표현 자체'와 '의미작용과 충족'의 결합을 '이념적(사념된) 통일체'라고 말한다. 후설은 이제 여기에서 이 두 요소에 속한 '대상성'을 고찰하고자 한다.

> 우리는 이제까지 잘 이해할 수 있는 표현을 구체적 체험으로서 고찰했다. 표현이 '나타남'과 '의미를 부여하는 체험과 의미를 충족시키는 체험'이라는 두 측면의 요소 대신, 이제 어떤 방식으로 두 측면의 요소 '속에' 주어진 것, 즉 표현 자체와 그 의미, 그리고 이에 속한 대상성을 고찰하려 한다. 따라서 작용의 실재적 관계에서 그 대상이나 내용의 이념적 관계로 전환하여 주관적 고찰은 객관적 고찰에 길을 내준다.…(『논리연구 2권 1』64)

라. 표현된 '대상성'

표현은 어떤 의미에 대한 표현인데, 이 '의미의 작용이나 충족'은 '통지의 기능'을 가지고 있다. 예를 들어, 어떤 '진술'은 우리의 '판단(의미 작용 등)'에 '표현'을 부여한 것이다. 그리고 더 나아가서는 그 '판단'을 '통지'한 것이다. 그래서 '표현'되어 있음에 대해 지금 규명할 세 번째 의미는 의미 속에서 사념되고 의미를 매개로 하여 표현된 '대상성'이다. 즉 모든 '표현'은 '무엇을'(의미) 말하는 것 뿐만 아니라, '무엇에 관해서도'(통지) 말한다. 즉 모든 표현은 자신의 의미를 가질 뿐 아니라 어떤 대상에 관계된다. 따라서 여기에는 '의미(내용)-표현(혹은 표상)-대상'의 구조가 성립한다. 그런데, 이때 '대상'은 '의미'와 결코 일치하지 않는다. 그리고 이러한 '표상'의 관점에서 '내용'과 '대상'은 구별되는데, 즉 표현의 관점에 의하면, '표현'은 '의미하는 것(내용)'임과 동시에 '그것에 관한 것(대상성)'으로 구별될 수 있다. 앞에서 우리는 '표현'을 '의미'와 '표현(표현 자체)'을 구별하고, 이것을 다시 '의미(내용)-표현(혹은 표상)-대상'으로 구별하였는데, 궁극적으로는 '표현'과 '대상'을 결합하여 '의미'와 '대상성'으로 구분할 수 있겠다. 의미(내용)와 대상을 구별할 필연성은 다수의 표현이 동일한 의미를 갖지만 서로 다른 대상을 가질 수 있거나, 서로 다른 의미를 갖지만 동일한 대상을 가질 수 있는 예를 비교할 경우 분명해진다.

표현이 표현되는 것에 대한 논의는, 이제까지의 고찰에 따르면, 이미 본질적으로

서로 다른 많은 의미를 갖는다. 한편으로 그 논의는 통지함 일반과 이 중에서 특히 의미를 부여하는 작용, 게다가 의미를 충족시키는 작용에 관계된다. 예를 들어 어떤 진술에서 우리는 우리의 판단에 표현을 부여하지만, 그 판단을 통지한다. 또한 지각과 그 밖의 의미를 충족시키는 작용, 진술의 사념을 직관화하는 작용에 표현을 부여한다. 다른 한편으로 문제가 되는 논의는 이러한 작용의 '내용', 더구나 종종 충분히 표현된 것으로 불리는 의미에 관계된다.

…'표현'되어 있음에 대해 지금 규명할 세 번째 의미는 의미 속에서 사념되고, 의미를 매개로 하여 표현된 대상성이다. 모든 표현은 무엇을 말할 뿐 아니라 무엇에 관해서도 말한다. 즉 모든 표현은 자신의 의미를 가질 뿐 아니라 어떤 대상에 관계된다. 이러한 관계는 하나의 동일한 표현에 대해 상황에 따라 여러 가지이다. 그러나 그 대상은 결코 의미와 일치하지 않는다. 물론 이 둘은 대상에 의미를 부여하는 심리적 작용에 의해서만 표현에 속한다. 그리고 이러한 '표상'의 관점에서 '내용'과 '대상'을 구별하면, 그래서 표현의 관점에서 한편으로 표현이 의미하는 것 또는 '말하는' 것으로, 다른 한편으로 표현이 그것에 관해 무엇을 말하는 것으로 구별되는 동일한 것으로 사념된다.(『논리연구 2권 1』68-69)

의미(내용)와 대상을 구별할 필연성은 다수의 표현이 동일한 의미를 갖지만 서로 다른 대상을 가질 수 있거나, 서로 다른 의미를 갖지만 동일한 대상을 가질 수 있는 예를 비교할 경우 분명해진다. 게다가 그것들이 두 방향에 따라 구별되고 두 방향에서 일치할 가능성도 물론 있다. 후자는 동어반복의 표현, 예를 들어 다른 언어 속에 서로 상응하는 동일한 의미와 명명의 표현인 경우이다. '런던'이 London과 Londres로 '둘'이 zwei, deux, duo 등이다.

명사는 의미와 대상적 관계를 구별하는 가장 분명한 예시이다. 명사의 경우, 후자의 관점에서 '명명'에 대한 논의가 통용되며, 두 명사는 다른 것을 의미할 수 있지만 동일한 것을 명명한다. 예를 들어, '예나의 승자[나폴레옹]'와 '워털루의 패자[나폴레옹]', '등변삼각형'과 '등각 삼각형'[정삼각형]에서 표현된 의미는 쌍을 이루는 두 측면에서 동일한 대상을 뜻하더라도 분명히 서로 다르다. 그것이 규정되어 있지 않기 때문에 어떤 '외연'을 갖는 명사의 경우도 사정은 마찬가지이다. '등변 삼각형'과 '등각 삼각형'이라는 표현은 가능하게 적용될 수 있는 동일한 대상적 관계와 동일한 외연을 갖는다.

반대로 두 표현이 동일한 의미를 갖지만 서로 다른 대상적 관계를 가질 수 있다. '말(馬)'이라는 표현은 그것이 나타나는 어떤 논의의 연관에서도 동일한 의미를 갖는다. 그러나 어느 때는 "[알렉산더 대왕의 군마] 부케팔라스는 말이다." 다른 때는 "이 짐마차를 끄는 말은 말이다"라고 하면, 어떤 진술에서 다른 진술로 이행하는 가운데, 의미를 부여하는 표상에 의해 분명히 변화가 일어난다. 그 내용, 즉 '말'이라는 표현의 의미는 변화되지 않고 남지만 대상적 관계는 변화된다. 동일한 의미로 '말'이라는 표현은 어느 때는 '부케팔라스'를, 다른 때는 '짐마차를 끄는 말'을 표상한다. 모든 보편명사의 경우, 즉 하나의 외연을 갖는 명사의 경우에도 사정은 마찬 가지이다. 하나는 어디에서나 동일한 의미에 대한 명사이다. 하지만 그런 이유로 계산하는 가운데 서로 다른 하나를 동일하게 정립하면 안 된다. 서로 다른 하나는 모든 동일한 것을 의미하지만 그 대상적 관계에서 구별된다.…(『논리연구 2권 1』69-70)

마. '의미'와 '대상적 관계'의 연관

한편, 여기에서 우리 순수자아로부터 형성된 '표현의 의미'와 외부에 존재하는 '대상'은 분명하게 구별된다. 이와 마찬가지로 이 '대상'은 '표현의 속성'으로 우리의 '표현'에 반영되어 있다. 따라서 이 양자에게도 차이가 발생한다. 즉, 우리의 '표현'에는 '의미'가 있으며, '대상적인 것'을 향하는 '속성'이 있다. 이 양자에는 차이가 존재한다. 그럼에도 불구하고 이 양자는 밀접한 연관을 가지고 있다. 즉, 표현은 오직 '표현'이 '의미'하는 것을 통해서만 '대상적 관계'를 획득한다. 따라서 표현은 그 의미를 매개로 대상을 표시한다. 또한 의미하는 작용이 그때그때의 대상을 사념하는 일정한 방식이라는 것을 정당화한다.

한편, 후설은 이에 대한 현상학적 해명은 표현의 인식기능과 표현의 의미지향을 탐구함으로써만 수행될 수 있는데, 오히려 표현의 본질은 오직 의미 속에 있다고 말한다. 즉 표현과 그 의미지향은 인식기능이 아니라 단순히 직관(외적 감각과 내적 감각)에 적합하다. 그리고 이와 같이 표현이 인식의 기능 밖에 있을 경우, 그 '표현'은 '상징적 지향'으로서 범주적으로 형성된 통일체를 암시한다. 의미가 동일한 직관과 대상에 속할 수도 있고, 하나의 의미가 전체 개별자들의 외연에 상응할 수도 있어서 그 의미가 규정되지 않을 수도 있다. 그럼에도 불구하고, 의미를 부여하는 작용에서 의미부여와 대상성을 구분하는 것은 옳지 않다. 그 '표현'은 '상징적 지향'으로서 범주적으로 형성된 통일체이다.

우리는 [한편으로] 표현의 의미와, [다른 한편으로] 명명하면서 때로는 이러저러한 대상적인 것에 향하는 표현의 속성 차이(물론 의미와 대상 자체의 차이도)를 보증된 것으로 인정해도 좋다. 그 밖에 모든 표현에서 구별할 수 있는 두 측면 사이에 밀접한 연관이 있다는 사실도 분명하다. 즉 표현은 오직 표현이 의미하는 것을 통해서만 대상적 관계를 획득하며, 따라서 표현은 그 의미를 매개로 대상을 표시한다(명명한다). 또한 의미하는 작용이 그때그때의 대상을 사념하는 방식과 의미 자체는 그래서 대상적 방향을 동일하게 견지하는 경우에만 변화될 수 있다.
이러한 관계를 더 깊게 파고드는 현상학적 해명은 오직 표현의 인식기능과 표현의 의미지향을 탐구함으로써만 수행될 것이다. 이 경우 모든 표현에서 구별할 수 있을 '두 측면'에 대한 논의를 진지하게 받아들이면 안 되며, 오히려 표현의 본질은 오직 의미 속에 있을 뿐이라는 점이 명백해질 것이다.…
표현과 그 의미지향은 사유의 연관과 인식의 연관 속에서 단순히 직관(외적 감각과 내적 감각이 나타나는 것)에 적합해진다. 뿐만 아니라 단순히 직관된 객체[대상]가 무엇보다 잘 이해할 수 있게 규정되고, 서로 관련된 객체가 되는 서로 다른 지성적 형식에 적합해진다. 이에 따라 표현이 인식의 기능 밖에 있는 경우, 그 표현은 상징적 지향으로서 범주적으로 형성된 통일체를 암시한다.그러므로 서로 다른 의미가 동일한(그러나 범주적으로 다르게 파악된) 직관에 속할 수도 있고, 동일한 대상에 속할 수도 있다. 다른 한편 하나의 의미가 대상의 전체 외연(필자: 모든 개별자들)에 상응하는 경우, 이 의미의 고유한 본질 속에는 그 의미가 규정되지 않은 것이라는 사실, 즉 그 의미는 가능한 충족의 영역을 인정한다는 사실이 포함되어 있다.
이러한 시사는 잠정적인 것으로 충분할 것이다. 그렇지만 그 시사는 오직 다음과 같은 오류를 처음부터 예방해야 한다. 즉 의미를 부여하는 작용에서(하나는 표현에 의미를 부여하고, 다른 하나는 표현에 대상적 방향이 규정되는 것을 부여하는) 두 측면이 진지하게 구별될 수 있다는 오류이다.(『논리연구 2권 1』 71-72)

바. 표현된 내용이 내포하는 것들

후설은 표현의 본질을 통지되고, 의미되고, 명명되고, 표시되는 것이라고 말한다.

현실적으로 그 의미지향을 충족시키는 대상과의 일치여부 혹은 존재 여부는 비본질적이다. 그것은 다양하게 나타난다.

통지함과 의미, 그리고 대상을 관련짓는 논의는 본질적으로 표현에 필요하다. 모든 표현으로 어떤 것이 통지되고, 모든 표현으로 어떤 것이 의미되며, 어떤 것이 명명되거나 그 밖에 표시된다. 이 모든 것을 애매한 논의로 '표현되었다'고 말한다. 앞에서 말했듯이, 표현에는 그 의미지향을 충족시키는, 현실적으로 주어진 대상성과의 관계가 비본질적이다.

이렇게 중요한 사례를 함께 검토해 보면, 대상에 대해 실현된 관계에서 여전히 이중의 것이 표현된 것으로 표시될 수 있다는 데에 주목하게 된다. 즉 한편으로는 대상 자체, 게다가 이러저러하게 사념된 것으로서 표현되고, 다른 한편으로는 더 본래적인 의미에서 대상을 구성하는 의미충족의 작용 속에서 대상 자체의 이념적 상관자, 즉 충족시키는 의미가 표현된다. 의미지향이 이에 상응하는 직관에 근거해 충족되는 곳에서, 달리 말하면 표현이 현실적 명명으로 주어진 대상에 관계되는 경우, 대상은 어떤 작용 속에 '주어진 대상'으로 구성되고. 게다가(표현이 직관적으로 주어진 것에 실제로 적합한 한) 의미가 대상을 사념하는 것과 동일한 방식으로 대상은 그 작용 속에서 우리에게 주어진다. 이렇듯 의미와 의미충족이 합치되는 통일체에서, 의미하는 작용의 본질인 의미에는 의미충족이 합치되는 통일체에서, 의미하는 작용의 본질인 의미에는 의미충족의 상관적 본질이 상응하는데, 이것 역시, 우리가 말할 수 있듯이, 표현을 통해 표현된 의미[뜻]인 충족시키는 의미이다.

그래서 우리는 예를 들어 지각에 관한 진술의 경우, 이 진술은 지각에 표현을 부여하지만 지각의 내용에도 표현을 부여한다고 말한다. 지각에 관한 진술에서 우리는, 모든 진술의 경우와 마찬가지로, 내용과 대상을 구별하며, 게다가 이렇게 구별해서 그 내용을 듣는 사람도(비록 그 자신이 지각하는 사람이 아니더라도) 올바로 파악할 수 있는 동일한 의미가 이해되어야 한다. 우리는 정확하게 이에 상응하는 구별을 충족시키는 작용 속에서, 따라서 지각과 그 범주적 형성 속에서 수행해야만 하는데, 의미에 적합하게 사념된 대상성은 이러한 작용을 통해 그것이 사념된 것으로서 우리에게 직관적으로 대립해 있다. 우리는 충족시키는 작용 속에 또 다시 내용, 즉 범주적으로 형성된 지각의 의미에 적합한 것과 지각된 대상을 구별해야 한다. 충족의 통일체에서 이 충족시키는 '내용'은 그 지향하는 '내용'과 '합치되고', 그래서 이렇게 합치된 통일체를 경험하는 가운데 동시에 지향되어, '주어진' 대상은 우리에게 이중이 아니라 오직 하나로만 대립해 있다.
의미를 부여하는 작용의 지향적 본질을 이상적으로 파악한 것이 이념으로서 지향하는 의미를 산출하듯, 의미를 충족시키는 작용의 상관적 본질을 이상적으로 파악한 것은 똑같은 이념으로서 충족시키는 의미를 산출한다. 지각의 경우 이 충족시키는 의미는 (동일한 대상을, 게다가 실제로 동일한 대상으로 지각하는 방식에서 사념하는) 가능한 지각의 작용 전체에 속하는 동일한 내용이다. 따라서 이 내용은 하나의 대상에 대한 이념적 상관자이다. 그런데, 그 대상은 완전히 허구적 대상일 수 있다.
어떤 표현이 표현한 것 또는 표현된 내용에 대한 논의가 여러 가지로 애매한 경우, 우리는 주관적 의미의 내용과 객관적 의미의 내용을 구별하여 정리할 수 있다. 후자의 관점에서 다음과 같이 구별되어야 한다.
① 지향하는 의미[뜻]로서, 또는 의미 그 자체인 의미[뜻]로서 내용.
② 충족시키는 의미[뜻]로서 내용.
③ 대상으로서 내용. (『논리연구 2권 1』73-75)

한편, 후설은 "이러한 구별과 연관된 의미와 무의미에 관한 논의의 애매함"을 말한다. 왜냐면, 의미지향은 표현 그 자체와 분리될 수 없기 때문이다. 이것은 '황금산' '둥근 사각형' 등을 언급하는 것을 보았을 때, 논리실증주의자들을 의식한 발언으로 보인다. 그 자세한 내용은 『논리연구 2권 1』75-85에 나타나 있다.

의미와 의[뜻]라는 용어를 의미지향의 내용(이것은 표현 그 자체와 분리될 수 없다) 뿐 아니라 의미충족의 내용에도 적용하는 것은 물론 매우 불쾌한 애매함을 산출한다. 우리가 [의미] 충족의 사실에 몰두한 잠정적 시사에서 이미 분명해졌듯, 지향하는 의미[뜻]와 충족시키는 의미[뜻]가 구성되는 두 측면의 작용은 결코 동일하지 않기 때문이다.(『논리연구 2권 1』75)

4절 순수현상학

1. 본질과 본질인식 : 본질인식의 가능성

가. 세계에 대한 자연적 인식과 경험

자연적 인식은 경험과 함께 시작되고, 경험 속에 남아 있다. 모든 학문은 이것의 인식에 대한 진술들이다. 그리고 이 인식을 정당화시켜주는 것은 "근원적 원천들인 어떤 직관들"이었다. 이 직관들 속에서 물체와 같은 것들은 스스로 주어지는데, 원본적 경험인 '외적 지각'을 통하여 우리에게 주어진다. 그리고 더 나아가서 이러한 것은 기억 속에서 또는 예견하는 기대 속에서 그러한 경험을 갖지는 못하지만, 우리는 이른바 '내적 지각'이나 '자기 지각'에서 우리 자신과 우리의 의식상태에 관한 원본적 경험을 갖는다.

그렇지만, 타자에 관한 그리고 '감정이입' 속에서 타자의 체험들에 관한 원본적 경험은 갖지 못한다. 우리는 타자의 신체적 의사표명에 대한 지각에 근거하여 "타자의 그 체험들을 바라본다." 타자와 그의 심리적 삶은 "그 자체로 거기에" 그리고 그의 신체와 일체가 되어 거기에 있는 것으로서 의식되지만, 이것들처럼 원본적으로 주어진 것으로서 의식되지는 않는다.

세계는 가능한 경험과 경험인식의 대상들에 관한 전체적인 총괄개념이다. 그리고 이에 따라 각 학문의 영역이 정해지는데, 크게 자연과학과 정신과학으로 구분된다.

자연적 인식은 경험과 함께 시작되고, 경험 속에 남아 있다. 따라서 우리가 '자연적' 태도라고 일컫는 이론적 태도 속에는 가능한 탐구의 전체 지평이 "그것은 세계이다"라는 한 마디로 표시된다. 그래서, 이러한 근원적 태도의 학문들은 모두 세계에 관한 학문들이다. 그리고 이 태도가 전적으로 지배적인 태도인 한, '참된 존재' '실제적 존재', 즉 실재적 존재와 세계 속의 존재(Sein in der Welt)는(모든 실재적인 것이 세계의 통일성에 결합되기 때문에) 합치된다.

모든 학문에는 그 탐구의 범위로서 어떤 대상의 분야가 상응하며, 학문의 모든 인식(즉 여기서는 올바른 진술들)에는 [이것들을] 정당하게 입증하는 정초의 근원적 원천들인 어떤 직관들이 상응한다. 이 직관들 속에서 그 분야의 대상들은 스스로 주어진 것이 되고, 적어도 부분적으로는(역자: 타자의 몸과 같은 물체) 원본적으로 주어진 것이 된다. 최초의 '자연적' 인식분야와 이 분야의 모든 학문을 부여하는 직관은 자연적 경험이고, 원본적으로 부여하는 경험은, 일상적인 의미에서 이해된 말로 지각이다. 어떤 실재적인 것을 원본적으로 부여했다는 것과

> 그것을 단적으로 직관하면서 '알아차리며' 또 '지각하는 것'은 같은 말이다. 우리는 '외적 지각' 속에서 물리적 사물들에 관한 원본적 경험을 갖지만, 기억 속에서 또는 예견하는 기대 속에서 그러한 경험을 갖지는 못한다. 우리는 이른바 내적 지각이나 자기 지각에서 우리 자신과 우리의 의식상태에 관한 원본적 경험을 갖지만, 타자에 관한 그리고 '감정이입' 속에서 타자의 체험들에 관한 원본적 경험을 갖지 못한다. 우리는 타자의 신체적 의사표명에 대한 지각에 근거하여 "타자의 그 체험들을 바라본다." 감정이입의 이러한 바라봄은 직관하는 작용, [대상을] 부여하는 작용이지만, 그러나 원본적으로 부여하는 작용은 아니다. 타자와 그의 심리적 삶은 "그 자체로 거기에" 그리고 그의 신체와 일체가 되어 거기에 있는 것으로서 의식되지만, 이것들처럼 원본적으로 주어진 것으로서 의식되지는 않는다.
>
> 세계는 가능한 경험과 경험인식의 대상들에 관한 전체적 총괄개념, 현실적 경험들에 근거해 올바른 이론적 사유로 인식할 수 있는 대상들에 관한 전체적 총괄개념이다.…세계에 관한 학문, 따라서 자연적 태도의 학문들은 모두, 좁은 의미에서든 넓은 의미에서든, 이른바 자연과학이다. 즉 물질적 자연에 관한 학문일 뿐만 아니라 심리 물질적 본성을 지닌 동물적 존재에 관한 학문, 또한 생리학.심리학 등이다. 마찬가지로 이른바 모든 정신과학, 즉, 역사.문화과학.모든 종류의 사회과학적 분과들이 여기에 속한다.(『순수현상학과 현상학적 철학의 이념들 1』 57-58, 이하 『이념들 1』이라 함)

나. 분리될 수 없는 사실과 본질

모든 형태의 개별적인 존재는 어떻게 보면 영원한 존재가 아니라 '우연적'이다. 따라서 그것 자체로는 그것의 본질 혹은 물자체는 아닐 것이다. 그럼에도 불구하고 그것이 사실적으로 존재하고 있다면, 그 안에는 본질이 자연법칙적으로 내재되어 있다고 보아야 한다. 개별적 대상은 결코 단순히 개별적인 것, 여기에 있는 이것(Dies da!), 일회적인 것이 아니라 '그 자체로' 이러저러한 성질을 지닌 것으로서 자신의 독자성을 가지며, 그 대상에 속해야만 하는 본질적으로 술어가 될 수 있는 것에서 자신의 요소를 갖는다. 즉, 개별자는 술어라는 보편자를 가지고 있으며, 그 최상의 어떤 것에 의해서 그 영역들을 한정 받고 있다.

경험과학들은 '사실'과학들이다. 경험 작용을 기초 짓는 인식작용들은 실재적인 것을 개별적으로 정립하며, 이것을 공간-시간적으로 현존하는 것으로, 즉 자신의 지속을 갖는 이 시간위치에서 존재하며 자신의 본질상 다른 모든 시간위치에서와 아주 똑같이 어떤 실재성의 내용을 가질 수 있는 어떤 것으로 정립한다. 또한 이러한 물리적 형태로 이 장소에서 존재하는 어떤 것으로 정립한다. 모든 종류의 개별적 존재는, 아주 일반적으로 말하면, '우연적'이다. 그것은 본질상 달리 존재할 수도 있을 그런 것이다. 또한 만약 이러저러한 실재적 상황들이 사실적이라면, 이러저러하게 규정된 결과들이 사실적으로 존재해야만 한다는 것에 의해 일정한 자연법칙이 유효하더라도, 그와 같은 법칙들은 아무튼 단지 사실적인 규칙화만을 표현할 뿐이다. 이 규칙화들은 그 자체로 완전히 다른 내용일 수 있을 것이고, 처음부터 가능한 경험의 대상들의 본질에 속하는 것으로서 자연법칙들에 의해 규칙화된 대상들이 그 자체로 고찰되었을 때 우연적이라는 사실을 이미 전제한다.

그러나 여기에서 '사실성'이라고 하는 이 우연성의 의미는 우연성이 어떤 필연성에 상관적으로 관련된다는 점에서 제한된다. 우리가 모든 사실은 "자신의 고유한 본질에 따라" 달리 존재할 수도 있다고 말했다면, 우리는 이미 이것으로써 바로 어떤 본질과 따라서 순수하게 파악할 수 있는 어떤 형상을 갖는다는 것은 모든 우연적인 것의 의미에 속하며, 이 형상은 상이한 단계의 일반성의 본질-진리들에 지배된다는 것을 표현했던 것이다. 개별적 대상은 결코 단순히 개별적인 것, 여기에 있는 이것(Dies da!), 일회적인 것이 아니라 '그 자체로' 이러저러한 성질을 지닌 것으로서 자신의 독자성을 가지며, ("대상이 그 자체로 존재하는 그대로의 존재자"로서) 그 대상에 속해야만 하는(따라서 2차적인 상대적 다른 규정들이 그 대상에 속할 수 있는) 본질적으로 술어가 될 수 있는 것에서 자신의 요소를 갖는다. 그래서 예를 들어 모든 음(音)은 그 자체로 또 그 자체에 대해 본질을 가지며, 그 최상에는 음 일반 또는 '음 일반'이라는 보편적 본질을 갖는다. 마찬가지로 모든 물질적 사물은 자신의 고유한 본질본성을 가지며, 그 최상에는 시간규정 일반, 지속 일반, 모형 일반, 물질성 일반을 지닌 '물질적 사물 일반'이라는 보편적 본성을 갖는다. 개체의 본질에 속한 모든 것은 또한 다른 개체를 가질 수 있고, 우리가 바로 예를 들어 그것을 예시했던 종류의 최상의 본질일반성들은 개체들에 관한 '영역들' 또는 '범주들'을 한정한다.(『이념들 1』59-60)

다. 본질 통찰과 개별적 직관

'본질'은 어떤 개별자의 그 자체의 고유한 그 무엇이다. 우리의 경험 혹은 직관은 이것을 직관 할 수 있다. 이 경우 직시된 것(Erschautes)은, 그것이 최상의 범주든 아래로 완전한 구체화까지 그 범주의 특수화든, 그에 상응하는 순수 본질 또는 형상이다. 이러한 본질을 부여하는 통찰은 충전적 통찰일 수도 있고, 어느 정도 불완전한 '비-충전적' 통찰일 수도 있다. 어쨌든 결코 '전면적으로' 주어질 수 없다는 사실은 그 본질범주의 고유한 본성에 속한다.

개별적 직관은 본질직관으로 전환될 수 있는데, 그것은 대상을 부여하는 작용의 특성을 갖는다. 경험적 직관, 특히 경험은 어떤 개별적 대상에 관한 의식이며, 직관하는 의식으로서 "경험은 이 개별적 대상을 주어지게 만들고", 지각으로서 그 대상을 '원본적으로', 즉 자신의 '생생한' 자체성에서 파악하는 의식으로 원본적으로 주어지게 만든다. 이와 아주 마찬가지로 본질직관은 무엇, 곧 어떤 '대상'에 관한 의식이다.

이것은 두 가지 종류의 직관이 원리적으로 구별된다는 것을 의미한다. '실존'(Existenz)(여기서는 분명히 개별적인 현존하는 것이라는 의미에서)과 '본질'(Essenz), 사실과 형상 사이의 본질 관련들은 직관의 본질 차이에 대응한다.

> 무엇보다 '본질'은 어떤 개체의 그 자체의 고유한 존재 속에 자신의 그것(Was)으로서 발견되는 것을 뜻했다. 경험하는 직관 또는 개별적 직관은 본질직관(이념화 작용, Ideation)으로 변화될 수 있다. 이 가능성 자체는 경험적 가능성이 아니라, 본질의 가능성으로 이해되어야만 한다. 이 경우 직시된 것은, 그것이 최상의 범주든 아래로 완전한 구체화까지 그 범주의 특수화든, 그에 상응하는 순수 본질 또는 형상이다.
>
> 이러한 본질을 부여하는 통찰, 어쩌면 원본적으로 부여하는 통찰은, 우리가 예를 들어 음의 본질로부터 쉽게 입수할 수 있듯이, 충전적 통찰일 수 있다. 그러나 이것 또한 어느 정도 불완전한 '비-충전적' 통찰일 수 있고, [이것은] 더 중요하든 사소하든 명석함과 판명함에 관해서만은 아니다. 어떤 본질 범주에 속한 본질들은 단지 '일면적으로'만 주어질 수 있고, 잇달아 일어나는 경우 '다면적으로' 주어질 수 있지만, 어쨌든 결코 '전면적으로' 주어질 수 없다는 사실은 그 본질 범주의 고유한 본성에 속한다.…

개별적 직관은, 충전적이든 불충전적이든 어떤 종류이든 간에, 본질직관으로 전환될 수 있다. 그리고 본질직관은, 그에 상응하는 방식으로 충전적이든 비-충전적이든, [대상을] 부여하는 작용의 특성을 갖는다. 그러나 여기에는 다음과 같은 사실이 포함되어 있다. 즉 본질(형상)은 새로운 종류의 대상이다. 개별적 또는 경험하는 직관에 주어진 것이 개별적 대상이듯이, 본질직관에 주어진 것은 순수 본질이다.

여기에는 단순한 외면적 유비가 아니라 철저한 공통성이 제시되어 있다. 형상적 대상이 곧 대상이듯이, 본질통찰 역시 곧 직관이다. 상관적으로 함께 속한 '직관'과 '대상'이라는 개념을 일반화하는 것은 임의적인 착상이 아니라, 사태의 본성을 통해 강제적으로 요구된다. 경험적 직관, 특히 경험은 어떤 개별적 대상에 관한 의식이며, 직관하는 의식으로서 "경험은 이 개별적 대상을 주어지게 만들고", 지각으로서 그 대상을 '원본적으로', 즉 자신의 '생생한' 자체성에서 파악하는 의식으로 원본적으로 주어지게 만든다. 이와 아주 마찬가지로 본질직관은 무엇(어떤 '대상', 그 직관의 시선이 향해 있고 그 직관 속에 '그 자체가 주어진' 어떤 무엇)에 관한 의식이다.

…이것은 두 가지 종류의 직관이 원리적으로 구별된다는, 우리가 방금 진술했던 것과 같은 종류의 직관이 원리적으로 구별된다는, 우리가 방금 진술했던 것과 같은 종류의 명제들에서 단지 그 본질관련들만 드러난다는 사실을 전혀 변경하지 않는다. '실존'(Existenz)(여기서는 분명히 개별적인 현존하는 것이라는 의미에서)과 '본질'(Essenz), 사실과 형상 사이의 본질 관련들은 직관의 본질 차이에 대응한다. 이와 같은 연관들을 추구하면서 우리는 이 전문용어들에 속해 있고 이제부터 확고하게 분류될 개념적 본질을 통찰적으로 파악한다. 그래서 특히 형상(이념)이나 본질이라는 개념들에 부착된(부분적으로 신비주의적인) 모든 사고는 순수하게 배제되어 남는다.(『이념들 1』61-64)

라. 아프리오리한 종합적 인식

후설의 본질통찰이나 개별적 직관은 인식론에 속한다. 그는 이 인식론에 의해서 취득된 본질에 대한 재료가 다른 본질학문(순수 논리학, 순수 수학, 순수 시간론.공간론.운동론 등의 순수 본질학)이나 사실학문(영역적 형상적 존재론들)과 연관이 있다. 후설에 의하면, 이 모든 학문의 맨 앞에 순수 논리학이 있다. 그는 이 논리학마저도 '아프리오리한 종합적 인식'에 의하여 한다고 말한다. 이것은 직관에 의한 통찰을 의미하였다.

후설은 『이념들 1』의 '본질과 본질인식'에서 '사실학문과 본질학문', '영역과 영역적 형상학', '영역과 범주', '구문론적 대상성', '유와 종', '일반화와 형식화', '기체의 범주들', '아프리오리한 종합적 인식' 등을 말한 후, 이러한 '논리적 고찰'의 결론으로서 다음과 같이 말한다.

> 우리의 전체적 고찰은 순수 논리적 고찰이었으며, 어떠한 '질료적' 분야에서도 또는 어떠한 일정한 영역에서도 움직이지 않았다. 그 고찰은 영역과 범주에 관해 일반적으로 이야기했고, 이 일반성은 잇달아 구축된 정의(定義)의 의미에 입각해 순수하게 논리적인 것이었다. 그것은 바로 순수 논리학의 토대 위에, 순수 논리학으로부터 출발하는 모든 가능한 인식 또는 인식의 대상성에서 근본체제의 부분으로, 하나의 도식을 묘사하는 것이었다. 이 도식에 입각해 개체들은 "아프리오리한 종합적 원리들" 아래 개념들과 법칙들에 따라 규정될 수 있어야만 한다. 또는 이 도식에 입각하여 모든 경험적 학문은 이 학문들에 속한 영역적 존재론들에 근거해야만 하고, 단순히 모든 학문에 공통적인 순수 논리학에 근거해서는 안 된다.…(『이념들 1』91)

2. 현상학적 판단중지(Epoche)

가. 자연적 태도의 세계 : 의식 속에 현존하는 환경세계

우리는 자연스럽게 즉 '자연적 태도 속에' 살아가는 인간이다. 우리는 공간과 시간 속에서 무한히 생성되고 생성된 어떤 세계를 의식하고 있다. 이것은 내가 이 세계를 의식하고 있으며, 이 세계를 직접 직관적으로 경험한다는 것을 뜻한다. 우리 주변의 물체적 사물들은, 내가 이것들을 주목하든 않든 간에 나에 대해 단순히 거기에 '현존해'있다. 그들은, 비록 내가 그들을 주목하지 않을 때라도, 내 직관의 장 속에 현실성들로 현존한다.

그런데, 이 앎은 개념적 사유작용을 전혀 갖지 않으며, 주의를 기울임으로써만 비로소, 또한 이때에도 단지 부분적으로만 그리고 대부분 매우 불완전하게 명석한 직관작용으로 변화한다. 즉, 현실적인 지각의 장에 존재하는 것이 나에 대하여 의식에 적합하게 '현존하는' 세계가 전부 드러나는 것이 아니다.

그럼에도 불구하고 세계는 언제나 나에 대해 '현존하고', 나 자신은 세계의 구성원이다. 더구나 이 세계는 나에 대해 단순한 사태세계로서 거기에 있는 것이 아니라, 이러한 직접성에서 가치세계, 재화세계, 실천적 세계로서 거기에 있다. 나는 내 앞에 있는 사물들을 즉시 사태의 성질들 뿐만 아니라, 아름답거나 추한, 마음에 들거나 들지 않는, 기분이 좋거나 나쁜 등 가치특성을 지닌 것으로 발견한다. 즉, 현존하는 세계는 내 의식 속에 고스란히 존재한다.

> 우리는 자연스럽게, 즉 '자연적 태도 속에' 표상하고, 판단하며, 느끼고, 욕구하면서 살아가는 인간으로서 우리의 고찰을 시작한다. 이것이 뜻하는 바를 우리가 1인칭 논의로 가장 잘 실행하는 단순한 성찰 속에 밝혀보자.
>
> 나는 공간 속에 무한히 확장되고 시간 속에 무한히 생성되고 또 생성된 어떤 세계를 의식하고 있다. 내가 이 세계를 의식하고 있다는 것, 이것은 무엇보다 내가 이 세계를 직접 직관적으로 발견하고 경험한다는 것을 뜻한다. 봄.만짐.들음 등을 통해, 감각적 지각의 상이한 방식으로 그 어떤 공간을 차지하고 있는 물체적 사물들은, 내가 이것들에 특별히 주목하고 이것들을 고찰하며, 사유하며, 느끼며, 욕구하면서 몰두하든 않든 간에, 나에 대해 단순히 거기에(단어적인 의미나 비유적인 의미에서 '현존해')있다. 또한 동물적 존재들, 가령 인간들은 나에 대해 직접 거기에 있다. 내가 그들을 쳐다보고 바라보며, 그들이 다가오는 것을 들으며, 손으로 그들을 잡고, 그들과 이야기하면서 그들이 표상하고 생각하는 것을, 그들 속에 어떤 감정이 일어나는지를, 그들이 원하거나 의도하는 것을 직접 이해하기 때문이다. 또한 그들은, 비록 내가 그들을 주목하지 않을 때라도, 내 직관의 장 속에 현실성들로 현존한다. 그러나 그들이 그밖의 다른 대상들과 마찬가지로, 바로 내 지각의 장 속에 있을 필요는 없다. 실제적 객체들은, 이것들 자체가 지각되거나 심지어 직관적으로 현재하지 않더라도, 현실적으로 지각된 객체들과 일체가 되어 다소간에 알려진 규정된 객체들로서 나에 대해 거기에 있다. 나는 내 주의를 방금 바라보았고 주목했던 책상으로부터 베란다.정원.정자에 있는 아이들 등, 내가 직접적으로 함께 의식된 내 주변 속 여기저기에 존재하는 것으로서 직접 '아는' 모든 객체로 옮길 수 있다. 이 앎은 개념적 사유작용을 전혀 갖지 않으며, 주의를 기울임으로써만 비로소, 또한 이때에도 단지 부분적으로만 그리고 대부분 매우 불완전하게 명석한 직관작용으로 변화한다.

> 그러나 현실적인 지각의 장의 부단한 주변 고리를 형성하는(직관적으로 명석하거나 희미한, 판명하거나 막연한) 것이 함께 현재하는 것의 영역과 더불어 모든 깨어 있는 순간에 나에 대하여 의식에 적합하게 '현존하는' 세계가 전부 드러나는 것도 아니다.…이러한 방식으로 나는 깨어 있는 의식 속에 항상 또 이 의식을 그때그때 변경할 수도 없이, 비록 내용적 존립요소에 따라 변화하는 세계라도, 하나의 동일한 세계와 관련된 나 자신을 발견한다.…
> 이러한 방식으로 나는 깨어 있는 의식 속에 항상 또 이 의식을 그때그때 변경할 수도 없이, 비록 내용적 존립요소에 따라 변화하는 세계라도, 하나의 동일한 세계와 관련된 나 자신을 발견한다. 세계는 언제나 나에 대해 '현존하고', 나 자신은 세계의 구성원이다. 더구나 이 세계는 나에 대해 단순한 사태세계로서 거기에 있는 것이 아니라, 이러한 직접성에서 가치세계, 재화세계, 실천적 세계로서 거기에 있다. 나는 내 앞에 있는 사물들을 즉시 사태의 성질들 뿐만 아니라, 아름답거나 추한, 마음에 들거나 들지 않는, 기분이 좋거나 나쁜 등 가치특성을 지닌 것으로 발견한다. 직접적으로 사물들은 사용객체들로, 즉 '책들'이 놓여 있는 '책상', '마시기 위한 컵', '꽃을 꽂는 병', '연주를 위한 피아노' 등으로 거기에 있다.…(『이념들 1』113-115)

나. 의식을 사유하는 '사유주체'

후설은 내 의식의 자발적 복합체는 이 세계에 관련된다고 말하며, 우리 안에 있는 '사유주체'는 이것들 모두를 포괄한다고 말한다. 이 나는 자아와 사유작용을 향해 있다. 이것이 모든 현실적 삶의 근본형식이다. 이러한 것을 볼 때, 사유주체는 생생한 것이고, 이것은 자신의 측면에서 반성된 것이 아니며, 나에 대해 대상적으로 있지도 않다. 그런데, 이때 내 안에는 끊임없이 지각하고, 표상하며, 생각하고, 느끼며, 열망하는 등의 어떤 사람으로서의 내가 존재하는 것이다. 즉, 나는 나를 항상 에워싸는 실제성에 현실적으로 관련된 나 자신을 발견하는데, 이때의 나는 어떤 사태들을 '사유된 것'으로 갖지 않으며, '사유하는 것'으로 존재한다.

예컨대, 수의 세계를 살펴보면, 이것은 산술적 지평에 둘러싸인 내 시점 속에 있게 된다. 이때의 "나에 대해 거기에 존재함"(Für-mich-da-sein)은 거기에 존재하는 것 자체와 마찬가지로 명백히 다른 종류이다. 산술적 세계는, 내가 산술적으로 태도를 취할 때에만, 그것은 나에 대해 거기에 있다. 그러나 내가 자연적으로 그럭저럭 살아가는 한, 그것은 언제나 나에 대해 거기에 있다. 내 사유주체의 새로운 태도에 의해서만, 자연적 세계는 산술적 세계로 그곳에 드러난다. 이와 같이 우리 안에 있는 의식은 나라는 사유주체에 의해서 새로운 세계로 드러난다. 그리고 그럴 경우, 동시에 두 세계가 현존하게 된다.

그래서 다양하게 변화하는 내 의식의 자발의 복합체는 이 세계(내가 그 속에서 나 자신을 발견하는 세계 그리고 이것이 동시에 나의 환경세계인 세계)에 관련된다. 이 의식은 탐구하면서 고찰하고, 기술함 속에 해명하거나 개념화하고, 비교하거나 구별하고, 수집하거나 셈하고, 전제하거나 추론하는 의식, 요컨대 상이한 형식과 단계에서 이론화하는 의식이다. 감정과 의지의 다양한 작용들과 상황들, 즉 좋아함과 싫어함, 기뻐함과 슬퍼함, 열망함과 도피함, 희망함과 두려워함, 결정함과 행동함도 마찬가지이다. 일종의 데카르트적 표현인 사유주체는 이것들 모두(세계가 자발적인 시선을 향함과 파악함 속에 직접적으로 현존하는 것으로 나에게 의식되는 자아작용들을 포함해)를 포괄한다. 자연적으로 살아감에서 나는, 내가 사유주체를 진술하든 않든, 내가 '반성적으로' 자아와 사유작용을 향해 있든 않든, 모든 '현실적' 삶의 이 근본방식 속에 항상 살고 있다. 만약 내가 자아와 사유작용을 향해 있다면, 새로운 사유주체는 생생한 것이고, 이것은 자신의 측면에서 반성되지 않은 것이며, 따라서 나에 대해 대상적으로 있지 않다.
나는 끊임없이 지각하고, 표상하고, 생각하고, 느끼며, 열망하는 등의 어떤 사람으로서 나를 발견하게 된다. 그리고 이 속에서 나는 나를 항상 에워싸는 실제성에 대부분 현실적으로 관련된 나 자신을 발견한다. 왜냐하면 나는 항상 그렇게 관련되지 않고, 내가 그 속에 살아가는 모든 사유주체가 내 환경세계의 사물들, 인간들, 그 어떤 대상들이나 사태들을 사유된 것으로 갖지 않기 때문이다.
가령 나는 순수 수와 그 법칙에 몰두한다. 이것들은 환경세계 속에, 즉 '실재적 실제성'의 이 세계 속에 현존하는 것이 아니다. 수의 세계 역시 바로 산술적으로 작업하는 객체의 장으로서 나에 대해 거기에 있다. 그렇게 작업하는 동안 단일의 수들 또는 수들의 형성물들은 부분적으로 규정되고 부분적으로 규정되지 않은 산술적 지평에 둘러싸인 내 시점 속에 있게 된다. 그러나 이 "나에 대해 거기 존재함"(Für-mich-da-sein)은 "거기에 존재하는 것" (Daseinendes) 자체와 마찬가지로 명백히 다른 종류이다. 산술적 세계는, 내가 산술적으로 태도를 취할 때에만 또 그러한 한에서만, "나에 대해 거기에" 있다. 그러나 자연적 세계, 즉

> 일상적인 단어 의미에서 세계는, 내가 자연적으로 [그럭저럭] 살아가는 한, 언제나 "나에 대해 거기에" 있다. 그것이 이러한 경우인 한, 나는 "자연적으로 태도를 취하며", 실로 이 둘은 정말 동일한 것을 뜻한다. 이 점에서 어떤 것도, 내가 산술적 세계와 이와 유사한 다른 '세계들'을 그에 상응하는 태도를 실행함으로서 한 번에 수용할 때도, 전혀 변화될 필요는 없다. 그때 자연적 세계는 '현존하는 것'으로 남아 있고, 나는 이전과 같이 이후에도 새로운 태도를 통해 방해 받지 않는 자연적 태도 속에 있다. 만약 나의 사유주체가 오직 이 새로운 태도의 세계들 속에서만 활동한다면, 자연적 세계는 [고찰의] 문제 밖이며, 이 세계는 나의 작용 의식에 대하여 배경이지만, 어ㄸ너 산술적 세계가 그 속에 분류되는 어떤 지평도 아니다. 동시에 현존하는 이 두 세계는, 이것들의 자아 관련(이에 따라 나는 내 시선들과 작용들을 이러저러한 세계로 자유롭게 돌릴 수 있다)을 제외하면, 연관 밖에 있다.(『이념들 1』116-117)

다. '타인의 자아주체들'과의 공존

후설은 우리 각 사람 마다 사유하는 주체로서 존립하고 있다고 말한다. 그리고 이 모든 주제들은 직관력을 가지고 있다. 이 직관력은 데카르트의 '코기토'처럼 명증성을 가지고 있다. 그런데 각 사유하는 주체는 각자의 의식을 자신의 태도에 따라 다중적으로 그 세계를 정립한다. 후설은 이러한 세계가 의사소통을 하며, 어떤 실제성을 공통적으로 정립한다고 말한다.

> 나 자신에게 타당한 모든 것은, 내가 알고 있듯이, 내가 나의 환경세계 속에 현존하는 것으로 발견하는 다른 모든 사람에 대해서도 타당하다. 그들을 인간으로서 경험하면서 나는, 나 자신이 하나이듯이, 자아 주체들로서 또 그들의 자연적 환경세계에 관련된 것으로서 그들을 이해하고 받아들인다. 그러나 이것은 내가 그들과 나의 환경세계를(우리 모두에게 단지 상이한 방식으로 위식될 뿐인) 하나의 동일한 세계로서 객관적으로 파악한다는 점에서 그러하다. 각자에게는 자신의 장소가 있다. 이 장소로부터 자신이 현존하는 사물들을 바라보고 이에 따라 각각의 상이한 사물의 나타남들을 갖는다. 각자에게는 현실적인 지각의 장, 기억의 장 등도 상이하다.
>
> 이 모든 점에도 불구하고 우리는 동료 인간과 의사소통을 하며, 우리 모두에게

> 거기에 존재하는(아무튼 우리 자신이 속해 있는) 환경세계로서 객관적으로 공간-시간적인 어떤 실제성을 공통적으로 정립한다.(『이념들 1』117-118)

라. 자연적 태도의 '일반정립'과 '괄호침'

후설은 자연적 태도에 의해서 정립되는 의식의 세계를 '일반정립'이라고 말한다. 우리는 '실제성'을 거기에 존재하는 것으로서 발견하고, 그것이 나에게 주어지는 그대로 또한 거기에 존재하는 것으로서 받아들인다. 이 안에서 제시되는 학문적 인식의 모든 과제를 해결하는 것이 자연적 태도의 학문이 추구하는 바이다.

> 나는 '실제성'을 거기에 존재하는 것으로서 발견하고, 실제성을 그것이 나에게 주어지는 그대로 또한 거기에 존재하는 것으로서 받아들인다. 자연적 세계가 주어져 있음에 대한 어떤 의심이나 거부도 자연적 태도의 일반정립에서 아무것도 변경하지 않는다.… 세계를 소박한 경험의 지식이 수행할 수 있는 것보다 더 포괄적이고 신뢰할 수 있으며 모든 관점에서 완전하게 인식하는 것, 세계의 토대 위에 제시되는 학문적 인식의 모든 과제를 해결하는 것, 바로 이것이 자연적 태도의 학문이 추구하는 목표이다.(『이념들 1』119)

그러나 이것은 우리가 추구하는 현상학적 태도는 아니다. 그것은 '거기에 존재하는 실제성'으로서의 의식을 줄 뿐이다. 이제 후설이 추구하는 바는 데카르트의 보편적인 의심의 추구와 비슷하다. 즉 명증적인 것이 드러날 때까지, 우리에게 정립된 것을 괄호치고, 판단을 중지하는 것이다. 즉 정립은 '작용중지'되고, 괄호쳐지며, 이것은 '괄호쳐진 정립'의 변양으로 변화되고, 판단 자체는 '괄호쳐진 판단'으로 변화된다.

> 이제 우리는 이러한 태도에 머무르는 대신, 이 태도를 철저히 변경시키려 한다.…일반정립은 '거기에 존재하는' '실제성'으로 의식된다. 일반정립은 실로 태도가 지속되는 전체 동안, 자연적으로 깨어 있어 [그럭저럭] 살아가는 동안 지속하면서 존립하는 어떤 것이다.… 각각의 사유작용에 앞서 의식된 모든 것은 자신의 전체 통일성 속에 그리고 분절되어 부각된 모든 것에 따라 '거기에' '현존하는'의 특성을 지닌다.…

우리는 이제 명확한 판단정립에 대해서와 정확히 마찬가지로 잠재적이고 명확하지 않은 정립에 대해서도 태도를 취할 수 있다.… 예를 들어 데카르트가 완전히 다른 목적으로, 즉 절대적으로 의심할 여지없는 존재영역을 수립하려는 의도에서 실행할 것을 기획했던 보편적인 의심의 시도이다.… 즉 보편적인 의심의 시도는, 그 본질 속에 포함된 것으로서, 그것을 통해 명증적으로 드러날 수 있는 어떤 점들을 부각시키는 방법적 임시방편으로서만 우리에게 이바지할 것이다.…
그와 같은 작용의 본질 속에 놓여 있는 것을 숙고해 보자. 의심하려고 시도하는 자는 그 어떤 '존재', 술어적으로 명시된 "그것이 있다!" "그것은 이러한 상태에 있다" 등을 의심하려고 시도한다. 이 경우 존재의 종류는 상관이 없다. 예를 들어 그 존재를 의심하지 않는 어떤 대상이 이러저러한 성질을 가졌는지 아닌지를 의심하는 자는 바로 "그러한-성질이-있음"을 의심한다.… 현존하는 것으로 의식된 그 어떤 것을 의심하려는 시도는 그 정립의 어떤 것을 폐기할 것을 필연적으로 수반한다는 사실도 분명하며, 바로 이 사실이 우리의 관심을 끈다. 이것은 정립을 반정립으로, 긍정을 부정으로 전환하는 것이 아니며, 또한 추측.가정.미결정.의심으로 전환하는 것도 아니다. 실로 이러한 것들은 우리의 자유로운 자의의 영역에 속하지도 않는다. 그것은 오히려 완전히 독특한 어떤 것이다. 우리는 우리가 수행했던 정립을 포기하지 않으며, 우리가 새로운 판단의 동기를 끌어들이지 않는 한, 정립이 존재하는 그대로 그 자체 속에 남아 있는 우리의 확신에서 아무것도 변경시키지 않는다.
그리고 어쨌든 정립은 어떤 변양을 겪는다. 정립이 그 자체로 존재하는 그대로 남아 있는 동안, 우리는 예컨대 그 정립을 '작용중지' 시키고, '그 정립을 배제하고' '그 정립을 괄호 친다'. 정립은, 괄호 속에 묶여진 것처럼, 접속의 연관 밖에 배제된 것처럼, 여전히 계속 거기에 존재한다.…
우리는 다만 '괄호침' 또는 '배제함'의 현상만 이끌어내 포착할 뿐이다. 이 현상은 의심하는 시도의 현상에 명백히 구속되어 있지 않고, 오히려 그 밖의 얽혀 있음들 속에서도 또 이에 못지않게 그 자체만으로도 등장할 수 있다. 모든 정립과의 관계에서 우리는 또 완전한 자유 속에 이 특유한 판단중지, 즉 진리에 관한 명증적 확신 때문에 흔들리지 않는 또한 어쩌면 흔들릴 수 없는 확신과 양립하는 어떤 판단을 억제함을 실행할 수 있다. 정립은 '작용중지' 되고, 괄호 쳐지며, 정립은 '괄호 쳐진 정립'의 변양으로 변화되고, 판단 자체는 '괄호 쳐진 판단'으로 변화한다. 물론 우리는 이러한 의식과 '단순히 머리에 떠올리는' 의식,

가령 요정들이 돌아가며 춤을 춘다고 생각하는 의식과 간단히 동일시해서는 안 된다.…(『이념들 1』119-123)

마. 현상학적 판단중지

후설의 현상학적 판단중지란, 학문적 대상이 되는 그 '대상성'에 대한 판단중지이다. 이 판단중지는 그렇다고 해서 '세계의 현존'은 의심하지 않는다. 다만 자연적 세계에 관련된 모든 학문을 배제하고, 학문들의 타당성을 사용하지 않는다. 일반적인 명증성이 있더라도 이것을 용인하기 않고, 이 판단중지를 거친 후에 나타나는 명제를 사용한다. 즉, 순수자아의 직관만을 의존한다는 것이다.

우리는 이제 우리의 예리하게 규정되고 새로운 의미에서 보편적 '판단중지'가 보편적 의심이라는 데카르트적 시도를 대신하게 할 수 있을 것이다. 그러나 우리는 충분한 근거를 갖고 이 판단중지의 보편성을 제한한다. 왜냐하면 판단중지가, 그것이 일반적으로 존재할 수 있듯이, 그렇게 포괄적인 것이라면, 그래서 그러한 것으로 남아 있다면, 모든 정립 또는 모든 판단은 완전한 자유 속에 변양될 수 있고 판단할 수 있는 모든 대상성을 괄호 쳐질 수 있기에, 변양되지 않은 판단들은 물론이고 하물며 학문에 대한 어떠한 영역도 더 이상 남아 있지 않을 것이기 때문이다. 그러나 우리의 목표는 새로운 학문적 영역, 그리고 바로 괄호침의 방법을 통해 획득될 수 있는 새로운 학문적 영역의 발견을 향해 곧장 나아간다.
우리는 자연적 태도의 본질에 속한 일반정립을 작용중지 시키고, 이 일반정립이 존재적 관점에서 포괄하는 각각의 모든 것을 괄호 속에 넣는다. 따라서 항상 '우리에 대해 거기에' '현존해' 있고 의식에 적합한 '실제성'으로서 언제나 거기에 남아 있는 이 자연적 세계 전체를, 우리가 정말 그 자연적 세계 전체를 괄호칠 것을 원할 때, 괄호 속에 넣는다.
…이때 나는 마치 내가 소피스트인 것처럼 이 '세계'를 부정하지 않고, 나는 마치 내가 회의주의자인 것처럼 세계의 현존(Dasein)을 의심하지 않는다. 그러나 나는 공간적-시간적 현존에 관한 모든 판단을 나에게 완전히 차단하는 '현상학적' 판단중지를 수행한다.
그러므로 나는 이 자연적 세계에 관련된 모든 학문을 배제하고, 학문들의 타당성을 결코 사용하지 않는다. 나는 그 학문들에 속한 명제들의 어느 하나도, 비록 그것들이 완전한 명증성이 있더라도, 내 것으로 삼지 않고, 그 어떤 것도 받아들이지 않고, 그 어떤 것도 나에게 어떤 토대가 되지 않는다. 나는 내가 그 명제를 괄호 친 다음에만 그 명제를 받아들일 수 있다. 즉 판단을 배제하는 변양시키는 의식 속에서만, 따라서 바로 학문에서의 명제와 같은 것이 아닌 명제, 즉 타당성을 요구하는 명제와 그 타당성을 나는 인정하고 사용한다.(『이념들 1』123-125)

3. 의식과 자연적 실제성 : 의식의 본질

가. 현상학적 잔여 : 순수의식에 대한 예시

후설은 판단중지가 의식의 마지막까지 진행되었을 때 남게 되는 '현상적 잔여'가 곧 '순수의식'이라고 말한다. 후설은 이것을 데카르트의 '코기토' 마저도 넘어서는 그 어떤 의식이 '순수의식'이라고 말한다. 만약 우리가 어떤 이 최초의 의식을 알 수 있다면, 우리는 우리가 체험하는 그 모든 체험과 의식이 이 '순수의식'으로부터 시작한다고 생각해도 될 것이다. 후설은 이 '순수 의식'을 '순수 자아'라고도 하며, '순수 체험'이라고도 말한다. '나'라는 의식이 수행하는 사유작용에 다른 자연적 실제성의 사건들이 의식으로 덧붙여지고, 뒤섞이고, 변양되어진 것으로 보고 있는 것이다. 우리의 기존의 자연과학 등은 이러한 '판단 배제'를 수행하지 않은 채 본질분석에 떠 맡겼다. 이에 반하여 후설은 이제 현상학적 배제를 통한 '고유한 존재'로서의 '현상학적 잔여'를 통해 이 작업을 수행하려 하는 것이다.

모든 사유작용을 지닌 우리 자신을 포함해 세계 전체가 배제되었을 때, 도대체 무엇이 남아 있을 수 있는가?…
우리는 우선 직접 제시하면서 진행하는데, 제시할 수 있는 존재는 우리가 본질적 근거에 입각해 '순수 체험들', 즉 [한편으로] 자신의 순수의식의 상관자들과, 다른 한편으로 자신의 '순수 자아'를 지닌 '순수 의식'으로 불릴 수 있는 것일 뿐이기 때문이다. [그래서] 자연적 태도 속에 우리에게 주어지는 '그 자아', '그 의식', '그 체험'으로부터 출발한다.
나(실제적 인간인 나)는 자연적 세계 속의 다른 객체들처럼 하나의 실재적 객체이다. 나는 사유작용(cogitationes), 즉 더 넓거나 좁은 의미에서 '의식의 작용들'을 수행하며, 이 작용들은 이 인간적 주체에 속하는 것으로서 동일한 자연적 실제성의 사건들이다. 그리고 그 밖의 내 모든 체험도 마찬가지이며, 이 체험의 변화하는 흐름으로부터 특수한 자아작용들은 매우 독특하게 빛나고, 서로 뒤섞이며, 종합으로 연결되고, 끊임없이 변양된다. 가장 넓은 의미에서 의식이라는 표현은 모든 체험을 함께 포함한다. 우리가 결코 현혹되지 않기 때문에 가장 확고한 관습에 따라 학문적 사고 속에서처럼 "자연적으로 태도를 취해", 우리는 이 심리학적 반성에서 발견되는 것 전부를 실재적 세계사건들로, 곧 동물적 존재의 체험들로 간주한다.…

따라서 우리는 시선을 의식분야로 확고하게 견지하고, 우리가 그 속에서 내재적으로 발견하는 것을 연구한다. 우선 여전히 현상학적인 판단을 배제함을 수행하지 않은 채, 우리는 의식의 분야를 체계적인 본질분석에 떠맡겼다. 우리에게 반드시 필요한 것은 의식 일반과 또한 아주 특히 의식의 본질에 대한 어떤 일반적인 통찰이다. 이러한 연구들에서 우리는 우리가 겨냥했던 통찰, 즉 의식은 그 자체 속에, 자신의 절대적인 고유한 본질 속에 현상학적 배제함으로 통하여 영향을 받지 않는, 고유한 존재를 갖는다는 통찰을 수행하는 것이 필요한 데까지 나아간다. 따라서 이 고유한 존재는 '현상학적 잔여'로서, 즉 사실상 새로운 학문인 현상학의 장이 될 수 있는 원리적으로 고유한 종류의 존재영역으로 뒤에 남는다.

이러한 통찰을 통해 비로소 '현상학적' 판단중지는 자신의 이름에 걸맞게 되며, 이 현상학적 판단중지를 완전히 의식해 수행하는 것은 우리를 '순수의식'과 그 결과 현상학적 영역 전체에 접근시켜주는 필연적 조작으로 밝혀지게 된다.…(『이념들 1』126-128)

나. 의식의 본질로서의 '무엇에 관한 의식'

최초의 의식, 혹은 의식의 최초의 출발점은 무엇일까? 모든 의식이 제거되어 버리고도 남는 것은 무엇일까? 후설은 이에 대해 '무엇에 관한 의식'이라고 말한다. 이것은 적절하다. 이 '무엇에 관한 의식'이 존재하고, 그것이 계속 힘을 발휘하기 때문에 우리는 사물을 인식하고 우리의 의식을 통일성 있게 채울 것이기 때문이다. 그래서 후설은 이 '무엇에 관한 의식'을 '정신적 시선'이라고 말한다. 정신에 잇는 '사유작용' '포착하는 작용'으로서의 '무엇에 관한 의식'이 최초의 의식으로 나타나는 것이다. 데카르트의 "나는 생각한다"의 이면에는 '무엇에 관하여'라는 순수 의식이 가장 먼저 존재한다는 것이다. 그리고 이 '무엇에 관한 의식'의 흐름은 순수한 현실성으로부터 지속적으로 이어지는 사유작용의 연계에 의하여 끊임없이 비-현실성으로 이행한다. 그래서 비-현실성은 현실성으로 이행한다.

한편, 후설의 "무엇에 관한 의식이라는 것은 일반적으로 모든 현실적 사유주체의 본질에 속한다"는 이 말은 이후 실존주의 철학의 대주제가 되었다.

> 우리는 자연적 방식으로 '외부 세계'를 향해 있고, 자연적 태도를 단념하지 않고 우리의 자아와 그 체험 작용에 대한 심리학적 반성을 수행한다. 우리는 마치 우리가 새로운 종류의 태도에 관해 아무것도 듣지 못했을 때 그렇게 행하는 것과 아주 똑 같이, "무엇에 관한 의식"(이 속에서 우리는 예를 들어 물질적 사물, 신체, 인간의 현존재, 기술적 또는 문학적 작품 등의 현존재를 의식한다)의 본질에 몰두한다. 우리의 각각의 개별적 사건은 형상적 순수성 속에 파악할 수 있고 이 순수성에서 가능한 형상적 탐구의 어떤 장에 속해야만 한다는 우리의 일반적 원리를 따라간다. 따라서 "나는 존재한다" "나는 생각한다" "나는 나에게 대립된 세계를 갖는다" 등의 일반적인 자연적 사실도 자신의 본질내용을 가지며, 우리는 지금 오직 이 본질내용에만 몰두하고자 한다.…
> 우리에게 중요한 것은 사유작용의 고유한 것을 통해 순수하게 요구되고, 그래서 그 통일성이 없이는 사유작용들이 존재할 수 없다는 것이 필연적으로 요구되는 의식의 통일성을 특징짓는 것이다.(『이념들 1』129-130)
> 예를 들어 시작하자. 내 앞에는 어스름한 불빛 아래 이 하얀 종이가 놓여 있다. 나는 이것을 보고 만진다. 여기에 놓여 있는 종이에 관한 완전히 구체적인 체험으로서 종이를 이렇게 지각하면서 보고 만지는 것, 이것이 사유작용, 즉 의식체험이다.… 종이 자체는 사유작용이 아니라 사유된 것이며, 지각체험이 아니라 지각된 것이다. 이제 지각된 것 자체는 다분히 의식체험일 수 있다. 그러나 물질적 사물과 같은 그러한 어떤 것, 예를 들어 지각체험 속에 주어진 이 종이는 원리적으로 어떤 체험도 아니고, 총체적으로 다른 존재방식을 지닌 존재라는 사실은 명백하다.…
> 문제가 되는 것은 오직 "객체에 주의를 기울임"의 양상 속에 수행된 지각의 본질에 속하는 의식마당, 더 나아가 이 마당 자체의 고유한 본질 속에 놓여 있는 것이다. 그러나 이 속에는 근원적 체험의 어떤 변양이 가능하다는 사실이 포함되어 있다.… 이 시선은 곧바로 또 단순히 물리적 시선이 아니라 '정신적 시선'이다.…

> 체험흐름은 순전히 현실성들로만 이루어질 수 없기 때문이다. 바로 이 현실성들은 우리가 든 예들의 범위를 넘어설 수 있는 가장 넓은 일반화함 속에, 그리고 비-현실성들과 함께 수행된 대조 속에 '사유주체' "나는 무엇에 관한 의식을 갖고 있다" "나는 어떤 의식작용을 수행한다"는 표현의 적확한 의미를 규정한다.… 깨어있는 자아의 체험흐름의 본질에는 지속적으로 이어지는 사유작용의 연계가 끊임없이 비-현실성의 매개에 의해 에워싸여 있고, 이 비-현실성은 언제나 현실성의 양상으로 이행할 준비가 되어 있으며, 그 반대도 마찬가지로 현실성은 언제나 비-현실성으로 이행할 준비가 되어 있다는 사실이 속해 있다.(『이념들 1』 131-134)

다. 지향적 체험

우리가 흰 종이를 통해서 흰색을 구체적으로 지각할 때, 종이에 있는 그 흰색이라는 '내실적인 계기, 혹은 존립요소'(의식작용에 내재하는 감각적 질료의 그 무엇)는 지향성의 담지자이지, 그 자체가 "무엇에 대한 의식"(지향성)의 근본특성은 아니다. '지향성'은 '정신의 시선'이며 최초에 나타난 의식으로서의 '순수 의식'이다. 즉 정신이 가진 이 지향성이 파악하기 위해 침투해 들어가기 때문에 인식이 발생하는 것이지, 사물에 의해서 수동적으로 인식되는 것이 아니라는 것이다. 후설은 이것을 『논리연구』에서 집중적으로 밝혔다.

> 우리는 각각의 내실적 계기가 어떤 지향적 체험 자체의 구체적 통일성 속에 지향성의 근본특성을 갖는 것이 아니며, 따라서 '무엇에 관한 의식'이라는 속성을 갖는 것이 아니라는 점을 쉽게 알게 된다. 이것은 예를 들어 지각적 사물직관 속에서 아주 중요한 역할을 하는 모든 감각자료에 해당된다. 이 하얀 종이를 지각하는 체험 속에, 더 자세히 말하면, 종이가 흰색이라는 성질에 관련된 지각의 구성요소들 속에서 우리는 적절한 시선전환을 통해 흰색이라는 감각자료를 발견한다. 이 흰색은 구체적 지각의 본질에 불가분적으로 속한 어떤 것이며, 내실적인 구체적 존립요소로서 속한 것이다. 종이가 나타나는 흰색에 대해 묘사하는 내용으로서 그것은 지향성의 담지자이지만, 그러나 그 자체가 무엇에 대한 의식은 아니다.…우리는 이에 관해 앞으로 더 자세하게 이야기할 것이다.(『이념들 1』 135)

후설에 의하면, 지향적 순수의식에 의해서 사물이 인식되는 것이다. 그렇기 때문에 우리가 인식한 것은 사물과 완전히 일치하는 것이 아니다. 그리고 우리는 사물은 존재하지 않음에도 불구하고, 무엇을 인식할 수도 있다.

더 나아가서 여기에서는 '이중의 지향'도 나타난다. 즉 예컨대, 사태를 단순히 파악할 때 주어지는 사태의 표상과 사태에 주의를 기울여 사태를 평가할 때 나타나는 사태의 표상이 다르다.

> 만약 지향적 체험이 현실적이라면, 따라서 사유주체의 방식으로 수행된다면, 이 체험 속에서 주체는 지향적 객체를 '향해' 있다. 사유주체 자체에는 사유주체에는 사유주체에 내재적인 객체로 '시선을 향함'이 속하고, 다른 한편으로 그래서 결코 없을 수 없는 '자아'로부터 솟아나오는 '시선을 향함'이 속한다. 무엇에 대한 이 자아시선은 작용에 따라 지각 속에서는 지각하는 시선을 향함, 허구에서는 날조하는 시선을 향함, 좋아함에서는 좋아하는 시선을 향함, 의욕함에서는 의욕하는 시선을 향함 등이다. 그래서 이것은 다음과 같은 것을 뜻한다.… 의식의 지향적 객체는 결코 파악된 객체와 같은 것을 뜻하지 않는다는 사실이 주목되어야 한다.(『이념들 1』136)
> 주의를 기울임은 바로 이 때문에 '파악함, 주목함'이다. 그러나 우리는 가치를 평가하는 작용 속에서 가치에, 즐거움의 작용 속에서도… 향해 있다.… 따라서 가치를 평가하는 작용과 같은 종류의 작용 속에서 우리는 이중적 의미에서 지향적 객체를 갖는다. 즉 우리는 단순한 사태와 완전한 지향적 객체 사이를, 이에 상응해 이중의 지향, 즉 주의가 두 겹으로 향해져 있음을 구별해야만 한다.… (『이념들 1』137)

라. 내재적 지각과 초월적 지각

우리는 우리의 사유작용의 하나인 '반성적 시선전환'을 생각해 볼 수 있다. 이 경우 모든 사유작용은 '내적지각'의 대상이 될 수 있고, 그 다음 계속해서 이것은 기억 속에서 '반성적 평가, 시인, 부인' 등의 객체들로 되풀이되어 '변양된 객체'들로 만들어 진다. 그리고 여기에서 초월적 지각과 내재적 지각이 구별되어 진다.

의식과 그 객체가 체험을 통해 순수하게 수립된 개별적 통일체를 형성하는 것은

'내실적 존립요소들'에 대한 '내재적 지각'을 통해서이다. 이렇게 지각과 지각된 것은 유일한 구체적 사유작용의 통일체를 형성한다. 우리가 갖는 생생한 확신은 이러한 결과로 이루어진다.

초월적 지각, 즉 초월적으로 관련된 지향적 체험은 분명히 이와 다른 상태에 있다. 이것은 사물과의 본질적 통일체에서 벗어나 있다. 예를 들어 본질로 향해진 또는 다른 체험흐름을 지니고 다른 자아의 지향적 체험으로 향해진 모든 작용처럼, 통일체를 형성함이 생기지 않는 지향적 체험들은 초월적으로 향해 있다. 사물들, 실재성 일반으로 향해진 모든 작용도 마찬가지이다. 우리의 직관이 이것을 발견한다는 것이다.

사유주체로 살아가면서 우리는 사유작용 자체를 지향적 객체로 의식하지 않았지만, 어느 때라도 사유작용은 지향적 객체가 될 수 있고, 그 본질에는 '반성적' 시선전환의 원리적 가능성이 속한다. 달리 말하면, 모든 사유작용은 이른바 '내적지각'의 대상이 될 수 있고, 그런 다음 계속해서 반성적 평가함.시인함 또는 부인함 등의 객체들이 될 수 있다. 똑같은 것이 이에 상응하는 변양된 방식으로 작용인상이라는 의미에서 실제적 작용들에 적용될 뿐만 아니라, 우리가 상상 '속에', 기억 '속에' 또는 우리가 타인의 작용들을 이해하고 본받아 살면서 감정이입 '속에' 의식했던 작용들에도 적용된다. 우리는 기억.감정이입 등의 '속에' 반성할 수 있으며, 이것들 '속에' 의식된 작용들을 상이한 가능한 변양들을 통해 파악함의 객체들과 이 파악함에 근거되어 태도를 취하는 작용들의 객체들로 만들 수 있다.

우리는 여기서 초월적 지각과 내재적 지각 또는 작용들 일반 사이의 구별을 연결한다.… 내재적으로 향해진 작용들 아래, 좀더 일반적으로 파악해 보면, 내재적으로 관련된 지향적 체험들 아래 우리는 그 체험의 본질에 속하는 사실, 즉 체험의 지향적 대상들은 체험들 자체와 마찬가지로 동일한 체험흐름에 속한다는 사실을 이해한다. 따라서 이것은 예를 들어 하나의 작용이 동일한 자아의 [다른] 작용에 관련되는 곳이면, 또는 마찬가지로 하나의 작용이 동일한 자아의 감각적 느낌의 자료 등에 관련되는 곳이면 어디에서든 들어맞는다. 의식과 그 객체는 체험을 통해 순수하게 수립된 하나의 개별적 통일체를 형성한다.

예를 들어 본질로 향해진 또는 다른 체험흐름을 지니고 다른 자아의 지향적 체험으로 향해진 모든 작용처럼, 통일체를 형성함이 생기지 않는 지향적 체험들은 초월적으로 향해 있다. 앞으로 살펴보게 되듯이, 사물들.실재성 일반으로 향해진 모든 작용도 마찬가지이다.(『이념들 1』138-140)

마. '참된 것'의 '단순한 나타남'으로서의 '의식'

우리 안의 의식은 맨 처음의 '순수 자아' 혹은 '순수 의식'으로부터 시작된다. 이것은 우리 안에 있는 정신으로부터 흘러나오는 '의식'이다. 이 순수의식 속에 자연적 세계의 사물의 '내실적 존립요소'가 흘러 들어오면서 이 양자가 결합하여 새로운 의식을 형성하였다. 따라서 우리의 의식은 이중의 방식으로 자연적 세계와 얽혀 있다. 우리의 세계에 대한 의식은 인간의 정신에서 흘러나온 순수의식과 세계에서 주어진 의식의 결합이다. 물질적 세계와 의식(정신)의 세계가 본질적으로 섞일 수 없는 것인데, 이 양자가 우리의 '의식' 속에서 결합되어 있다. 따라서 의식과 사물성은 하나의 결합된 전체이다.

그런데, 이때 인간의 의식 속에 들어와 있는 그것이 그것의 진정한 본질과 다를 수 있는가? 아마 완전하지는 않다고 할지라도 분명히 본질을 반영하고 있을 것이다. 그렇다면, 이제 인간의 정신은 그 사물 안에 있는 정신적 요소도 보아낼 것이다. 인간의 육체는 그 사물의 현상을 보아내겠지만, 그 안에 있는 성질들이나, 사물 안에 내재해 있는 정신적 요소로서의 물 자체의 어떤 요소들까지 보아낼 것이다. 이러한 상황을 근거하여, 우리가 소박한 인간으로서 우리 자신을 성찰해 보면, 우리는 사물 자체를 그 생생한 모습으로 보고 포착하고 있으며, 그 사물의 성질들과, 그 현존 자체에 대해서도 포착하고 있다고 보아야 한다. 즉. '초월적 존재의 부호'가 지각 속에 주어진 것이다. 이것이 곧 사물에 대한 의식이다.

즉, 지각 자체의 구체적인 내실적 존립요소에 속하는 것은 무엇인가? 자명하듯이 물리학적 사물은 아니다. 이것은 철저히 초월적이다. 즉 총체적인 '나타남의 세계'에 대립된 [것으로] 초월적이다.

물질적 세계에 없는 것은 인간의 영혼과 동물의 영혼이다. 이 영혼이 끌어 들이는 새로운 것은 첫째로 그 환경세계와 의식에 적합하게 관련됨을 지닌 영혼의 '체험함'이다. 이때 어쨌든 의식과 사물성은 하나의 결합된 - 우리가 '동물적인 것'이라고 하는 개별적 심리 물리적 통일체들 속에 결합된, 그 최상에는 전체적 세계의 실재적 통일체 속에 결합된 - 전체이다. 전체의 통일체가 그 부분들(따라서 원리적인 이종성 대신 그 어떤 본질공통성이 있음에 틀림없는 부분들)의 고유한 본질을 통해 일치하는 것과 다른 것일 수 있는가?…
나는 우선 '소박한' 인간으로서 성찰한다. 나는 사물 자체를 그 생생한 모습으로 보고 포착한다. 물론 나는 때때로 또 그 사물의 지각된 성질에 관해서뿐만 아니라 그 현존 자체에 관해서도 착각한다(필자: 착각 할 수도 있다).… 그러나 그 지각이 진정한 지각이라면, 그것은 다음과 같은 것을 뜻한다. 즉 만약 지각이 현실적 경험연관 속에,… '확증되게' 한다면, 지각된 사물은 실제로 존재하고, 지각 속에서 실제로 그 자체이며, 게다가 생생하게 주어진다.…(『이념들 1』143-144)
그러므로 다음과 같은 점을 받아들이자.… 모든 지각이 생생하게 주어진 것은 '단순한 나타남'이고, 원리적으로 '단순히 주관적'이며, 아무튼 결코 공허한 가상은 아니라고 받아들이자. 어쨌든 지각 속에 주어진 것은 자연과학의 엄밀한 방법을 통해 누구든지 수행할 수 있고 통찰적으로 검증할 수 있는 그 초월적 존재(이것의 '부호'가 지각 속에 주어진 것이다)의 타당한 규정에 이바지한다. 지각이 주어진 것 자체의 감각적 내용은 그 자체로 존재하는 참된 사물과는 다른 것으로서 언제나 간주되지만, 아무튼 기체, 즉 지각된 규정성의 담지자도 정확한 방법을 통해 물리학적 술어들로 규정된 것으로서 간주된다.(『이념들 1』144-145)
이제 사유작용으로서 지각 자체의 구체적인 내실적 존립요소에 속하는 것은 무엇인가? 자명하듯이 물리학적 사물은 아니다. 이것은 철저히 초월적이다. 즉 총체적인 '나타남의 세계'에 대립된 [것으로] 초월적이다. 아무리 '나타남의 세계'가 '단순히 주관적'이라고 해도, 또한 이 세계는 그 모든 개별 사물과 사건에 따라서 지각의 내실적 존립요소에 속하지 않으며, 지각에 대립해 '초월적'이다. 좀더 자세히 숙고해 보자. 우리는 단지 피상적이지만 방금 전에 이미 사물의 초재에 관해 이야기했다. 지금은 초월적인 것이 이것을 의식하는 의식에 어떻게 관계하는지, 자신의 수수께끼를 지닌 이 상호 관련이 어떻게 이해되어야 하는지 하는 본성에 대한 더 깊은 통찰을 획득할 필요가 있다.(『이념들 1』146)

우리는 칸트 이래로 '사물'이 있으면, 그 이면에 '물 자체'를 전제해 왔다. 예컨대, 물리적 법칙이 그 '물 자체(참 사물)'의 일환이다. 사물에는 이 두 가지 요소가 존재하는 것이다. 한편, 이 '사물'은 우리 안에 의식으로 존재한다. 그런데, 이 사물은 영혼을 가지고 있지는 않다. 영혼은 인간이 가지고 있다. 이 영혼을 가진 인간의 영혼이 이 물 자체의 흔적을 보아내는 것이다. 이것이 '초월적 지각'의 본질이다. 우리의 의식 안에 들어와 있는 그 '내실적 존립요소'는 그 사물을 반영하고 있는데, 우리 인간의 영혼은 여기에서 '사물의 현존'을 보아내기도 하며, 그것의 '성질'을 보아내기도 하고, 이면의 '물 자체'의 음영을 보아내기도 하는 것이다. 즉 인간의 영혼이 그 형이상학적 요소를 보아내는 것이다.

4. 순수의식의 영역

가. '물 자체'를 아프리오리하게 인식하는 '순수의식'

후설에 의하면, 사물의 객체성은 우리의 의식 속에서 어떠한 상황 속에서도 파괴되지 않는다. 즉 사물들이 존재하는 그대로의 것, 경험의 사물들로서 그러한 것들이다. 따라서 '사물적인 것의 초재'(물 자체)라는 것의 진정한 개념은 우리의 경험이라는 성질의 연관을 통하지 않고는 어디서부터도 이끌어 낼 수 없다. 그리고 그렇다면 이것은 모든 자아에 의해 인식될 수 있다는 것을 시사하고 있다. 그리고 그것을 인식하는 것은 우리의 '순수의식'이며, 이 '순수의식'이 이것을 '아프리오리'하게 인식한다. 이것은 칸트의 '물 자체'에 대한 인식 불가능성을 정면으로 반박하는 내용이다.

> 경험의식의 상관자인 사물적 객체성을 생각 속에서 파괴하는 데 어떠한 제한도 우리를 방해하지 않는다. 여기에서 항상 다음과 같은 것이 주목되어야 한다. 여기에서 항상 다음과 같은 것이 주목되어야 한다. 즉 사물들이 존재하는 그대로의 것, 이것은 경험의 사물들로서 그러한 것들이다. 경험만이 그 사물들에 그것들의 의미를 미리 지정하며, 사실적 사물들이 문제되기 때문에, 현실적 경험만이 일정하게 질서지어진 자신의 경험연관들 속에서 그 사물들에다 그것들의 의미를 미리 지정한다.(『이념들 1』166)
> 어쨌든 사물적인 것의 초재라는 진정한 개념은 지각의 고유한 본질내용으로부터가 아니면 또는 우리가 입증하는 경험이라고 일컫는 일정한 성질의 연관들로부터가 아니면, 그 자체로 어디에서부터도 이끌어낼 수 없다. 따라서 이러한 초재의 이념은 이 입증하는 경험의 순수한 이념의 형상적 상관자이다.
> 이것은 실제성 또는 가능성으로서 다루어질 수 있을, 생각해 볼 수 있는 모든 종류의 초재에 대해서도 적용된다. 그 자체로 존재하는 대상은 결코 의식과 의

식-자아에 아무 관련도 없다는 그러한 대상이 아니다. 사물은, 보여지지 않은 사물도 심지어 경험된 것이 아니라 경험할 수 있는 또는 아마 경험할 수 있는 실제적으로 가능한 사물이라도, 환경세계의 사물이다. 경험할 수 있음은 결코 공허한 논리적 가능성을 뜻하는 것이 아니라, 경험연관 속에 동기 지어진 가능성을 뜻한다. 이 경험연관 자체는, 언제나 새로운 동기부여들을 받아들이고 이미 형성된 동기부여들을 변형시켜가는, 철저히 '동기부여'의 연관이다. 동기부여들은 그 파악내용 또는 규정내용상 다소 풍부한, 내용적으로 다소 제한된 또는 모호한, 상이한 동기부여들이다. [그러나] 오직 모든 가능성에 따라 순수 형상적 탐구의 기초가 되는 연관들의 본질형태들이 중요한 문제이다. 이 본질 속에서는 항상 실제로는 존재하지만 여전히 현실적으로 경험되지 않은 것이 주어질 수 있다는 사실, 이 경우 그것이 나의 그때그때 경험현실성에서 규정되지 않았디만 [앞으로] 규정 할 수 있는 지평에 속한다는 것을 뜻한다는 사실이 포함되어 있다. 그러나 이 지평은 본질적으로 사물경험 자체에 달려 있는 규정되지 않음의 구성요소들의 상관자이며, 이 구성요소들은 결코 임의적이 아니라, 자신의 본질유형에 따라 미리 지시된, 동기 지어진 것들인 충족의 가능성들을(항상 본질에 적합하게) 열어놓고 있다.… 그리고 이 모든 것은 본질에 적합하게 규정된, 아프리오리한 유형에 결부된 본성들과 규칙형식들에 따라 수행된다.(『이념들 1』166-168)

나. 현상학의 장(場)인 순수의식

후설은 '판단중지'를 통해서 얻어진 '무화된 의식', 혹은 '순수 의식'의 장이 곧 현상학의 장이라고 말한다.

이제 우리의 생각을 다시 '현상학적 환원'에 관한 우리의 고찰로 되돌려보자. 지금 사실상 자연적인 이론적 태도(이것의 상관자는 세계이다)에 대립해 이 심리물리적 자연 전체를 배제했음에도 불구하고 남아 있는 것(절대의식의 전체 장(場))을 유지하는 새로운 태도가 가능함에 틀림없다는 점은 명백하다. 그래서 경험 속에 소박하게 살아가는 것 대신 그리고 경험된 것, 초월적 자연을 이론적으로 탐구하는 것 대신, 우리는 '현상학적 환원'을 수행한다. 달리 말하면, 자연을 구성하는 의식에 속한 작용들을 그 초월적 정립들과 더불어 소박한 방식으로 수행하는 것 대신 그리고 이 작용들 속에 놓여 있는 동기부여들을 통해 항상 새로운 초월적 정립들을 규정하게 만드는 것 대신, 이 모든 정립을 '작용중지'시키면, 우리는 이 정립들에 참여하지 않는다. 우리는 파악하고 이론적으로 탐구하는 시선을 그 절대적인 고유한 존재 속에 순수 의식으로 향하기 때문이다. 그래서 이 순수의식은 추구된 '현상학적 잔여'로 남아 있는 것, 우리가 모든 사물, 생명체, 인간, 우리 자신을 포함해 세계 전체를 '배제했음'에도 불구하고 남아 있는 것이다. 우리는 엄밀히 아무것도 잃어버리지 않았지만, 올바로 이해된다면, 모든 세계의 초재를 내포하고 이 초재들을 그 자체로 '구성하는' 전체의 절대적 존재를 획득했다.

이 점을 자세히 밝혀보자. 자연적 태도에서 우리는 세계가 우리에 대해 거기에 있게 되는 모든 작용을 단적으로 수행한다.… [반면] 현상학적 태도에서 우리는 원리적 일반성으로 그러한 사유에 따른 모든 정립의 수행을 금지한다. 즉 수행된 정립들을 새로운 탐구를 위해 '우리는 괄호치고' '이 정립들에 참여하지 않는다'. 이 정립들 속에 살아가고 이 정립들을 수행하는 대신, 이 정립들을 향한 반성의 작용을 수행하며, 이 정립들 자체를 그것들이 있는 그대로 절대적 존재로 파악한다. 우리는 지금 철저하게 2차적 단계의 그러한 작용들 속에 살고 있다. 이 작용들이 주어진 것은 절대적 체험의 절대적 장 - 현상학의 근본 장 - 이다.(『이념들 1』174-175)

다. 선험적 예비고찰이 갖는 의미

우리는 순수의식을 영역의 존재를 알아보았다. 그러나 그렇다고 해서 아직 현상학적 환원을 수행한 것은 아니다. 그리고 위에서 언급한 순수의식은 그 순수의식의 선험적 성질을 예비 고찰한 것일 뿐이다. 아직 순수의식을 파악한 것은 아니다.

그러나 그렇다고 해서 아직 현상학적 환원을 수행한 것이 아니며, 파악된 의식은 순수 의식이 아니다. 따라서 우리가 반성을 실행했던 것과 같은 종류의 철저한 고찰들은 자연의 존립요소가 아니라 순수 의식 일반의 장과 같은 어떤 것이 존재하고 실로 존재할 수 있다는 인식으로 꿰뚫고 들어가기 위해 필수적이다.

그리고 이것은 자연이 오직 순수 의식 속에서 내재적 연관들을 통해 동기지어진 지향적 통일체로서만 가능하다는 것이 결코 아니다. 그 고찰들은 그와 같은 [지향적] 통일체가 그 속에서 이 통일체를 '구성하는' 의식과 이러한 모든 각각의 절대적 의식 일반이 탐구될 수 있는 태도와는 완전히 다른 태도 속에 주어지고 이론적으로 탐구될 수 있다는 사실을 계속 인식하기 위해 필수적이다. 그 고찰들은 필연적이며, 그래서 결국 선험적 의식 탐구가 결코 자연탐구를 뜻하는 것은 아니라는 사실, 또는 그 선험적 태도 속에서 자연은 원리적으로 괄호쳐지기 때문에 자연탐구를 전제들로서 가정할 수 없다는 사실이 명백해 질 것이다.(『이념들 1』176)

5. 현상학적 환원을 위한 배제

후설은 '현상학적 환원들'이라는 제목으로 한 절을 할애하는데, "현상학적 환원의 범위에 관한 물음들"을 먼저 말한 후, 현상학적 환원을 위해서 배제되어야 할 것들을 소개한다. 즉, 그는 "순수 자아의 배제", "신의 초재의 배제", "보편수학인 순수 논리학의 배제", "질료적-형상적 학과들의 배제" 등에 대해 논한다.

후설은 지금까지 "자연적 세계 전체를 배제"했다면, 이제 "초월적-형상적 분야의 배제"를 여기에서 말한 것이다. 즉 이러한 것들에 대한 '판단중지'를 통해서 '순수 의식'을 획득한다고 말한다.

모든 학문은 개념 정의이다. 특히 이 모든 학문의 근본을 이루는 논리학의 경우 더욱 그렇다. 현상학은 기존의 일반 의식에 근거한 개념 정의가 아니라, 순수 의식에 근거한 개념 정의를 추구하는 것이다. 따라서 다음의 "순수현상학의 방법론"은 이 '개념' 정의의 공통된 인식론을 말할 뿐이다. 즉, 순수의식에 의한 인식론을 말할 뿐이다.

5절 순수현상학의 방법론과 지향성

1. 방법론적 예비숙고들

가. 현상학에 대한 방법론적 숙고의 특별한 의미

후설은 현상학적 환원이 우리에게 지시하는 규범에 주의를 기울여, 그 환원이 요구하는 것과 똑같이 모든 초재를 배제한다면, 형상적 인식의 장이 우리에게 열리며, 모든 측면에서 무한한 것으로 제시된다고 말한다. 그는 이 의식의 아프리오리의 무한한 장은 개척될 필요가 있다고 말한다.

그런데, 그는 그 올바른 출발점을 발견하는 것은 쉽지 않다고 말한다. 그것은 자연적 태도에서 주어져 있음의 경우와는 다르며, 과거의 천 년간의 사고훈련을 통해 매우 친숙해진 자연의 객체들의 경우와 다르다고 말한다.

왜냐면, 현상학은 가장 완전한 무전제성을 요청하고, 대상의 고유한 본질에 관해 또한 자신의 방법의 원리들에 관해 가장 완전한 명석함을 실현하고자 하기 때문이다.

> 만약 우리가 현상학적 환원이 우리에게 지시하는 규범에 주의를 기울인다면, 그 환원이 요구하는 것과 똑같이 모든 초재를 배제한다면, 따라서 체험들을 그 고유한 본질에 따라 순수하게 받아들인다면, 설명되었던 모든 것에 의해 형상적 인식의 장이 우리에게 열린다. 이 장은, 사람들이 출발의 어려움들을 극복했을 때, 모든 측면에서 무한한 것으로 제시된다. 내실적이고 지향적인 본질의 존립요소들을 지닌 체험의 종류들과 형식들의 다양성은 바로 모두 다 논할 수 없을 만큼 무한하며, 이에 따라 그 다양성 속에 근거하는 본질연관들과 필증적으로 필연적인 진리들의 다양성도 그렇다. 그러므로 자신의 특유성 속에 결코 자신의 권리를 얻지 못했고 실로 본래적으로 결코 보이지도 낳은 의식의 아프리오리의 이 무한한 장은 개척할 필요가 있으며, 그 장으로부터 매우 가치있는 성과를 끌어낼 필요가 있다.
>
> 그러나 어떻게 올바른 출발[점]을 발견하는가? 사실 그 출발은 여기에서 가장 어려운 일이고, 그 상황은 일상적인 상황이 아니다. 그 새로운 장은, 우리가 간단히 포착할 수 있고 주어져 있음을 학문의 객체[대상]로 만들 가능성을 확신할 수 있으며, 심지어 여기에서 그것에 따라 진행해나갈 방법을 확신할 만큼, 풍부하게 주어져 있음을 지니고 우리의 시선 앞에 확장되어 놓여 있지 않다. 그것은 자연적 태도에서 주어져 있음의 경우와는 다르며, 특히 만약 우리가 자주적으로 탐구하면서 그 인식을 계속 촉진시키고자 시도한다면, 끊임없는 경험과 천 년간의 사고훈련을 통해 매우 친숙해진 자연의 객체들의 경우와 다르다.…
>
> 따라서 새롭게 등장하는 현상학은 회의의 근본적인 기분을 예상해야만 한다. 현상학은 새로운 종류의 사태들에서 새로운 종류의 인식들을 발견하는 방법을 발

전시켜야 할 뿐만 아니라, 그 방법의 의미와 타당성에 관해 모든 진지한 반론을 견뎌낼 수 있는 가장 완전한 명석함을 수립해야만 한다.
이에 덧붙여 현상학은 그 본질상 '제1철학'이 되려는 또 수행하려는 모든 이성비판에 수단을 제공하는 요구를 제기해야만 한다. 따라서 현상학은 가장 완전한 무전제성을 요청하고, 또 자기 자신과 관련해 절대적인 반성적 통찰을 요청한다. 현상학의 고유한 본질은 자신의 고유한 본질에 관해 그래서 또한 자신의 방법의 원리들에 관해 가장 완전한 명석함을 실현하는 것이다.…(『이념들 1』211-212)
더구나 이제 현상학이 단순한 직접적 직관의 테두리 속의 어떤 학문, 즉 순수한 '기술적' 본질학문이고자 한다면, 현상학의 진행절차에 대한 일반적인 것은 완전히 자명한 것으로 미리 주어져 있다. 현상학은 순수 의식의 사건들을 범례적으로 눈앞에[확실히] 세워야만 하며, 그 사건들을 완전한 명석함으로 이끌고, 이 명석함 안에서 분석과 본질파악을 행하며, 통찰적인 본질연관들을 추구하고, 그때그때 간취된 것을 충실한 개념적 표현들로 포착해야만 한다. 등등.(『이념들 1』216)

필자의 견해에 의하면, 후설은 무슨 영지주의적 이상을 꿈꾸는 것으로 보인다. 왜냐면 '괄호침, 배제, 비움'을 통한 '본질직관'이라는 시도 자체가 하나의 종교적인 용어이기 때문이다. 플라톤주의자인 플로티누스는 육체를 벗어버림을 통해서 영적인 신비체험을 통해 이데아의 세계를 직관하려 했다.
그러나 후설은 그에 대한 구체적인 방법론을 전 영역에 관해 말하는 것은 아니고, 자신이 본질을 직관했다고 말하는 것도 아니다. 그는 모든 형이상학적인 시도를 배제한다. 다만, 그는 인식론과 관련하여 현상학적인 방법을 통해서 연구를 수행할 뿐이다. 그는 인식론과 관련하여 의식의 구조와 내용에 대해서만 현상학적 연구를 수행할 뿐이다.

나. 명석하게 주어진 것에 대한 충실한 표현 : 명백한 전문용어

후설이 현상학을 통해서 얻으려고 하는 것은 "명석하게 주어진 것에 대한 충실한 표현, 즉 명백한 전문용어"이다.

우리는 순수직관 안에서 오직 본질이론이고자 하는 현상학 속에 선험적인 순수

> 의식이 범례적으로 주어진 것에 서 직접적 본질통찰들을 수행하고, 이것들을 개념적으로 또는 전문용어로 확정한다. [이때] 사용된 말들은 일상적 언어에서 유래할지도 모르고, 다의적이며, 그 변화하는 의미에 따라 모호할 수도 있다. [그러나] 그 말들은 현실적 표현의 방식으로 직관적으로 주어진 것과 '합치'하자마자, 그것들의 '여기 그리고 지금'으로서 규정된 현실적이며 또 명석한 의미를 지닌다. 그리고 이것으로부터 그 말들은 학문적으로 확정될 수 있다.…(『이념들 1』 217)

다. 명석함에 대한 해명의 방법

그런데, 후설은 이제 "우리에게 더 큰 관심은 표현들에 관련된 대신 이 표현들을 통해 표명될 수 있는 본질과 본질연관에 관련된 방법적 숙고들이다"고 말한다. 후설은 명석하게 표현된 것에 대한 해명 방법의 논의를 갑자기 그 '방법적 숙고들'로 바꾼다. 그러면서 우리 체험의 '명석함'을 위해, '체험들 자체'를 탐구하는 것이 아니라, '체험들이 주어지는 방식'을 연구함을 통해서 '명석함'에 이르지 못한 '공허함'과 '모호함'의 본질을 탐구하고자 한다. 후설은 이에 대해 '주어진 것' 만을 통해서 명석함이 나오지 않는다. 순수 자아의 시선으로서의 의식체험이 관통하는지의 여부에 의해서 좌우된다. 후설의 연구는 이제 표현된 내용의 연구에서, 그 체험의 본질로 이행하게 된다.

> 우리에게 더 큰 관심은 표현들에 관련된 대신 이 표현들을 통해 표명될 수 있고 또 그 이전에 파악될 수 있는 본질과 본질연관에 관련된 방법적 숙고들이다. 만약 탐구하는 시선이 체험들을 향해 있다면, 이 체험들은 일반적으로 단일적 확정에도 이용할 수 없게 만드는 '공허함'과 '모호하게 떨어져 있음' 속에 제시될 것이다. 만약 우리가 체험들 자체 대한 오히려 체험들이 주어지는 방식에 관심을 갖고 공허함과 모호함 자체의 본질을 탐구하려고 한다면, 공허함이나 모호함이 이제 모호한 것이 아니라 가장 완전한 명석함 속에 주어지므로, 사정은 완전히 다를 것이다.…
> 적확한 의미에서 [대상을] 부여하는 의식과 직관적 의식, 희미한 의식에 대립된 명석한 의식은 일치한다. 주어져 있음, 직관성, 명석함의 단계도 그러하다. 0의 한계는 희미함이며, 1의 한계는 완전한 명석함, 직관성, 주어져 있음이다.

그러나 이 경우 주어져 있음은 원본적인 주어져 있음, 지각에 적합하게 주어져 있음으로 이해되어서는 안 된다. 우리는 '스스로 주어져 있음'을 '원본적으로 주어져 있음' '생생하게 주어져 있음'과 동일시하지 않는다.…
그러나 앞으로 이루어질 분석을 고려해 순수 자아의 시선이 해당된 의식체험을 관통하는지 여부, 좀더 명백하게 말하면, 순수 자아가 어떤 '주어진 것'을 '향하고' 경우에 따라 이것을 '파악하는지' 아닌지 하는 상태의 본질적인 것이 유지되어 남아 있다는 사실 또한 주목되어야만 한다. 따라서 예를 들어 '지각에 적합하게 주어진'은 또한 단지 '지각할 준비된'을 뜻하고, 마찬가지로 '상상에 적합하게 주어진'도 '상상하면서 파악된'을 뜻할 필요가 없으며, 일반적으로 게다가 모든 명석함의 단계 또는 희미함의 단계도 관점에서도 그렇다. (『이념들 1』218-221)

라. 본질해명의 방법에서 지각의 역할 : 자유로운 상상의 우선적 지위

우리는 정신을 직접적으로 목도할 수는 없고, 가장 정신적인 것으로 나타나 있는 것은 우리의 사유 속에 나타나는 '의식'이며, 우리는 이 '의식의 본질'을 해명하고자 한다. 그런데, 이 '의식'은 의식 자체만으로는 '무'이며, 대상이 없이는 의식 자체가 생성되지 않는다. 따라서 '의식의 본질'을 해명하기 위해서는 사물의 '원본성'을 가진 '외적 지각', 더 나아가서 '자유로운 상상'에 우선적인 지위를 부여해야 한다. 이것을 기반으로 하여 의식의 본질을 해명하여야 한다.

본질 파악의 방법에서 여전히 특히 중요한 특징 몇 가지를 부각시켜 보자. 본질 파악이 범례적 단일성들을 단순히 현전화에 근거해 수행될 수 있다는 사실은 직접적인 직관적 본질파악의 일반적 본질에 속한다. 그러나 현전화(예를 들어 상상)는, 완전히 명석해서 완전한 본질파악과 본질통찰을 가능하게 한다. 일반적으로 원본적으로 부여하는 지각(물론 특히 외적 지각)은 모든 종류의 현전화에 대립하여 자신의 우선권을 갖는다.… 외적 지각은 실제로 원본성의 양상으로 주어지는 모든 대상적 계기에 대한 자신의 완전한 명석함을 갖는다.…
…외적 지각은 그만큼 더 가까이 접근할 수 있고, 반성을 통해 사라지지 않는다. 우리는 외적 지각의 일반적 본질과 이 지각에 일반적으로 속한 구성요소들과 본질 상관자들의 본질을 명석하게 수립하기 위한 특별한 노력 없이도 원본성의 테두리 속에서 연구할 수 있다.…

> 이제 만약 원본성의 우선권이 방법적으로 매우 중요하다면, 우리는 지금 원본성이 어디에서 어떻게 또 어떤 범위에서 상이한 종류의 체험들 속에 실현될 수 있는지를 숙고해야만 할 것이다. 체험의 종류 가운데 어떤 것이 이러한 관점에서 그토록 매우 우선적인 감각적 지각의 분야에 특히 가까운지 등의 많은 문제를 숙고해야만 할 것이다. 그런데, 우리는 이 모든 문제를 도외시할 수 없다. [여기에는] 모든 형상적 학문에서와 같이 현상학에서 현전화들과 (좀더 정확히 말하면) 자유로운 사상들은 지각에 대립해 어떤 우선적 지위를 획득하며, 더구나 지각 자체(물론 감각자료의 지각은 제외된)의 현상학에서도 우선적 지위를 획득하기 때문에, 충분한 근거들이 있다.
> 기하학자는 도형이나 모형에 대한 지각보다 상상 속에서 비교할 수 없을 정도로 더 자신의 탐구하는 사유에서 조작해 다룬다.…(『이념들 1』224-226)

후설은 이제 '지각작용'와 '상상' 등의 사유구조에 연구에 이른다. 모든 학문의 근원으로서의 인식론에 몰두하면서, 이제는 의식을 통한 인식 구조의 연구로 나아간다. 이때 그는 '지각' 등의 체험을 현상학적으로 연구하고자 한다.

2. 순수의식의 보편구조들

가. 체험분야의 근본적 특유성인 '반성'의 현상학적 전환

후설은 그의 현상학에 대한 연구를 '의식'에 대한 연구에 국한한다. 이 '의식'에 대한 연구에서 기존의 연구방법이 아닌, 현상학적 방법에 의한 연구를 수행한다. 그는 '반성'에 대한 연구를 수행하는데, 먼저 심리학자로서의 연구 내용을 밝히고, 그 다음 여기에 현상학적 환원을 수행한다.

먼저, 심리학자는 '반성'을 통해서 각각의 개념들을 확정한다. 지금 겪는 체험은 '지금' 존재하는 것으로서 주어진다. 과거는 '과거지향'이라는 반성 행위를 통해서 존재의 자명한 사실로 간주된다. 또한 앞을 내다보는 기대로서의 '반성'을 통해서, 즉 '미래지향'을 통해서 '미래에 다가올 것'이라는 사실로 간주한다.

> 순수 체험분야의 가장 일반적인 본질 특유성들 가운데 우리는 맨 먼저 반성을 다룬다. 우리는 반성의 보편적인 방법론적 기능 때문에 그렇게 하려고 한다. 즉

현상학적 방법은 철저히 반성의 작용 속에서 움직인다. 그러나 우리가 무엇보다 근본적으로 해결해야 할 회의적 의혹은 반성의 작업수행 능력과, 따라서 현상학 일반의 가능성에 관련된다.…
모든 자아는 자신의 '체험'들을 겪으며, 이 체험들 속에는 많은 종류의 내실적인 것과 지향적인 것이 포함되어 있다.… 반성들은 또 다시 체험들이며, 그러한 체험들로서 새로운 반성의 기체가 될 수 있고, 이것이 원리적 일반성에서 무한히 계속될 수 있다.
그때그때 실제로 겪은 체험은, 반성하는 시선 속에 새롭게 들어오면서 실제로 겪은 [체험된] 것, '지금' 존재하는 것으로 주어진다. 자연적 태도에서 우리는… 체험들이 '과거지향(1차적 기억)' 안에서 내재적 반성 속에 '방금 전에' 존재했던 것으로 '여전히 의식될' 때 실제로 우리가 겪었던 것이라는 사실을 자명한 일로 간주한다.
더 나아가 우리는 '회상'에 근거한 그리고 이 '속에' 있는 반성도 '그 당시' 현재했던, 비록 내재적으로 지각되지는 않았더라도, 그 당시 내재적으로 지각할 수 있었던 우리의 이전 체험들에 관한 정보를 우리에게 준다는 사실을 확신한다. 바로 이러한 것이 소박한-자연적 견해에 따라 앞을 내다보는 기대인 '앞선 기억'에 관해서도 타당하다. 우선 여기에서 직접적 과거지향에 정확한 대응물인 직접적 '미래지향'이 문제가 되고, 그런 다음 [이와] 완전히 드러나게 현전화 하는 '앞선 기억', '재-기억(회상)'의 대응물인 좀 더 본래적인 의미에서 재-생산하는 '앞선 기억'이 문제가 된다. 이 경우 직관적으로 기대된 것, 앞을 내다봄 속에 '미래에 다가올 것'으로 의식된 것은 '앞선 기억' '속에' 가능한 반성 덕분에 지각될 것이라는 의미를 동시에 갖는다.…
이 모든 것을 우리는 자연적 태도에서 가령 심리학자로서 밝히고 있으며, 더 넓은 연관 속에서 그것을 추구하고 있다. (『이념들 1』242-243)

한편, 현상학자의 경우, 위에서 확정된 것들은 모두 '괄호침' 속에 들어간다. 예컨대, 생생한 직관이었던 어떤 즐거움이라는 객체(대상)에 괄호가 쳐지고, 그 보다 더 근원적이라고 말할 수 있는 즐거움의 작용수행으로 옮겨간다. 그리고 이 즐거움의 작용수행은 또 다시 괄호가 쳐지고, 이것은 반성하고 있는 시선의 주시와 내재적 지각으로 옮겨간다. 그리고 시간이 경과한 후 또 다른 반성을 통해 위의 절차를 반복한다. 그럴 경우 즐거움에 대한 최초의 반성에는 변양이 일어났음을 알게 된다. 그리고 우리는 이러한 의식의 변양의 대조를 통해 그 즐거움의 객관화가 일어난다. 여기에서 우리는 그 즐거움의 본질을 좀더 명석하게 이끌어 낼 수 있다. 또한 더 나아가서 우리는 현상학적 태도 속에서 또 형상적으로 고찰할 수 있다. 그것은 체험의 흐름들 속에 지향적으로 포함된 모든 것들의 관점에서 그러하다.

만약 이제 우리가 현상학적 환원을 수행한다면, (그 괄호침 속에 있는) 확정들은 우리가 순수 직관의 테두리 속에 우리 자신의 것으로 만들 수 있고 체계적으로 연구할 수 있는 본질일반성의 범례적 경우들로 전환한다. 예를 들어 우리는 생생한 직관(심지어 그것이 상상이더라도) 속에서 그 어떤 작용수행으로, 가령 자유롭고 성과가 많게 경과하는 생각의 과정에 대한 즐거움으로 옮겨진다. 우리는 모든 환원을 수행하고, [그래서] 현상학적 사태의 순수 본질 속에 놓여 있는 것을 보게 된다. 따라서 [그것은] 우선 경과하는 생각으로 향해진 것이다. 우리는 범례적 현상들을 계속 형성해간다. 즉 즐거운 경과 동안 반성하는 시선은 즐거움을 향할 것이다. 그것은 주시되었고 내재적으로 지각된 체험이 되며, 반성의 시선 속에 이러저러하게 파동을 일으키다 가라앉아버린다. 이 경우 생각이 경과하는 자유는 손상을 입으며, 이제 생각의 경과는 그 진행에 속한 즐거운 것이 본질적으로 함께 관련된 변양된 방식으로 의식된다. 우리가 다시 새로운 시선전환을 수행해야만 할 때, 또한 이러한 사실은 확인될 수 있다. 그러나 지금 이러한 사실에 관여하지 않은 채 놔두고, 다음과 같은 사실에 주목해 보자.
즐거움에 대한 최초의 반성은 이 즐거움을 현실적으로 현재하는 것으로서 발견하지, 방금 바로 시작하는 것으로서 발견하지는 않는다. 그것은 벌써 체험되기 이전에 계속 지속하지만 단지 주목되지 않은 것으로서 거기에 있다. 즉 즐거운 것의 지나가버린 지속과 주어짐의 방식을 추구할 가능성 그리고 이론적 사유경과의 이전 구간에 주의를 기울이고 또한 이전에 그것을 향했던 시선에 주의를 기울일 가능성이 명증적인 방식으로 존재한다. 다른 한편으로 즐거움이 이 사유경과를 향한 것에 주의를 기울일 가능성과 대조를 통해 경과된 현상 속에서 그 즐거움을 향한 시선이 결여되어 있음을 파악할 가능성도 명증적인 방식으로 존재한다. 그러나 우리는 나중에 객체[대상]가 될 즐거움에 관해서 즐거움을 객관화하는 반성에 대한 반성을 수행할 가능성도 갖는다. 그래서 체험되었지만 주시되지 않았던 즐거움과 주시된 즐거움의 차이를 좀 더 효과적으로 명석함으로 이끌 가능성과, 마찬가지로 시선전환을 시작하는 파악함.설명함 등의 작용들을 통해 들어오는 변양들을 명석함으로 이끌 가능성도 갖는다.
이 모든 것을 우리는 현상학적 태도 속에서 또 형상적으로 고찰할 수 있다. 그래서 반성되지 않은 의식의 양상 속에 겪은 자신의 체험들을 지닌 전체적 체험흐름은 체계적 완전성을 겨냥하는 학문적 본질연구에 종속될 수 있고, 게다가 체험의 흐름들 속에 변양되어 의식된 체험들과 이 체험들의 지향적인 관점에서 그러하다. 변양되어 의식된 체험에 내해 우리는 모든 현전화 속에 지향적으로 포함되고 반성을 통해 그 현전화들 '속에' 끌어낼 수 있는 체험변양의 형식으로 그 예들을 알게 되었다.…(『이념들 1』245-246)

나. '체험 반성'의 현상학적 연구

후설은 모든 학문의 시작인 '체험'이라는 것을 주제로 한 인식론을 찾는 가운데, 이젠 그 인식의 근원을 찾고 있다. 이제 그는 '체험에 대한 반성'에 이르렀고, 이에 대한 현상학적 연구를 실행한다. 그는 "모든 종류의 '반성'이 의식변양"이라는 특성을 띤다는 사실을 밝혀야만 한다고 말한다. 그리고 그는 이제 체험이 변양을 이렇게 반드시 겪고 있는 한, 오히려 그 '변양'이 더 높은 단계라고 말한다.

그래서 그 변양 보다 더 높은 단계의 것으로 나아가면, 최종적으로 우리는 절대적으로 반성되지 않은 체험들과 이 체험들이 내실적이거나 지향적인 "거기에 있을 만한 것들"(Dabilien)로 되돌아간다고 말한다. 따라서 여기에서 이제 현상학의 과제가 나타나는데, 이 모든 변양과의 연관 속에 존재하는 것들을 체계적으로 탐구하는 것이다.

그리고 이러한 탐구의 결과 알 수 있는 것은, 모든 체험은 생성됨의 흐름인데, 그것은 원본성을 통한 과거지향과 미래지향의 끊임없는 흐름이다. 즉, 모든 체험은 자신의 "정확하게 상응하는 대응물"이 있다. 즉, 우리가 '반성'마저도 괄호를 치고도 남는 것이 있다면, 그것은 "거기에 있을 만한 것들의 지향성"이다는 것이다.

반성은 방금 전에 상론한 것에 따라 자신의 여러 가지 모든 사건(체험 계기들, 지향적인 것들)을 지닌 체험흐름이 명증적으로 파악될 수 있고 분석될 수 있는 작용들에 대한 명칭이다. 또한 우리는 반성이 의식 일반을 인식하기 위한 의식의 방법에 대한 명칭이라고 표현할 수도 있다. 그러나 바로 이 방법 속에서 반성 자체는 가능한 연구의 객체[대상]가 된다. 즉 반성은 또한 본질적으로 함께 속한 체험 종류들에 대한 명칭, 따라서 현상학의 주요 절의 주제이다. 여기에서 과제는 상이한 '반성들'을 구별하고 또 체계적 질서 속에 완전히 분석하는 것이다.
이것에 관해 먼저 우리는 모든 종류의 '반성'이 의식변양이라는 특성을, 게다가 원리적으로 모든 의식을 경험할 수 있는 의식변양의 특성을 띤다는 사실을 밝혀내야만 한다.
모든 반성이 본질에 적합하게 태도변경에서 나오며 이 태도변경을 통해 미리 주어진 체험 또는 체험자료(반성되지 않은 것)는 바로 반성된 의식(또는 의식된 것)의 양상으로 어떤 변형을 겪는 한, 여기에서 변양이 문제가 된다. 미리 주어진 체험은 그 자체로 벌써 어떤 것에 관한 반성된 의식이라는 특성을 띨 수 있으며, 그래서 변양은 더 높은 단계의 것이다. 그러나 최종적으로 우리는 절대적으로 반성되지 않은 체험들과 이 체험들의 내실적이거나 지향적인 "거리에 있을 만한 것들"로 되돌아간다. 모든 체험은 이제 본질 법칙적으로 반성적 변양 속으로 이행될 수 있으며, 우리가 여전히 더 정확하게 알게 될 상이한 방향에 따라 이행될 수 있다.…
여기서 현상학의 과제는 반성이라는 명칭 아래 속하는 총체적 체험변양들을 이것들과 본질관련 속에 있으며 또한 이것들이 전제하는 모든 변양과의 연관 속에 체계적으로 탐구하는 것이다.…
모든 체험은 그 자체로 생성된 흐름이고, 체험의 생생한 지금이 그것의 '이전으로'와 '이후에'에 대립해 의식되는 원본성의 그 자체가 흐르고 있는 국면을 통해 매개된 과거지향과 미래지향의 끊임없는 흐름이란, 결코 변화할 수 없는 본질유형의 근원적 산출 속에 그것이 존재하는 그대로이다. (『이념들 1』247-248)

다. 순수자아의 체험으로서의 지향성

한편, 우리는 이 변양들을 최초로 반성되지 않은 채 의식된 현실적 체험들에 관련시킬 수 있다. 이제 반성 자체는 확실히 새로운 종류의 일반적 변양이다. 즉 자아가 자신의 체험들에 이렇게 향해 있음, 이와 일치해 사유주체의 작용들(특히 가장 낮은 기본적인 층, 즉 단적인 표상의 층의 작용들)을 수행함이다. 따라서 체험흐름은 하나의 동일한 순수 자아의 사유작용이 자유롭게 수행되는 장이라는 것, 순수 자아가 흐름의 체험들로 시선을 향하거나 "흐름의 체험을 관통해" 자아에 생소한 다른 것으로 시선을 향할 수 있는 한, 흐름의 체험들 모두는 순수 자아의 체험이라는 것을 알게 된다.

> 우리는 이 변양들을 최초로 반성되지 않은 채 의식된 현실적 체험들에 관련시킬 수 있다. 왜냐하면 반성되어 의식된 모든 체험은, 그것들이 체험에 대한 반성으로서 또 완전한 구체화에서 보면 그 자체가 반성되지는 않았지만 [어쨌든] 의식된 체험들이며 이러한 체험들로서 모든 변양을 받아들인다는 점을 통해, 그 자체에서 이 최초의 변양들에 관여하고 있음에 틀림없다는 사실을 즉시 알 수 있기 때문이다. 이제 반성 자체는 확실히 새로운 종류의 일반적 변양이다. 즉 자아가 자신의 체험들에 이렇게 향해 있음, 이와 일치해 사유주체의 작용들(특히 가장 낮은 기본적인 층, 즉 단적인 표상의 층의 작용들)을 수행함이다. 이 작용들 '속에서' 자아는 자신의 체험들을 향해 있다. 그러나 바로 반성을 직관적이거나 공허한 파악 또는 포착과 결합하는 것은 반성적 변양에 관한 연구에 대해 위에서 시사된 변양에 관한 연구와 필연적으로 결합하게 만든다.
> 오직 반성적으로 경험하는 작용들을 통해서만 우리는 체험흐름에 관한 것과 체험흐름이 순수 자아에 관련되어 있음에 관한 것을 알게 된다. 따라서 체험흐름은 하나의 동일한 순수 자아의 사유작용이 자유롭게 수행되는 장이라는 것, 순수 자아가 흐름의 체험들로 시선을 향하거나 "흐름의 체험을 관통해" 자아에 생소한 다른 것으로 시선을 향할 수 있는 한, 흐름의 체험들 모두는 순수 자아의 체험이라는 것을 알게 된다. 우리는 이 경험들이 그 의미와 권리를 또한 환원된 경험들로서 유지한다는 것을 확신하고, 유적[보편적] 본질일반성에서 우리는 그와 같은 종류의 경험 일반의 권리를 파악하며, 이와 마찬가지로 이에 평행하여 체험들 일반에 관련된 본질직관들의 권리를 파악한다.(『이념들 1』250-251)

3. 순수자아와 지향성

가. 순수자아와 체험내용의 관계

후설은 선험적으로 순수화된 체험분야의 일반적 본질특유성들 가운데 본래 첫 번째 자리는 당연히 '순수' 자아에 대한 모든 체험의 관계에 돌아가야 한다고 말한다. 모든 '사유주체'(cogito)의 행위에 대한 현상학적 판단중지가 이루어지면, 자신의 고유한 본질을 지닌 순수한 작용체험만 뒤에 계속 남기 때문이다.

그런데, 문제는 이 자아는 그 자신으로서 그것이 연구 대상이 될 수는 없는 것이다. 그런데 이때 체험자체와 체험작용의 순수 자아는 항상 구별된다. 또한 체험방식의 순수 주관적인 것과 이른바 [순수] 자아를 외면한 그 밖의 체험의 내용도 구별된다. 하나는 순수 주관성에 따라 방향이 정해지고 다른 하나는 주관성에 대해 객관성의 '구성'에 속한 것으로 방향이 정해진다. 이때 우리는 체험하는 자아의 객체[대상]들에 대한 '지향적 관련'에 관해, 즉 이것들과 연관된 '지향적 상관자들'에 관해 많은 것을 말해야만 할 것이다.

> 선험적으로 순수화된 체험분야의 일반적 본질특유성들 가운데 본래 첫 번째 자리는 당연히 '순수' 자아에 대한 모든 체험의 관계에 돌아가야 한다. 모든 '사유주체'(cogito), 부각된 의미에서 모든 작용은 자아의 작용으로서 특성 지어지며, 작용은 '자아로부터 나오며', 작용은 자아 속에 '현실적으로' '살아간다.' 관찰하면서 나는 어떤 것을 지각하고, 동일한 방식으로 나는 기억 속에서 종종 어떤 것에 '몰두하며', 유사하게 관찰하면서 나는 날조하는 상상 속에서 상상된 세계에 표류하는 것을 뒤쫓는다. 또는 나는 숙고하며, 추론을 이끌어 낸다.…
> 그러나 만약 내가 현상학적 판단중지를 수행한다면, 자연적 정립의 세계와 마찬가지로 '나[자아], 인간'은 배제함의 수중에 떨어지고, 이때 자신의 고유한 본질을 지닌 순수한 작용체험은 뒤에 계속 남아 있다. 그렇지만 나는 순수한 작용체험을 인간의 체험들로 파악하는 것은, 그 현존정립을 도외시하고, 필연적으로 그 곁에 함께 있을 필요가 없는 여러 가지 것을 끌어들인다는 사실, 다른 한편으로 어떠한 배제작용도 사유주체의 형식을 폐기할 수 없고 또 작용의 '순수' 주체를 삭제할 수 없다는 사실도 보게 된다. "…을 향해 있음" "…에 몰두해 있음" "…에 태도를 취함" "…을 경청함이나 겪음"은 필연적으로 자신의 본질 속에 그것이 바로 "자아로부터 그것으로" 나아간 것 또는 그 반대의 방향발산으로 "자아로 향한" 것이라는 사실을 포함한다. 따라서 이 자아는, 어떠한 환원도 그것에 어떤 손해를 입힐 수 없는 순수 자아이다.
> 우리는 지금까지 '사유주체'의 특별한 유형의 체험들에 관해 이야기했다. 자아현실성에 대해 일반적 환경을 형성하고는 그 밖의 체험들은 물론 방금 논의했던 부각된 자아관련성이 결여되어 있다. 어쨌든 이 체험들 역시 순수 자아에 관여하고 있고, 순수 자아는 그 체험들에 관여하고 있다. 그 체험들은 "순수 자아의 체험"으로서 순수 자아에 '속하며', 순수자아의 의식배경이고 또 순수자아의 자

유의 장이다.(『이념들 1』264-265)
그러나 '순수 자아'의 모든 체험과 이렇게 특유하게 얽혀 있으면서도, 체험하는 자아는 그 자신만으로 받아들여질 수 있고 또 자신의 연구대상이 될 수 있는 어떤 것이 전혀 아니다.…
이런 까닭에 어쨌든 그때그때의 체험종류나 체험양식 속에 체험하는 자아가 어떻게 있는가 하는 바로 그 특별한 방식들에 관해서 중요한 기술에 다양성의 계기가 존재한다. 이때 체험자체와 체험작용의 순수 자아는 항상 구별된다. 또한 체험방식의 순수 주관적인 것과 이른바 [순수] 자아를 외면한 그 밖의 체험의 내용도 구별된다. 따라서 체험분야의 본질 속에는 극히 중요한 어떤 두 가지 측면성이 있는데, 이에 관해 우리는 체험들에는 주관적으로 방향이 정해진 측면과 객관적으로 방향이 정해진 측면이 구별될 수 있다고 말할 수도 있다.… 우리는 이 두 가지 측면성은, 적어도 상당한 구간들에서, 하나는 순수 주관성에 따라 방향이 정해지고 다른 하나는 주관성에 대해 객관성의 '구성'에 속한 것으로 방향이 정해진 [우리의] 연구를 나눔에 상응한다고 즉시 첨부한다. 우리는 체험(또는 순수하게 체험하는 자아)이 객체[대상]들에 대한 '지향적 관련'에 관해, 그리고 여러 가지 체험의 구성요소들과 이것들과 연관된 '지향적 상관자들'에 관해 많은 것을 말해야만 할 것이다.(『이념들 1』265-266)

나. 현상학의 주요주제인 '지향성'

현상학의 궁극은 사람들이 곧장 '객관적으로' 방향이 정해진 현상학의 일반주제라고 일컬을 수 있는 '지향성'(Intentionalität)으로 이행한다. 지향성은 전체의 체험흐름을 의식흐름으로 그리고 하나의 의식의 통일체로 부르는 것을 정당화하는 것이다. 이것은 "무엇에 관한 의식으로 있음"으로 이해되는데, 이것은 사유주체 속에 최초로 우리에게 일어난다. 그리고 이것은 지각작용으로, 판단작용으로, 평가작용으로 이행한다.(그리고 이것이 행동으로 이어진다.)
즉 우리가 지금 '사유주체'의 양상으로 순수한 대상을 향해 있는 동안, 어쨌든 여러 가지 대상이 '나타나며', 이것들은 직관적으로 '의식되고', 의식된 대상의 장의 '직관적 통일체'로 함께 흘러간다.

우리는 이제 체험의 특유성으로, 즉 사람들이 곧장 '객관적으로' 방향이 정해진 현상학의 일반주제라고 일컬을 수 있는 '지향성'(Intentionalität)으로 이행한다. 지향성은, 모든 체험이, 그 어떤 방식으로 지향성에 관여하는 한, 체험분야 일반의 본질특유성이다. 지향성은 의식을 적확한 의미에서 특성 짓는 것, 동시에 전체의 체험흐름을 의식흐름으로 그리고 하나의 의식의 통일체로 부르는 것을 정당화하는 것이다.… 지금 문제되는 것은 관통하는 현상학적 구조들의 포괄적 명칭인 지향성을 구명하는 것, 또 이 구조들에 본질적으로 관련된 문제제기를 입안하는 것이기 때문에, 우리는… 필요한 형태로 그렇게 한다.
우리는 지향성 아래 체험의 고유성을 "무엇에 관한 의식으로 있음"으로 이해했다.… 이 놀랄 만한 고유성은 명시적 사유주체 속에 최초로 우리에게 일어난다. 지각작용은 무엇, 가령 어떤 사물에 관한 지각작용이고, 판단작용은 사태에 관한 판단작용이며, 평가작용은 가치사태에 관한 평가작용, 소망함으로 바라는 사태에 관한 소망함 등이다. 행동함은 행위에, 실행함은 실행에, 사랑함은 사랑받는 것에, 기뻐함은 기쁜 것에 관계한다 등등. 모든 현실적 사유주체에는 순수 자아로부터 발산되는 시선이 사물이나 사태 등 그때그때 의식의 상관자인 '대상'을 향해 있고, 이 대상에 관한 매우 상이한 종류의 의식이 수행된다.
… 즉 우리가 지금 '사유주체'의 양상으로 순수한 대상을 향해 있는 동안, 어쨌든 여러 가지 대상이 '나타나며', 이것들은 직관적으로 '의식되고', 의식된 대상의 장의 직관적 통일체로 함께 흘러간다.…(『이념들 1』275-276)

다. 감성적 질료(hyle)와 지향적 형상(morphe)

우리가 이미 위에서 "체험흐름을 의식의 통일체"라고 했을 때, 지향성은 '체험의 내용'과 '체험 계기들'로 구별된다. 전자는 감각내용들을 의미하며, 후자는 여기에 영혼을 불어넣는 혹은 의미를 부여하는 층이 놓이는 것을 발견한다. 후설은 이에 대해 전자를 감성적 질료라고 하며, 후자를 지향적 형상이라고 말한다. 그리고 지향적 체험들은 의미부여를 통한 통일체들로서 거기에 있다.

그리고 우리는 여기에서 '인식작용적'이라는 말을 유지할 필요가 존재한다. 현상학적 존재의 흐름은 소재적 층과 인식작용적 층을 갖는다. 그리고 이 각각에 대해서 "질료적 현상학적 고찰과 분석"이라는 분야와 "인식작용적 현상학적 고찰과 분석"이라는 분야를 발견할 수 있다.

우리는 이미 위에서 (우리가 체험흐름을 의식의 통일체라고 했을 때) 지향성은, 그 수수께끼로 가득 한 형식들과 단계들을 제외하고, 결국 그 자체가 지향적인 것으로 특성지어지지 않는 모든 체험을 자신 속에 지닌 보편적 매개물을 닮았다고 시사했다. 그러나 우리가 이제까지 당분간 얽매였던 고찰의 단계에서,… 우리는 원리적으로 다음과 같은 것을 구별해야만 한다. ①『논리연구』에서 '1차적 내용들'이라고 일컬었던 모든 체험. ②지향성의 특별한 것을 자체 속에 지닌 체험들 또는 체험계기들.

①의 체험에는 최고의 유에 따라 어떤 통일적인 '감성적' 체험들, 즉 색깔.촉감.음 등의 자료와 같은 '감각내용들'이 속하며, 우리는 이것들을 나타내는 사물의 계기.채색.거칢 등과 혼동하지 않는다. 감성적 즐거움.슬픔.욕망 등의 감각과 충동분야의 감성적 계기도 마찬가지이다.… 이 구체적 체험들은 전체로서 지향적이다. 게다가 그래서 그 감성적 계기들 위에 마치 "영혼을 불어넣는" 의미를 부여하는 층이 놓이는 것을 발견한다. 이 층을 통해 그 자체로 지향성에 관한 아무것도 갖지 않는 감성적인 것으로부터 바로 구체적인 지향적 체험이 이루어진다.…

어쨌든 현상학적 분야 전체에서 감성적 질료와 지향적 형상의 이 주목할 만한 이중성과 통일성이 지배적인 역할을 한다. 사실 우리가 그 어떤 명석한 직관들 또는 명석하게 수행된 평가함.기뻐함.욕구함 등을 현전화할 때, 이 소재와 형상이 곧바로 우리에게 끈질기게 달라붙는다. 지향적 체험들은 의미부여를 통한 통일체로서 거기에 있다. 감각적 자료들은 상이한 단계의, 단적으로 그리고 고유한 방식으로 기초 지어진 지향적 형상화들 또는 의미부여들에 대한 소재들로서 주어진다.… 그것들에 '형식 없는 소재'와 '소재 없는 형식'이라고 이름 붙일 수 있을 것이다.(『이념들 1』280-282)

우리는 '인식작용적 계기' 또는 요약해 파악해보면, '인식작용들'(Noese)이라는 말을 도입한다. 이 인식작용들은 그 말의 가장 넓은 의미에서 '지성'(Nous)의 특수한 것을 형성하고, 이것은 자신의 모든 현실적 삶의 형식에 따라 우리를 사유작용으로 되돌아오게 하며,… 그래서 규범이라는 이념의 형상적 전제인 모든 것을 포괄한다.…(『이념들 1』284)

그러므로 우리는 '인식작용적'이라는 말을 유지하며, 다음과 같이 말한다. "현상학적 존재의 흐름은 소재적 층과 인식작용적 층을 갖는다." 특히 소재적인 것으로 나아가는 현상학적 고찰과 분석은 질료적-현상학적 고찰과 분석이라고, 다른

> 한편으로 인식작용적 계기에 관련된 것은 인식작용적-현상학적 고찰과 분석이라고 할 수 있다. [그러나] 비교할 수 없을 만큼 더욱 중요하고 풍부한 분석들은 인식작용적인 것의 측면에 놓여 있다.(『이념들 1』286)

4. 인식작용(Noesis)과 인식대상(Noema)

가. 인식대상 : 내실적이며 지향적인 체험의 구성요소들

우리는 '지각'을 자연적 태도나 심리학적 관점에서 기술할 수 있고, 또 한편으로 현상학적 관점에서 기술할 수 있었다. 현상학적 관점에 의하면, 우리는 체험에 대한 "내실적 분석을 통해 발견한 부분들(인식대상)"과 "체험의 계기들(인식작용)"을 구별해야만 했다. 한편, 여기에서 지향적 체험은 "무엇에 대한 의식"으로서, 이것이 무엇을 의미하는지를 면밀히 검토할 필요가 있다.

후설에 의하면, 모든 지향적 체험은, 그 인식작용적 계기에 힘입어, 바로 인식작용적 체험이다. 즉, 의미부여 혹은 의미는 '인식대상(Noema)'에 의해 이루어지는 것이 아니라, '인식작용'(Noesis)에 의해 이루어진다. 어떤 사물에 대한 우리의 개념의 맨 밑에는 이 의미부여의 층이 달라붙어 있다. 즉, 예를 들어 지각은 자신의 인식대상을, 그 가장 밑에는 자신의 지각의미, 즉 지각된 것 그 자체를 갖는다. 어디에서나 인식대상적 상관자(여기서는 매우 확장된 의미에서 '의미'[뜻, Shinn]라고 한다)는 판단.기쁨 등 지각의 체험 속에 '내재적으로' 놓여 있다. 즉, 우리 안에 내재하는 '지각'이나 '판단' 속에는 우리 순수 자아로부터 파생되어 나온 '그것 자체'라는 심리적 요소가 부착되어 있는 것이다. 예를 들어 "정원에 있는 사과나무와 신록"의 개념을 보면, 그 이면에는 '기쁨'이라는 요소가 함께 있는 것이다. 우리의 자연적 태도 하에서의 개념에는 이러한 요소가 반영되지 않으나, 현상학적 개념으로는 이러한 요소가 반영된다.

우리의 현상학적 태도에서 우리는 '지각된 것 그 자체'가 무엇인지, 그것은 이러한 지각-인식대상으로서 그 자체 속에 어떤 본질계기를 내포하는지 하는 본질물음을 제기할 수 있고 제기해야만 한다.

> 모든 지향적 체험은, 그 인식작용적 계기에 힘입어, 바로 인식작용적 체험이다. 어떤 '의미' 그리고 경우에 따라서는 여러 겹의 의미와 같은 것을 자신 속에 내

포하는 것, 이 의미부여에 근거해 그리고 이 의미부여와 일치해 계속 작업들(이 것들은 의미부여를 통해 '유의미'해진다)을 수행하는 것은 지향적 체험의 본질이다. 이와 같은 인식작용적 계기들은 예를 들어 순수 자아가 의미부여에 의해 '사념한' 대상으로 시선을 향함, 순수 자아에게 '의미 속에 적합한 것'으로 시선을 향함이다. 더 나아가 이 대상을 향해 있는 동안에도 포착함이다. 마찬가지로 인식작용적 계기들은 설명함, 관계함, 포괄함, 믿음.추측.가치평가 등 다양한 태도를 취함의 작업수행들이다.…

어디에서나 내실적인 인식작용적 내용의 다양한 자료들에는 실제로 순수한 직관 속에 제시될 수 있는 자료들, 즉 상관관계의 '인식대상적 내용', 요컨대 '인식대상'(Noema) 속에 제시될 수 있는 자료들의 다양체가 상응한다.

예를 들어 지각은 자신의 인식대상을, 그 가장 밑에는 자신의 지각의미, 즉 지각된 것 그 자체를 갖는다. 마찬가지로 그때그때의 기억은 자신의 기억된 것 그 자체를 바로 기억 속에 '사념된 것' '의식된 것'과 정확히 똑같이 자신의 것으로서 갖는다. 또한 판단작용은 판단된 것 그 자체를, 기쁨은 기쁘게 된 것 그 자체 등을 갖는다. 어디에서나 인식 대상적 상관자(여기서는 매우 확장된 의미에서 '의미'[뜻, Shinn]라고 한다)는 판단.기쁨 등 지각의 체험 속에 '내재적으로' 놓여 있는 정확히 그대로, 즉 만약 우리가 순수하게 이 체험 자체를 심문한다면, 체험에 의해 우리에게 제시되는 정확히 그대로 받아들여야만 한다.…

우리가 어떤 정원에서 꽃이 만발한 사과나무, 잔디밭의 어린 신록 등을 매우 기쁘게 바라본다고 가정해 보자. 분명히 [이에 대한] 지각과 [여기에] 수반되는 매우 기쁨은 동시에 지각된 것과 기쁘게 된 것이 아니다. 자연적 태도에서 사과나무는 우리에게 초월적 공간실제성 속에 현존하는 것이고, 매우 기쁨과 마찬가지로 지각은 실재적 인간인 우리에게 속한 심리적 상태이다.…

이제 현상학적 태도로 이행해 보자. 초월적 세계는 자신의 '괄호[침]'을 유지하며, 우리는 그 세계의 실제존재와의 관련 속에 판단중지를 행한다. [그런 다음] 이제 우리는 지각의 인식 작용적 체험과 마음에 드는 평가함의 복합체 속에 무엇이 발견될 수 있는지를 심문한다. 물리적인 또 심리적인 세계 전체와 더불어 지각과 지각된 것 사이의 실재적 관계가 실제로 성립함이 배제된다. 어쨌든 지각과 지각된 것 사이(기쁨과 기쁘게 된 것 사이와 마찬가지로)의 관계가 분명히 남게 된다. 이것은 '순수 내재' 속에, 즉 그것이 선험적 체험흐름에 분류되듯이 현상학적으로 환원된 지각체험과 기쁨체험과 기쁨체험에 근거해 순수하게 본질이 주어지는 관계이다. 바로 이러한 상태가 지금 우리가 몰두하려는 순수한 현상학적 상태이다.… 현상학적으로 환원된 지각체험은 "이 정원 속에 꽃이 만발한 이 사과나무 등"에 대한 매우 기쁨이다. 그 사과나무는 모든 계기.성질.특성(이것들에 의해 사과나무는 이러한 지각 속에 나타나는 것, 이 기쁨 '속에' '예쁜 것' '매력적인 것' 등이었다)에 의해 최소한의 뉘앙스도 상실되지 않는다.
우리의 현상학적 태도에서 우리는 '지각된 것 그 자체'가 무엇인지, 그것은 이러한 지각-인식대상으로서 그 자체 속에 어떤 본질계기를 내포하는지 하는 본질물음을 제기할 수 있고 제기해야만 한다. 우리는 본질에 적합하게 주어진 것에 순수하게 몰두함으로써 그 답변을 얻으며, 우리는 "나타나는 것 그 자체"를 충실하게 완전한 명증성 속에 기술할 수 있다. 이에 대한 오직 다른 표현은, "인식대상의 관점에서 지각을 기술한다"는 것이다.(『이념들 1』293-296)

나. '인식 대상적 의미' 그리고 '내재적 객체'와 '실제적 객체'의 구별

따라서 우리의 '의식'은 일반적 체험일 뿐만 아니라 '의미'를 지닌 '인식 작용적 체험'이다. 우리의 모든 대상에 관한 '개념과 의식'에는 '심리적 요소'가 '의미 계기'를 통해 부착되어 있다. '의미 부여'라는 심리적 요소는 순수자아에만 속해 있는 것이 아니라, 그 순수자아로부터 유출되어 그 객체에 부착되어 있다. 이것을 후설은 '확장된 의미계기들'이라고 부른다. 즉, 이 '의미계기'로 인한 '의미부여'의 심리적 요소가 '내재적 객체'에 부착된 후, 오히려 그것의 '핵심층'을 형성하고 있다. 따라서 '내재적 객체'와 '실제적 객체'는 다르다.

이 '내재적 객체'는 '순수자아의 지향성'을 그 본질로 하는 '지향적 객체'이다. 이 '지향적 객체'는 '실제적 객체'의 실제성 여부와는 상관없이 지각에 '내재적인 것'으로서 존재한다. 이 양자는 대립할 수도 있다. 그런데 이 '실제적 객체'는 순수 체험 앞에서는 '괄호가 쳐진다'. 그리고 실제적 객체인 사물은 인식작용으로부터 저 멀리에 있다. 인식 속에 머무는 '내재적 객체'는 2차적임에도 불구하고 심리적인 것으로서 물리적인 것을 압도한다. 그렇기 때문에 우리는 그것을 붙잡고 가공하는 일을 한다. 우리의 모든 지각에는 "지각된 것 그 자체"를 가지며, 현상학적으로 환원된 지각의 본질에 속한 '상관자'를 갖는다.

지각과 유사하게 모든 지향적 체험은 자신의 '지향적 객체[대상]', 즉 자신의 대상적 의미를 갖는다. 바로 이것이 지향성의 근본요소를 이룬다. 다만 달리 말하면, 의미를 갖는 것 또는 어떤 것을 "의미 속에 갖는 것"은 모든 의식의 근본특성이며, 그렇기 때문에 의식은 일반적 체험일 뿐만 아니라 의미를 지닌 '인식 작용적' 체험이다.

물론 우리가 앞에서 들었던 예들의 분석 속에 '의미'로서 부각되었던 것은 충만한 인식대상(Noema)을 모두 다 길어내지는 않는다. 이에 상응하여 지향적 체험의 인식 작용적 측면은 단순히 본래적 '의미부여'의 계기만으로 이루어지지 않는다. 이 계기에는 특히 '의미'가 상관자로서 속한다. 충만한 인식대상은 인식 대상적 계기들의 어떤 복합체 속에 있음이, 이 속에서 특수한 의미계기는 오직 일종의 필연적인 핵심층을 형성함이 즉시 밝혀질 것이다. 그 이상의 계기들은 이 핵심층 속에 기초 지어지고, 오직 그렇기 때문에 우리는 이 핵심층을 똑같이 하지만 확장된 의미계기들이라고 부를 수 있다.

… 사실 스콜라 철학이 한편으로 '정신적 객체[대상]', '지향적 또는 내재적 객체'와 다른 한편으로 '실제적 객체'를 구별한 것은 이 구별을 되돌이켜 지시한다.…

심지어 [이것들이] 너무 가까워서 체험 속에 지향이 그 지향적 객체와 함께 주어져 있고, 이 지향적 객체 자체는 지향에 불가분적으로 속해 있으며, 따라서 지향 자체에 내실적으로 거주한다고 말할 정도이다. 실로 그에 상응하는 '실제적 객체'가 바로 실제성 속에 존재하든 존재하지 않든, 그 사이에 무화(無化)되든 아니든 상관없이, 지향적 객체는 지향이 사념된 것, 표상적인 것 등이며 이러한 것으로 남아 있다고 말할 정도이다.

그러나 만약 우리가 이러한 방식으로 실제적 객체(외적 지각의 경우 자연의 지각된 사물)와 지향적 객체를 분리하고 지향적 객체를 지각에 '내재적인 것'으로서 체험에 내실적으로 삽입하려고 시도한다면, 우리는 이제 두 가지 실재성이 서로 대립하게 되는 어려움에 빠진다. 나는 자연의 객체인 사물, 즉 정원의 거기에 있는 나무를 지각한다. 다름 아닌 바로 이것이 지각하는 '지향'의 실제적 객체이다.…

이와 같은 오류에 맞서 우리는 순수 체험 속에 주어진 것을 유지해야만 하며, 이것을 이것이 주어지는 그대로 정확하게 명석함의 테두리 속에 받아들여야만 한다. 그렇다면 '실제적 객체'는 '괄호 쳐진다.' 이것이 무엇을 뜻하는지 숙고해보자. 만약 우리가 자연적으로 태도를 취한 인간으로서 시작한다면, 실제적 객체인 사물은 저 멀리 가 있다. 우리는 그 사물을 보고, 그 사물 앞에 있으며,… 거기에 주어진 것을 우리가 붙잡고, 가공하는 등을 하기 때문이다.(『이념들 1』 298-301)

다. 인식 작용적 관점

순수자아가 실제적 객체에 의미 부여를 하여 내재적 객체를 우리의 의식 속에 산출하였다. 그리고 이것이 어떤 사물에 대한 개념을 이루었다. 이것을 후설은 '정신적 시선' 혹은 '시선발산'이라고 말한다. 그런데 그는 여기에 추가하여 "주의를 기울이는 변화들"을 말한다. 순수 자아의 시선발산은 때로는 이런저런 인식 작용적 층을 관통해 가거나 이러저러한 복합관계를 때로는 곧장 때로는 반성하면서 관통해간다. 이것은 이 기억세계 속을 돌아다니면서 움직이고, 다른 단계의 기억들이나 상상세계 등으로 이행한다. 이 변양들은 그 인식 작용적 존립요소 속에 체험 자체의 변양들이라는 사실뿐만 아니라, 이 변양들도 자신의 인식대상들에 영향을 끼치며(동일한 인식 대상적 핵심을 손상시키지 않고) 인식 대상적 측면에서 고유한 유의 특성화들을 제시한다. 사람들은 흔히 주목함을 밝히는 빛과 비교한다. 즉, 사물들을 그 목적에 맞게 정돈하고 변화시키는 것이다.

우리는 비유를 통해 순수자아의 '정신적 시선' 또는 '시선발산'에 대해, 순수 자아의 시선을 향함과 시선을 돌림에 대하여 이야기했다. 이에 속한 현상들은 우리에게 통일적이고 완전히 명석하고 판명하게 부각되었다. '주목함'이 문제가 되는 어디에서나 이 현상들은 다른 현상들과 현상학적으로 분리되지 않고도 주된 역할을 수행하고, 다른 현상들과 혼합되어 있으면서도 주목함의 양상들로 불렸다. 우리는 우리의 측면에서 [주목함이라는] 말을 고수하고자 하며, 게다가 "주의를 기울이는 변화들"에 대해 이야기하고자 한다.…
…순수 자아의 시선발산은 때로는 이런저런 인식 작용적 층을 관통해 가거나 이러저러한 복합관계를 때로는 곧장 때로는 반성하면서 관통해간다. 잠재적 인식작용들 또는 인식 작용적 객체들이 주어진 전체적 장(場) 안에서 우리는 때로는 전체로, 때로는 그 나무의 이러저러한 부분들과 계기들로 시선을 돌린다.… 이 기억세계 속을 돌아다니면서 움직이고, 다른 단계의 기억들이나 상상세계 등으로 이행한다.…

> 다른 한편으로 이 변양들은 그 인식 작용적 존립요소 속에 체험 자체의 변양들이라는 사실뿐만 아니라, 이 변양들도 자신의 인식대상들에 영향을 끼치며(동일한 인식 대상적 핵심을 손상시키지 않고) 인식 대상적 측면에서 고유한 유의 특성화들을 제시한다는 사실도 분명하다. 사람들은 흔히 주목함을 밝히는 빛과 비교한다.…명백히 이 경우 인식대상 속의 변양들은 동일하게 남아 있는 어떤 것에 단순한 외적 부속물을 덧붙이는 종류가 아니라, 오히려 구체적인 인식대상들이 철저히 변화하는 종류이다. 문제가 되는 것은 동일자가 주어지는 방식들의 필연적 양상들이다.(『이념들 1』304-307)

한편, '의식의 지향성'에 대한 후설의 이러한 사상은 하이데거에 의해서 고스란히 실존주의 철학으로 계승된다.

5. 이후의 연구

후설의 그의 주장에 대한 연구를 모두 마치지 못했다. 위의 내용은 『이념들』1권 내용의 일부에 불과하다. 후설은 인식론을 통해서 논리학에 필요한 순수한 개념을 제공하고자 했다. 그러나 그가 개념을 파악하여 들어가면 들어갈수록 나타나는 것은 어떤 '개념'의 순수한 모습이 아니라 '순수 자아'의 모습이었다.

6절 평 가

후설의 현상학은 원래 모든 학문의 기초라고 할 수 있는 '순수 논리학'의 일환으로 진행되었다. 그러다가 이 논리학의 '개념' 등에 관한 정의에 있어서 '사태 자체'로 돌아가기 위한 일환으로 '순수 인식론'이 요청되었다. 그 결과 나타난 것이 '현상학'이었다. 우리의 대상에 대한 개념을 분명하게 하기 위해 우리의 가진 일반적 심리학적인 개념을 판단중지하고, 그 개념의 근원을 추구하였다. 그리고 이러한 연구로서 '의식의 본질'에 관한 연구가 진행되었다. 그리고 이러한 연구 결과, 우리에게 주어진 '의식'은 사물을 향한 '정신의 시선'이었으며, 이 '의식'에는 '심리적 요소'와 '물리적 요소'가 중첩하여 있었고, '심리적 요소' 안에 있는 지향성이 사물을 향하여 전진하고 있었다. 이것이 '사태'의 본질이었다. 이러한 의식의 본질에 대한 발견은 위대하였다.

먼저, 이 의식에 대한 발견은 오히려 논리학 밖에서 새로운 학문의 길을 열었다. 그것은 하이데거로 이어졌다. 후설의 제자인 하이데거는 이 '의식' 자체에 대한 연구에 집중하였는데, 특별히 이 '의식'과 '현상학적 시간'의 관계에 집중하였다. 그 결과 나타난 것이 실존주의 철학이었다. 하이데거의 주요 주장들이 이미 후설에게서 다 나타난다.

두 번째, 후설의 '의식'은 결국 우리의 '순수 자아' 혹은 '정신'의 존재를 증명해 주고 있다. 우리의 의식은 '정신의 시선'이라는 것을 입증하고 있기 때문이다. 또한 '의식'은 정신과 사물의 결합체이다. 여기에서 정신과 사물의 중간 매체가 발견되며, 정신과 사물의 통일성이 확보된다. 의식에 대한 이러한 발견은 후설의 큰 업적이었다.

세 번째, 후설의 '사태 자체'로 돌아가기 위한 '판단중지'는 도리어 그 존재자의 내부로 들어와서, 그 어떤 존재의 근원을 밝혀주는 역할을 하였다. 그는 우리의 자연주의적 태도에서 나오는 '개념'을 판단중지 함을 통해서 '순수 자아'의 존재를 발견하였다. 이때 우리가 이 '순수 자아'에 대해 한 번 더 판단중지를 수행하면 어떤 결과가 나타날까? 우리 '순수 자아, 혹은 정신' 이면의 존재가 나타날 것이다. 특히 '판단'에 있어서 그 기준을 제시하는 존재가 나타날 것이다. 예컨대, '양심'의 경우에도 우리의 '정신' 이면의 존재일 것이다. 여기에서 새로운 형이상학적 발견이 나타날 수 있다. 그렇다면, 정신의 이면은 무엇일까? 구조주의에서는 무의식이 논의되었고, 또 한편에서는 신화가 논의되었다. 필자는 이것을 '역사'라고 말하고 싶다. '역사'는 사라지지 않고 우리 안에 세계를 형성한다. 우리는 그 역사 속으로 항상 돌아갈 수 있다. 그리고 그 역사는 개인의 역사도 있고, 국가와 세계의 역사도 있으며, 구속사도 있다. 이 세계와 역사는 사라지지 않고 우리의 기억 속에 영적인 사건 혹은 신화적 사건으로 승화하여 고스란히 우리의 현재와 더불어 존재하고 있다. 우리는 언제든지 그곳에 도달할 수 있다. 이 역사적 세계는 신화의 세계와 다를 바가 없으며, 이 중에 구속의 역사가 곧 신앙의 세계이다. 이 신화의 세계 혹은 신앙의 세계는 우리의 정신 이면에 영적인 세계로 자리 잡고 있다. 이것이 순수자아가 괄호로 쳐졌을 때 나타나는 그의 진정한 모습이다. 여기에서 '순수자아'는 하이데거의 '현-존재'와 비견되며, 그 이면의 영적인 실존들은 '존재'와 비견되는데, 이 '존재'는 그 '현존재'에 대한 '역사적인 해석'을 의미한다. 더 나아가서 실존주의 이후에 이루어지는 구조주의의 논의 또한 이러한 관점에서 바라보아야 한다.

5장 메를로-퐁티

1절 모리스 메를로-퐁티(1908-1961)의 생애 등

1. 메를로-퐁티(1908-1961)의 생애

가. 출생과 학업

메를로-퐁티는 1908년 프랑스의 로쉬포르 쉬르 메르에서 태어나 1930년(22세) 고등사범학교를 졸업했다. 그는 사르트르와 함께 공부하였으며, 리쾨르는 그를 "프랑스 철학의 최대 거장"이라고 평한다.

> 리쾨르가 "프랑스 철학의 최대 거장"이라고 평한 메를로-퐁티는 1908년 프랑스의 로쉬포르 쉬르 메르에서 태어나 1930년(22세) 고등사범학교를 졸업했다. 재학시절 사르트르를 만나 현상학자로서의 길을 함께 걸었으나 나중에 정치적 적대자로 돌아 서게 된다.(류의근, 『지각의 현상학』역자 해제, 696)

나. 철학교사로서의 생활과 현상학 입문

그는 그의 젊은 시절을 여러 국립 고등학교에서 철학을 가르쳤으며, 당대 많은 철학자들과 교분을 가졌다. 특히 그는 이 시기에 후설의 현상학에 깊은 관심을 가지게 되었으며, 30세에 현상학적 최초의 저술로서 『행동의 구조』, 37세에 『지각의 현상학』을 집필하였다.

> 메를로-퐁티는 1930년대에 여러 국립 고등학교에서 철학을 가르쳤고 당대의 유명한 사상가들 예컨대 클로트 레비-스트로스, 레이몽 아롱, 자크 라캉, 에릭 베이유, 시몬느 드 보부아르, 알렉산더 코제브 등과 교분을 가졌다. 1930년대 말에 그는 후설의 현상학에 관심을 가지게 되었고, 이것이 그의 평생의 철학 사상의 기본 방향과 틀을 좌우하게 되었다.
> 현상학적 색채를 띠는 그의 최초의 저술 『행동의 구조』는 1938년(30세)에 완성된다. 그 저술에서 그는 자연과 인식의 관계의 문제를 인과적으로 설명하는 입장의 한계를 세밀하게 지적하고, 환경에 의미를 부여하는 유기체의 활동을 줄기차게 역설하며 지각적 의식의 문제에 도달한다.

그 이후에도 계속해서 후설과 하이데거에 관심을 가지면서 지각의 문제에 본격적으로 착수하여, '현상학적 실증주의'에 입각한 새로운 지각이론을 펼치는 『지각의 현상학』을 1945년(37세)에 완성한다.(류의근, 『지각의 현상학』역자 해제, 696)

다. 2차 세계대전 후의 정치철학적 시기

그는 한때 정치에 관심을 가지고 사르트르와 함께 『현대』지를 공동으로 창간하고 편집을 맡으면서 정치, 예술 등의 다양한 분야에 관한 에세이를 발간한다. 그런데, 1952년(44세) 그는 한국전쟁에 대한 정치적 견해 차이로 사르트르와 결별하고 『현대』지에서 물러난다. 사회주의에 경도된 사르트르에 대한 반발이었다. 그는 1949년 소르본 대학의 아동심리학 및 교육학 교수로 임명되었었는데, 1952년도에는 프랑스 대학 철학과장직에 부임하여, 다시금 현상학을 역사 철학과 접목한 연구에 몰두한다. 그는 여기에서 막시즘 역사철학의 결함을 발견한다.

1945년(37세)에 제2차 세계대전이 끝나고 프랑스가 독일 점령 하에서 해방되자 메를로-퐁티는 『현대』지를 사르트르와 공동 창간하고 편집을 맡으면서 철학, 정치, 예술 등 다양한 분야에 관한 에세이를 발표한다. 이러한 에세이들은 나중에 『의미와 무의미』로 엮여 1948년에 출판되고 그 전해인 1947년에는 『휴머니즘과 폭력』을 출간한다.
『행동의 구조』와 『지각의 현상학』으로 박사학위를 받은 그는 그 후 몇 년 동안 리옹 대학에서 철학, 정신분석, 심리학, 사회 이론을 가르쳤고, 1949년에 소르본 대학의 아동심리학 및 교육학 교수로 부임하면서 현상학과 인문과학과의 관계에 관한 연구를 수행한다.
그러는 가운데 한국 전쟁에 관한 사르트르와의 정치적 견해 차이가 악화되어 마침내 메를로-퐁티는 1952년에 사르트르와 결별하고 『현대』지에서 물러난다. 그러나 그해 메를로-퐁티는 프랑스 대학 철학과장직에 부임하여, 1950년대 전반에 걸쳐서 『지각의 현상학』에서 전개한 모든 분석과 기술을 역사철학으로 완결 짓고자 하는 연구를 기획한다. 1955년에 출판된 『변증법의 모험』은 그 연구기획의 일환으로 여기서 메를로-퐁티는 사르트르의 즉자-대자의 구분에 기초한 존재론과 정치학 또는 정치적 실천을 비판하고 마르크스와 전통적 마르크시즘의 역사

철학의 결함을 탐구한다.(류의근, 『지각의 현상학』역자 해제, 697)

한편, 메를로-퐁티는 스탈린의 만행을 비판하였으며, 사르트르에 대해서는 다음과 같이 말한다. 그의 자유 개념은 사르트르와 천양지차로 달랐다.

아마도 사르트르는 지드 만큼이나 물의를 일으킨 인간일 것이다. 그는 인간의 가치를 인간의 결점이라고 간주하기 때문이다. "나는 인간을 좋아하지 않으며, 단지 인간의 소멸을 좋아한다"고 지드는 말한 바 있다. 사르트르의 자유는 유기적인 인간성을 소멸시킨다.(『의미와 무의미』70)

라. 탈현상학과 형이상학적 시기

1960년대의 프랑스 철학은 포스트모더니즘이 유행하던 시기로서 이것은 후설 현상학에 대한 대결에서 생겨난 측면을 가지고 있다. 이때 메를로-퐁티는 후설의 현상학적 개념에서 하이데거의 존재론적 개념에 기울고 있었다. 그는 '살의 존재론'을 기도하고 있었다. 그의 『지각의 현상학』의 사상이 형이상학적으로 더욱 나아갔던 것이다. 1960년 초의 메를로-퐁티는 휴머니즘과도 자연주의 그리고 신과도 하등 타협하지 않는 새로운 존재론을 모색하고 있었고 선험적 주체성, 주관, 객관, 의미를 대신한 개념들을 마름질하는 것을 그 과제 중의 하나로 보았다. 이러한 생각들을 담고 있는 저서가 유고로 출판된 『가시적인 것과 비가시적인 것』이다.

그는 1960년에 『지각의 현상학』의 기본입장과 지반에 물음표를 던지는 사유의 단편들을 편집한 『기호들』을 출판한다. 1950년대 후반은 메를로-퐁티가 후설의 현상학적 관점에 대해 점점 비판적이 되어가면서 새로운 사유를 태동시키고 하이데거의 존재 개념에 기울어져간 시기이다. 후설과 사르트르를 거치고 그들과 대결하면서 하이데거의 존재론적 사유에 공감하기 시작한 메를로-퐁티는 죽기 몇 해 전에 이른바 '살의 존재론'을 기도하고 있었고 『지각의 현상학』의 연구를 전반적으로 재검토해야할 필요성을 느끼고 있었다.
1960년 초의 메를로-퐁티는 휴머니즘과도 자연주의 그리고 신과도 하등 타협하지 않는 새로운 존재론을 모색하고 있었고 선험적 주체성, 주관, 객관, 의미를 대신한 개념들을 마름질하는 것을 그 과제 중의 하나로 보았다. 이러한 생각들을 담고 있는 저서가 유고로 출판된 『가시적인 것과 비가시적인 것』이다. 1960년대 초는 프랑스 지성계가 모든 형태의 현상학에 부여된 권위에 반기를 드는 시점이었으며, 이른바 푸코, 데리다의 철학과 같은 포스트 모더니즘적 사유들은 이러한 현상학과의 대결에서 생겨난 지적 생산물의 측면을 지니고 있다.(류의근, 『지각의 현상학』역자 해제, 697-698)

그는 1961년(53세)에 사망하였다.

2. 메를로-퐁티 철학의 위치

가. 발생적 현상학 : '감각'으로서의 '의식'

'의식'은 어떻게 발생하는가? 메를로-퐁티에 의하면, 우리의 의식은 '감각'에서 발생한다고 말한다. 따라서 '신체' 혹은 '몸'에서 의식이 발생한다고 말한다. 그는 '몸의 철학자'라고 불리우는데, 그 이유는 "신체적인 체험을 최초의 체험이라고 보기 때문인데, 이때 머리로 사유하기 전에 신체적인 체험이 가장 먼저의 체험이고, 그것을 체험하는 '나'가 근원에 있는 나, 세계에 접촉해 있는 나이기 때문이었다."[53] 그는 오히려 '인식'이 '사유'보다는 '몸'에서 먼저 일어난다고 하였다. 이러한 철학의 배경에는 메를로-퐁티의 '의식'에 대한 개념이 새롭게 존재한다.

실존주의자들은 대체로 의식 자체와 의식의 내용이 구분되지 않는다. 예컨대, '정신'이 있을 경우, 인격적 실체로서 '정신'이 있으며, 더 나아가서 이 정신 자체로부터 흘러나온 '정신'이 있다. 의식도 이와 마찬 가지로 '순수 의식'과 '의식'을 구분할 수 있을 것이다. 그런데, 메를로-퐁티는 이 양자를 구분하지 않을 뿐만 아니라, 의식의 내용 자체가 의식 자체이다. 의식 자체는 인식되지 않고, 오직 의식의 내용만 인식되기 때문이다. 따라서 내 의식의 내용이 가 있는 그곳에 내 의식과 정신이 바로 거기에 존재한다. 내 의식이 어떤 대상에 가 있을 경우, 그곳에 내 정신이라고 말할 수 있는 의식이 가 있다. 이와 똑같은 논리로, 내 신체와 의식은 서로 상호침투를 하고 있다. 따라서 내 신체의 감각에는 정신 혹은 의식이 함께 있다. 내 정신이 그곳에서 실제로 활동을 하고 있다.

53) 정지은, "몸과 살, 그리고 세계의 철학자, 모리스 메를로-퐁티," 「처음 읽는 프랑스 현대철학」 (서울: 동녘, 2013), 51.

나. 생활 세계 현상학의 후설

메를로-퐁티의 현상학은 '생활 세계 현상학'에서의 후설이라고 평가된다. 메를로-퐁티는 후설의 유고에 나타난 이 사상이 가장 중요하다고 생각하였다. 후설은 "사태 자체로"는 "너 자신 속으로 들어가라. 진리는 인간의 내면에 거주한다"로 해석되어질 수 있다. 이에 반하여 생활 속의 현상학은 "인간의 내면 같은 것은 없으며 인간은 세계-에로-존재이고 자신을 인식하는 것은 세계 내에서이다"라고 주창한다. 나는 나 자신에게로 복귀할 때 내적 진리의 근원, 인식의 궁극적 토대, 즉 선험적 주관성을 발견하는 것이 아니라 "세계에 운명 지어진 주관성"을 발견한다는 것이다. 이에 대해 류의근은 다음과 같이 말한다.

> 현상학적 시기에 해당하는 대표적 저술인 『지각의 현상학』에서 메를로-퐁티는 후설의 『유럽학문의 위기와 선험적 현상학』의 현상학, 생활 세계를 통한 현상학을 계승하고 발전시킨다. 이 점에서 그는 사르트르 및 하이데거와 다르다. 사르트르와 하이데거의 후설은 『이념들』의 후설에 속한다. 즉 주로 구성적 현상학의 후설이다. 반면 메를로-퐁티의 후설은 생활 세계 현상학의 후설이다. 메를로-퐁티는 후설 현상학의 발전 단계에 있어서 가장 중요하고 뜻깊은 단계가 그의 유고에 나타난 현상학이라고 믿었다. 메를로-퐁티가 루뱅 대학의 후설 문고를 방문하여 미출간 원고들을 읽고 연구했다는 점은 널리 알려진 사실이다. 사르트르의 『존재와 무』는 생황 세계를 기술하는 현상학과는 아무런 관계가 없고, 하이데거의 『존재와 시간』은 후설의 구성적 현상학에 대한 반감에서 시작되었다.
> … 후설의 현상학에 대한 그의 재해석은 흔히들 실존적이라고 말해진다. 그는 어떻게 현상학을 실존화하는가? 그는 현상학에 대한 어떤 단일한 해석과 합의도 없다고 보고 "현상학은 실천하는 대로 존재한다"고 주장한다. 그것은 현상학이 사유 방식 또는 양식으로 존재했기 때문이다. 따라서 현상학의 다양성의 참된 의미는 우리 자신에게서 발견된다. 즉 현상학은 "우리에 대한 현상학"이다. 현상학은 현상학을 하는 모든 사람 각자의 것이 되었다는 것이다.
> "사태 그 자체로"라는 후설 현상학 특유의 원래적 표어도 메를로-퐁티에 있어서 의미 변화를 겪는다. "사태 그 자체로" 되돌아가려는 시도로서의 현상학적 기술은 체험 속에서 만나는 생활 세계를 절대적 원천인 주관성 속에서 그 뿌리에까지 추적해가려는 반성적 분석이 아니다.… 선험적 주관성은 더 이상 세계의 중심

이 아니다.… 메를로-퐁티는 “너 자신 속으로 들어가라. 진리는 인간의 내면에 거주한다”는 후설의 신조와는 정반대의 슬로건, 즉 “인간의 내면 같은 것은 없으며 인간은 세계-에로-존재이고 자신을 인식하는 것은 세계 내에서이다”라고 주창한다. 나는 나 자신에게로 복귀할 때 내적 진리의 근원, 인식의 궁극적 토대, 즉 선험적 주관성을 발견하는 것이 아니라 “세계에 운명 지어진 주관성”을 발견하는 것이다.(류의근, 『지각의 현상학』역자 해제, 698-699)

다. 형이상학적 이슈

근대 이후 철학의 대주제는 형이상학적 인식론 혹은 형이상학을 위한 인식론이다. 우리는 항상 정신을 육체의 이면에 존재하는 것으로 받아들였다. 그래서 형이상학적 세계를 생각할 때에는 항상 눈을 감고 정신의 이면을 통해서 예지계, 영적인 세계, 혹은 하늘을 바라보아왔다.

그런데, 메를로-퐁티는 이 정신을 육체와 결합시켜 버렸다. 정신과 육체는 분리될 수 없다. 그는 이러한 전환을 확실하게 하기 위해서 ‘감각’에 내재하는 ‘내부 수용성’과 ‘외부 수용성’을 말하였는데, 그의 진정한 의도는 ‘신체화 된 정신’이었다. 그래서 우리가 메를로-퐁티의 방식으로 형이상학적 세계로 나아가고자 한다면, 우리의 내면으로 들어갈 것이 아니라, 오히려 눈을 뜨고 하늘을 바라보아야 한다. 이 공간 위에 온갖 영적인 존재들을 위치시켜야 한다. 이것은 철학사에 던져진 큰 이슈이다.

만일 메를로-퐁티의 말이 맞다면, 모든 구조주의 철학의 형이상학의 위치는 하늘이 되게 된다. 우리의 무의식이 거하는 곳도 현재의 공간이다. 이에 대해서는 좀 더 많은 임상과 연구가 필요하다고 보아야 할 것이다.

2절 현상으로의 복귀 : 발생적 현상학

1. 지향성 개념의 수정 : ‘감각’과 ‘지각’[54]에 대한 연구

후설의 현상학은 근본적으로 논리학 등의 학문에 변수로 삽입할 어떤 대상에 대한 정확한 개념을 찾고자 함이었으며, 그 개념은 의식으로 말미암는다. 그는 우리의 의식 속에 들어와 있는 그 의식에서 지향성을 발견하고, 우리 안에 들어와 있

54) 지각의 일반적인 개념은 “감각기관을 통하여 대상을 인식하는 것”을 의미한다.

는 그 의식이 '사태자체의 지향성'을 가지고 있음을 확인하였다. 한편, 이때 이 '지향성 개념'이 『논리연구』에서 정립된 지향성 개념과 그 이후에 나타난 지향성 개념이 서로 달랐다. 『논리연구』에 나타난 지향성 개념은 "자기 동일적 대상에 대한 자아의 의식적 관계"였으나, 여기에는 어느 정도의 문제를 가지고 있어서 후기의 현상학에서는 수정 변화되고 있었다.

그 중에서도 특히 어떤 파악하고자 하는 어떤 '대상의 개념'은 '배경의식'과 관련하여 그 사물의 '개념'이 확정되는데, 즉 그것의 '배경의식'이 그것의 의미를 밝혀주는데, 이 부분이 간과되고 있다. 이에 대해 이남인은 다음과 같이 말한다.

> 『논리연구』에 나타난 지향성 개념과 『논리연구』 이후의 저술에 등장하는 지향성 개념 사이에는 커다란 차이가 존재한다.… "자기동일적 대상에 대한 자아의 의식적 관계"로 규정된 『논리연구』의 지향성 개념은 나름대로의 한계와 문제점을 지니고 있으며 후설을 후기 현상학에서 수정.변화되고 있다.
> 그러면 『논리연구』에서 정립된 지향성 개념이 지닌 한계 및 문제점은 무엇인가?… 우리가 '배경의식'과 관련해 지향적 분석을 행하려 하면 그 한계가 드러난다. 왜냐하면 "파악내용-감각내용의 도식"에 따라 배경의식, 다시 말해 자기동일적 대상의 배경에 대한 의식을 분석하고자 할 경우, 그것이 지향적 체험에 속하는지 비지향적 체험에 속하는지 일의적으로 규정하기가 쉽지 않기 때문이다. 예를 들어, 우리가 어떤 나무를 지각할 경우,… 나의 의식의 시선에 들어오는 것은 이 나무 만은 아니다.… 우리는 이 나무 주위에 있는 다른 나무들에 대해서도 의식하고 있는 것이 사실이다.(이남인, 『현상학과 해석학』, 서울대학교출판문화원, 286-287)
> 배경의식에는 크게 세 가지로 나누어지는데, 그것은 1)『논리연구』 및 『이념들 Ⅰ』에서 지향적 체험의 질료로 규정된 비지향적 체험으로서의 감각내용, 2) 지평의식 및 세계의식 3) 대상화적 토대를 두고 있지 않은 비대상화적 작용 등이다. (이남인, 『현상학과 해석학』, 291)

이에 대해, 메를로-퐁티는 내적 지각은 외적 지각에 의해 이루어지는데, 이때 이미 '세계의 통일'이 인식에 의해서 이루어지고 있다고 말한다. 즉, 감각을 통해 그 사물만이 아니라 그 배경의식 더 나아가서는 세계의 통일이 그 사물을 통해서 주어진다는 것이다. 후설은 이러한 '의식의 목적론'과 관련하여 칸트의 『판단력 비판』을 수용하고 있다는 것이다. 메를로-퐁티는 우리의 의식 자체를 세계의 기투로 보는데, 이것은 세계를, 절대적 통일로 향한다. 이것과 관련하여 메를로-퐁티는 우리의 판단을 위한 '지적작용의 지향성'만을 의미하는 '작용적 지향성'과, 우리의 욕망과 평가와 풍경까지 반영하기 위해 언어로까지 자신을 나타내려고 하는 '기능적 지향성'을 구분한다. 이러한 확장된 지향성을 연구하는 것이 곧 후설의 '발생의 현상학'이다. 메를로-퐁티는 우리의 모든 개념은 그 배경과 함께 고려되어야 한다. 심지어 어떤 '사태'의 개념을 찾을 때는 그것의 역사까지 그곳에 반영되어야 한다.

> 이제 우리는 현상학의 주요 발견으로서 너무나 자주 인용된 지향성 개념에 도달할 수 있게 되었거니와 그것은 환원에 의해서만 이해될 수 있다. "모든 의식은 무엇에 대한 의식이다." 이것은 전혀 새로운 것이 아니다. 칸트는 『관념론의 논박』에서 내적 지각은 외적 지각 없이 불가능하며, 현상의 결합으로서의 세계는 나의 통일 의식에서 예기되고, 나를 의식으로서 실현하는 나에 대한 수단이라는 것을 보여주었다. 지향성을 가능적 대상에 대한 칸트적 관계와 구별 짓는 것은 세계의 통일이 인식에 의해서 그리고 명백한 확인 행위 속에서 정립되기 이전에 이미 이루어진 것으로서, 이미 거기에 있는 것으로서 체험되고 있다는 것이다.…
> 후설은 의식의 목적론을 말할 때 『판단력 비판』을 다시 택한다. 외부로부터 인간 의식에 그 목적을 지시하는 절대적 사유의 관점에서 인간 의식을 이중화하는 것은 문제가 아니다. 의식 자체를 세계의 기투로서, 의식이 포용도 소유도 하지 못하나, 향하기를 멈추지 못하는, 세계에 운명 지어진 것으로서 인지하는 것이 문제이다. 그리고 세계를, 절대적 통일이 의식에게 그 목표를 지시하는 선객관적 개체로서 인지하는 것이 필요하다. 이러한 이유로 해서 후설은 우리의 판단의 지향성이자 자발적 입장에서 우리가 장악하는 지향성인, 『순수이성비판』이 말했던 유일한 지향성, 즉 작용적 지향성과, 세계와 우리의 삶의 선술어적-자연적 통일을 형성하고, 객관적 인식에서보다는 우리의 욕망, 평가, 풍경에서 보다 더 분명히 나타나며, 우리의 인식이 정확한 언어로 번역하려고 애쓰는 맥락을 제공하는 지향성인, 기능적 지향성을 구별하게 된다.…
> 이러한 확장된 지향성의 개념에 의해서 현상학적 '이해'는 "진실하고 변함없는 자연들"에 국한되어 있는 고전적 '지적작용'과 구별된다. 이제 현상학은 '발생의 현상학'이 될 수 있다. 어떤 지각된 사물, 어떤 역사적 사건 또는 어떤 학설이

문제로 되어 있건 말건, 이해한다는 것은 총체적 의도 – 예의 그것들이 표상에 대해 무엇인가 하는 것, 지각된 사물의 '성질들', 무수한 '역사적 사실들', 어떤 이론이 소개한 '사상들' 뿐만 아니라 조약돌, 유리, 밀랍, 조각 등의 성질들에서, 모든 혁명적 사실들에서, 어떤 철학자의 사상 전체에서 표현되는 유일한 존재방식 – 를 다시 붙잡는 것이다. 개개의 문명의 경우에는 저마다 헤겔식 의미의 이념을 발견하는 것이 문제가 될 것인데, 말하자면, 객관적 사유로 접근 가능한 물리적.수학적 법칙이 아니라 타자, 자연, 시간, 죽음에 관한 유일한 행동의 공식, 즉 역사가가 되찾아서 자신의 연구 대상으로 삼아야 하는 세계에 관한 어떤 형상화 방식을 발견하는 것이 문제라는 것이다. 그것이 바로 역사의 차원들이다. (메를로-퐁티, 『지각의 현상학』28-30)

이제 메를로-퐁티는 '감각'의 구조를 연구하고자 한다. 이 '감각'으로부터 어떻게 우리의 내적 의식이 세계로 뻗어가고 있는지를 연구한다. 그는 감각 자체에 대한 연구에서 이 감각 속에 어떻게 세계의 통일성이 내재되어 있는지를 연구하고자 한다.

2. 감 각

가. 인상으로서의 감각 : 場(地, 바탕)과 더불어 인식되는 型

메를로-퐁티에 의하면, 우리의 모든 감각은 '언어'로 표현된다. 따라서 우리는 언어에서 감각의 개념을 찾아야 한다. 그리고 논리학이나 각종 학문의 기초 자료로 사용되는 개념은 모두 '언어'를 통해서 표현된다. 우리가 어떤 경험을 했을 때, 이 감각의 맨 끝의 원초적인 감각 즉 '반수면 상태의 감각'을 '순수 감각'이라고 해보자. 우리는 이것을 단순한 '붉음, 푸름, 뜨거움, 차가움' 등의 성질로 표현할 수 있을까? 이것은 '지각의 현상'을 놓친 것이다. 이 '순수감각'은 장과 더불어 인식되는 무차별적이고 순간적이며 점묘적인(ponctuel) 충격의 경험이기 때문이다. 메를로-퐁티는 우리의 감각 속에 어떻게 세계 통일이 들어와 있는지를 알고자 한다.

메를로-퐁티는 이 '순수감각'으로 인해서 주어진 '지각현상'을 '순수인상'이라고 하는데, 이 순수현상은 형태 심리학에 의하면 항상 '장(場, champ)'과 더불어 인식되는 '형(型, figure)'이라야 한다. 이것이 우리 안에서 '인상, 혹은 순수인상'을 형성한다. 우리는 이 실제적인 지각의 구조를 파악하여야 한다. 이에 따라, 그는

'감각'을 단순한 '인상'으로 규정하기를 포기한다.

> 지각의 연구를 시작함에 있어서, 우리는 언어에서 직접적이고 명백해 보이는 감각의 개념을 발견한다. 그러나 우리는 이러한 개념이 가장 혼란스럽다는 것과, 또한 고전적 분석은 그러한 개념을 너무 쉽게 받아들였기 때문에 지각의 현상을 놓쳤다는 것을 보게 될 것이다.
> 우선, 나는 감각을 내가 영향을 받는 방식, 나의 어떤 상태의 경험으로 이해할 수 있을 것이다. 눈을 감을 때 나를 둘러싸고 있는 회색과 '나의 머리에서' 울리고 있는 반수면 상태의 소리가 순수 감각이 무엇일 수 있는가를 알려줄 것이다.… 이렇게 되면 감각은 질적인 모든 내용과 무관하게 탐구되어야 한다고 고백하는 것과 같다. 왜냐하면 붉음과 푸름은, 서로 다른 두 색으로 구별되기 위해서 각자 정확하게 국소화 되지는 않을지라도 이미 내 앞에 어떤 장면을 형성해야 하고, 따라서 나 자신의 일부이어서는 안 되기 때문이다. 순수감각은 무차별적이고 순간적인 그리고 점묘적인(ponctuel) '충격'의 경험이 될 것이다.…
> 균질적인 바닥 위에 하얀 얼룩이 묻어 있다고 하자. 그 얼룩의 모든 점은 하나같이 바로 그 모든 점으로부터 '형, figure'을 만드는 어떤 '기능'을 갖고 있다. 그 형의 색은 그 바닥의 색보다 밀도가 더하고, 말하자면 저항감을 더 준다. 하얀 얼룩의 가장자리는 하얀 얼룩에 '속해 있고' 비록 바닥과 인접해 있지만 바닥의 일부는 아니다. 그 얼룩은 바닥 위에 놓여 있는 것 같으면서도 바닥을 차단하지는 않는다. 각각의 부분들은 그 자신이 포함하고 있는 것보다 더 많은 것을 환기시키고, 따라서 그 하나하나의 요소적인 지각은 이미 어떤 의미를 담고 있는 셈이다. 그러나 사람들은 형(figure)과 지(fond)[55]가 총체로서 감각되지 않는다면, 그것들은 그것들이 놓인 지점에서 하나하나 별도로 감각되어야 한다고 말할 것이다. 이것은 각각의 지점이 저마다 어떤 지위의 어떤 형으로만 지각될 수 있다는 것을 망각하는 것과 같다.…
> 지각적 '어떤 것'은 항상 다른 어떤 것 사이에 있으며 항상 '장(場 , champ)의 일부를 형성한다. 진실로 동질적인 구역이라 하더라도 지각할 어떤 것도 제공하지 않는 한, 어떤 지각도 주어질 수 없다. 실제적 지각의 구조만이 우리에게 지

---

55) 형(型)과 지(地)는 형태(Gestalt)심리학이 말하는 유명한 지각의 두 구조이다. 지각적 경험에서 우리에게 두드러져 보이는 장면, 즉 전경을 형이라 하고, 보이지 않는 배후의 장면, 즉 배경을 지라고 한다. (역자 류의근의 주해)

각이 무엇인가를 가르칠 수 있다. 그러므로 순수 인상은 발견될 수조차 없고 지각될 수 없으며 지각의 계기로서 생각될 수 없다.… 시각적 장은 국소적 시각으로 이루어지지 않는다. 그러나 보여진 대상은 질료적인 단편들로 이루어지고 그 공간의 각 지점들은 상호 외적이다. 하나의 독립된 지각적 소여라는 것은 적어도 우리가 그것을 지각하는 정신적 경험을 한다면 상상할 수 없는 것이다. 그러나 고립된 대상들이나 물리적 진공은 세계 내에 있다.(그러므로 나는 감각을 인상으로 규정하기를 포기할 것이다.) (『지각의 현상학』37-39)

나. 성질로서의 감각의 오류 : 경험주의[56]의 오류

메를로-퐁티에 의하면, 우리는 '사물에 대한 의식'과 '사물자체의 성질'을 혼동하고 있다. 물론, 이 양자는 분리될 수 없지만, 여기에서 명백하게 '경험의 오류'가 두 가지 정도 존재한다. 하나는, 그것이 의식의 대상인 데도 그것을 의식의 요소로 만드는 것이다. 둘째는, 그 결과 그 대상과 그것의 의미가 성질의 차원에서 완결되고 규정되어 있다고 믿는 것이다. 그리고 이 둘째 오류는 첫째 오류처럼 세계에 대한 편견에서 나온다.

메를로-퐁티에 의하면, 이러한 오류는 의식의 개념 정의를 외부 대상 세계에서 출발하였기 때문에 시각적 장이 무엇인가를 이해하지 못한 결과라고 말한다. 이와 같이 미규정된 시각, 내가 무엇인지를 정의하고 있지 못하는 시각이 있다. 따라서 위의 두 가지 이유에서 의식을 '대상의 성질'로 설명하는 것은 의식의 주체성을 드러내기 보다는 은폐한다.

메를로-퐁티에 의하면 감각한 것에 대한 개념정의는 외적 대상이 아니라 오히려 내부로부터 시작되어야 한다고 말한다.

그러므로 나는 감각을 인상으로 규정하기를 포기할 것이다. 그러나 본다는 것은 색이나 빛을 가지는 것이고, 듣는다는 것은 소리를 가지는 것이며, 감각한다는 것은 성질을 가지는 것이다.…

우리는 '본다' '이해한다' '감각한다'는 것이 무엇인가를 너무 잘 안다고 믿고 있다. 왜냐하면 지각은 오래전부터 우리에게 색깔 있는 또는 소리 나는 대상을 제

56) 경험주의자들은 기계론적 세계관의 영향 아래에 있는데, 인간의 신체는 물리-기계론적 대상이자 기계적 장치로 이해된다. 자연과학적 대상과 마찬가지의 분석대상일 뿐이다.

공했기 때문이다. 우리는 지각을 분석하고자 할 때 그 대상들을 의식에로 옮겨 놓는다. 우리는 심리학자가 '경험의 오류'라고 부르는 과오를 범하고 있는 것이다. 말하자면, 우리는 사물 그 자체에 있다고 알고 있는 것을 사물의(필자:에 대한) 의식에 있는 것으로 가정한다. 우리는 지각된 것을 가지고 지각을 형성한다. 지각된 것 그 자체는 분명히 지각을 통해서만 접근될 수 있기 때문에 결국 우리는 이것도 저것도 이해하지 못한다.… 모든 의식이 어떤 사물의 의식이라는 것을 알게 될 것이다. 게다가 그 '어떤 것'은 반드시 확인 가능한 사물이 아니다.

성질에 대하여 잘못 생각하는 두 가지 방식이 있다. 하나는 그것을 의식의 대상인 데도 의식의 요소로 만드는 것이려니와 성질이 언제나 의미를 가지는 데도 말없는 인상으로 처리하는 것이고, 다른 하나는 그 대상과 의미를 성질의 차원에서 완결되고 규정되어 있다고 믿는 것이다. 그리고 이 둘째 오류는 첫째 오류처럼 세계에 대한 편견에서 나온다.…

우리는 세계에서 출발하면 시각적 장이 무엇인가를 결코 이해하지 못할 것이다. 측면의 자극을 점차로 중심으로 접근시키면서 시각의 주위를 구획 짓는 것이 가능하다고 할지라도, 측정의 결과들은 순간순간 변하고 사람들은 앞서 주어진 자극이 자극이기를 그만두는 순간을 지정할 수도 없다. 시각 장을 둘러싸고 있는 영역은 기술하기가 쉽지 않으나 그것이 검지도 회색이지도 않음은 확실하다. 바로 여기에 미규정 된 시각, 내가 알지 못하는 시각이 있으며, 만약 내가 경계를 넘어가게 되면 나의 등 뒤에 존재하는 것은 시각적 현존 없이는 존재하지 않게 된다.…

…이상의 두 가지 이유에서 성질은 주체성을 드러내기보다는 은폐한다.(『지각의 현상학』39-42)

다. 감각의 두 가지 요소

메를로-퐁티에 의하면, 감각의 관념을 추적해보면, 그곳에는 두 가지 요소인 '~(눈, 코, 귀)으로써'와 '~(1차적 내적 반성)에 의해서'가 존재한다. 이때 전자는 대상을 통해서 이루어지고, 후자는 1차적인 내적 반성을 통해서 이루어진다.[57] 감각적인 것은 우리가 '(눈, 코, 귀)으로써' 파악하는 것이기는 하나, 우리는 곧장 그

57) 메를로-퐁티도 또한 사물에 대한 인식의 시점에 '반성'이 일어난다고 말한다. 이것은 그가 정신의 작용을 인정하고 있다는 것을 의미하는 철학적 태도이다. (필자)

'으로써'가 단순한 도구가 아님을, 감각 장치가 전도체가 아님을 알며, '생리학적 인상'이 그 말단에서 조차 중추적인 것으로 간주되었던 관계들에 개입되어 있음을 안다.

> 시각적인 것은 사람의 눈으로써 포착하는 것이고, 감각 가능한 것은 사람들의 감각에 의해서 포착하는 것이다. 이러한 지반 위에서 감각의 관념을 추적하고 제1차적 반성, 즉 학문적 반성의 차원에서 '의해서'와 '으로써' 그리고 감관의 개념이 어떻게 되는가를 살펴보자.…
> 반사호 이론처럼 지각의 생리학은 규정된 수용기로부터 일정한 전달자를 통해 특수한 기록소에 이르는 해부학적 진로를 인정하는 데서 시작한다. 사람들은 객관적 세계가 주어지면, 그것은 소지하고 있어야 하는 전언을 감관에 맡겨서 그 원문을 우리에게 재생하는 방식으로 해독시키도록 해야 한다는 것을 인정한다. 바로 여기에 원칙적으로, 일대 일의 대응 관계와 함께 자극과 요소적 지각과의 항상적 연관이 존재한다.
> 그러나 이러한 항상성 가설은 바로 그 점에서 의식의 소여와 상충하며 또한 바로 이 점을 받아들이는 심리학자들만이 그 소여의 이론적 특징을 인식한다. 예를 들면, 소리의 힘은 어떤 조건 아래에서는 그 높이를 잃어버리게 되며 객관적으로 동일한 크기의 두 도형도 보조선을 첨가하면 동일하지 않게 되고 유색면은 그 표면 모두가 우리에게 동일한 색깔로 나타나지만, 우리 망막의 여러 부분의 색역(色閾, 색의 경계)들은 여기는 적색으로, 저기는 귤색으로, 어떤 경우에는 무색으로 되게 할 수도 있다.… 사람들은 자극의 중추적 결합이, 저 객관적 자극이 우리에게 기대하게 할 것과는 다른 감각을 직접 일으킬 수 있다는 것을 인정한다.… 우리는 "감각 과정이 중추적 영향에 면역된 것이 아님"을 인식한다. 그러므로 이러한 경우에 "감각 가능한 것"은 더 이상 외적 자극의 직접적 결과로서 규정될 수 없다.…
> 감각적인 것은 우리가 감각으로써 파악하는 것이기는 하나, 우리는 곧장 그 '으로써'가 단순한 도구가 아님을, 감각 장치가 전도체가 아님을, 생리학적 인상이 그 말단에서조차도 한때 중추적인 것으로 간주되었던 관계들에 개입되어 있음을 안다.(『지각의 현상학』43-47)

라. '감각'의 본질로서의 '방향성'

메를로-퐁티에 의하면, 고전적 감각 혹은 이로 인해 습득한 지각적 개념은 과학이 주체성의 외양만을 구성하는 데 성공하고 있을 뿐이라고 말한다. 그것은 현상의 우주를 과학의 우주만으로 이해하게 한다. 그것은 바른 개념이 아니다. 자연적이 아닌 분석적 지각을 통해서만 위에서 언급한 지각의 두 가지 기능이 파악된다. 메를로-퐁티에 의하면, 지각이라는 말은 위와 같은 '본원적 기능'보다 오히려 '하나의 방향'을 가리킨다. 따라서, 우리가 감각함을 이해하고자 한다면, 우리 내부에서 탐구해야 하며, 감각함은 이러한 선객관적 영역에서 파악되어야 한다. 즉, '순수의식'이 우리 내부에서 외부로 쏘아보는 그 지점에서 '감각함'이 이해되어야 한다.

> 다시 말하지만, 반성(과학의 2차적 반성조차도)은 우리가 분명하다고 믿고 있었던 것을 모호하게 만든다.… 이제 우리가 방금 한 대로, 지각적 경험으로 돌아가면 우리는 과학이 주체성이 외양만을 구성하는 데 성공한다는 것을 주목한다. 즉 그것은 이미 의미의 총체가 존재한다는 것을 경험이 보여주는 그곳에다가 사물, 즉 감각을 도입한다. 그것은 현상의 우주를 과학의 우주만을 이해하는 범주들에 복종시킨다.… 그것은 자연적이 아닌 분석적 지각에서만 두 가지 기능을 가진 것으로 확인될 수 있을 뿐이다. 마찬가지로, 지각된 것은 단순한 '지각 아님'이 아닌 간격을 포함하고 있다.… 모든 인식을 규정된 성질에서 구성하는 감각이론은 모든 애매성이 제거된, 순수하고, 절대적인 대상들을 구성하거니와 이 대상들은 인식의 실제적 주제라기보다 그 이상이고(필자: 일 뿐이고) 또한 그러한 감각 이론은 의식이 뒤늦게 얻은 상부구조에만 적합할 뿐이다.… 지각이라는 말은 본원적 기능보다 오히려 하나의 방향을 가리킨다.… 그리고 우리가 감각함을 이해하고자 한다면, 우리 내부에서 탐구해야 하는 것은 이러한 선객관적 영역인 것이다.(『지각의 현상학』48-50)

2. '연합'과 '기억의 투사' : 감각하는 방식

가. '지에 기초한 형'으로서의 '감각'

고전적 이해에 의하면, 학자들은 보통 '감각'을 '지각'이라고 이해하였다. 그런데 만일 '감각'은 시각적인 어떤 것을 '~(사람의 눈)으로써' 포착하고, '~(1차적 반성)의해서' 포착하는 것이며, 따라서 '지각'이라는 말이 '하나의 방향'을 가리키고 있다면, 여기에서의 '감각'의 개념은 조정되어야 한다. 즉, 감각과 지각이 같다고 말하려고 한다면, "모든 경험이 감각이다"고 말할 경우에 한해야 한다. 즉, 지각이란 '지(fond, 바탕, 場)'에 기초한 '형(figure)'이라야 하기 때문이다.[58] 즉, 감각되어진 모든 것들과의 연관 속에서의 일정 부분의 감각이 곧 그것에 대한 '지각의 현상'이며, 이 '감각의 전체'를 묘사한 것이 우리가 이해하는 '개념'의 정의이다.

이때 '형'은 불확실하며, 더 나아가 그 아래에서 '지(바탕)'는 제한이 없이 계속 유동적이다. 따라서 이 '지(바탕)' 중에서 '형'의 특정 부분이 곧 특정 개념이다. 즉, '지'와 분리되어 있는 '윤곽'을 갖고 있고 그 부분으로서 '안정되어' 있다. 그래서 이것은 그것의 특별한 '성질'이나 '색깔' 외의 추가된 특별한 의미들을 갖는다. 이와 같이 성질의 총체가 지에 기초한 형으로서 이해될 때, 우리는 비로소 그것을 이해한다고 말할 수 있으며, 더 나아가 그것의 개념화가 가능하다고 말할 수 있다. 따라서 감각=인식이라는 등식이 허용되는 존재(예: 아메바)는 결코 위와 같은 인식을 할 수 없다. 그러나 인간은 위와 같은 방식으로 인식한다. 그러므로 개념도 위와 같이 정의되어야 한다.

> 다시 한 번 안내하면, 감각의 개념은 지각의 모든 분석을 왜곡한다. 우리가 말한 대로, 이미 '지'에 기초한 '형'은 현실적으로 주어진 성질을 보다 훨씬 더 많이 내포하고 있다. 그것은 지에 '속하지' 않는, 지와 '분리되어' 있는 '윤곽'을 갖고 있고 '안정되어' 있으며 색깔은 '진하다'. 지는 제한이 없고 색깔은 불확실하며 형 아래에서 '계속 된다'. 그렇다면 총체의 여러 부분들(예컨대 지에 가장 가까이 있는 형의 부분들)은 성질과 색깔 이외의 특별한 의미를 갖는다. 문제는 그 의미가 무엇으로 구성되는가, '가장 자리'와 '윤곽'이란 말이 무엇을 말하고자 하는가, 성질의 총체가 지에 기초한 형으로서 이해될 때 무엇이 일어나는가를 아는 것이다.

---

58) 메를로 퐁티에 의하면 지각에 관한 고전적 학설의 근본적인 오류는, 지각을 자극의 순수한 인상으로서의 '감각'의 합성에 의해서 설명하려 한 것이다. 그러나 게슈탈트학파에 의하면 지각은 항상 도형(圖型)과 소지(素地)로 분절화된 게슈탈트의 지각이기 때문에, 순수인상으로서의 감각 같은 것은 존재하지 않을 것이라는 점에 메를로 퐁티의 첫째 착안이 있었다. 가령 우리가 염색된 것을 볼 때 염색은 당연히 윤곽에 둘러져 있으나 그 경우, 윤곽은 '지(地)'가 아니고 반드시 '도(圖, 혹은 型)'에 속하는 것으로 보이고 '도'도 '지'의 위에 놓여있는 것처럼 보이고 윤곽은 단순한 물리적 경계 이상의 의미를 가지고 있다. [네이버 지식백과, 지각의 현상학 (세계의 사상, 2002. 5. 20., 고영복, 사문연)] 한편, 필자는 '지'를 '바탕'을 의미하는 址('터')로 번역하고자 한다.

> 그러나 감각이 다시금 인식의 요소로서 소개된다면 우리에게는 어떠한 응답의 선택도 허용되지 않을 것이다. 감각할 수 있는(인상이나 성질과 절대 일치한다는 의미에서) 존재는 결코 다른 인식 방식을 가질 줄 모른다.…(『지각의 현상학』51)

나. '감각하는 방식'으로서의 '관념의 연합'

메를로-퐁티는 과거의 경험을 데려오는 '관념 연합', 혹은 '모든 경험들의 포함'이 '의식'이라고 말한다. 의식이란 감각들이 우리 앞에서 분포되는 구체적 방식, 어떤 사실의 배열, 감각하는 방식을 가리킨다. 그는 그 예를 '원, 질서'의 사례를 통해서 설명된다. 세 점 A, B, C가 원 위에 있다면, 지각된 것의 의미는 이유 없이 다시 나타나기 시작하는, 한 무리의 질서적인 상들에 다름 아니다.

개념들은 그들을 가리키는 복잡한 방식이다. 그리고 개념들은 그 자체가 말로 표현될 수 없는 인상들이기 때문에 이해한다는 것은 망상이거나 환상이다. 인식은 서로가 서로에게 이끌리는 대상들을 결코 파악하지 못하며, 정신은 계산의 결과가 왜 참인가를 알지 못하는 계산기로서만 기능하고 있을 뿐이다. 따라서 감각으로 말미암아 이루어지는 우리의 개념은 유명론 이외의 어떤 다른 철학도 인정하지 않는다. 즉, 우리는 무엇을 완전히 알아서 개념으로 정의하는 것이 아니고, 다만 그 부분을 우리가 이해하는 범위에서 그 유사성과 인접성만을 설명한 것일 뿐이다.

> 이제 그 적색은 더 이상 그저 나에게 현존하는 것이 아니라 나에게 무엇인가를 나타내며, 그것이 나타내는 것은 나의 지각의 '실재적 부분'으로서 소유되지 않고 다만 '지향적 부분'으로서 겨냥될 뿐이다. 나의 시선은 질료적으로 포착된 적색 안에서 용해되는 것과 같이 윤곽이나 얼룩 안에서 용해되지 않는다. 오히려 나의 시선은 그것들을 주파하거나 지배한다. 나의 시선을 진정으로 꿰뚫는 의미를 그 자체로서 수용하고 '형'의 총체와 연결되어 '지'와 독립되어 '윤곽'에 통합되기 위해, 점묘적인 감각은 절대적 일치이기를 그만두어야 하고 따라서 감각은 존재하기를 그만 두어야 한다.… 아래의 그림을 보는 것은 그 그림을 형성하는 점묘적인 감각들을 동시적으로 소유하는 것이 될 수 있을 뿐이다. 그 감각들 중 개개의 것은 항상 개개의 것으로, 맹목적 접촉으로, 인상으로 남아 있고, 총체가 '시각'을 만들며 우리 앞에 장면을 형성한다. 왜냐하면 우리는 한 인상에서 다른 인상으로 재빨리 이동하는 것을 배우기 때문이다. 윤곽은 국소적 시각의 총계에

다름 아니며 윤곽의식은 집합적 존재이다.…

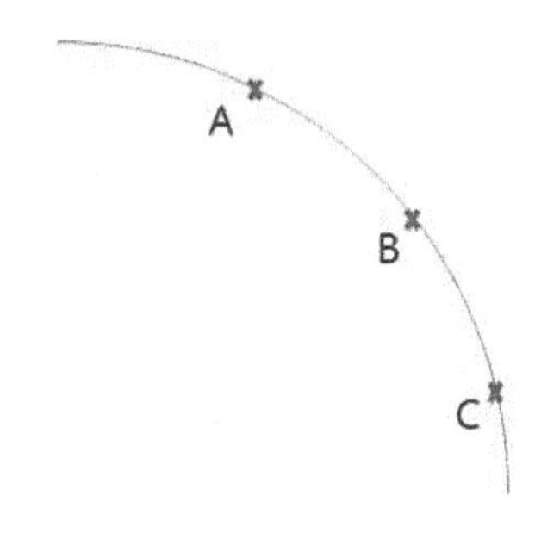

그림의 윤곽선 위에 세 점 A, B, C가 있다고 하자. 그 세 점의 공간적 질서는 그것들이 우리의 눈앞에서 공존하는 방식이며, 그 공존은 내가 아무리 그 점들을 가까이 놓게 한다 해도 그 분리된 존재들의 총합은 A의 위치 + B의 위치 + C의 위치이다.… 공간의 권역은 정신에 의해서 주파되고 검사된다.

그러나 그렇다면 우리는 경험주의를 포기하게 된다. 왜냐하면 의식은 더 이상 인상에 의해 규정되지 않기 때문이다.… 그러나 윤곽은 현재적 소여들의 총체가 아니다. 그 소여들은 자신들을 완성하고자 다른 소여들을 불러일으키기 때문이다.… 세 점 A, B, C의 공간적 분포는 유사한 다른 분포들을 불러일으키고 나는 원을 본다고 말하게 된다. 후천적 경험에 대한 호소도 경험주의의 입론에 어떤 변화를 가져오는 것은 아니다.

과거의 경험을 데려오는 '관념 연합'은 외적 연관들만을 복원할 수 있을 뿐이고 하나의 외적 연관일 수 있을 뿐이다. 왜냐하면 최초의 경험은 어떤 다른 경험도 포함하지 않았기 때문이다. 사람들이 의식을 감각으로 규정해버리면 모든 의식 방식은 그 명증성에서 빌려와야 할 것이다. 원, 질서란 말은 내가 참조하는 선행적 경험들 내에서는 우리의 감각들이 우리 앞에서 분포되는 구체적 방식, 어떤 사실의 배열, 감각하는 방식만을 가리킬 수 있었을 뿐이다. 세 점 A, B, C가 원 위에 있다면, 거리 AB는 거리 BC와 '유사하다'. 그러나 그 유사성은 사실상 한 거리가 다른 거리를 생각나게 할 뿐이라는 것을 말하고 있다. 거리 ABC는 나의 시선이 따라갔던 다른 둥근 거리와 유사하나, 그 유사성은 거리 ABC가 기억을 일으켜서 사실상 상인 것처럼 보이게 할 뿐이라는 것을 말하고 있다. 그 둘은 결코 동일할 수 없고 동일자로 알아보거나 이해될 수 없으며, 이는 그 둘의 개별성이 극복되는 것을 전제로 하는 것이 될 것이다. 그 둘은 불가분리하게 연합될 수 있을 것이다. 어느 곳에서나 서로 대체될 수 있을 것이다. 인식은 한 인상이 이유를 대지 않고도 다른 인상을 알려주는, 저녁이 밤을 예기하듯 말들이 감각들을 예기하는 대입 체계로서 나타난다. 지각된 것의 의미는 이유 없이 다시 나타나기 시작하는, 한 무리의 상들에 다름 아니게 된다. 결국, 가장 단순한 상들이나 감각들은 말들에서 이해해야 하는 상들이나 감각이 되고, 그것이 그들의 전부가 되며 개념들은 그들을 가리키는 복잡한 방식이다. 그리고 개념들은 그 자체가 말로 표현될 수 없는 인상들이기 때문에 이해한다는 것은 망상이나 환상이다. 인식은 서로가 서로에게 이끌리는 대상들을 결코 파악하지 못하며 정신은 계산의 결과가 왜 참인가를 알지 못하는 계산기로서 기능한다. 감각은 유명론 이외의 어떤 다른 철학도 인정하지 않는다. 말하자면, 의미를 혼동스러운 유사성의 반의미 또는 인접성에 의한 연합의 무의미에로 환원하는 것만을 인정한다. (『지각의 현상학』52-54)

다. 지각의 구성원리 : 장의 분리

메를로-퐁티에 의하면, 우리가 지각을 이해할 때, 개별적인 지각들이 연합해서 하나의 큰 의미의 지평을 이룬다고 생각할 수 있는데, 그와 정반대이다. 선행하는 모든 경험의 상기와 그것들의 연합이 '사물들'로서 전제하고, 그 사물들의 장의 분리(사물들 사이의 공백)로 지각이 이루어진다. 예컨대, 총체로서의 집, 해, 산을 사물로서 보고, 그것의 장을 분리해서 '유사성과 인접성'을 통해서 지각하는 것이다. 따라서 인접성의 법칙과 유사성의 법칙이 지각의 구성의 원리인데, 그렇다고 이것이 총체의 구성보다 앞서는 것은 아니다. 우리가 현상에 충실하다면, 지각에서 보이는 사물의 통일성은 연합에 의해서 이루어지는 것이 아니라 연합의 조건이며, 사물의 통일성이 연합을 검증하고 규정하는 검색들에 선행하며 그 자체로서 선행한다.

모든 인식이 시작해야 하고 끝나야 하는 감각들과 상들은 의미의 지평에서만 나타날 뿐이고, 지각된 것의 의미는 연합의 결과이기는커녕 눈앞에 있는 형의 축약 또는 선행하는 경험의 상기가 문제인 모든 연합이 전제하고 있는 것이다. 우리의 지각 장은 '사물들'로 구성되고 '사물들 사이의 공백'으로 구성된다. 사물의 부분들은 대상이 운동하는 동안에 확인된 그 부분들의 연대에서 나오는 단순한 외적 연합에 의해서 결합되어 있지 않다. 무엇보다도, 나는 결코 움직이는 것을 본 적이 없는 총체들, 예컨대 집, 해, 산을 사물로서 보고 있다. 만일 내가 경험에서 얻어진 개념의 범위를 움직이지 않는 대상에까지 확대시키기를 사람들이 바란다면, 그 산은 산에 대한 인식을 사물로서 정초하고 사물로 바꾸는 것을 정당화하는 어떤 특성을 자신의 실제적 측면을 통해서 틀림없이 나타내야 할 것이다. 그러나 그렇다면 그 특성은 어떤 전이도 없는 장의 분리라는 것을 설명하는 데 충분한 것이다.…
사물을 총체적으로 형성하는 일을 떠맡는 무차별적 소여들은 결코 없다. 왜냐하면 사실의 인접성이나 유사성이 그 소여들을 연합하기 때문이다. 그런데, 이에 대한 이유는 그와 정반대로 우리가 총체를 하나의 사물로서 지각하고, 그 후에 거기서 분석적 태도가 유사성이나 인접성을 식별할 수 있다는 것 때문이다.…
이렇게 해서 우리는 베르트하이머의 인접성의 법칙과 유사성의 법칙이 지각의 구성의 원리인 바, 연합주의자들의 객관적 인접성과 유사성을 도로 가져온다는 것을 믿을 수 있게 되었다. 사실상 순수 기술에 대하여 자극의 인접성과 유사성은 총체의 구성보다 앞서는 것이 아니다.… 소위 지각의 조건들이란 우리가 지각의 현상을 대상에 대한 최초의 창구로서 기술하는 대신, 그 현상의 주위에서 분석적 지각이 획득할 모든 설명과 사실 검증이 이미 새겨져 있고 현실적 지각의 모든 규범이 정당화되는 환경, 즉 진리의 징조인 세계를 전제하고 있을 때라도 지각보다 선행하는 것은 아니다.… 지각에서 보이는 사물의 통일성은 연합에 의해서 이루어지는 것이 아니라 연합의 조건이며, 사물의 통일성이 연합을 검증하고 규정하는 검색들에 선행하며 그 자체로서 선행한다.(『지각의 현상학』54-56)

라. 존재하지 않는 기억의 투사 : 지(바탕)로서의 기억

연합된 사물들은 그 사물만 보아서는 알 수 없다. 그것은 과거의 경험에 대한 조망 곧 기억을 통해서 나타난다. 이것이 '형(figure, 形)'에 대한 '지(fond, 바탕)'이며, 지각에서 담당하는 기억의 역할이다. 그래서 지각하는 것은 상기하는 것과 더불어 감각하는 것에 의해 이루어진다. 그런데, 문제는 이 기억과 상기, 곧 '기억의 투사'가 우리에게 발원적 시각을 환기시켜서 착각을 제공하기도 한다.

즉, 기억의 투사로 인한 다른 인상들의 배치가 우리의 인식을 먼저 점유하고 있기 때문에 심적 요인들은 더 이상 영향을 발휘할 수 없게 한다. 그렇다면 그 인식은 결코 과거에서 현재로 넘어가지 못하며 '기억의 투사'는 이미 수행된 보다 심층적인 인식을 은폐하는 기만적 비유에 불과하다. '기억의 투사'를 신임하게 된 것은 추론에 따른 착각으로부터이다. 따라서 지각하는 것을 상기하는 것과 동일시하면 안 된다. (필자: 메를로-퐁티는 오히려 이 '기억'이 '바탕'인데, 이것은 '반성'을 통한 ‘형’의 확장의 장소로서의 ‘지’를 말하고자 하는 것으로 보인다.)

> 하나의 인상은 다른 인상을 되살아나게 하는, 즉 자신을 넘어서는 힘을 갖고 있지 않다. 그것은 되살아나는 것이 필요한 인상들과 공조하는 것으로 판명되는 곳인, 즉 무엇보다도 과거의 경험의 조망에서 이해된다는 조건에서만 그런 일을 수행한다.(『지각의 현상학』58)
>
> 이렇게 해서 우리는 “지각에서 담당하는 기억의 역할”과 관련한 통례적인 공식들을 평가하는 것이 무엇인지를 알 수 있게 된다. 경험주의를 벗어나서도 ‘기억의 공헌’이 화젯거리로 대두된다. 사람들은 “지각하는 것은 상기하는 것”이라고 반복해서 말한다. 사람들은 책을 읽는 시선의 속도가 망막의 인상들에 간격을 생기게 한다는 것을, 그러므로 감각적인 소여들은 상기의 투사에 의해서 완성되어야 한다는 것을 보여준다.
>
> 정상적으로 보여진 풍경이나 신문은 상기가 거기에 덧붙이는 것에 의하지 않고는 분명해지지 않기 때문에 거꾸로 보여진 풍경이나 신문은 발원적 시각을 우리에게 환기시켜준다. “평소와는 다른 인상들의 배치 때문에 심적 요인들은 더 이상 영향을 발휘할 수가 없다.” 사람들은 다르게 배치된 인상들이 왜 신문을 읽을 수 없게 하고 풍경을 알아볼 수 없게 하는가를 이상하게 생각하지 않는다. …그러기에 우리는 “기억의 안경을 통해서” 그 대상을 보는 셈이다. 문제는 ‘기억의 색깔’을 소생시키는 것이 무엇인가를 아는 일이다. 헤링은 우리가 이미 아는 대상을 다시 보거나 “다시 본다고 믿을” 때마다 그것이 되살아난다고 말한다.… 그렇다면 그 인식은 결코 과거에서 현재로 넘어가지 못하며 ‘기억의 투사’는 이미 수행된 보다 심층적인 인식을 은폐하는 기만적 비유에 불과하다.… ‘기억의 투사’는 지각과 기억을 이해할 수 없게 만든다. 왜냐면 지각된 사물이 감각과 지각으로 구성된다면, 그것(필자: 기억의 투사로서의 착각)은 기억의 도움에 의해서만 의존해서 규정될 것이고, 따라서 기억의 침입을 제한할 수 있는 그 어떤 것도 자신 속에 갖고 있지 않을 것이며,… 더욱이 착각은 사물을 종국적으로 파악한다는 확고하고 결정적인 모습을 제공하지 않은 것이다.… 요컨대, 사람들이 ‘기억의 투사’를 통해서 지각에 정신활동을 도입하고, 이렇게 하여 경험주의와는 반대의 입장에 섰다고 보는 것은 실로 잘못된 것이다.…
>
> 이렇게 될 때, 지각적 의식의 일반적 문제와 연결된 문제, 즉 지각에 있어서 기억의 진정한 문제가 나타난다. 의식이 그 자신의 삶에 의해서 그리고 보충 자료

들을 신비의 무의식으로 가져가지 않고 어떻게 시간과 더불어 광경의 구조를 바꿀 수 있는가… 언제나 의식에 일임되어 있으면서 바로 그런 이유 때문에 의식의 모든 지각을 에워싸고 있는 장, 그리고 분위기, 지평, 또는 여러분이 원한다면, 의식에 순간적 상황을 제공하는 주어진 '합성', 이러한 것들은 지각과 상기의 분명한 행위를 가능하게 하는 바, 과거의 현전인 것이다.…
상기하는 것은 즉자적으로 존속하는 과거의 그림을 의식의 시선 아래로 가져오는 것이 아니며, 과거의 지평에 빠져드는 것이고, 그 지평이 개괄하는 경험들이 시간적 장소에 따라 새로이 체험된 것으로서 존재할 때까지 몇 겹씩 얽혀 있는 조망들을 그 지평 안에서 점차로 전개하는 것이다. 지각하는 것은 상기하는 것이 아니다.(『지각의 현상학』60-65)

마. '형'과 '지'에 추가 되어야 하는 '반성'

메를로-퐁티에 의하면, '지'와 '형'의 관계는 사물의 대상들로부터 성질의 형태로 규명되어서는 안 된다. '지'가 '형' 아래에서 계속하는 것은 현상학에서의 의식구조인데, 경험주의 철학에서는 그것이 그 '지'의 부분이 상(像), 말하자면 '희미해진 감각'에 의해 주어진다고 가정함으로써, 지각을 '단순한 감각적 성질'로 환원시켜 버렸다. 이들은 심리적 원자들을 수집하여 그 모든 경험의 구조들에 대한 근사 등가물을 구성할 수 있다고 생각한다.

그러나 메를로-퐁티는 '형'은 '지' 혹은 과거로부터 나오는 '기억'에 '반성'이 추가되어 '재구성'되어야 한다고 말한다. (이어지는 장에 의하면, '감각'의 정의는 아직 끝나지 않았다. 이 감각에 있는 반성은 '형'을 통하여 '지'에 그의 창조를 확장해 나가고 있기 때문이다. 그는 감각을 살아서 활동하는 의식으로 본다.)

따라서 '형'과 '지'의 관계, '사물'과 '비사물'의 관계, 과거의 지평은 그 속에서 나타나는 성질들로 환원될 수 없는 의식의 구조들이다.… 경험주의는 모든 사물이 사물이 아닌 지위에서 나타나고, 현재는 부재하는 두 지평, 즉 과거와 미래 사이에서 나타난다는 것을 인정할 것이다. 그러나 그들은 이어서 그 의미들이 파생적이라고 말할 것이다. '형'과 '지', '사물'과 그 '주위', '현재'와 '과거', 이 말들은 시공간적 조망의 경험을 요약하며 결국 그러한 경험은 기억이나 주변적 인상의 소멸로 귀착된다. 한번 형성되면 그 구조들은 사실의 지각에서 성질이

제공할 수 있는 것보다 더 많은 의미를 갖고 있을지라도, 나는 의식의 그러한 증거에 만족해서는 안 되고 그 구조들을 바로 그 구조들이 실제적 관계들을 표현해주는 인상들의 도움을 받아서 이론적으로 재구성해야 한다(고 생각한다).(『지각의 현상학』65)

지가 형 아래에서 계속하는 현상, 형이 지를 숨겨도 지가 형 아래에서 보여지는 현상, 즉 대상의 현전의 모든 문제를 포괄하는 그 현상은 그 자체 역시 경험주의 철학에 의해 은폐되어 있거니와, 경험주의 철학은 생리학적 시각 규정에 따라서 그 지의 부분을 보이지 않는 것으로 처리하고 그 지의 부분이 상(像), 말하자면 희미해진 감각에 의해 주어진다고 가정함으로써 단순한 감각적 성질의 지위로 환원시킨다. 보다 일반적으로 말하면, 우리의 시각 장의 일부를 구성하지 않는 실재적 대상들은 상들에 의하지 않고는 우리에게 현전할 수 없다. 그리고 이것이 실재적 대상들은 다만 "영원한 감각 가능성"일 뿐이라고 주장하는 이유이다.

우리는 내용이 우선한다는 경험주의의 요청을 버린다면, 우리의 이면에 있는 대상의 독특한 존재 방식을 자유롭게 인식할 수 있다.… 다시 한 번 말하거니와, 경험주의자는 심리적 원자들을 수집하면서 저 모든 구조들의 근사 등가물을 항상 구성할 수 있다. 그러나 '반성'은 경험주의자가 복속했던 진리를 적당하게 정리하면서 이해하는 반면, 다음 장들에서 주어지는 지각된 세계에 대한 정밀조사는 경험주의를 점차 일종의 정신적 맹목성으로서 그리고 우리에게 계시된 경험을 온전하게 규명할 수 없는 체계로서 나타나게 할 것이다.(『지각의 현상학』 68-69)

3. '주의'와 '반성적 판단'

지각적 의식을 규명할 때, 경험주의자들은 객관적 세계의 우위로부터 연역하여 개념을 정립한다. 이에 반하여, 주지주의[59]는 외부로부터 주어진 감각에 대해서 그것을 드러내는 기능이 있다고 판단한다. 그것은 풍경을 밝혀주는 탐조등의 빛과 같은 능력으로서, 그것을 '주의 혹은 주목'이라고 말한다.

한편, 이에 대해 메를로-퐁티는 주지주의보다 한 걸음 더 나가서, "지각이 어떻

59) 주지주의의 입장에서 의식은 신체 없이도 존재할 수 있다. 그래서 나는 사유하는 정신으로 존재한다. (정소라, "메를로 퐁티의 예술론 연구", 정소라)

게 주의를 일깨우는가를 보여주어야 한다"고 말한다. 그는 "주의로써 대상의 진리성을 얻을 수 있다는 것을 의식한다"고 하며, "주의 없는 지각이나 착란(존재하지 않는 기억의 투사)적인 지각은 반수면 상태이다"고 말한다. 즉, 외부적 요인을 '감각'으로 지각할 때, 정신으로부터 나오는 내부적 요인인 '주의'가 그 빛을 비춰주어야 지각이 성립한다. 그런데 이때 감각 안에는 판단이 함께 존재하고 있다. 메를로-퐁티의 이 점이 주지주의와 다른데, 그 '주의'에는 생식력이 있다.

우리가 앞에서는 경험주의자들의 관점의 편견을 검토하였다. 이제 여기에서는 주지주의의 관점에서 그것을 고찰한다.

가. '주의'(注意)[60]의 '생식력'

메를로-퐁티는 기존 철학에서의 '지각'의 개념은 모두 시간의 경과를 반영하거나, 의미를 반영하지도 않은 상태에서 고정된 객관적 세계를 자신의 분석 대상으로 삼았다고 말한다. 이것은 '주의'의 개념에 대한 역사를 살펴보면 알 수 있다. 경험주의에서는 사물에 대해서 '항상성 가설'(항상 그대로이라는 가정)과 감각에 대해서 '정상적 감각'(고정된 사물이 느껴지는 것)을 말한다. 이것은 마치 탐조등이 어두운 곳에 선재하는 대상을 밝혀주는 것과 같다. 이것은 감각의 개념 정의를 대상으로부터 잡았다.

그런데, 메를로-퐁티는 감각을 '주의 작용'으로 본다. 경험철학의 경우, 감각 안에 있는 '주의 작용'은 어떤 것도 창조하지 않는다. 그러나 주지주의에 의하면, '주의작용'은 생식력이 있다.

> 고전적 편견에 관한 지금까지의 논의는 경험주의에 관한 것이었다. 사실상 우리는 경험주의만을 겨냥한 것은 아니었다. 이제 우리는 그 반정립인 주지주의가 경험주의와 동일한 지대에 놓여 있음을 보여주지 않으면 안 된다. 그 둘은 먼저 시간에 따르지도 않고 의미에 따르지도 않는 객관적 세계를 자신의 분석 대상으로 삼는다. 그 둘은 모두 지각에 관하여 밀착하는 대신 거리를 둔다.
>
> 사람들은 주의의 개념의 역사를 연구함으로써 그것을 보여줄 수 있다. 그것은 경험주의자에게 있어서 '항상성 가설'로부터, 다시 말하면 우리가 설명한 대로

60) [심리] 외부의 환경이나 자극 가운데서 특정한 것만을 인지(認知)하거나 그것에만 반응하는, 선택적이고 집중적인 마음의 작용. 또는 그러한 상태.(『다음백과』) 필자의 견해에 의하면, 주의는 마치 관심과도 같은 의미이다.

객관적 세계의 우위로부터 연역된다. 우리가 지각하는 것이 자극의 객관적 성질과 일치하지 않을지라도, 항상성 가설은 '정상적 감각'이 이미 거기에 있다는 것을 인정하지 않을 수 없게 한다. 따라서 그 감각은 지각되지 않은 채로 있어야 하고, 그것을 드러내는 기능을 사람들은 '주의'라고 부른다. 이것은 마치 탐조등이 어두운 곳에 선재하는 대상을 밝혀주는 것과 같다. 따라서 주의 작용은 어떤 것도 창조하지 않는다.… (『지각의 현상학』70-71)

주지주의는 '주의의 생식력'에서 출발한다. 이때, 메를로-퐁티는 주의로써 대상의 진리성을 얻을 수 있다고 말한다. 밀랍에서 꿀이 나오듯이, 주의에서 이미 대상의 명료화를 경험하기 때문에, 지각된 대상은 그것이 펼쳐지는 이해 가능한 구조를 이미 포함하고 있지 않으면 안 된다. 의식이 접시의 둥근 외관으로부터 기하학적 원을 발견한다면, 그것은 의식이 이미 거기에 원을 놓았기 때문이다.

반대로, 주지주의는 주의의 생식력에서 출발한다. 나는 주의로써 대상의 진리성을 얻을 수 있다는 것을 의식하기 때문에 주의는 한 그림에다 다른 그림을 우연히 연속시키는 것이 아니다. 대상의 새로운 국면은 앞선 것을 종속시키고 앞선 것이 말하고자 했던 모든 것을 표현한다. 밀랍[61]은 처음부터 가변적이고 변하기 쉬운 연장적인 것의 조각이다. 간단하게 말해서, 나는 이것을 "나의 주의가 그 속에 존재하게 되고 구성되게 되는 사물에 어느 정도 향해 감에 따라" 명석하게 또는 모호하게 알고 있다. 나는 주의에서 대상의 명료화를 경험하기 때문에 지각된 대상은 이미 그것이 펼치는 이해 가능한 구조를 포함하지 않으면 안 된다. 의식이 접시의 둥근 외관으로부터 기하학적 원을 발견한다면, 그것은 의식이 이미 거기에 원을 놓았기 때문이다.…(『지각의 현상학』71)

나. 정신의 창조과정으로서의 '주의'

메를로-퐁티는 심리학자의 '주의' 분석을 인용하여, 주의는 정신적 장의 변형, 즉 의식이 그 대상에 현존하는 새로운 방식이라고 말한다. 주의는 일반적 형식적

61) 밀랍 (蜜蠟) 은 일벌의 배 아래쪽에서 분비하는 노란색 천연 왁스이다. 일벌은 이것으로 꿀을 모으고, 알을 낳아두며, 벌집을 만든다. 사람은 밀랍을 녹인 다음 여과기로 걸러 불순물을 없앤 다음 가공하여 접착제·껌·화장품·광택제(왁스)·양초 등을 만드는 데 쓴다. (위키백과)

활동으로서만 존재하는 것은 아니다. 모든 사태와 대상의 경우마다 그것은 반드시 획득하고 있어야 할 어떤 자유 또는 어떤 정신적 공간이 있는 것이다. 즉, 메를로-퐁티는 주의를 일으키는 것은 정신인데, 주의는 대상을 나타나게 하는 어떤 일과 관련이 있다. 이것이 정신의 기능이기 때문이다. 그것은 말 그대로 주의가 수행하는 창조의 문제이다. 따라서, 메를로-퐁티는 의식을 정신의 창조 과정이라고 설명한다.

> 심리학자에 의한 주의 분석은 의식을 파악하는 가치를 획득하게 되고, '항상성 가설'에 대한 비판은 경험주의에게는 실재 그 자체로서 파악되고, 주지주의에게는 인식의 내적 항으로서 파악된 '세계'를 독단적으로 믿는 신념에 대한 비판으로 천착된다.
> 무엇보다도 주의는 정신적 장의 변형, 즉 의식이 그 대상에 현존하는 새로운 방식을 가정한다. 사람들이 만지는 나의 신체의 지점을 내가 정확하게 위치 짓는 주의 작용이 있다고 하자. 그러한 국소화를 불가능하게 하는, 중추계에 기원을 두는 어떤 장애에 대한 분석은 의식의 심층적인 활동을 드러낸다. 머리가 "주의의 국소화 능력 약화 현상"을 요점적으로 간략하게 말해준다.… 장애의 제일가는 조건은 주관이 지각하고 탐색운동에 따라 움직이는 동시에 사람들이 그 주관을 탐사하는 동안 협착 되는 그 사이를 더 이상 안정적으로 유지하지 못하는 바, 감각적 장이 해체되는 데 있는 것이다. 모호한 국소점, 이러한 모순 현상이 실로 연장이 있는 선객관적 공간을 드러낸다.…
> 따라서 주의는 일반적, 형식적 활동으로서 존재하지 않는다. 개개의 경우마다 획득해야 할 어떤 자유 또는 마련해야 할 어떤 정신적 공간이 있을 뿐이다. 주의의 대상을 나타나게 해야 할 일이 남아 있다. 그것은 말 그대로 창조의 문제이다.(『지각의 현상학』74-75)

다. '발원적 작용'으로서의 '주의'

메를로-퐁티는 유아들이 색깔을 인식하는 과정을 설명한다. 그에 의하면, 정신의 선천적 기능이 발원적으로 작용하면서, 색깔은 1차적 2차적으로 이어지며 통각 되고, 개념적으로 인식된다. 즉, 색깔의 세계가 일련의 '외관상의' 구별, 즉 '따뜻한 빛깔'과 '차가운 빛깔'의 구별, '색깔 있는 것'과 '색깔 없는 것'의 구별에 기초해서

제2차적 형성으로 통각 된다. 따라서 색깔의 최초의 지각은 의식의 구조의 변화이고 경험의 새로운 차원의 확립이며 선천적인 것의 전개일 뿐이다.

따라서 주의가 개념적으로 인식되어야 하는 것은 이러한 발원적 작용의 모형을 통해서이다. 미규정성에서 규정성으로 이행하는 것, 자기 자신의 역사를 새로운 의미의 통일성에서 언제나 다시 파악하는 것, 이것이 바로 사고인 것이다. “정신의 활동은 오직 작용으로만 존재한다.” 그것은 이미 선천성을 가지고 있으며, 그것은 1차적, 2차적으로 계속 이어진다. 그 과정 속에 창조의 활동이 있는 것이다.

> 예를 들면 사람들은 탄생 후 첫 9개월 동안 유아들이 색깔 있는 것과 없는 것을 전체적으로 구별한다는 것을 오래전부터 알고 있고, 그 후 색깔 있는 부분은 ‘따뜻한 빛깔’과 ‘차가운 빛깔’로 나뉘고, 마침내 사람들은 색깔의 세세한 부분에 도달하게 된다. 그러나 심리학자들은 오직 이름을 모르거나 혼동하는 것 때문에 유아들이 색깔을 구별할 수 없게 된다는 것을 시인했다. 유아들은 녹색이 있는 그곳에서 녹색을 보아야만 했고 다만 그 자신의 현상들에 주의하거나 이해하는 것만이 결여되어 있었다. 이것은 심리학자들이 색깔이 미규정 되어 있는 세계, 하나의 정확한 성질이 아닌 색깔을 인지할 수 없었기 때문이다.
> 반대로, 이러한 편견을 비판함으로써 색깔의 세계가 일련의 ‘외관상의’ 구별, 즉 ‘따뜻한 빛깔’과 ‘차가운 빛깔’의 구별, ‘색깔 있는 것’과 ‘색깔 없는 것’의 구별에 기초해서 제2차적 형성으로 통각 된다.… 따라서 적절하게 말하자면, 색깔의 최초의 지각은 의식의 구조의 변화이고 경험의 새로운 차원의 확립이며 선천적인 것의 전개이다.
> 이제 주의가 개념적으로 인식되어야 하는 것은 이러한 발원적 작용의 모형을 통해서이다. 왜냐하면 제2차적 주의, 즉 이미 얻어진 인식을 환기시키는 데에만 한정되어 있는 주의는 우리를 다시 획득물로 돌려보내기 때문이다. 주의를 준다는 것은 선재하는 소여를 더 많이 밝혀준다는 것만이 아니라, 그 소여를 형으로 삼음으로써 그 소여의 새로운 분절을 실현한다는 것이다. 소여는 지평으로서만 먼저 형성되어 있고 전체적 세계 속에서 실제로 새로운 영역을 구성한다.…
> 주의 작용이 이전의 작용과 연결되는 것은 소여를 전복함으로써이고 의식의 통일성은 이렇게 점차로 ‘전이의 종합’에 의해서 구성된다. 의식의 기적은 현상이 대상의 통일성을 파괴하는 바로 그 순간에 주의를 통해서 대상의 통일성을 새로운 차원에서 재확립하는 현상을 출현하게 하는 것이다. 따라서 주의는 상의 연

합도 아니고 이미 자기 대상을 통제하는 사유의 자기 복귀도 아니라, 그때까지 미규정 된 지평으로서만 제시된 것을 명시화하고 주제화하는 새로운 대상의 능동적 구성이다. 대상이 주의를 가동시킴과 동시에 언제나 재파악 되어 또다시 주의에 의존하는 상태에 놓이게 된다.…
그러므로 주의는 그 사건의 '동기'이지 원인이 아니다. 그러나 적어도 주의 작용은 의식의 삶에 뿌리를 내리고 있는 것으로 발견되고 마침내 사람들은 그것이 현실적 대상을 자신에게 주기 위해 자신의 무차별적 자유에서 나온다는 것을 이해한다. 미규정성에서 규정성으로 이행하는 것, 자기 자신의 역사를 새로운 의미의 통일성에서 언제나 다시 파악하는 것, 이것이 바로 사고인 것이다. "정신의 활동은 오직 작용으로만 존재한다."(『지각의 현상학』75-77)

라. 지각의 구조 : 감각과 판단(반성적 분석)

메를로-퐁티는 '지각의 구조'를 '연합력'과 '주의의 결합 활동'에 의해서 설명한다. 그래서 정신으로부터 나온 주의의 결합활동이 계속 2차, 3차적으로 연합하여 이어진다. 그에 의하면, 의식은 뒤에 앉아서 판단만 하는 것이 아니라, 그 자체가 감각과 더불어 산출되어 나오며, 이 행위를 한다. 이에 반하여 주지주의는 이것을 사유로서의 반성으로만 설명한다. 보통 주지주의는 지각은 판단과 감각으로 구성된다. 감각에 대한 사유로만 판단이 반성적으로 작용을 한다.

이에 반하여 현상학에서의 정신의 기능은 마치 밀랍(꿀을 산출하는 벌의 기능구조)과 같다. 이것은 무한한 힘으로 건너뛴다. 따라서, 현상학에서의 판단의 개념은 계속적인 반성적 분석이라고 말해질 수 있다. 이때 그것의 판단은 계속 감각을 가지고 있다. 이렇게 감각과 판단이 서로 섞여서 함께 진행되는데, 우리가 그것을 알 수 있는 이유는, 우리가 감각의 대상이 사라진 후에도 계속 환상 속에서라도 우리는 그것을 감각하며 판단할 수 있기 때문이다. 즉 감각과 판단은 정신의 두 눈과 같이 하나로 결합하여 있다. 즉 정신은 감각과 판단을 동시에 산출한다. 감각함과 동시에 그것을 해석(판단)한다. 이때 판단은 선험적 활동이라기보다 논리적 활동이 된다. 한편, 이때 감각도 또한 정신의 활동인데, 이것은 밀랍과 같이 무엇을 산출하는 작용으로서의 결합활동이다. 이렇게 해서 우리는 반성 너머로 끌려들어 가게 되고, 지각은 이렇게 구성된다.

주지주의는 지각의 구조를 연합력과 주의의 결합 활동에 의해서 설명하는 대신 반성에 의해서 발견하려고 의도했다. 그러나 지각에 대한 그들의 시선은 아직 바르지 않다. 사람들은 이 점을 그들의 분석에서 판단의 개념이 차지하는 역할을 검토함으로써 좀 더 잘 보게 될 것이다.
(주지주의에 의하면) 판단은 때때로 지각이 가능하기 위해서 감각에는 없는 것으로 소개된다. 감각은 더 이상 의식의 실재적 요소로서 전제되지 않는다. 그러나 사람들이 지각의 구조를 소묘하고자 할 때 감각점 위를 다시 거쳐감으로써 그렇게 한다.… 주지주의는 경험주의의 논박으로 살아가는데, 여기서 판단은 때때로 감각의 가능한 분산을 없애는 것을 자기 임무로 삼는다.
반성적 분석은 실재론적, 경험론적 정립을 자신의 결론으로까지 밀고 나가고 그 정립의 불합리성에 의해 반정립을 증명함으로써 확립된다. 그러나 이러한 귀류법에는 의식의 실제적인 작용과의 어떠한 접촉점도 필연적으로 주어져 있지 않다. 지각 이론이 관념적으로 맹목적 직관에서 출발한다면 그 보상으로 공허한 개념에 귀착될 수 있고, 판단은 순수 감각의 짝으로서 자신의 대상의 무차별적 연결이라는 일반적 기능으로 떨어질 수 있으며, 재차 그 결과에서 밝혀질 수 있는 정신력으로 될 수 있게 된다. 밀랍조각에 대한 유명한 분석은 냄새, 색깔, 맛에서 형태와 위치가 가지는 무한한 힘으로 건너뛰며, 이 힘은 지각된 대상 너머에 있는 힘이고 물리학자의 밀랍만을 규정하는 힘이다. 지각에 대해서, 밀랍은 그 모든 감각적 성질이 사라졌을 때 더 이상 존재하는 것은 아니다.… 내가 창문에서 보는 사람들은 모자와 외투에 가려져 있고 그 상은 나의 망막에 그려질 수 없다. 따라서 나는 그들을 보지 못하는데, 나는 그들이 거기에 있다고 판단한다.… 최소한의 환상이라도 그 환상은 대상이 나의 망막에 가지고 있지 않는 성질을 바로 그 대상에 부여하기 때문에, 지각이 판단이라는 것을 확립하기에 충분하다.… 지각은 감성이 신체적 자극에 따라 제공한 신호에 대한 '해석'이 되고, 정신이 자신의 인상을 스스로에게 설명하기 위해 만든 '가설'이 된다. 그러나 판단은 역시…선험적 활동이 되는 대신, 다시 한 번 결론이라는 단순한 논리적 활동이 된다. 이렇게 해서 우리는 반성 너머로 끌려 들어가게 되고, 지각의 고유한 기능을 드러내는 대신 지각을 구성하게 된다.(『지각의 현상학』78-80)

마. 대자적으로만 존재하는 지각과 의식

메를로-퐁티에 의하면, 존재하는 모든 것은 사물로서 존재하든지, 의식으로서 존재한다고 말한다. 그리고 인간은 의식으로 존재한다. 이때 의식이라는 것은 어느 곳에도 거주하지 않고, 의도상 도처에 현존하게 될 수 있는 독특한 존재이다. 그 의식이라는 존재는 자신이 신체 둘러싸여 있는 것 등을 통각하지 않는다. 다만 다른 모든 사물들을 의식만 하는 존재이다. 즉, 모든 사물들에 대해서 대자적으로만 존재한다. 대자존재의 지각은 설명해야 할 어떤 적극적 특성도 제공하지 않고, 지각의 개체성은 자신이 자신의 것임을 모른다는 것에 있을 뿐이다. 지각하는 자에게는 지각하는 자는 보이지 않고, 지각의 내용 외에는 아무것도 보이지 않는다.

우리는 본다는 것, 감각한다는 것이 무엇인가, 시공간적 위치에 내속하고 여전히 대상에 잡혀 있는 이러한 인식을 개념과 구별시키는 것이 무엇인가를 물었다. 그러나 반성은 거기에는 이해할 어떤 것도 없다는 것을 보여준다. 내가 먼저 나의 신체에 둘러싸여 있고, 세계에 잡혀 있으며, 여기 지금 상황지어져 있다고 믿는 것은 사실이다. 그러나 이러한 말들을 내가 반성하게 되면 어느 것에도 의미가 없고 따라서 어떤 문제도 제기하지 않는다.
내가 나 자신 속에도 나의 신체 속에도 있지 않았다면, 내가 스스로 이 공간적 관계를 사고하지 않고 그리하여 내가 그것을 표상하는 바로 그 순간에도 그 내속성을 피하지 않았다면, 나는 내가 “나의 신체에 둘러싸여 있다”고 통각할 것인가? 내가 참으로 세계에 잡혀 있고 상황지어져 있었다면, 나는 내가 세계에 잡혀 있고 세계에 상황지어져 있다는 것을 알 것인가? 그렇게 되면 나는 내가 사물로서 존재하는 곳에 존재한다는 것으로 만족한다. 나는 내가 존재하는 것을 알고 나 자신을 사물 가운데에 있는 나 자신으로 보기 때문에, 나는 의식이라는 것이고 어느 곳에도 거주하지 않고 의도상 도처에 현존하게 될 수 있는 독특한 존재라는 것이다. 존재하는 모든 것은 사물로서 또는 의식으로서 존재한다. 중간은 없다. 사물은 장소에 있다. 그러나 지각은 어느 곳에도 없다. 왜냐하면 그것이 상황 지어져 있었다면, 다른 사물들을 대자적으로 존재하도록 할 수 없을 것이기 때문이다. 그 이유는 지각이 사물의 방식에 따라 즉자적으로 놓여 있을 것이기 때문이다. 따라서 지각은 지각한다는 것을 사고함이다. 지각의 구현은 설명해야 할 어떤 적극적 특성도 제공하지 않고, 지각의 개체성은 자신이 자신의 것임을 모른다는 것에 있을 뿐이다. …(『지각의 현상학』86)

바. 의식의 통일성을 만들어 내는 '지각'

이때 지각을 일으키는 의식에는 무한한 사고도 발견되는데, 메를로-퐁티는 이것을 의식의 최고점이 아니라 무의식이라고 말한다. 이것이 곧 반성인데, 이것은 끊임없이 해체되고 재형성 되며, 그 목표를 넘어서서 지나친다. 그것은 '본다'에서 '안다'로 이행하며, 의식의 통일성을 만들어 낸다.

> 사람들이 의식에 내재하는 것으로 발견한 무한한 사고는 의식의 최고점이 아니라 반대로 무의식의 형태이다. 반성운동은 그 목표를 넘어 지나친다. 즉 그것은 우리를 응고되고 규정된 세계로부터 균열 없는 의식에 데려다 놓는다. 반면, 지각된 대상은 비밀스러운 삶으로 활기를 띠고 통일성으로서의 지각은 끊임없이 해체되고 재형성된다. 우리가 의식이 자신의 과정을 순간마다 다시 찾는 실제적 운동을 따르지 않고, 그것을 확인 가능한 대상에 집중시키고 고정시키면서 점차 '본다'에서 '안다'로 이행하며 자기 자신의 통일성을 만들어내는 한, 우리는 오직 의식의 추상적 본질만을 가질 뿐이다. 우리는 의식에 가득한 통일성을 완전하게 투명한 주관으로 대체하고, 의미를 '자연의 심층'에서 나타나게 하는 '숨겨진 기술'을 영원한 사고로 대체하는 한, 앞에서 언급한 구성적 차원에는 결코 도달하지 못할 것이다. 의식을 주지주의적으로 파악해도 지각의 살아 있는 이러한 타래에는 결코 도달하지 못한다.… 실제적 지각과 태동 상태의 파악에서 모든 감각적 신호와 그 의미 작용은 말로 표현되기 이전에 도저히 관념적으로 분리될 수 없는 것이다.(『지각의 현상학』87)

사. '작용'을 의미하는 '지각'의 개념

그렇다면, 관념은 어떻게 만들어지는가? 우리는 그 관념이 어떻게 형성되는지를 알면, 그것은 주지주의만으로는 다 설명할 수 없다는 것을 알게 된다. 정립에서 반정립으로의 이행, 찬성에서 반대로의 반전은 주지주의의 항상적인 절차이고, 분석의 출발점에 어떤 변화도 주지 않는다. 즉, 반성적 판단은 대상에 영향을 미치지도 않는다. 이 세계의 본성 자체에도 변화를 일으키지 못한다. 주지주의의 반성은 참된 것을 파악하는 것에 대한 확신만을 말하고자 할 뿐이다. 이것이 주지주의가 말하는 관념의 개념이다.

> 대상은 색깔, 맛, 소리, 촉각적 현상의 유기체이고, 이것들은 과학이 임무로 삼아 설명해야 하는 그리고 과학이 분석을 성취하기에는 너무나 머나먼 실재의 논리에 따라 서로 상징하고 변경하며 일치한다. 이러한 지각적 삶에 대하여 주지주의는 턱없이 부족하거나 혹은 지나치게 넘친다. 그것은 대상의 포장일 뿐인 여러 가지 성질들을 한계로서 상기시키고 이로부터 대상 의식으로 넘어가게 되는데, 대상 의식은 대상의 법칙 또는 비밀을 소유하고 이 사실로 인해 경험의 전개로부터 그 우연성을, 그리고 대상으로부터 그 지각적 양식을 빼앗는다. 정립에서 반정립으로의 이행, 찬성에서 반대로의 반전은 주지주의의 항상적인 절차이고, 분석의 출발점에서 어떠한 변화도 주지 않고 계속해서 그것을 유지시킨다. 우리는 스스로 보도록 하기 위해서 눈에 영향을 준 세계 자체에서 출발했고, 지금은 세계를 의식하거나 사고하지만 이 세계의 본성 자체는 변화하지 않는다.… 사람들은 절대적 객관성에서 절대적 주관성으로 이행한다. 그러나 이 후자의 관념은 전자의 그것과 마찬가지이고 전자에 대립해서만, 즉 전자에 의해서만 유지될 뿐이다.… 소위 그들(주지주의자들)의 반성은 이 관념에 도달하기 위해 필요한 모든 것을 주관의 힘으로 정립하는 데서 성립한다. 자연적 태도는 나를 세계로 향하게 하면서 현상 너머에 있는 '실재적인 것'과 환상 너머에 있는 '참된 것'을 파악한다는 확신을 준다.… 틀림없이 주지주의는 보통 과학의 교리로 제시되지 지각의 교리로 제시되지 않는다. 그것은 자신의 기초를… 우리는 참된 관념을 가진다는 것에 둔다고 믿지 않는다.(『지각의 현상학』87-89)

그런데, 메를로-퐁티의 관념은 이것을 넘어선다. 그에 의하면, 우리 안의 반성적 분석은 진실로 세계 자체와는 서로 교신하지 않는다. 그것은 이미 그것을 통하여 이데아를 보고 자신의 의식을 전개한다. 즉, 의식은 자아가 그것의 의식을 직접적으로 파악하는 것이 아니다. 의식은 절대적으로 규정된 존재의 관념을 현실 속에 펼쳐내는 방식으로 구성되어 있다. 따라서 이러한 의식은 우주의 상관자이고, 우리의 실제적 인식에 의해 예시되는 모든 인식을 완전히 드러나게 하는 것으로서의 주체이다. 그것은 우리안의 의도를 마치 실현된 것으로 가정하는 것이다. 말하자면 그것은 모든 현상을 정리할 수 있는 능력을 지닌 전적으로 참된 사유체계이고, 모든 조망들의 이유를 설명하는 실측도이며, 모든 주관성들이 대상을 향해 열려 있는 순수 대상이다. 우리의 관념이 참되다는 것을 보증한다는 것은 이 절대적 대상과 이 신적 주관 이외에는 아무것도 필요하지 않다. 이러한 진리에 자리 잡게 하는 인간적 작용이 있다. 바로 이 '작용'이 '존재의 인식'이라는 넓은 의미의 '지각'이다.

바로 여기에 데카르트가 말한 대로 지각의 사실적인 능력, 저항할 수 없는 명증성이 있다. 지각은 사실에 대한 인식과 더불어 그 사실적인 능력을 가지고 있다. 그래서, 그 지각은 절대적 진리를 간청하면서 나와 타인의 현재와 과거 그리고 지속의 분리된 현상들을 통합한다. 따라서 사물에 대한 지각은 그 지각이 나타난 '근원'과 단절되어서도 자신의 '사실성'으로부터 분리되어서도 안 된다. 이것이 스피노자의 '발원적 속견'이다. 우리의 사유는 정신의 사유이며, 더 나아가 신적 사유라는 의미이다.

> 그러나 사실상, 내가 기억으로 현재의 명증성을 조금 전의 명증성에 연결시킬 수 없다면, 나는 참된 관념을 가진다는 것을 알지 못할 것이다. 그러기에 스피노자의 명증성은 기억과 지각의 명증성을 전제한다. 반대로, 사람들이 과거와 타자의 구성의 기초를 관념의 내재적 진리를 인식하는 나의 능력에 두고자 한다면, 실로 사람들은 타자의 문제, 세계의 문제를 제거하게 된다.… 반성적 분석은 진실로 세계 자체와 단교한다. 왜냐하면 그것은 세계를 의식의 작용에 의해 구성하나 이 구성하는 의식은 직접적으로 파악되는 대신, 절대적으로 규정된 존재의 관념을 가능하게 하는 방식으로 구성되기 때문이다. 이러한 의식은 우주의 상관자이고 우리의 실제적 인식에 의해 예시되는 모든 인식을 완전하게 성취된 것으로 소유하는 주체이다. 이것은 우리에게 의도로서만 존재하는 것을 어느 곳에서 실현된 것으로 가정하는 것이 된다. 말하자면 그것은 모든 현상을 정리할 수 있는 능력을 지닌 전적으로 참된 사유체계이고, 모든 조망들의 이유를 설명하는 실측도이며, 모든 주관성들이 열려 있는 순수 대상이다. 적어도 악령의 위협을 피하고 우리에게 참된 관념의 소유를 보증하기 위해 이 절대적 대상과 이 신적 주관 이외에는 아무것도 필요하지 않다. 이제 실로 일거에 모든 의심을 꿰뚫고 가득한 진리에 자리 잡게 하는 인간적 작용이 있다. 바로 이 작용이 존재의 인식이라는 넓은 의미의 지각이다.
>
> 내가 이 탁자를 지각하게 될 때, 나는 그것을 주시한 이래 경과한 지속의 두께를 단호하게 수축시키고 또 대상을 모든 사람에 대한 대상으로 파악함으로써, 나의 개인적 삶으로부터 일어난다. 그리하여 나는 일치하지만 여러 가지 시점과 시간성에 분산되어 배치된 경험들을 일거에 통합한다. 시간의 심부에서 스피노자

의 영원성의 기능을 수행하는 이 결정적 작용, 이 '발원적 속견'을, 주지주의가 사용한다고 해서가 아니라, 그것을 암묵적으로 사용한다고 해서 우리가 비난하고 있는 것이다. 바로 여기에 데카르트가 말한 대로 사실적인 능력, 저항할 수 없는 명증성이 있다. 이것은 절대적 진리를 간청하면서 나와 타인의 현재와 과거 그리고 지속의 분리된 현상들을 통합하지만, 자신의 지각적 근원과 단절되어서도 자신의 '사실성'으로부터 분리되어서도 안 된다. 철학의 기능은 이것의 자리를 찾아주는 것이다. (『지각의 현상학』89-90)

4. '지각'에 대한 현상학적 이해

가. 지각의 현상적 분석

메를로-퐁티는 우리의 반성의 근원 혹은 현상을 찾는다. 만일 위와 같은 반성의 기능의 근원을 찾기 위해, 위에서 정의된 그 반성을 괄호로 치면 그것의 근원이 나올 것이다. 어떤 전제 되는 것이 그 안에 있기에 반성이 창조의 행위를 하고 있는가? 이에 대해 그는 이성이 자연 뒤에 숨어 있는 것이 아니라, 이성이 자연에 뿌리를 박고 있다고 말한다. 우리는 정신으로 판단 즉 검사를 수행한다. 이때, "'정신의 검사'는 자연으로 하강하는 개념이 아니라, 개념으로 상승하는 자연이다고 말한다. 즉, 의식이 뒤에 앉아서 의식을 발산하는 것 같지만, 의식 그 자신이 이미 자연 속으로 섞여 들어가 있어서, 그곳에서 자연이 창조되어 나온다는 것이다. 영혼과 신체의 통일성은 이렇게 말해져야 한다. 우리의 반성적 판단, 혹은 인식은 이와 같이 뻗어져 나가고 있는 중이고, 우리의 의식은 뒤에서 무엇을 의식하는 것이 아니라, 이미 의식이 되어 멀리 뻗어나가고 있는데, 어떻게 그것을 고정시켜서 관념으로 정의할 수 있다는 말인가.

아마 아직도 우리는 지각에서 차지하는 판단의 참된 기능을 이해하지 못했을 것이다. 밀랍 조각의 분석은 이성이 자연 뒤에 숨어 있다는 것을 말하고자 하는 것이 아니라, 이성이 자연에 뿌리박고 있다는 것을 말하고자 하는 것이다. '정신의 검사'는 자연으로 하강하는 개념이 아니라, 개념으로 상승하는 자연이다. 지각은 판단이지만, 판단은 그 이유를 모른다. 결국 이것은 지각된 대상이 우리가 그 지성적인 법칙을 파악하기 전에 전체로서 그리고 통일성으로서 주어진다는 것이고, 밀랍은 발원적으로 보면, 유연하고 변하기 쉬운 연장이 아니라고 말하는 것과 같다.…
우리에게 영혼과 신체의 통일을 가르치는 '자연적 경향성'이라는 이 중대한 인식은 자연의 빛이 우리에게 그 구별을 가르칠 때, 바로 그것을 신의 성실성에 의해 보증한다는 사실과 모순되는 것 같고, 이 성실성은 관념의 내재적 명석성 이외의 다른 것이 아니며 어쨌든 명증적 사고만을 공증할 수 있을 뿐이다.…
반성은 전적으로 자기 자신에 대하여 투명하지 않고, 칸트적 의미의 경험에서 언제나 자기 자신에게 주어지며, 자신이 어디서 솟아오르는지를 스스로 알지 못한 채 언제나 솟아오르고, 자연의 선물로서 언제나 나 자신에게 제공된다.…
내가 나무를 나무로 인식하기 위해서는, 그 식물 세계의 첫날처럼 감각적 광경의 순간적인 배치가 획득된 의미 작용 아래에서, 그 나무의 개별적 관념을 윤곽짓기를 다시 시작해야 한다. 이러한 것이 자연적 판단일 것이나, 그 이유를 아직 인식할 수 없다. 왜냐하면 그것은 창조되고 있는 중이기 때문이다.(『지각의 현상학』91-94)

나. 감각의 현상적 장 : 세계와의 생명적인 의사소통

메를로-퐁티는 이제 감각의 개념을 완전히 새롭게 정의한다. 감각의 현상적 장은 세계와의 생명적인 의사소통의 장이다. 감각은 살아있는 성질을 가지고 있으며, 활동하는 성질을 가지고 있다. 우리의 시각에는 '정신'이 담겨 있다. 그 정신이 세계의 광경을 만나는 것이다. 따라서 이 정신에 의해서 세계는 점유 당한다. 우리 안에 있는 이미지는 정신의 산물인데, 그것이 세계에 영향을 미친다. 대상은 인식하려는 노력은 그것을 분해하려고 애쓰는 지향적 직물이다.

이제 사람들은 위에 이어질 장에서 이루어질 탐구가 어떤 방향에서 전개될 것인가를 본다. '감각한다'는 것이 다시 한 번 우리에게 문제가 된다. 경험주의는 그것을 성질의 소유로 환원시킴으로써 그 모든 신비를 없애 버렸다.…
감각한다는 것에 대한 이 풍부한 개념이 다시 한 번 낭만주의적 용법에서 발견되는데 예를 들면 헤르더에게서이다. 그것은 '죽은' 성질이 아니라 활동하는 성질을 우리에게 주는 경험을 지시한다.… 시각은 우리 존재에서처럼 세계라는 광경에서 그 시각에 기능을 부여하는 의미에 의해서 이미 점유 당한다. 세계가 하나의 광경이고 고유한 신체가 초연한 정신이 인식을 갖는 메커니즘이라는 경우에만 순수 질이 우리에게 주어진다. 그러나 감각한다는 것은 성질에 중대한 가치를 부여하고 우선 그것을 우리에 대한, 우리의 신체인 그 무거운 덩치에 대한 의미에서 파악하며, 이런 이유에서 감각한다는 것은 언제나 신체와 관련을 포함한다. 문제는 풍경의 부분들 사이에서 또는 풍경에서 시작하여 육화된 주체로서의 나에게로 이르는 사이에서 직조되는 이상한 관계들을, 그리고 지각된 대상이 자신 속에서 어느 장면 하나를 집중시키거나 삶의 조각 전체의 이마고이게 하거나 하는 이상한 관계들을 이해하는 일이다. 이처럼 감각한다는 것은 우리에게 세계를 우리 삶의 친숙한 환경으로서 나타내는, 세계와의 생명적인 의사소통이다. 지각된 대상과 지각하는 주체가 갖는 두께는 감각한다는 것 덕분이다. 이것이 인식하는 노력이 분해하려고 애쓰는 지향적 직물이다.(『지각의 현상학』 104-105)

다. 선험적 장에서의 심리학적 반성

메를로-퐁티는 감각의 현상적 장의 이면에 심리학적 반성이 일어나는 선험적 장이 있다고 말한다. 선험적이라는 말은 선천적이고 원래적이라는 의미를 담고 있다. 그곳에서는 정신의 반성적 판단이 물질을 구성한다. 그는 '반성적 판단'의 본질을 이렇게 규정하고 있다. 이것은 스피노자의 능산자, 소산자의 개념과 같다.

따라서 심리학적 반성은 한번 시작되면 자신의 고유한 운동에 의해서 자기 자신을 초월한다. 객관적 세계와 관련된 현상의 원래성을 인식하고 난 다음, 그 세계가 우리에게 인지되는 것은 현상에 의해서이므로 심리학적 반성은 모든 가능적 대상을 현상에 통합하는 데로, 그리고 그 대상이 현상을 통해 어떻게 구성되는가를 탐구하는 데로 인도된다. 이와 동시에 현상적 장은 선험적 장이 된다. 이제 그것은 인식의 보편적 발원점이므로 의식은 존재의 특수 영역이기를, '심리적' 내용의 어떤 총체이기를 단호히 그만두고, 심리학적 반성이 맨 먼저 인지했던 '형태'의 영역에 더 이상 거주하거나 거처하거나 하지 않으며, 형태는 모든 사물처럼 의식에 대하여 존재한다. 의식이 자신 속에 품고 있는 체험된 세계를 불투명한 소여로서 기술하는 것은 더 이상 문제일 수 없다. 그것을 구성해야 한다. 객관적 세계 이면에 체험된 세계가 있음을 드러낸 명시화는 체험된 세계 자체와 관련되어 계속되고, 현상적 장 이면에 선험적 장이 있음을 드러낸다.… 따라서 이러한 새로운 '환원'은 진정한 유일 주체, 즉 성찰하는 자아 이외의 아무것도 인식하지 않았다. 소산자에서 능산자로의 이행, 구성되는 것에서 구성하는 것으로의 이행은 심리학에 의해 시작된 주제화를 완성하며, 나의 앎에 함축적인 또는 암시적인 어떤 것도 남겨두지 않았다. 그것은 나로 하여금 나의 경험에 대한 완전한 소유를 가능하게 했고 반성하는 것과 반성되는 것의 일치를 실현했다. (『지각의 현상학』115-116)

3절 신체와 신체의 지향성

1. '세계-에로-존재'로서의 '실존'

가. 신체 의식의 존재 : 흥분

특수 신경에너지 이론은 유기체에 물리적 세계를 변형할 수 있는 능력을 분명히 허용했다. 그러나 실제로 그 이론은 우리의 경험의 상이한 구조들을 창조할 수 있는 비의적 힘을 신경장치의 탓으로 돌렸다. 특수화된 '영지적인(gnostique)' '인식중추'[62]를 가정하게 한 그것이다.

그것은 '흥분'[63]의 국소화 운동을 통해서도 확인되는데, 흥분이 반복되는 데 따라서 '국소'[64]는 점차 덜 정확해지고 지각은 공간에 넓게 퍼져 동시에 감각은 특정한 것이기를 그치게 된다. 예를 들면, 신체에 대한 외부의 자극이 반복될 경우, 반복되는 것이 아니라 확산된다. 또 하나의 예를 들면, 접촉이 아닌 데도 불구하고, 어떤 감정에 의해서 열에 때로는 냉기에 데인 느낌을 받는 것이다. 특히, 흥분은 이러한 현상을 나타내는데, 우리는 흥분이 피부 위에서 움직이며 원을 그린다고 믿는다. '흥분'은 하나의 '의식'이다. 따라서 '심신간의 사건'은 더 이상 '세속적' 인과성의 유형의 것이 아니며, 두뇌는 신경체계의 자극과 유기체의 관계들을 뒤섞는 '형태화'의 장소가 된다. 흥분은 자신이 야기하려고 하는 지각을 바로 그 흥분이 닮게 만드는 횡단적 기능에 의해 파악되고 재조직된다. 이것은 신체에 의식이 흐르고 있다는 것을 반증해 준다.

특수 신경에너지 이론은 유기체에 물리적 세계를 변형할 수 있는 능력을 분명히

62) 중추 : 신경세포가 모여 있는 신경기관의 가운데를 의미한다.
63) 흥분 : 생체 기관이 외부의 자극을 받고 그에 의해 정지되어 있던 세포가 활성화되는 것을 말하는 생리학적 용어를 의미한다.
64) 국소화 : 물질 내에서 파동 함수가 일정한 영역을 벗어나지 못하는 현상.

허용했다. 그러나 실제로 그 이론은 우리의 경험의 상이한 구조들을 창조할 수 있는 비의적 힘을 신경장치의 탓으로 돌렸으며,… 심신간의 사건은 '세속적' 인과관계와 동일한 유형의 것이 되었다. 현대 생리학은 더 이상 이러한 책략에 호소하지 않는다.… 실제로 중추, 심지어 도관(導管)에 대한 손상도 어떤 감각적 성질들의 상실이나 감각 기관 상의 어떤 소여들의 상실로 번역되는 것이 아니라 기능의 탈분화로 번역된다.… 바로 이것이 성질의 국소화와 해석에서 특수화된 영지적인(gnostique) 인식 중추를 가정하게 한 그것이다.

사실상 현대의 연구들은 중추의 손상이 특히 환자의 시치(chronaxie)[65]를 두 배나 세 배 올라가도록 작용한다는 것을 보여준다. 흥분은 보다 천천히 결과를 산출하고, 결과는 보다 오래 지속하며, 거칠다는 촉각적 지각은 예를 들면 일련의 한정된 인상들이나 손의 상이한 위치들의 정확한 의식을 가정하는 한, 위험한 것이라고 드러난다. 흥분의 국소화의 혼동은 국소 결정적 중추의 파괴에 의해서가 아니라, 하나하나의 흥분이 독특한 가치를 부여받고 한정된 변화에 의해서만 의식화되는 안정된 총체를 조직화하는 데 성공하지 못하는, 즉 흥분들의 획일화에 의해서 설명된다.… 다시 한 번 말하지만, 이것이 흥분에게 촉감이나 열감을 야기하도록 하는 것이지, 검토된 바 있는 장치의 특수 에너지가 그렇게 하는 것은 아니다. 사람들이 머리카락으로 피부의 일정한 부위를 여러 번 되풀이하여 자극하면, 처음에는, 자극할 때마다 동일한 지점에서 뚜렷이 식별되는 정확한 국소 지각을 가진다. 흥분이 반복되는 데 따라서 국소는 점차 덜 정확해지고 지각은 공간에 넓게 퍼져 동시에 감각은 특정한 것이기를 그치게 된다. 그것은 더 이상 접촉이 아니며 때로는 열에 때로는 냉기에 데인 느낌인 것이다. 조금 뒤에, 그는 흥분이 피부 위에서 움직이며 원을 그린다고 믿는다. 마침내 어떤 것도 더 이상 감각되지 않는다. 이것은 '감각적 성질', 지각된 것의 공간적 규정들 그리고 지각의 현존이나 부재마저도 유기체 바깥의 사실적 상황의 결과들이 아니라, 유기체가 자극 앞에서 보이고 자극과 관계하는 방식을 표현한다는 것을 말해준다. 흥분은 자신과 '일치하지' 않는 감관 기관에 영향을 미치지 않을 때 지각되지 않는다. 자극의 수용에서 담당하는 유기체의 기능은 말하자면, 흥분의 어떤 형태를 '인식하는' 데 있다. 따라서 '심신간의 사건'은 더 이상 '세속적' 인과성의 유형의 것이 아니며, 두뇌는 피질 단계 이전부터도 일어나는, 그리고 신경체계의 등장에서부터 자극과 유기체의 관계들을 뒤섞는 '형태화'의 장소가 된다. 흥분은 자신

65) 시치(時值) : 자극에 대하여 신경이나 근육에 전달되는 데 소요되는 시간량.

이 야기하려고 하는 지각을 바로 그 흥분이 닮게 만드는 횡단적 기능에 의해 파악되고 재조직된다.…(『지각의 현상학』131-134)

나. 신체 의식의 내수용성 : 환각지 현상

나에게 있는 신체의 의식은 이제 신체를 침투한다. 그리고 이와 같이 하여서 그것은 영혼이 신체의 모든 부위에 퍼진다. 나의 신체는 신체의 의식을 낳는 대상이다. 이 신체는 외부의 자극에 형태화를 요구하는 외수용성을 가지고 있다. 그렇다면, 신체의식은 또한 두뇌와 영혼에게 그것을 보내는 내수용성도 있을 것이다. 그런데 이것도 또한 비물질적이다. 그것은 자극의 전송 과정의 환각지가 존재하는 것을 통해서 알 수 있다. 환각지는 기억이며 의지이고 신념이라고 말해야 하기 때문이다.

따라서 외수용성은 자극에게 형태화를 요구하며, 신체의 의식이 신체를 침투하고, 영혼이 신체의 모든 부위에 퍼지며, 행동이 중추 부위에서 삐죽하게 나온다.… 나의 신체는 꼭 외적 신체처럼 수용기에 작용하는 대상, 결국은 신체의 의식을 낳는 대상이 아니고 무엇인가? '외수용성'이 있는 것처럼 '내수용성'은 없는가? 나는 신체에서 내적 기관들이 두뇌에 보내는 것이자 영혼에게 그의 신체를 느낄 기회를 제공하게끔 원래 설치되어 있는 송출선을 발견할 수 없는가? 이리하여 신체의 의식과 영혼은 억압되는 것으로 드러나고 신체는 행동의 애매한 개념이 우리로 하여금 잊게 할 뻔했던 잘 닦여져 있는 그런 기계로 되고 만다. 예를 들면, 다리 절단 수술을 받은 환자의 경우, 그 다리에 주어진 자극이 다리에서 두뇌로 전송되는 도중, 그 자극을 대신하는 어떤 다른 자극이 그 전송과정에 주어지게 되더라도, 그 환자는 환각지를 느낄 것이다. 왜냐하면 영혼은 그 두뇌, 오직 그 두뇌하고만 직접 결합하기 때문이다.(『지각의 현상학』134-135)
현대 생리학은 이런 현상에 대하여 무엇이라고 말하는가? 코카인 마취는 환각지를 없애주지 않으며, 어떠한 절단도 없이 그저 대뇌 손상에 따른 환각지들이 있다. 결국 때때로 환각지는 실제적 팔이 상처를 입는 순간에 놓였던 위치를 보존하는 셈이다. 전투 부상자는 실제적 팔을 찢었던 파편 조각을 자신의 환각적 팔에서 여전히 느낀다.…
그러므로 환각지는 기억이며 의지이고 신념이라고 말해야 하며, 생리학적 설명

대신에 심리학적 설명을 제공받아야 하는가? 그러나 어떤 심리학적 설명도 뇌를 향해 가는 감각적 도관의 단절이 환각지를 없앴다는 사실을 무시할 수 없다.…(『지각의 현상학』135-136)

한편, 여기의 대자는 누구인가? '내수용성'에서 밝혀지는 '두뇌와 영혼'이다고 말할 수 있다. 메를로-퐁티는 이와 같이 대자로서의 정신을 전제하고 있다.

다. 심적 '대자'와 생리학적 '즉자'

이상의 내용들을 통해서 드러나는 것은 심적인 것과 생리학적인 것, 이 양자 모두에게 하나의 개체성이 존재하여서, 이들이 대자와 즉자의 관계를 형성하고 있다는 것이다.

환각지는 객관적 인과성의 단순한 결과도 아니며 더 이상 사고 작용도 아니다. 그것은 우리가 '심적인 것'과 '생리학적인 것', '대자'와 '즉자', 이 둘 중의 어느 하나에 대해서 다른 하나를 분명히 하는 수단을 발견하고 그 둘의 만남을 주선하는 수단을 발견할 때만, 제3자적 과정과 개인적 행동이 그들에게 공통적인 환경 속에서 통합될 수 있을 때만, 그 두 가지의 혼합일 수 있을 것이다.(『지각의 현상학』137)

한편, 메를로-퐁티는 뒤에서 '신체의 이중감각'을 말하면서, 신체는 즉자로서의 대상이면서도 대상 만이라고 말할 수도 없고, 의식으로의 대자 만이라고도 할 수 없는, 그 둘을 모두를 종합하는 제3의 존재임을 드러낸다. 이것은 세계에로의 지향성을 가지고 있다. 이와 같은 환원에 의해서 밝혀지는 지향성은 우리에게 세계에로의 존재를 출현시킨다. 이때의 지향성은 의식의 지향성이 아니라, 신체의 지향성이다.

라. 실존으로서의 '세계-에로-존재'

'생리적인 것'을 '즉자'로 파악하고, '심적인 것'을 '대자'로 파악했을 때, 이 '대자' 혹은 '주관'을 어떤 환경 속에 붙잡아 둔다면, '삶에 대한 주의'를 갖는 우리('세계-에로-존재')는 "신체의 태동에 대해서 갖는 의식"이 된다. 이때 나타나는

‘반사 운동’은 ‘대자’로서의 ‘의식 자신’의 객관적 운동과정일 뿐이다. 그것은 상황의 ‘의미’에 들어맞고 우리에 대한 지리적 환경의 작용처럼 행동적 환경을 향한 우리의 방향을 나타낸다.

반사는 오직 상황으로서만 갖고 있는 의미를 그곳에 부여한다. 반사는 자극들을 상황으로서 존재하게 하고 ‘인식’ 관계, 말하자면 자극들을 대면해야 할 것으로 지시하는 인식관계에서 자극들과 함께 존재한다. 반사는 우리의 전 존재의 의도인 한, 우리가 세계-에로-존재라고 부르는 ‘선객관적 관점’의 양상들이다.

‘세계-에로-존재’[66]인 나는 ‘즉자(생리적인 것)-대자(심리적인 것)’의-즉자대자(양자의 종합)’ 각각이 연장이나 사고에 있어서 모두 3인칭적으로 존재한다. 1인칭적 인식과 구별될 수 있는 것은 그것이 선객관적 관점이기 때문이고 또 그것이 ‘심적인 것’과 ‘생리학적인 것’의 결합을 실현할 수 있기 때문이다.

이에 따라, 신체는 세계-에로-존재의 운반 도구이고, 신체를 가진다는 것은 생명존재에 대하여 일정한 환경에 가담하는 것이며, 어떤 기획과 일체가 되는 것이고 계속적으로 거기에 참여한다는 것이다. 이러한 영혼과 신체의 통일은 두 외항, 즉 주관과 객관 사이에서 매순간 실존의 운동에서 이룩된다. 우리가 생리학을 통해 접근하면서 신체에서 발견한 것이 바로 그 실존이다. 따라서 “신체는 객관적 사고가 바라본 것과 달리 자신이 살아가는 환경과 능동적이고 생동적으로 결합할 수 있는 유기체”[67]이다. 그렇기 때문에, ‘세계-에로-존재’는 ‘신체 의식’이며 ‘신체화 된 코기토’이다.

> 그것이 주관을 어떤 ‘환경’ 속에 붙잡아두게 된다면 ‘세계-에로-존재’는 베르그송의 ‘삶에 대한 주의’ 또는 자네(P. Janet)의 ‘현실기능’과 같은 어떤 것이 되는가? 삶에 대한 주의는 우리가 신체의 ‘태동’에 대해서 갖는 의식이다. 그런데 반사 운동은 그 조짐이든 실현이든 의식이 전개와 결과를 확인할 수 있는, 그러나 의식 자신은 참여하지 않는 객관적 과정일 뿐이다. 사실상, 반사 그 자체는 결코 맹목적 과정이 아니다. 그것은 상황의 ‘의미’에 들어맞고 우리에 대한 ‘지리적 환

66) 세계 속에 있으면서 세계로 향해 나아가는 인간 존재를 메를로-퐁티는 “세계-에로-존재”라고 부르며, 이것은 몸과 세계와의 관계를 말한다. 이것이 의미하는 바는 먼저 몸은 세계에 거주한다는 것과, 두 번째는 몸이 세계를 향해 운동해 간다는 의미이다. “세계는 나의 사유가 아니요, 내가 살아가고 있는 장소이다. 나는 언제나 세계를 향해 열려 있으며, 세계와 내가 교류하고 있음을 의심하지는 않고 있으나 그렇다고 내가 그것을 소유하고 있는 것은 아니다.”(지각의 현상학, 서론)
67) 정소라, M. 메를로-퐁티의 예술론 연구, 이화여자대학교대학원, 박사(2014), 36.

경'의 작용처럼 '행동적 환경'을 향한 우리의 방향을 나타낸다. 그것은 정확한 자극에 대기하지 않은 채로 멀리서 대상의 구조를 그려낸다. 부분적 자극에 의미를 부여하고 그 의식을 유기체에 대하여 중요하고 가치 있게 존재하게 하는 것은 이러한 상황의 전체적 현전이다. 반사는 객관적 자극에서 결과하지 않으면서 그곳으로 되돌아가고, 하나하나 물리적 동인으로서는 갖고 있지 않는, 오직 상황으로서만 갖고 있는 의미를 그곳에 부여한다. 반사는 자극들을 상황으로서 존재하게 하고 '인식' 관계, 말하자면 자극들을 대면해야 할 것으로 지시하는 인식관계에서 자극들과 함께 존재한다. 반사는 상황의 의미로 열려 있는 한, 그리고 지각은 우선 인식의 대상을 정립하지 않고 동시에 우리의 전 존재의 의도인 한, 우리가 세계-에로-존재라고 부르는 '선객관적 관점'의 양상들이다. 자극과 감각적 내용의 이면에서 우리는 그보다 훨씬 더 많이 우리의 반사와 시각이 세계, 우리의 가능한 작용지대, 우리의 삶의 크기에서 겨냥할 수 있는 것을 규정하는 일종의 내적 격벽(隔壁)을 인식하지 않으면 안 된다.

어떤 피실험자들은 '세계'를 변화시키지도 못한 채 실명 단계에 있을 수 있다.… 따라서 세계-에로-존재를 반사의 종합으로 취급하는 것을 금하는, 상대적으로 자극에서 독립되어 있는 '우리의 세계'는 어떤 일관성이 있다. 다시 말해서 세계-에로-존재를 의식의 작용으로 취급하는 것을 금하는, 상대적으로 우리의 자발적 사고에 독립되어 있는 존재의 박동의 어떤 에너지가 있다.

세계-에로-존재가 모든 3인칭적 과정, 모든 양식의 연장 존재, 그리고 모든 사고 작용, 모든 1인칭적 인식과 구별될 수 있는 것은 그것이 선객관적 관점이기 때문이고 또 그것이 '심적인 것'과 '생리학적인 것'의 결합을 실현할 수 있기 때문이다.(『지각의 현상학』139-140)

신체는 세계-에로-존재의 운반 도구이고, 신체를 가진다는 것은 생명 존재에 대하여 일정한 환경에 가담하는 것이며, 어떤 기획과 일체가 되는 것이고 계속적으로 거기에 참여한다는 것이다.(『지각의 현상학』143)

따라서 우리가 제기한 문제에 대하여 현대 생리학은 매우 분명한 대답을 제공한다. 즉 심신적 사건은 더 이상 데카르트적 생리학의 방식에 따라서 인식될 수 없으며, 즉자적 과정과 사고 작용의 인접성으로 인식 될 수 없다. 영혼과 신체의 통일은 두 외항, 즉 주관과 객관 사이의 자의적 법령에 의해서 조인되지 않는다. 그것은 매순간 실존의 운동에서 이룩된다. 우리가 제1의 접근 방법, 즉 생리학을 통해 접근하면서 신체에서 발견한 것이 바로 그 실존이다.(『지각의 현상학』153)

나의 '신체'는 '신체 의식'이며, 나는 '신체화 된 코기토'이고, 세계를 향한 지향성을 가진 '세계-에로-존재'이다. 나의 신체는 외수용성으로서의 '즉자'이다. 그러면서 나의 신체는 내수용성으로서의 '대자'이다. 그런데, 이때 엄밀히 말하면 내 수용성의 주체는 '정신'이다. 이 '내수용성'의 '대자'에 의하여 '외수용성'의 '즉자'가 환경에 맞추어서 '추상적 운동'을 하며, 세계로 지향성을 갖는 '세계-에로-존재'로 드러난다. 이 반복은 지속적으로 일어난다.

2. 신체의 경험 : '세계의 통일성'으로서의 '신체'

메를로-퐁티에 의하면, 경험주의와 주지주의에서는 신체를 객관적 세계의 대상 중 하나로 바라보았다. 메를로-퐁티는 신체에 '의식'이 존재하며, 이것이 '내수용성'과 '외수용성'을 가지고 있다는 것을 증명함을 통해서, '체험된 신체'를 지각의 주체로 삼는다. 즉, 메를르-퐁티의 '신체'는 데카르트의 '코기토'이다. 따라서 경험된 신체는 '지각의 주체'이고, '우리 자신' 바로 '그 자체'이다. 우리로 하여금 세계로 향하게 하고, 대상의 의미를 획득하게 하는 지각은 신체를 필요로 한다. 즉, 지각을 가능하게 하는 조건이 바로 신체이며, 신체는 지각의 지평을 구성하고 지각의 출발점으로서 작용한다.[68]

가. 신체의 영속성

헤겔식의 사유에 의하면, 모든 대상적인 것들은 '즉자'로서 '대자'에 의해서 그 존재의 당위성을 갖는다. '대자' 없는 '즉자'는 존재하지 않는다. 그런데, '신체'는 물리적인 사물적 요소를 가지기 때문에 대상과 같이 간주될 수 있다. 그렇다면, 이것은 영속성에서 문제가 생긴다. 그런데, 메를로-퐁티에 의하면, 이 신체는 항상 '대자'와 결합하여 있다. 그리고 그 성질도 신체 그 자신이 신체 그 자체를 관찰할 수도 없다. 그 존재하는 성질이 세상의 사물들에 대해서 마치 '대자'처럼 존재한다. 메를로-퐁티는 이러한 신체의 특성을 가리켜서 '신체의 영속성'이라고 말한다. 그는 '신체' 전체를 '코기토'로 보고자 하는 것이다.

68) 정소라, M. 메를로-퐁티의 예술론 연구, 33.

고전적 심리학이 고유한 신체를 기술했을 때 그것은 이미 대상의 지위와 양립할 수 없는 '특성'을 신체에게 귀속시켰다.… 나의 신체는 나를 떠나지 않는 대상이다.… 대상의 현존은 가능한 부재가 으레 따르기 마련인 그런 종류의 것이다. 그런데, 고유한 신체의 영속성은 전적으로 다른 종류의 것이다. 그것은 무한한 설명의 끝에 있지 않고, 설명을 거부하며 동일한 시각 아래에서 언제나 나에게 자신을 제시한다. 그런 영속성은 세계 속의 영속성이 아니라 내 쪽에서의 영속성이다.…(『지각의 현상학』154-155)

고유한 신체의 영속성은, 고전적 심리학이 분석했더라면 더 이상 세계의 대상으로서가 아니라 그 대상과 우리와의 의사소통 수단으로서의 신체로 이끌어가야 했을 것이고, 규정된 대상의 총합으로서가 아니라 규정된 모든 사고에 앞서 스스로 우리의 경험에 끊임없이 현존하는 잠재적 지평으로서의 신체로 이끌어가야 했을 것이다.(『지각의 현상학』158)

나. 이중 감각들

우리가 오른 손으로 왼 손을 만질 경우, 우리는 한 손으로는 만지는 기능, 혹은 '대자'로서의 인식적인 기능을 수행하며, 또 한 손으로는 만져지는 기능을 수행한다. 이러한 신체의 이중감각은 신체가 질료적인 대상도 의식으로서의 주체도 아닌 그 둘을 모두 아우르는 제3의 존재임을 말해준다. 신체는 즉자적인 요소를 가지고 있으면서도 대자로서의 기능을 수행한다.

사람들은 나의 신체가 나에게 '이중 감각들'을 주는 데 따라서 인식된다고 말한다. 즉 내가 나의 왼손으로 오른손을 만질 때 대상인 오른손도 역시 감각한다는 이상한 속성을 가진다.… 사람들이 '이중감각들'을 말하면서 말하고 싶은 것은, 한 기능에서 다른 기능으로 이행함에 있어 내가 만져지는 손을 즉시 만지고 있을 그 손과 동일자로 인식할 수 있다는 것,… 신체는 인식기능을 수행하면서 외부로부터 스스로를 간파하고, 만지면서 스스로를 만지려고 노력하며, '일종의 반조(返照, 빛이 반사되어 되 쬐이는 것)'의 모양을 띠고 이것을 신체가 대상들과 구별되기에는 충분하거니와, 나는 이 대상들에 대하여 이들이 나의 신체를 '만진다'고 물론 말할 수 있으나 나의 신체가 불활성일 때만, 따라서 대상들이 신체의 탐색적 기능을 간파하는 일이 없을 때만 그렇게 말할 수 있다. (『지각의 현상학』

158-159)

다. '신체의 경험이 갖는 의미' : 영혼, 신체, 및 세계의 통일성

일반적으로 '대상'에 대한 '주관'의 경험은 모두 다시금 주관의 표상이 되어서 '대상'에 고스란히 머물렀다. 그것은 하나의 심리적 사실일 뿐이었다. 그러나 나의 신체의 애매성이라고 말할 수 있는 신체의 이중구조는 신체 자체의 구조의 특성이라고 말해서는 안 되며, 이것은 우리의 표상을 구성하는 의식 내용의 '뚜렷한 특성'이라고 보아야 한다. 원래 데카르트의 영혼과 신체의 통일성은 사실의 통일성이었는데, 그곳에서의 신체는 더 이상 의식으로 기능하는 것은 아니기 때문에 그 지점에서 완결되어야 했다. 그런데, 메를로-퐁티의 신체는 그 자신이 의식을 가지고 있기 때문에, 이 통일성은 이제 세계에로 까지 나아간다. 그 신체는 세계 내에 존재하기 때문이다. 그래서 진정한 통일성을 이룬다.

따라서 '신체의 경험'이란, 우리가 내부에서 접속하는 사건이며, 자신의 과거, 신체, 세계를 계속적으로 자신 속에 모으는 사건이다. 따라서 의식이라는 것, 아니, 차라리 경험이라는 것은 세계, 신체, 타인들과의 내부적인 의사소통이고 이들 옆에 있는 대신 이들과 함께 있음이다. 심리학자는 자신을 대상들 중의 하나로 이해하고자 노력할 때 그 자신을 경험으로, 말하자면 과거, 세계, 신체, 타인에 대하여 거리를 두지 않는 현전으로 재발견하지 않을 수 없을 것이다.

> 살아 있는 주관으로 말하자면, 고유한 신체는 모든 외부 대상과 정말 달랐을 것이고, 심리학자의 미개척 된 사고로 말하자면, 살아 있는 주관의 경험은 다시금 대상이 되었으며, 그 경험은 존재의 새로운 정의를 부르기는커녕 보편적 존재에 자리 잡았다.… 그때부터 신체의 경험은 신체의 '표상'으로 전락했으며 그것은 현상이 아니라 심리적 사실이었다.… 나는 나의 신체를 주-객으로서, '보고' '경험하고' 하는 능력으로서 인식했으나 이러한 혼동스러운 표상들은 심리학적 호기심들을 이루는 것들이었다.…
> 따라서 나의 신체의 불완전성, 그 주변적 표현, 만지는 신체와 만져지는 신체로서의 나의 신체의 애매성은 신체 자체의 구조의 특징들일 수 없었고, 신체의 관념에 영향을 주지 않았으며, 신체에 대한 우리의 표상을 구성하는 의식 내용의 '뚜렷한 특성들'이 되고 말았다. 이 내용들은 항상적이고 감정적이며 이상하게

'이중 감각들'에서 짝지어진다.…
마침내 이러한 두 가지 설명을 전제한 채 영혼과 신체의 통일성은 데카르트의 사상에 따라 원리적 가능성이 확립될 필요가 없는 사실적 통일성으로 이해되었고, 인식의 출발점이었던 그 사실은 자신의 완성된 결과에 의해 제거되었다.…
(그러나) 사실의 개념은 심리현상에 적용되면 변형을 겪게 된다. 사실적 심리현상은 자신의 '특수성들'과 더불어 이제 더 이상 객관적 시간, 외부 세계의 사건이 아니라 우리가 지속적인 성취나 용출이 되는 사건이고, 우리가 내부에서 접속하는 사건이며, 자신의 과거, 신체, 세계를 계속적으로 자신 속에 모으는 사건이다. 따라서 영혼과 신체의 통일성은 객관적 사실이기 이전에 의식 자체의 가능성이어야만 했고, 지각하는 주관이 신체를 자신의 것으로 경험할 수 있어야 한다면 그 주관이란 무엇인가를 아는 문제가 제기되었다. 여기에는 더 이상 감내한 사실은 없고 다만 감당한 사실이 있을 뿐이다. 의식이라는 것, 아니, 차라리 경험이라는 것은 세계, 신체, 타인들과의 내부적인 의사소통이고 이들 옆에 있는 대신 이들과 함께 있음이다. 심리학에 종사한다는 것은 반드시, 기존의 모든 사물들에서 움직이는 객관적 사고의 기저에서 사물들을 향하는 최초의 열림과 만난다는 것이고, 이것이 없으면 객관적 인식도 없다. 심리학자는 자신을 대상들 중의 하나로 이해하고자 노력할 때 그 자신을 경험으로, 말하자면 과거, 세계, 신체, 타인에 대하여 거리를 두지 않는 현전으로 재발견하지 않을 수 없을 것이다.(『지각의 현상학』161-164)

3. 신체의 지향성 : 공간성과 운동성

가. 신체도식 : 신체의 공간성

메를로-퐁티는 우리의 신체가 공간을 지배하는 능력이 있다고 말한다. 즉, 우리는 본능과 습관에 의해 공간을 지배하고 있다. 예컨대, 우리는 '환각지'에 의해서 공간을 이미 파악하고 있음을 확인했다. 또 다른 예에 의하면, 심인성 실명을 한 사람은 명령에 따라 자신의 신체의 일부를 지시하지 못한다. 그런데, 그가 모기가 무는 곳은 지적한다. 이것은 그가 추상적인 운동은 하지 못하나. 구체적인 운동은 하는데, 신체 도식에 의한 신체 공간은 인지가 가능하다는 것을 의미한다. 여기에서 말하는 공간성은 '위치의 공간성'(자연적 공간성)이라기 보다는 생활 속의 '상황의 공간성'에서 그것이 파악된다. 마침내 '신체도식'은 나의 신체가 세계를 향해 내적으로 존재하고 있다는 것을 표현하는 하나의 방식이다. 그리고 마침내 나의 신체가 나에 대하여 공간의 조각에 불과하기는커녕, 내가 신체를 가지지 않는다면 나에 대하여 공간은 존재하지 않을 것이다. 내 신체가 공간을 지배하고 있다는 의미이며, 우리의 신체에는 새로운 대상의 공간을 통합하는 것이 신체의 습관이며, 이것은 세계로 향하는 신체의 자발적 운동능력이다.

> 먼저 고유한 신체의 공간성을 기술해보자.… 나에 대하여 나의 모든 신체는 공간에 병존된 기관들의 모임이 전혀 아니다. 나는 그것을 공동 소유하고 나의 나리의 어느 하나의 위치라도 그 다리가 감추어져 있는 '신체도식(schema corporel; 신체상, body image)'[69]에 의해서 인식한다.… 사람들은 먼저 '신체도식'을 우리의 신체적 경험의 요약으로, 순간의 수용성과 고유 수용성에 주석과 의미를 부여할 수 있는 것으로 이해했다. 그것은 우리의 신체 부분들의 개개의 운동을 위해 그 부분들의 위치 변화를,… 결국 운동 감각적인 뚜렷한 인상들의 시각적 언어로의 항구적 번역을 나에게 제공해야 한다.…
> 사람들이 환각지의 형상을 피실험자의 신체 도식에 연결시킴으로써 분명히 하고자 한다면, 신체 도식이 습관적 체감의 잔여일 대신 그것의 구성 법칙이 될 때만 대뇌 흔적과 재생하는 감각들에 의한 고전적 설명들에다 어떤 무엇을 추가하는 것이 될 것이다. 사람들이 새로운 그 말을 도입할 필요를 느낀다면, 그것은 신체의 공간적, 시간적 통일성, 상호 감각적 또는 감각 운동적 통일성이, 말하자면, 권리상 우리의 경험 과정에서 뜻밖에 연합된 내용들에 실제로 제한되지 않고 곧장 연합을 가능하게 하기 때문이다.…
> 그리고 사실상 신체의 공간성은 외부 대상의 공간성 또는 '공간 감각'의 공간성처럼 위치의 공간성이 아니라 상황의 공간성이다.…
> 마침내 '신체도식'은 나의 신체가 세계를 향해 내적으로 존재하고 있다는 것을 표현하는 하나의 방식이다.…
> …그리고 마침내 나의 신체가 나에 대하여 공간의 조각에 불과하기는커녕, 내가 신체를 가지지 않는다면 나에 대하여 공간은 존재하지 않을 것이다.(『지각의 현상학』165-171)

69) 기본적으로 외모, 신체적 운동, 위치, 판단 등과 관련하여 자기 자신의 신체에 대하여 가지는 주관적 경험을 뜻하고, 신체상이라고도 한다.(역자 주해)

나. 신체의 운동성

우리의 모든 운동은 '신체 도식(신체상)'에 의해서만 이루어진다. 이 '신체 도식'은 그의 움직임을 산출한다. 이것은 그 '상'에는 '행동'을 일으킬 수 있는 '운동능력'이 존재한다는 것을 의미한다. 모기에 물린 환자는 물린 지점을 찾을 필요도 없이 단번에 그곳을 발견한다. 그것은 자신의 현상적 손으로 현상적 신체의 어떤 아픈 지점에 도달하는 문제이기 때문이다. 현상이란 그것의 가장 원초적인 순수한 모습을 보여준다. 우리가 움직이는 것은 우리의 객관적 신체가 아니라 우리의 현상적 신체이고 여기에는 하나도 신비로운 것이 없는데, 그 이유는 파악할 대상을 향해 일어서서 지각한 자가 세계의 이러저러한 영역의 능력으로서 이미 우리의 신체이기 때문이다. 단순하게, 그는 그의 신체이고, 그의 신체는 어떤 세계의 능력이다. 즉, 우리의 신체도식이 있다면, 우리에게는 그것을 실현할 수 있는 신체의 능력이 존재한다는 것을 의미한다. (필자: 메를로-퐁티에게는 이 '신체도식'이 곧 '의식'이다. 즉, 우리에게 어떤 의식이 있다면, 그것은 또한 우리에게 그것을 실현할 능력이 있음을 의미한다.)

명령에 따라 자기 신체의 일부인 손가락을 보여줄 수 없는 그 환자가 모기가 무는 곳으로는 급하게 손을 가져간다는 것이다. 따라서 우리는 구체적 운동과 잡는 운동에 특전이 있는 것을 알 수 있고 그 이유를 추구해야 한다.
좀더 자세히 주시해보자.… 애초부터 잡는 운동은 마술적이게도 그 운동의 종결에 있고 자기 목적을 예상함으로써만 시작한다. 왜냐하면 잡는 것을 금지하는 것이 그 행동을 억제하는 데 충분하기 때문이다.…
모기에 물린 그 환자는 물린 지점을 찾을 필요도 없이 단번에 그곳을 발견한다. 왜냐하면 그에게는 그 지점을 객관적 공간에서 정돈되어 있는 축선과의 관계에 의해서 위치 짓는 문제가 아니라, 자신의 현상적 손으로 현상적 신체의 어떤 아픈 지점에 도달하는 것이 문제이기 때문이고,… 그 활동은 전적으로 현상적인 것의 질서에서 일어나고 객관적 세계를 거치지 않는다.… 마찬가지로 가위, 바늘, 그리고 손에 익은 작업 앞에 놓인 주체는 손이나 손가락을 찾을 필요가 없다. 왜냐하면 이것들은 객관적 공간에서 발견될 수 있는 대상들, 즉 뼈, 근육, 신경이 아니라 가위나 바늘에 대한 지각에 의해서, 이 가위나 바늘을 주어진 대상에 연결하는 '지향적 실마리'의 중심 말단에 의해서 이미 동원된 능력들이기 때문이다. 우리가 움직이는 것은 우리의 객관적 신체가 아니라 우리의 현상적 신체이고 여기에는 하나도 신비로운 것이 없는데, 그 이유는 파악할 대상을 향해 일어서서 지각한 자가 세계의 이러저러한 영역의 능력으로서 이미 우리의 신체이기 때문이다.…
구체적 운동에서 그 환자는 자극의 명제적 의식도 반응의 명제적 의식도 갖지 않는다. 단순하게, 그는 그의 신체이고, 그의 신체는 어떤 세계의 능력이다.(『지각의 현상학』173-177)

다. 투사의 기능

메를로-퐁티는 환자의 본능적으로 나타난 촉각에 의한 행동을 구체적 운동이라고 하고, 시각에 의해 나타난 의도적으로 소환하는 행동을 추상적 행동이라고 말한다. 이때 전자는 외부로부터 정신으로 들어오는 구심적 행동이며, 후자는 내부에서 외부로 향하는 원심적 행동인데, 이것이 곧 '신체의 투사'이다고 말한다. 그는 투사 또는 소환의 기능을 시각적 표상에 귀결시킨다.

따라서 구체적 운동은 구심적인 데 반해 추상적 운동은 원심적이다. 전자는 존재 또는 현실적인 것에서 일어나고 후자는 가능적인 것 또는 비존재에서 일어난다. 전자는 주어진 지와 점착하고 후자는 자신의 지 자체를 펼친다. 추상적 운동을 가능하게 하는 정상적 기능은 '투사'의 기능인데, 이것에 의해서 운동 주체는, 자연적으로 존재하지 않는 것이 존재의 외모를 취할 수 있는 자유로운 공간을 자기 앞에 마련한다.…
사람들은 '추상적 운동'이 그가 자신의 눈을 그 운동에 책임지는 다리에 고정시키는 것으로부터 가능해진다고 알고 있다. 따라서 자발적 운동성이란 것은 시각적 인식이란 것에 의지한다. 여기서 우리는 밀(Mill)의 유명한 방법에 따라 다음과 같이 결론 내리게 된다. 즉 추상적 운동과 '보여주다'는 시각적 표상 능력에 의존하는 반면, 모방 행동에 의해서 시각적 소여들의 궁핍을 보상하는 그런 모방 행동처럼 환자에 의해서 유지되는 구체적 행동은, 실제로 슈나이더가 두드러지게 수행한 운동 감각적 또는 촉각적 감각에 의존한다. 구체적 행동과 추상적 행동의 구별은 '잡다'와 '보여주다'의 그것처럼 촉각적인 것과 시작적인 것의 고

전적 구별에 귀결되고 우리가 조금 전에 분명히 드러낸 바, 투사 또는 소환의 기능은 지각과 시각적 표상에 귀결된다.(『지각의 현상학』185-187)

라. 지향 호

의식은 물리적 사실들의 총합이라고 말할 수 있다. 그런데, 이 의식은 어떤 지향하는 궤적을 지닌다. 따라서, '지향호'는 다양한 운동지향성을 통일시켜 무엇인가를 지향하게 하는 궤적을 말한다. 이것은 인간의 투사활동에 의해서 이루어진다. 인간의 투사하는 습관이 우리의 의식으로 하여금 '지향호'를 형성하게 한다. 그리고 그 지향호의 출발점은 정신이기 때문인데, 정신에는 언제나 물질을 초월하는 탈개인화의 능력이 있다.

의식이 물리적 사실들의 총합이라면, 개개의 장애는 선택적이지 않으면 안 된다. 의식이 '표상의 기능', 표의하는 순수 능력이라면 그것은 존재할 수 있거나 존재할 수 없거나이고 그러나 존재한 후에는 그치지 않고 존재하거나 아니면 병들거나, 즉 변하거나이다. 결국 의식이, 대상들을 자기 주위에서 자기의 고유한 행동의 흔적으로 처리하는, 그럼에도 불구하고 또 다른 자발적 행동으로 이행하고자 그 대상들에 의존하는 투사활동이라면,…
따라서 사람들은 인간은 정신이기 때문에 본다고, 게다가 인간은 보기 때문에 정신이라고 말할 수 없다. 인간이 보는 대로 본다는 것과 정신이라는 것은 동의어이다. 의식은 그 뒤에 자신의 항적을 남겨둠으로서만 어떤 사물의 의식인 한에서, 그리고 대상을 사고하고자 이미 구성된 '사고의 세계'를 의지하지 않으면 안 되는 한에서, 의식의 중심에는 언제나 탈개인화가 있다. 바로 이것에 의해서 외부 개입의 원리가 주어진다.…
의식은 문화적 세계에 투사되고 습관을 가지듯, 물리적 세계에 투사되고 신체를 가진다. 왜냐하면 의식은 자연의 절대적 과거나 개인적 과거에 주어진 의미들을 연출함으로써만 의식일 수 있기 때문이고, 모든 체험된 형태는 우리의 습관의 그것이든 우리의 '신체적 기능'의 그것이든 어떤 일반성을 향하기 때문이다. (『지각의 현상학』218-220)

마. 신체의 지향성

메를로-퐁티는 이제 우리 신체의 비밀을 밝힌다. 신체에는 의식이 존재하며 정신이 존재한다. 그리고 그것이 '인식한다'는 것은 곧 '할 수 있다'는 것을 의미한다고 말한다.

> 이러한 명료화 작업 덕분에 우리는 결국 운동성을 원래적 지향성으로 명확하게 이해하게 된다. 의식은 발원적으로 "나는 ~을 생각한다"가 아니라 "나는 ~을 할 수 있다"이다.…
> 운동은 신체가 그것을 이해했을 때, 즉 그것을 자신의 '세계'에 통합했을 때 학습된다. 자신의 신체를 움직이는 것은 신체를 통해 사물을 겨냥하는 것이고, 신체로 하여금 신체에 대하여 아무런 표상도 없이 행사하는 사물의 간청에 대응하게 하는 것이다.…
> 우리의 신체가 대상을 향해 움직일 수 있으려면, 우선 대상이 신체에 대하여 존재해야 하고 따라서 우리의 신체는 '즉자' 영역에 속하지 않아야 한다.…
> 이 모든 사례들은 신체가 자신의 세계를 갖고 있음을, 대상이나 공간이 우리의 신체의 것에 속하지 않고서는 우리의 인식에 현존할 수 없음을 훌륭하게 보여준다. (『지각의 현상학』220-223)

4절 지각된 세계 : 공간

1. 신체론과 지각론의 관계

메를로-퐁티에 의하면, 신체는 이 세계에 생명을 불어넣어줄 이 세계 속의 심장이라고 말한다. 나의 신체의 모든 지각은 내 신체 의식의 지각이다. 그리고 이 신체에 대상 의식이 주어진 것은 사람들에게 그것에 대한 표현적 통일성이라는 어떤 짐이 있기 때문이다. 그렇다면, 이러한 구조는 감각적 세계에 전달될 것이다. 신체도식이론은 결국 지각 이론이라고 보아야 한다. 따라서 우리가 우리의 신체에 의해서 세계에 존재하고, 우리의 신체로 세계를 지각하는 한, 우리는 세계를 우리의 지각에 나타나는 대로 소생시키는 존재이다. 신체 및 세계와의 만남을 이와 같이 재파악하면서 우리가 발견하게 될 것은 역시 우리 자신이다. 사람들이 자신의 신체를 가지고 지각한다면, 신체는 지각의 주체이다.

심장이 유기체 안에 있는 것처럼 고유한 신체는 세계 안에 있다. 그것은 시각적 광경을 살아 있게 계속적으로 유지하고 생명을 불어 넣으며, 내적으로 풍부하게 하고 그것과 더불어 하나의 체계를 형성한다.…(『지각의 현상학』311)

나의 신체의 모든 지각은 외적 지각의 언어에 명시되듯이 모든 외적 지각은 나의 신체의 어떤 지각과 동의적이다. 우리가 본 대로, 이제부터 신체가 투명한 대상이 아니라면, 원이 기하학자에게 주어지듯 신체가 구성 법칙에 의해서 우리에게 주어지는 것이 아니라면, 신체는 사람들이 그것을 떠맡음으로써만 알 수 있게 되는 표현적 통일성이라면, 이러한 구조는 감각적 세계에 전달될 것이다. 신체 도식의 이론은 암시적으로 지각의 이론이다. 우리는 우리의 신체를 감각하는 법을 다시 배웠고 신체에 대한 객관적이고 분리된 지식 아래에서 바로 그 신체에 대해 그와는 다른 지식을 다시 발견했다. 이것은 신체가 언제나 우리와 함께 있다는 것 때문이고, 우리가 신체라는 것 때문이다. 동일한 방식으로, 우리가 우리의 신체에 의해서 세계에 존재하는 한, 우리의 신체로 세계를 지각하는 한, 세계의 경험을 세계가 우리에게 나타나는 대로 소생시키는 것이 필요할 것이다. 그러나 신체 및 세계와의 만남을 이와 같이 재파악하면서 우리가 발견하게 될 것은 역시 우리 자신이다. 왜냐하면 사람들이 자신의 신체를 가지고 지각한다면 신체는 자연적 자아이자 말하자면 지각의 주체이기 때문이다.(『지각의 현상학』316)

2. 지각의 주체로서의 '감각' (육화된 나로서의 신체)

가. 지각의 주체

경험주의나 주지주의 모두에게 있어 지각의 주체는 자아이다. 이에 반하여 메를로-퐁티에게 지각의 주체는 오히려 감각이다. 그는 앞에서 감각의 내수용성과 외수용성을 살펴보았는데, 외부의 자극에 형태화를 요구하는 '감각의 외수용성'을 즉자라고 말하였고, 이에 대하여 두뇌와 영혼에게 그것을 보내는 '감각의 내수용성'을 대자로 보았다. 그래서 그는 '신체'를 '코기토'로 본다.

그에게 지각의 주체는 감각으로서, 그 감각 안에 있는 소산적인 것(의식 상태로서의 감각)과 능산적인 것(상태 의식으로서의 감각)을 각각 즉자 존재와 대자존재로 본다. 그는 감각을 지각의 주체로 본다.

경험주의적 철학자는 주체 X가 지각하는 중이라고 보고, 일어나고 있는 것을 기술하려고 노력한다. 즉 주체의 존재상태나 존재방식인 그리고 그 때문에 진정한 정신적 사물인 감각들이 있다는 것이다. 지각하는 주체는 이러한 사물들의 장소이며 사람들이 먼 지역의 동물계를 기술하듯 철학자는 감각들과 그 기층을 기술한다.(『지각의 현상학』317)

주지주의는 역시 자신에게 기성의 세계를 제공한다. 왜냐하면 그가 인식하는 대로의 세계 구성은 다음과 같은 형식조항에 불과하기 때문이다. 즉 사람들은 경험주의적 기술의 개개의 항에다 "~에 대한 의식"이라는 색인을 덧붙이면 된다. 사람들은 모든 경험의 세계 - 세계, 고유한 신체, 경험적 자아 -를 세 개의 항들 사이의 관계를 감당하는 임무를 띠는 보편적 사상가에게 맡겨버렸다. … 즉 인과성의 관계가 우주적 사건들의 차원으로 펴진다. (『지각의 현상학』318)

그것이 바로 선험적 자아이다. 이것에 의해서 경험주의의 모든 명제는 역전되는 것으로 드러난다. 의식 상태는 상태의 의식이 되고, 수동성이 수동성의 정립이 되며, 세계는 세계의 상관자가 되고, 구성하는 자에 대해서만 존재할 뿐이다.… 지각의 주체는 우리가 능산적인 것과 소산적인 것, 의식 상태로서의 감각과 상태 의식으로서의 감각, 즉자 존재와 대자 존재의 양자택일에서 벗어날 수 없다면 무시된 것으로 남게 될 것이다. 따라서 감각으로 되돌아가서, 그 감각으로부터 지각하는 자와 그 신체 및 그 세계와의 살아 있는 관계를 우리가 배울 수 있을 정도로 자세히 살펴보자.(『지각의 현상학』319)

나. 감각과 행동의 관계

메를로-퐁티는 귀납적 심리학에서 색깔에서 주어지는 감정의 흐름을 분석한 자료를 통해 감각의 성질을 분석하였다. 그에 의하면, 어떤 상태나 성질들은 저마다 어떤 행동에 삽입되는데, 거기에는 내전하는 운동이 있고, 외전하는 운동이 있다. 이때, 전자는 지각적 측면을 가지고 있으며, 후자는 운동적 측면을 가지고 있다고 한다. 그래서 그는 결과적으로 감각의 기능을 기독교의 성례전에 비유한다. 성찬의 빵에 예수 그리스도의 생명(영)이 임하여있다고 말하는데, 물질 속에 정신이 자리한 것이다. 이것을 감각에 비유한다. 그래서 그는 감각은 문자 그대로 성찬식이라고 하며, 이 신체가 바로 '세계-에로-존재'의 방식이라고 한다.

귀납적 심리학이, 감각은 상태나 성질도 또한 상태의 의식이나 성질의 의식도 아니라는 것을 보여주면서 감각을 위한 새로운 지위를 추구하는 데 도움을 줄 것이다. 사실상, 소위 성질들 - 적색, 청색, 색깔, 소리 - 은 저마다 어떤 행동에 삽입된다.…(『지각의 현상학』319)

이제 일반적으로 말하면, 내전(內轉)은 유기체가 자극 쪽으로 돌아서 세계에 의해 유인된다는 것을 의미하고, 외전(外轉)은 유기체가 자극 쪽에서 돌아서 그로부터 멀어져 자신의 중심을 향해 빠져든다는 것을 의미한다. 따라서 감각들, '감각적 성질들'은 어떤 기술할 수 없는 상태나 질의 체험으로 환원되는 것과는 거리가 멀고, 그것들은 운동의 용모와 함께 제공되고 생명적 의미로부터 전개된다. 사람들은 오랫동안 감각에 '운동적 수반'이 있다는 것을, 자극이 감각이나 성징과 연결되어 그 주위에 무리를 형성하는 '태동하는 운동'을 터뜨린다는 것을, 행동의 '지각적 측면'과 '운동적 측면'이 상호 교통한다는 것을 알고 있었다.…(『지각의 현상학』320-321)

여기서 색깔의 경험은 귀납심리학에 의해 확립된 상관 관계들을 확증하고 이해시킨다. 녹색은 흔히 '피로를 덜 주는 색'으로 간주된다. 어떤 환자는 이렇게 말한다. 즉 "그것은 나를 내 속에 가두고 나를 평화스럽게 한다."… 청색은 "우리의 시선에 굴복하는" 것 같다고 괴테는 말한다. 반대로, 적색은 "눈에 침투한다"고 괴테는 다시 한번 말한다.…(『지각의 현상학』322)

성례가 일종의 감각적인 것을 통해서 은총행위를 상징할 뿐만 아니라, 신의 실재적 현전이기도 하고 그 현전을 한 조각의 공간에 머무르게 하며, 성찬의 떡을 먹는 사람들에게, 내적으로 준비가 되어 있다면, 신의 현전을 알려 주는 것처럼, 이와 마찬가지로, 감각적인 것은 운동적.생명적 의미를 가질 뿐만 아니라 어떤 공간 지점에서 우리에게 제시되는 세계-에로-존재의 어떤 방식, 우리의 신체가 할 수 있다면 떠맡고 부담하는 세계-에로-존재의 어떤 방식 이외의 다른 것이 아니다. 감각은 문자 그대로 성찬식이다.(『지각의 현상학』324)

다. 감각적인 것에 달라붙어 있는 의식

빵에 정신이 임한다는 성찬은 공존재를 의미하였다. 즉 빵은 육화된 정신이다. 메를로-퐁티는 이와 같이 우리의 신체는 '육화된 나'라고 말한다. 따라서 그 신체

자체에 의식이 임한 것이며, 그 자체에서 반성적인 기능을 한다. 나의 눈이 본다라는 표현이 적절하다는 것이다. 눈 자체에 육화된 정신으로서의 반성의 기능이 존재한다는 것이다. 우리는 우리의 신체에서 부분 없는 영혼을 발견하게 된다.

> 나는 나의 눈이 본다고, 나의 발이 고통을 겪는다고 말하나, 이러한 소박한 표현들은 나의 참다운 경험을 번역하지 못한다. 이 표현들은 이미 나의 경험을 그 본연의 주체로부터 분리하는 해석을 나에게 제공한다. 나는 빛이 나의 눈에 비친다는 것, 그 접촉들이 피부에 의한다는 것, 나의 구두가 나의 발에 아픔을 준다는 것을 알기 때문에, 나의 영혼에 속하는 지각들을 나의 신체에 분포시키고 지각을 지각된 것에 놓는다. 그러나 그것은 의식 행위의 시공간적 항적일 뿐이다. 내가 그것을 내부에서 고찰한다면 나는 장소 없는 특이한 인식, 부분 없는 영혼을 발견한다. 보는 것과 듣는 것 사이처럼 사고하는 것과 지각하는 것 사이에 어떤 차이도 없다.…(『지각의 현상학』325)
> 반성이 반성으로서, 즉 진리를 향한 진보로서 정당화될 수 있다면, 세계의 시각을 그와 다른 것으로 바꾸는 데 그쳐서는 안 되고, 우리에게 어떻게 소박한 시각이 반성적 시각에 포함되고 초월되는가를 보여주어야 한다. 반성은 자신이 뒤를 잇는 비반성적인 것을 분명히 해야 하고, 자신을 시작으로 이해할 수 있도록 비반성적인 것의 가능성을 보여주어야 한다. 나의 신체에 놓여진 것이자 오감을 갖춘 나의 사고자 여전히 나라고 말하는 것은 분명히 언어상의 해결일 뿐이다. 왜냐하면 반성하는 나를 나는 육화된 나에서 인식할 수 없고, 따라서 육화는 원칙적으로 환상으로 남으며 이 환상의 가능성은 이해 불가능한 것이 되기 때문이다. 우리는 '감각들'을 대상들의 세계로 내쫓았고 주관성을 모든 신체적 점착의 절대적 비존재로서 해방시켰던 즉자와 대자 사이의 양자택일을 문제시해야 한다. 이것이 우리가 감각을 공존재 또는 성찬식으로 규정하면서 성취하는 것이었다. (『지각의 현상학』326)

3. 감각 총중추로서의 인간

가. 감각의 장

감각 안에 있는 대자적인 특성은 감각하는 모든 것을 지배한다는 것을 의미한다. 반면, 감각 안에 있는 유한성은 그를 어떤 장 속에 가둔다.

> 내가 시각적 장을 가진다고 말하는 것은 위치에 의해 내가 존재들, 즉 가시적 존재들의 체계에 접근하고 열려 있다는 것을 의미하고, 그것들이 일종의 원초적 접촉을 통해 자연의 은총을 받아 내 쪽에서의 어떤 노력도 없이 나의 시선이 마음대로 할 수 있다는 것을 의미한다. 따라서 그것은 시각이 선개인적인 것임을 의미한다. 그와 동시에 그것은 시각이 언제나 한계를 가진다는 것을, 나의 현실적 시각의 주위에 언제나 보여지지 않는, 심지어 볼 수 없는 사물들의 지평이 있다는 것을 의미한다. 시각은 어떤 장에 구속된 사고이다. 바로 이것이 사람들이 감각이라 부르는 것이다.
> 내가 감각들을 가져 이것들이 나로 하여금 세계로 접근하게 한다고 말할 때, 나는 혼동의 희생이 되고 있는 것이 아니고 인과적 사고와 반성을 뒤섞고 있는 것이 아니다. 나는 통합적인 반성에 부과되는 진리, 즉 나 스스로 구성작용에 의해서 존재의 어떤 국면들에 의미를 부여함이 없이도 공자연성에 의해서 그 국면들에서 의미를 발견할 수 있다는 진리를 표현하고 있는 것뿐이다.(『지각의 현상학』 331-332)

나. 신체에 의한 감각들의 통일성

메를로-퐁티에 의하면, 나에게 주어지는 모든 감각들은 나의 신체를 통해서 의사소통하고 서로에게 직접적으로 상징적이 된다. 왜냐하면 나의 신체는 바로 감각 상호간의 등가 및 전이의 기성체계이기 때문이다. 감각들은 해석 없이도 상호 번역되고 생각을 경유하지 않고도 상호 이해된다. 나의 신체는 신체도식의 개념과 함께 하면서 신체의 통일성 뿐만 아니라, 감각의 통일성 및 대상의 통일성도 역시 신체의 통일성을 통해서 그렇게 기술된다. 나의 신체는 지각된 세계에 관한 한, 나의 '이해'의 일반적 도구이다.

> 감각들의 통일성은 감각들이 발원적 의식에로 포섭됨에 의해서가 아니라. 감각들이 단 하나의 인식하는 유기체로 끝없이 통합됨에 의해서 이해될 수 있을 것이다. 상호 감각적 대상이 가지는 시각적 대상과의 관계는 시각적 대상이 가지는 복시 증의 외상들과의 관계와 같고, 감각들이 지각에서 의사소통하는 것은

두 눈이 시각에서 협력하는 것과 같다. 소리를 보는 것 또는 색을 듣는 것이 실현되는 것은 시선의 통일성이 두 눈을 통해 실현되는 것과 같다. 이것은 "나의 신체가 병존 기관들의 총합이 아니라, 그 모든 기능들이 세계-에로-존재의 일반적 운동에서 회복되고 결합되는 협력 작용체계인 한에서이고," 나의 신체가 실존이 응결된 모습인 한에서이다. 시각이나 청각이 불투명한 것의 단순 소유가 아니라, 실존 양상의 체험이고 나의 신체와 그것과의 공시화라면, 내가 소리를 보거나 색을 듣는다고 말하는 것은 일리가 있다.…

이것들은 나의 신체를 통해서 의사소통하고 나의 신체의 감각적 국면들로서 서로에게 직접적으로 상징적이 된다. 왜냐하면 나의 신체는 바로 감각 상호간의 등가 및 전이의 기성체계이기 때문이다. 감각들은 해석 없이도 상호 번역되고 생각을 경유하지 않고도 상호 이해된다. 이러한 논의에서 헤르더의 다음 말에 그 말의 의미 그대로를 부여하는 것이 허용된다. "인간은 때로는 이 측면에서 때로는 저 측면에서 영향을 받는 영원한 감각 총중추이다."

신체도식의 개념과 함께 하면서 새로운 방식으로 기술되는 것은 신체의 통일성뿐만이 아니다. 감각의 통일성 및 대상의 통일성도 역시 신체의 통일성을 통해서 그렇게 기술된다.… 나의 신체는 모든 대상에 공통적인 직물이고, 적어도 지각된 세계에 관한 한, 나의 '이해'의 일반적 도구이다.(『지각의 현상학』356-357)

다. 인간은 감각 총중추

메를로-퐁티는 신체를 가진 인간이 모든 사물에 대해서 감각 총중추라고 말한다. 만일 우리가 사물과 떨어진 상태에서 지각을 한다면, 그렇게 불릴 수 없다. 그러나 신체를 가진 상태에서 그 신체가 자동적으로 작동을 하면서 지각을 하고, 더 나아가서 그 신체가 사물들과 한 가지 유기체적 성질을 가지고, 그것들과 섞여 존재한다. 그러면서 그 신체가 그것들을 지각한다. 그렇다면 이제 그 신체는 이 세계 속에서 '감각 총중추'이다.

나의 지각 행위는 그 소박성에서 파악하면 그 자체 이러한 종합을 실현하지 않는다. 그것은 이미 행해진 일을 이용하고 단숨에 구성된 일반적 종합을 이용한다. 바로 이것이 나의 신체, 나의 감각은 세계의 습관적 지, 앎이요, 암묵적 또는 침전된 학이기에, 내가 나의 신체나 감각으로 지각한다고 말하면서 의미하고자 했던 점이다. 나의 의식이 자신이 지각하는 세계를 현실적으로 구성하고 있다면, 의식과 세계에는 어떤 거리도 없고 어떤 가능한 간격도 없으며, 의식은 가장 비밀스러운 분절에 이르기까지 세계에 침투하고, 지향성이 우리를 대상의 핵에까지 데려다 놓을 것이고 동시에 지각된 것은 현재의 두께를 가지지 않을 것이고 빠져들지 않을 것이다. 이와는 반대로, 우리는 소진 불가의 대상을 의식하고 대상에 빨려든다. 왜냐하면 대상과 의식 사이에는, 우리의 시선이 이용하되 합리적 전개가 가능하고 언제나 우리의 지각의 저편에 있다고만 가정할 뿐인 잠재적 앎이 있기 때문이다. 지각하는 사람은 의식이 그렇게 해야 하듯 자기 자신 앞에서 펼쳐지지 않는다. 그는 역사적 두께를 가지고 지각적 전통을 인수하며 현재와 대면한다. 지각에서 우리는 대상을 사고하지 않으며, 대상을 사고하면서 우리 자신을 사고하지 않는다. 우리는 대상에 속해 있으며 사람들이 종합해야 하는 세계, 동기, 수단에 대해서 우리가 아는 것보다 더 많이 아는 신체와 뒤섞여 있다. 이것이 우리가 헤르더와 함께 인간은 감각 총중추이다라고 말했던 이유이다.(『지각의 현상학』363-364)

4. 감각하는 몸과 공간70)

가. '여기' 있으면서 '저기' 사물 위에 거주하는 '육화된 주체'

메를로-퐁티에 의하면, '육화된 주체'가 어떤 사물을 바라본다는 것은 육화된 주체는 '여기' 있으면서, '저기' 사물 위에 거주한다. 그리고 산을 보면서 그 체험된 의미를 곧바로 떠올린다면 이것은 이미 내가 저기 저 산에 거주한다는 것을 뜻한다.

메를로-퐁티는 사유하는 주체가 자기 바깥으로 나오지 못하고, 심지어는 거울 안에 비친 자기 자신을 마네킹 처럼 바라보는 것에 대해 그런 주체는 자기 자신에 대해 모두 알고 있는 게 아니라고 이야기 한다. 나의 정신이 포섭할 수 없는 내가 있으며, 내가 생각해서 아는 내가 아니라 나의 행동으로만 알게 되는 내가 있다는 것이다. 따라서 데카르트적 주체와 달리 메를로-퐁티의 육화된 주체는

70) 정지은, "몸과 살, 그리고 세계의 철학자, 모리스 메를로-퐁티," 『처음 읽는 프랑스 현대철학』, (서울: 철학아카데미, 2013), 55-62. 한편, 이곳의 제목 "감각하는 몸(현상적 신체)과 공간"인데, 정지은은 "감각하는 몸, 현상적 신체"라고 하였다.

> ‘여기’ 있으면서, ‘저기’ 사물 위에 거주한다. 내가 산을 보고만 있으면 산에 대해 생각만 하는 것이지만, 산을 보면서 그 체험된 의미를 곧바로 떠올린다면 이것은 이미 내가 저기 저 산에 거주한다는 것을 뜻한다. 생생한 체험이라는 것은 내가 그 대상에 있어야만, 그 대상을 ‘살고’ 있어야만 나올 수 있다. 나의 신체가 이미 내 안이 아니라 저기 사물 위나 세계 가운데 머물러 있다는 것이다.(정지은, “몸과 살, 그리고 세계의 철학자, 모리스 메를로-퐁티,” 55-56)

이와 같이 하여서 이제 이 ‘육화된 주체’의 거주하는 곳은 이 ‘세계’가 된다. 그리고 그 세계 속에서의 ‘현상’에 대한 규명이 곧 ‘실존주의 철학’이 되는 것이다. 따라서 우리는 메를로-퐁티를 ‘현상학적 실존주의자’라고 부른다.

나. 나의 실존(몸의 체험)을 통해 일어나는 진정한 지각

메를로-퐁티는 지각은 객관적 사물을 관찰하듯이 지각할 수 없으며, 나의 실존을 통해서 혹은 내가 체험하는 것을 통해서만 알려진다고 말한다. 예컨대, 거울 속에 있는 나는 내가 알 수 없는 나를 ‘타인’을 통해서 알 수 있다는 가능성을 보여주기도 하는 것처럼, 세계를 대하는 ‘나’의 제스쳐, 태도가 더 본질적인 ‘나’이다는 것이다.

> 신체는 소유하는 게 아니라 늘 나와 같이 있는 것이다. 따라서 이러한 항구적인 현존으로서의 몸의 지각은 외적 지각과 동시에 일어나지만 구분될 수 있으며, 오히려 외적 지각을 가능하게 하는 조건이 된다.
> 지각은 객관적 사물을 관찰하듯이 지각할 수 없으며, 나의 실존을 통해서 혹은 내가 체험하는 것을 통해서만 알려진다. 만약 내가 내 몸의 지각을 외적 지각을 대하듯이 대한다면 이것은 내가 나로부터 빠져나와서 내 몸을 바라본다는 것인데 그것은 관념 속에서만 가능할 뿐이다.… 거울 속에 있는 나는 내가 알 수 없는 나를 ‘타인’을 통해서 알 수 있다는 가능성을 보여주기도 한다. 나에 대해서 다 알고 있는 것 같지만 타인이 보는 나를 통해서 내가 더 잘 알려질 수 있다. 이것은 내가 세계 속에 있기 때문에 가능한 것이다. 세계를 대하는 ‘나’의 제스쳐, 태도가 더 본질적인 ‘나’이다는 것이다.(정지은, “몸과 살, 그리고 세계의 철학자, 모리스 메를로-퐁티,” 57-58)

다. 감각의 세계 속에 뿌리를 내린 '현상적 신체(몸)'

메를로-퐁티에 의하면, 나의 신체는 감각하는 몸으로서 세계 속에 뿌리를 내린 몸이며 이것을 통해 세계를 향하고, 세계가 나의 몸에 대해 열리기 시작한다. 주체와 세계가 유기적인 방식으로 연결되어 있다. 내가 세계를 체험하는 순간, 세계가 감각적인 모습을 보여준다. 따라서 이 감각하는 몸을 '현상적 신체'라고도 부른다. 그래서 세계에 대한 최초의 앎은 이러한 나의 신체와 세계의 동시적 탄생에서 나온다. 정지은은 다음과 같이 요약하여 말한다.

> 나의 신체는 감각하는 몸으로서 세계 속에 뿌리를 내린 몸이며 이것을 통해 세계를 향하고, 세계가 나의 몸에 대해 열리기 시작한다. 주체와 세계가 유기적인 방식으로 연결되어 있다. 내가 세계를 체험하는 순간, 세계가 감각적인 모습을 보여준다. 이 감각하는 몸을 '현상적 신체'라고도 부르는데 이는 감각하고 지각하는 몸이 또한 스스로 움직이는 살아 있는 몸이기 때문이다. 세계가 나에 대해 열리는 여러 방식에 따라 나의 몸은 어떤 독특한 스타일의 몸짓을 만들어낸다. 요컨대, 나의 움직이는 신체는 세계의 나타남, 세계의 현상과 동시에 일어난다. 혹은 나의 실존이란 이렇게 현상적 세계, 세계의 나타남을 통해서 나의 감각하고 지각하는 살아 있는 신체를 파악하는 고유한 방식이라고도 할 수 있다. 나의 신체와 세계는 지속을 공유한다. 그래서 세계에 대한 최초의 앎은 이러한 나의 신체와 세계의 동시적 탄생에서 나온다.(정지은, "몸과 살, 그리고 세계의 철학자, 모리스 메를로-퐁티," 58-59)

라. 제3의 공간성

메를로-퐁티의 공간은 사물들이 배치되는 무대로서의 경험주의적 공간이나, 주체에 의해서 존재한다고 파악되는 주지주의적 공간도 아니다. 그는 '현상적 공간'으로서 '제3의 공간'을 추구하는데, 그것은 바로 '상황의 공간'이다. 그에게는 이것이 진정한 공간의 의미이다. 우리가 갖는 관심의 깊이에 따라서 그 공간은 우리에게 나타난다.

메를로-퐁티의 공간 분석은 몸이 거주하고 있는 공간은 사실상 기하학적 공간이 아닌 체험된 공간이라는 것과 몸은 세계를 향해 자신의 과제를 수행해 나가는 실존적 주체라는 것을 보여주고자 하는 것이었다. 이러한 메를로-퐁티의 현상학적 조망은 우리와 세계와의 관계를 불확실하고, 신비적인, 열려진 것으로 볼 수 있게끔 만드는 것이다.

메를로-퐁티는 공간에 대한 우리의 접근방식을 두 가지로 구분하여 설명한다. 먼저, 공간을 모든 "사물들이 잠겨 있는 일종의 에테르"이거나, "사물들이 배치되는 무대"로 생각하고 몸을 다른 대상들과 마찬 가지의 대상으로 파악하는 태도가 있다.(경험주의적 태도) 그렇지 않다면, 공간과 관련된 모든 관계들은 이를 기술하는 주체를 통해서만이 존재한다고 보고, 그 근원에서부터 공간적 관계들을 반성하고 포착하려는 태도이다. 이 경우 주체는 공간을 구성하는 유일한 개인적 역량을 갖는 존재로 이해된다.(주지주의적 태도)

메를로-퐁티는 사물이 공간 속에 들어있다는 의미에서의 공간성이나 "공간화 하는 공간"이라는 의미에서의 공간을 양자택일하는 것이 아니라, "제3의 공간성"을 추구하는 방향을 택한다. "우리는 형식과 내용의 구분의 이편에서 공간의 최초의 원초적 경험을 추구해야 한다." 우리가 움직이는 것은 결코 우리의 객관적인 몸이 아니라, 우리의 현상적 몸이기 때문이다. (신일순, "메를로-퐁티의 '몸의 현상학'," 홍익대학교 대학원, 석사(2001), 28)

마. 위치의 공간성과 상황의 공간성

메를로-퐁티는 우리가 일반적으로 생각하는 그 '위치의 공간성'과 '상황의 공간성'을 나눈다. 공간은 "나의 몸에 의한 어떤 세계의 소유이고 세계에 대한 나의 몸의 어떤 파악"인 것이다. 지각되는 사물들은 '여기'에 있는 몸을 중심으로 좌우, 상하, 가까이 혹은 멀리 있다. 마찬가지로 몸 자신의 위치 역시 대상들에 비추어 결정된다.

나에게 공간은 언제나 이 순간의 세계의 형태로 주어진다. 공간은 "나의 몸에 의한 어떤 세계의 소유이고 세계에 대한 나의 몸의 어떤 파악"인 것이다. 지각되는 사물들은 '여기'에 있는 몸을 중심으로 좌우, 상하, 가까이 혹은 멀리 있다. 마찬가지로 몸 자신의 위치 역시 대상들에 비추어 결정된다. 그러나 나의 몸에 적용되는 '여기'라는 단어는, 타자의 위치나 외적 좌표와의 관계에서의 결정적 위치를 말하는 것이 아니라, 첫 번째 좌표에서의 정착, 즉 한 대상 내에서 활동하는 몸의 정박, 그 과제에 임한 몸의 상황을 말한다. 이는 마치 사막의 원주민이 사막의 한 가운데에서 언제나 생각을 돌이켜보지 않고도 즉시 자신이 있는 위치를 확인할 수 있고 거리와 떨어진 정도를 확인할 수 있는 것과 같은 것이다. 이렇게, '몸의 공간성'은 추상적인 좌표상의 형상과 점들로 설명될 수 없다. 몸의 공간성은 "외재적 대상의 공간성 또는 '공간감'의 공간성과 같이 위치의 공간성이 아니라, 상황의 공간성"이기 때문이다.

"몸 적인 공간은 외재적 공간과 구별될 수 있으며 부분들을 펼치는 대신에, 부분들을 감싸고 있다. 왜냐하면 몸적 공간은 무대의 조명에 필요한 객석의 어둠이고, 잠의 바탕이거나 또는 동작과 그 목적이 풀려 나오게끔 만드는 막연한 힘의 보유이며, 정확한 존재들과 형태들과 거점들이 자기 앞에 나타나게끔 해주는 비존재의 지대이기 때문이다."(PP, 116)

인간이 자신의 환경과 자유롭게 제휴할 수 있고 볼 수 있는 실천적인 공간 즉 상황의 공간성을 획득할 수 있는 것은 바로 몸이 세계에 연루되는 것에 의해서이다.(PP, 104) 그래서 "만일 내가 몸을 갖지 않는다면, 나에게 어떠한 공간도 결코 있을 수 없을 것이다."(PP, 102) 몸과의 밀접한 연루로부터 메를로-퐁티는 지각 주체를 '체험된 공간'에 위치시킨다. 따라서 체험된 공간으로부터 분리되는 객관적, 기하학적 공간이 별도로 생각되어질 수 없는 것이다. 공간을 우리에게 지각상 본래적으로 나타나는 것으로 기술하고자 하는 메를로-퐁티의 의도는 모든 편견과 모든 정당치 못한 가정들로부터 벗어나는 것이다. 또한 그것은 무엇보다도 공간 속에 살고 있는 것이 아니라 그 공간을 삶을 통해 체험할 수 밖에 없는 실존적인 주체로서의 몸의 성격을 드러내는 것이다.(신일순, "메를로-퐁티의 '몸의 현상학'," 28-30)

바. 깊이를 통한 몸과 세계와의 관계이해

메를로-퐁티는 공간에서의 '깊이'의 의미를 새롭게 해석한다. 이것은 대상과 마주하는 주체의 관심을 의미한다. 이 '깊이'는 대상에 속한 것이 아니라, 우리의 지각에 속하는 지각경험이며, 몸으로 체험된 경험이라고 한다. 이것이 '가장 실존적 차원'이라고 한다. 깊이는 사물들이 서로를 감싸고, 중첩하고, 상쇄하고, 침식하는 차원이다. 그리고 그것은 두께, 농밀함, 애매성의 차원이다.

공간과 관련된 다른 논의들 이상으로, 세계에 대한 우리의 선입관을 버리게 만들고 공간과 세계에 대한 원초적 경험을 회복하게 하는 것이 '깊이(profondeur)'의 지각이다. 메를로-퐁티는 깊이는 대상에 고유한 것이 아닌, 우리의 지각에 속하는 지각경험이자 몸으로 체험된 경험이라는 의미에서 '가장 실존적 차원'이라고 일컫는다. 깊이는 사물들이 서로를 감싸고, 중첩하고, 상쇄하고, 침식하는 차원이다. 그리고 그것은 두께, 농밀함, 애매성의 차원이다.

"내가 공부를 하기 위해 나의 방문을 열 때, 방안의 책상, 의자, 컴퓨터, 화분들은 하나의 의미성을 갖는다. 이것들의 공간상의 배치는 상황에 고유한 것이다. 커튼은 나를 조용하고 사색적인 분위기로 격리시키면서 드리워져 있다. 나의 컴퓨터 자판은 나를 향하여 놓여 있다. 방안의 대상들은 나를 마주하는 것으로 변한다. 그러나 햇살이 화사한 어느 날 아침에 내가 커튼을 열어제낄 때, 방은 갑자기 변형된다. 나의 책상과 컴퓨터에 집중되었던 나의 시선을 대신하여, 시선은 창밖의 놀이터를 향하고, 방은 길고 좁게 느껴진다. 방안의 대상들은 나의 시각장의 배경으로 물러나게 된다.(PP, 306)

객관주의적 사유 방식에 따르면, 창밖의 놀이터는 내 방안의 책상, 의자보다 나로부터 멀리 떨어져 있다. 이것들은 나의 지향과는 아무런 관계없이 동일한 크기와 동일한 척도를 유지하고 있는 것으로 이해된다. 고전적인 이론에서는 깊이 경험은 어떤 주어진 사실들, 변화하지 않는 대상들 자체의 세계와 관련된 지식의 토대 위에서만이 주장될 수 있다. 깊이의 존재는 어떤 것을 배경으로 숨기도록 허용하는 것에 의해서, 보이거나 들리는 것을, 다른 시각이나 다른 소리와 공존하도록 만든다. 깊이는 '잠재성', '지평'의 융합을 넘어서, 두드러짐, 잠재성, 긴장을 유지하는 불-일치가 존재하는 조건으로 나타난다.

메를로-퐁티에 따르면, 깊이는 "사물들이나 사물들의 요소들이 서로서로 감싸는 그런 차원이고, 너비와 높이는 사물들의 요소들이 서로 병치되는 그런 차원이다."(PP, 306) 깊이는 대상과 자아, 자아와 타자간의 상호 얽힘을, 세계의 두께를 드러낸다. 왜냐하면, 깊이는 대상들의 관계만으로는 파악이 불가능한 것이기 때문이다. 깊이는 대상에 속하는 것이 아니라 대상을 지각하는 우리의 지각으로부터 비롯된다. 너비와 높이는 대상들간의 관계에 의해 이해될 수 있는 것과 대조적으로, 깊이는 세계에 대한 원본적 경험을 일깨우며, 우리에게 대상과 자아의 풀리지 않는 어떤 매듭이 있음을 보여준다. 몸과 세계는 서로를 감싸지만 어느 하나가 다른 한 쪽을 압도해 보리지 않는 관계로 이루어져 있는 것이다. 그래서 깊이는 본래적인 방식에서, 체험된 몸과 세계와의 상호작용을 드러낸다. (신일순, "메를로-퐁티의 '몸의 현상학'," 30-32)

사. 깊이의 현상

메를로-퐁티에 의하면, 세계의 신비와 세계의 열려 있음이 밝혀질 수 있고, 해석될 수 있는 수단이 되는 것은 다름 아닌 깊이의 현상을 통해서이다. 이러한 의미에서 몸이 세계와의 만남을 통해서 지각하는 깊이는 가장 실존적인 차원이며, 우리가 뿌리를 내리고 있는 세계란 열려 있는 무궁무진한 세계임을 드러낸다.

메를로-퐁티에게 있어서, 세계의 신비와 세계의 열려 있음이 밝혀질 수 있고, 해석될 수 있는 수단이 되는 것은 다름 아닌 깊이의 현상을 통해서이다. "깊이는 전 우주적인 주체의 사유에 속하는 것으로 이해될 수 없으며, 세계에 연루된 주체의 가능성으로써 이해될 수 있는 것이다." 깊이에 대한 이해는, 지각에 대한 전통적인 사유들 특히 과학주의적 사유가 주장하는 바대로 세계가 평면적이고, 직선적인, 표피적인 세계로서, 이성에 의해 완전하게 이해될 수 있는 것이라는 견해를 재고찰하게 한다. 메를로-퐁티는 원초적인 깊이의 복권을 통하여, 이들 세계의 저변에 존재하는 세계의 생생한 질들이 지닌 견고함의 세계, 사물들의 색과 촉감적인 두께를 갖는 미적인 세계를 회복하고자 했다. 이러한 의미에서 몸이 세계와의 만남을 통해서 지각하는 깊이는 가장 실존적인 차원이며, 우리가 뿌리를 내리고 있는 세계란 열려 있는 무궁무진한 세계임을 드러낸다.(신일순, "메를로-퐁티의 '몸의 현상학'," 33)

5. 사물과 자연적 세계 : 실존적 통일성

가. 지각의 항상성

메를로-퐁티는, 칸트가 말한 '코페르니쿠스적 전회'를 수용하여, 우리의 "지각에 의한 세계의 정립"을 말하는데, 이것을 "지각의 항상성"[71]으로 표현한다. 우리 안

71) 이것의 사전적 개념은 "동물이나 사람이 친숙한 대상을 볼 때 보는 각도, 거리, 빛의 변화와 관계없이 대상이 표준적인 모양·크기·색깔·위치를 갖고 있는 것으로 보는 경향"(『다음백과』)을 말한다.

에 사물에 대한 지각이 먼저 형성이 되고, 그것이 현실에 반영되어 나타났다는 것이다. 한편, 메를로-퐁티는 이것이 칸트의 말처럼 우리의 이성에 존재하는 법칙이나 공식에 의해서가 아니라, 신체적 태도에서 나타났다고 한다. 우리가 현상들과 운동 감각적 상황의 관계를 인식했을 때 그렇다고 한다.(필자: 쉽게 표현하면, 우리의 신체는 정신과 하나이며, 이것이 곧 법칙 산출자라는 의미이다. 따라서 메를로-퐁티의 대자는 즉자를 무화시키는 것이 아니라, 더욱 충만하게 한다.)

> 내가 대상에 가까이 다가가거나 대상을 '더 잘 보기' 위해 손가락으로 대상을 돌려본다면, 그것은 나의 신체의 개개의 태도가 나에 대하여 단숨에 어떤 광경에 도달하는 능력이고, 개개의 광경은 운동 감각적 상황 속에 있는 그대로의 광경이기 때문이다. 달리 말하면 나의 신체는 사물들을 지각하기 위하여 지속적으로 자리를 지키고 있고, 역으로 나에 대하여 현상들은 어떤 신체적 태도에 언제나 연계되어 있기 때문이다. 따라서 내가 현상들과 운동 감각적 상황의 관계를 인식한다면, 그것은 법칙에 의해서거나 공식에 의해서가 아니라, 내가 신체를 가지고 있고 그 신체에 의해서 세계를 파악하는 한에서 이다. 그리고 지각적 태도들이 하나씩 나에 의해 인식 되는 것이 아니라, 최적 태도로 이끄는 동작 단계들로서 암시적으로 주어지는 것과 마찬가지로, 그것들에 상응하는 조망들은 내 앞에서 연속적으로 정립되는 것이 아니라, 크기와 형태를 가진 사물 자체를 향한 통로들로서만 나타난다.…
> 칸트는 이로부터, 나는 세계를 둘러싸고 구성하는 의식이라고 결론 내렸고, 이 반성적 운동에서 그는 신체의 현상과 사물의 현상에 관심을 기울이지 않았다. 반대로, 우리가 그것을 기술하고자 한다면 나의 경험은 사물들과 통하게 되고, 사물들에서 자신을 초월한다고 말하지 않을 수 없다. 왜냐하면 그것은 나의 신체의 규정인 세계에 관한 어떤 조립의 틀에서 언제나 실현되기 때문이다.…
> 따라서 사물, 형태, 크기를 실재적인 것으로 지각하는 모든 지각, 모든 지각의 항상성은 세계의 정립으로, 나의 신체와 현상들이 엄밀하게 관련되는 경험 체계의 정립으로 되돌아가는 것은 정녕 사실이다.…
> 지각적 경험들은 상호 연결되고 상호 동기화되며 상호 함축하고, 세계의 지각은 나의 현전의 장의 팽창일 뿐이며 그 본질적 구조들을 초월하지 않는다. 여기에서 신체는 언제나 대행자로 남아 있고 대상이 되지 않는다. 칸트가 『선험적 변증론』에서 지적하기는 한 것처럼… 세계는 내가 위치 지어지는 열린 무한정적

통일성이다.(『지각의 현상학』450-457)

나. 촉각적 경험의 항상성과 운동

메를로-퐁티는 우리의 '촉각'이 경험을 가지고 있으며, 이것이 또한 항상성을 가지고 있다고 말한다. 그리고 이것은 자동반사적으로 운동을 한다. 이때의 운동은 앞에서 살펴본 것처럼 2중적 운동이다. 하나는 내부 수용성으로서 대자로서의 운동이고, 또 하나는 외부 수용성으로서 즉자로서의 운동이다. 즉, 우리의 신체는 스스로 생각하면서 대자로서의 자기 자신을 펼치고 있다. 그것의 운동은 경험의 항상성을 가지고 있어서, 모든 것을 자신의 기준에 맞추어서 변화를 시킨다. 또한 우리의 신체에 있는 시각은 이 촉각의 연장에 있다.

무게 지각의 분석은 모든 촉각적 지각을 분명히 한다. 고유한 신체의 운동은 시각에서 조명이 무엇인가를 말해준다.… 가시적 대상이 우리 앞에 있지 우리 눈위에 있지 않음은 틀림없다. 그러나 우리는 최종적으로 가시적 위치, 크기, 형태가 정위, 폭, 그리고 그것들에 대한 우리 시선의 파악에 의해 결정되는 것을 보았다.…
눈부신 광선의 시각에서처럼 시선 없는 수동적 시각이 있는데, 이것은 더 이상 우리에게 객관적 공간을 펼치지 않으며, 광선이 광선이기를 그치고 우리의 눈 자체로 마구 밀려오는, 고통을 주고자 하는 시각이다. 그리고 참다운 봄의 탐색적 시선처럼 "인식하는 접촉"은 운동에 의해 우리를 우리의 신체 밖으로 내던진다. 나의 손 하나가 다른 하나에 접촉할 때 움직이는 손은 주체의 기능을 수행하고 다른 하나는 객체의 기능을 수행한다.…
접촉하거나 만져보는 것은 의식이 아니다. 그것은 손이고, 손은 칸트가 말한 대로, "인간의 외부 두뇌"이다.… 접촉의 주체로서 나는 도처에 있으면서 어디에도 없다는 것을 자만할 수 없다. 여기서 나는 내가 세계에 이르는 것이 나의 신체를 통해서라는 것을 망각할 수 없다. 촉각적 경험은 내 '앞에서' 일어나지 내 안에서 중심을 구하지 않는다. 접촉하는 것은 내가 아니라 나의 신체이다. 내가 접촉할 때 나는 다양한 것을 생각하지 않고 나의 손들은 자신의 운동적 가능성들의 일부가 되는 어떤 양식을 찾아낸다. 바로 이것이 사람들이 지각적 장에 대해 말할 때 말하고자 하는 바이다.…

신체는 자신의 모든 표면과 기관을 통해서 동시에 촉각적 경험을 향해 나아가고 자기 자신과 더불어 어떤 유형의 촉각적 '세계'를 가진다.(『지각의 현상학』 472-475)

다. 사물의 실존적 통일성 : 실존적 투사로서의 사물

메를로-퐁티는 "이제 우리는 상호 감각적 사물의 분석에 접근할 수 있게 되었다"고 말하며, "사물은 그 앞에서 나의 분할되지 않은 실존이 투사하는 절대적 충만성이다"고 말한다. 모든 사물들에는 그것의 의미가 존재하며, 이것이 그 사물의 물질과 결합하여 육화되어 있다. 그런데, 이 모든 의미는 우리의 인간학적 술어들로 채워져 있다. 이때 그 의미는 대자가 즉자에게 부여한 것이다. 따라서 사물들의 진정한 의미는 신체와 사물들의 결합이라고 말해야 한다.

사물에는 개개의 감각적 성질을 다른 성질에 결합하는 상징체계가 있다.…(『지각의 현상학』478)
영혼이 신체에 거주하듯 사물의 의미는 그 사물에 거주한다. 현상 뒤에서가 아니다. 재떨이의 의미는 그 감각적 상들을 조정하고 오성에게만 접근 가능한 재떨이의 어떤 관념이 아니다. 그것은 재떨이에 생명을 불어넣고 그 속에 명증적으로 육화되어 있다.… 따라서 사물은 나의 신체의 상관자이고, 보다 일반적으로는, 나의 실존의 상관자인데, 나의 실존은 나의 신체가 안정화된 구조일 뿐인 그런 실존이거니와, 사물은 사물에 대한 나의 신체의 파악에서 구성되며, 우선 그것은 오성에 대한 의미가 아니라 신체의 탐사로 접근될 수 있는 구조이다. 우리가 실재적인 것을 그것이 지각적 경험에서 우리에게 나타나는 그대로 기술하고자 한다면, 우리는 그것이 인간학적 술어들로 채워져 있는 것으로 발견할 것이다.…
궁극적으로 바로 여기에 우리가, 지각되지 않거나 지각될 수 없는 사물을 인식할 수 없는 이유가 있다. 버클리가 말한 대로, 미답의 사막조차도 적어도 한 명의 관찰자를 가지며, 그것은 우리가 그것을 사유할 때의 우리 자신이며, 즉 우리가 그것을 지각하는 정신적 경험을 할 때의 우리 자신이다. 사물은 그것을 지각하는 어떤 사람과 분리될 수 없다. 사물이 실제로 즉자적일 수가 없는 것은 사물의 분절들이 우리의 실존의 그것들 자체이기 때문이고, 시선의 끄트머리 또는 인간성으로 뒤덮인 감각적 탐색의 끝에서 정립되기 때문이다. 이 정도로 모든 지각은 의사소통 또는 교통, 즉 낯선 의도에 대한 우리의 재파악 또는 성취이거나, 역으로 우리의 지각적 힘들의 자기 바깥으로의 실현이고, 요컨대 우리의 신체와 사물의 결합이다.(『지각의 현상학』479-480)

라. 자연적 세계

그렇다면, 인간보다 먼저 존재하는 것으로 나타나는 자연적 세계는 어떠한가? 그것은 인간의 고유한 신체를 마치 대상으로 취급하는 듯하다. 그러나 인간은 이러한 환경들을 이해하고, 여기에서 자신의 원초적 결합을 이끌어낸다.

인간의 행동은 세계에 열려 있고 또한 그 행동이 자신을 위해 만드는 도구들을 넘어 있는 대상에 열려 있다. 그것은 고유한 신체를 대상으로 취급할 수 있다. 인간의 삶은 객관적 사고의 자신을 자기가 부정할 수 있는 능력에 의해 규정되고, 이 능력을 세계에 대한 자신의 원초적 결합에서 끌어낸다. 인간의 삶은 이러저러한 일정한 환경뿐만 아니라 무한한 가능적 환경들도 '이해한다'. 인간의 삶이 이해되는 것은 그것이 자연적 세계에 던져져 있기 때문이다.(『지각의 현상학』490)

5절 세계-에로-존재(대자)의 자유

1. 나의 자유, 주체 전개의 개시점으로서의 세계

이 세계 속의 나에 대해서 메를로-퐁티는 샤르트르와 다른 관점을 제시하는데, 사르트르는 헤겔철학을 고스란히 나에게 적용하여서 세계 속에서의 나를 무화하는 주체로 파악한다. 즉, 나는 타자에 의해서 대자로서 파악되기 때문에 계속적으로 나는 무화하는 존재가 되어가는 것이다. 이에 반하여 메를로-퐁티는 나는 세계 안에 토대를 두고 있는 나를 부인할 수 없다. 세계는 나의 자유, 주체의 전개의 개시점이다고 말한다.

메를로-퐁티는 사르트르와 정반대로 자유의 토대를 세계의 선실존에서 발견한다. 사르트르의 주체는 계속 무화하는 주체이다. 세계 속에 있는 나의 지점을 무화하는 것이 사르트르의 주체이고 자유이다. 이에 반해 나는 세계 안에 토대를 두고 있는 나를 부인할 수 없다. 세계는 나의 자유, 주체의 전개의 개시점이다. 그런 점에서 사르트르의 자유는 벗어나려는 자유이다. 그런데 우리는 다른 방식으로 자유를 경험하기도 한다. 내 집, 내가 속한 사회, 내가 자라온 곳, 즉 세계 안에서 자유롭다는 것이다. 세계는 그렇게 나의 실존의 바탕이나 대지처럼 이미 존재하면서도 내가 그 의미를 소유하자마자 가시적이 되는 곳이다.(정지은, "몸과 살, 그리고 세계의 철학자, 모리스 메를로-퐁티," 62)

2. 상호적인 소유로서의 나와 세계의 관계

가. 상호적인 소유 속에 있는 자유

메를로-퐁티는 나와 세계의 관계를 파악할 때, 상호적으로 소유한다고 파악한다. 그리고 이렇게 상호적으로 소유할 때, 서로 자유롭다고 말한다. 그리고 이러한 독특한 소유는 '현상학적 시간성' 속에서 이루어진다고 말한다.

보통 우리는 소유를 나의 소외와 연관시킨다. 내가 소유하는 무엇이 나를 대표하면서 정작 나 자신은 잃어버린다는 것이다. 이것은 자본주의에서의 물신적 사고이다. 그런데 위에서 말한 소유는 상호적인 소유이다. 내가 '나의' 세계로서 이 세계를 소유할 때 동시에 나는 세계에 포함이 된다. 그래서 나와 세계가 분리되지 않은 상태에서 자유롭다. 그렇다면 이 관계 혹은 이 독특한 방식의 소유는 어떻게 이루어질까? 이것은 현상학적 시간성 속에서 이루어진다.(정지은, "몸과 살, 그리고 세계의 철학자, 모리스 메를로-퐁티," 63)

나. 주체의 자유가 실현되는 현상학적 시간성

메를로-퐁티는 선적인 시간성과는 다른 시간성, 과거가 변형되어 침전되고 미래가 비존재의 형식으로서 앞당겨지는 그런 현재의 장이 중심이 되는 현상학적 시간성을 다룬다. 즉, 내가 현재 갖는 세계는 내가 태어나기 전부터 존재하는 세계이지만, 시간성으로 말미암아 변형되어 침전되고 곧 새로운 의미를 띠게 되는 운명에 처해 있는 것이다. 이 세계는 주체에 의해서 새롭게 변화될 운명에 처해 있는 것이다. 현상학적 시간성은 주체의 자유가 실현되는 과정이다. 이에 대해 정지은은 다음과 같이 요약하여 설명한다.

> 현재는 두께를 갖고 있다. 이 현재의 두께 안에서 과거의 현재는 변형되어 침전되고, 다가올 미래의 현재가 예상된다. 이것을 현상학에서는 시간의식에서의 과거지향과 미래지향이라고 부른다. 그런데 만약 과거의 현재를 그대로 유지한다면 시간을 살 수 없게 된다. 과거의 현재를 변형시키지 않은 채 현재 살고 있다면 그 사람은 정신적으로 문제가 있게 된다. 그래서 현재는 세계 전부를 드러내지 못한다. 왜냐하면 현재 내가 경험하는 세계는 즉시 미래에 의해 침투되고 그리하여 과거로 떨어지기 때문이다. 이것을 현재의 장(場)이라고 한다. 내가 현재 갖는 세계는 내가 태어나기 전부터 존재하는 세계이지만 시간을 사는 나는 그 의미의 충만성을 단번에 갖지 못한다. 내가 사는 세계는 시간성으로 말미암아 변형되어 침전되고 곧 새로운 의미를 띠게 되는 운명에 처해 있는 것이다.(정지은, "몸과 살, 그리고 세계의 철학자, 모리스 메를로-퐁티," 63)

다. '동기와 행동'으로서의 '자유'

우리는 앞에서 나의 사유 혹은 지각의 문제를 판단할 때, 데카르트적으로는 '나는 생각한다'로 표현되는데, 메를로-퐁티에 의하면 '나는 할 수 있다'로 표현된다고 하였다. 즉, 이러한 동기가 사유보다 앞선다는 것이다. 사유 속에 나타났다는 것은 이미 그 전에 이와 같은 '나는 할 수 있다'는 관념이 있었다는 것이다. 따라서 데카르트나 사르트르의 관점에서의 주체의 자유는 '의지와 결정'이다. 반면에 메를로-퐁티의 자유는 '동기와 행동'이다. 이것은 의식이 아니라 육화된 주체, 나의 고유한 신체로서의 주체의 본능적 행위이다는 것이다.

> 사르트르의 자유는 의지와 결정이다. 그런데, 진정한 자유는 동기와 행동이다. 이것은 의식이 아니라 육화된 주체, 나의 고유한 신체로서의 주체의 본능적 행위이기 때문이다. 샤르트르는 동기에 대해서 내 앞에 산이 있을 때 나의 의지가 있어야만 산을 오르려는 동기가 소용이 있다고 본다. 그런데, 저 산이 올라야 하는 산이라는 것은 이미 그 산이 내 행동 속에 각인이 되어있다. 산은 이미 나의 행동의 동기인 것이다. 버트란드 러셀의 에피소드가 있는데, 러셀처럼 분석적인 철학자가 자기 앞에 있는 여성을 보는 순간 자기도 모르게 '사랑해'라고 말했다

는 것이다. 이것은 말하는 순간, 그 여성이 사랑이라는 의미를 지니고 있다는 의미이다. 만약 사르트르가 동기는 의지가 있어야만 가치를 갖게 된다고 본다면 그것은 잘못된 것이다. 동기는 의지를 갖기 이전에 내 앞의 대상이 갖는 의미, 나의 행동을 촉발하는 의미인 것이다.(정지은, "몸과 살, 그리고 세계의 철학자, 모리스 메를로-퐁티," 64)

라. '동기화'를 유발하는 근본적인 요인으로서의 '동기'

따라서 동기는 동기화를 유발하는 근본적인 요인이며, 의지가 아니다. 의지는 오히려 이에 대한 반대작용만을 할 뿐이다. 그리고 이러한 동기와 동기화가 일어나며, 이에 따라 행하는 것이 진정한 자유이다.

동기는 동기화(motivation)를 유발하는 근본적인 요인이며, 직접적인 행동을 이끌어낸다. 의지는 오히려 이러한 자발적 행동의 중지, 유예를 가져올 때가 있다. 이 점만 보더라도 의지가 행위와 반드시 직접적으로 결합하는 것이 아니라, 오로지 대자적 의식의 차원에서만 행위와 관계한다는 것을 알 수 있다. 의지를 자유의 행위에 선행하는 것으로 전제한다면, 내가 저 산을 오르겠다는 것은 자유에 의한 것이겠지만, 내가 계속해서 노예의 상태로 산다는 것도 자유에 의한 것이라고 말할 수 있다.(정지은, "몸과 살, 그리고 세계의 철학자, 모리스 메를로-퐁티," 65)

마. 현재의 장에서 일어나는 동기부여 등

메를로-퐁티에 의하면, 나의 행동의 측면에서의 이러한 즉각적인 동기부여나 대상의 측면에서의 즉각적인 실존적 의미의 획득은 언제나 현재의 장에서 일어난다. 현재는 이미 존재했던 대상의 의미가 변화되는데, 나의 살아 있는 신체가 계속해서 새로운 의미를 거기에 투사하기 때문이다.

나의 행동의 측면에서의 이러한 즉각적인 동기부여나 대상의 측면에서의 즉각적인 실존적 의미의 획득은 언제나 현재의 장에서 일어난다. 현재는 이미 존재했던 대상의 의미가 변화되는데, 나의 살아 있는 신체가 계속해서 새로운 의미를 거기에 투사하기 때문이다.[72] 순간이라는 것은 임박한 미래, 곧 다가올 미래에 의해 나의 행동이 그 대상에 대한 의미를 앞당겨 가져오는 시간의 두께로서 경험된다.(정지은, "몸과 살, 그리고 세계의 철학자, 모리스 메를로-퐁티," 65)

3. 시간성을 경유해서 밝혀지는 주체성

메를로-퐁티에 의하면, 나의 자유로운 자발성에 의해 세계 안에 나를 던지는 순간 나는 세계 안에 한정된 존재로서 있게 된다. 나의 실존적 행동에 의해 획득된 세계의 의미는 곧 한정된 현재 안에서의 의미로 그치고 만다. 세계 속에 있는 나로 보자면 시점이다. 따라서 현재는 충만하지 않으며, 곧 사라질 운명인 비-존재를 포함하고 있다.

실상 이러한 시간성에 의한 상황은 애매하다. 나의 자유로운 자발성에 의해 세계 안에 나를 던지는 순간 나는 세계 안에 한정된 존재로서 있게 된다. 나의 실존적 행동에 의해 획득된 세계의 의미는 곧 한정된 현재 안에서의 의미로 그치고 만다. 세계 속에 있는 나로 보자면 시점이다. 시점은 이 시간 속에서의 순간이라고 할 수 있으며 시간 속에서 순간을 구성한다. 그리고 시점은 변화 속에서 어느 한 지점에 자리잡는 것이기 때문에 유한하며, 순간은 방금 지나간 순간을 변형시켜 침전시키지만 또한 다가올 순간에 의해 침식당하며 곧 해체되고 변형될 것이기 때문에 충만하지 않다. 따라서 현재는 충만하지 않으며, 곧 사라질 운명인 비-존재를 포함하고 있다.(정지은, "몸과 살, 그리고 세계의 철학자, 모리스 메를로-퐁티," 65-66)

그럼에도 불구하고 주체는 무를 출현시킨다. 이것은 세계를 없애는 것이 아니라, 계속 생성하게 한다는 것이다.

주체는 무를 출현시킨다. 이것은 세계를 계속 생성하게 한다는 것이다. 이때 주체에게 사건은 그 자신의 출현으로서가 아니라, 세계의 출현으로 경험된다. 왜냐하면 세계는 늘 임박한 식으로 다시 말해, 출현하자마자 사라지는 식으로 나타나기 때문이다. 그러나 이 현재의 장에서 체험하는 임박함이 세계를 산산조각 내기 위해 있는 것이 아니다. 비-존재, 무의 출현은 이미 존재하는 세계라는 바

72) 이것은 주체로서의 '나' 안에 무엇인가의 '이데아'가 있다는 이야기이다. 이것을 기준으로 하여서 완성을 위해 무엇인가를 투사한다고 보아야 한다. (필자)

탕 위에서 일어나는 기투와 기투 사이의 균열 혹은 빈공간이다.(정지은, “몸과 살, 그리고 세계의 철학자, 모리스 메를로-퐁티,” 66)

따라서, 메르로-퐁티는 주체성은 시간성이며, 주체의 관념에서 출발해서 시간성을 파악할 것이 아니라, 정반대로 시간성을 경유해서 주체성을 밝혀야 한다고 말한다. 이에 따라 메를로-퐁티는 주체성과 시간성을 동일하게 놓으면서 “무(無, 세계의 비존재)가 세계 속에 나타나는 것이 주관성에 의해서라면 우리는 또한 무가 존재하게 되는 것이 세계에 의해서라고 말할 수 있다.”고 말한다.

그리하여 주체성과 시간성은 동일하게 놓이며 “무(無, 세계의 비존재)가 세계 속에 나타나는 것이 주관성에 의해서라면 우리는 또한 무가 존재하게 되는 것이 세계에 의해서라고 말할 수 있다.” 이 세계가 완결하지 않기 때문에 다른 모습으로 나타날 것이라는 점을 함축한다는 것이다.
우리는 여기서 메를로-퐁티가 사르트르와 정반대 되는 자리에 주체성을 놓는다는 것을 알 수 있다. 사르트르의 주체는 무화하는 주체이다. 메를로-퐁티의 주체는 무를 출현시킨다. 반면 사르트르는 세계를 계속 없앤다. 사르트르의 주체는 자신과 자신을 결정했던 세계를 무화시키면서, 자신의 존재를 ‘존재했었음’이라는 과거 속에 밀어 넣으면서 그 자신이 사건이 된다. 즉 세계가 변하는 것이 아니라, 자기 자신이 새롭게 변한다. 메를로-퐁티는 사르트르의 주체가 우연적인 사건을 경험할 수 없다고 비판한다. 반면에 메를로-퐁티의 주체에게 사건은 그 자신의 출현으로서가 아니라 세계의 출현으로서 경험된다.… 비-존재, 무의 출현은 이미 존재하는 세계라는 바탕 위에서 일어나는 기투와 기투 사이의 균열, 혹은 빈공간이다.(정지은, “몸과 살, 그리고 세계의 철학자, 모리스 메를로-퐁티,” 66-67)

4. 상호주관성의 세계

가. 공존하는 상호주관적인 세계

이제 주체적인 자유가 드러나는 장으로서 상호주관적인 세계가 있다. 지금까지는 ‘나’의 자유에 대해 이야기했는데, 이젠 표면적으로 더 잘 보이는 것은 ‘상호주관적인 세계’에서의 ‘자유’라고 할 수 있다는 것이다. 메를로-퐁티는 이에 대해 내 의식이 다른 의식을 대상으로 취급하여 무화시킨다고 보는 사르트르와는 완전히 다른 이론을 펼친다. 사르트르에게는 나의 세계 안에 타인이 의식적 존재로 출현하는 순간, 나는 수챗구멍으로 빠져 달아나 버리는데, 메를로-퐁티는 타인이 있더라도 나의 세계는 나의 신체와 타인의 신체가 관계하는 공동의 세계, 지각의 세계이기 때문이다고 한다.

> 우선 에고에 대해 생각해보면, 데카르트의 '에고'는 의식하고 사유하는 나이다. 그리고 타인을 '알터 에고' 즉 '다른 나'라고 본다. 문제는 '에고'가 의식이기 때문에 내가 의식이 되는 순간, 타인은 대상이 된다는 것이다. 그래서 둘의 공존은 불가능하다. 대상과 의식의 관계 속에서 에고와 알터 에고는 죽이는(서로를 대상으로 취급하는: 필자) 관계가 될 수 밖에 없기 때문이다. 타인을 의식으로 놓는 순간 나 자신의 의식은 소멸해야 된다는 것이다. 이것으로는 타인과의 관계를 설명하기에 부족하다고 본다. 왜냐면 공존이 불가능하기 때문이다. 대신 이 의식 안에는 내가 알 수 없는 다른 것이 있다. 상호주관적인, 공존이 가능한 어떤 것이 있다는 것이다.…
> 이 '나' 안에 나의 의식이 파악할 수 없는 무언가가 있으며, 이것은 나한테만 그런 것이 아니라 타인에 대해서도 그렇다는 것이다. 가령 나는 타인의 행동을 보면서, 혹은 타인이 내 앞에 있는 대상들을 다루는 방식을 보면서 비록 그것이 나의 것은 아니지만 이해할 수 있는 것이기 때문이다.
> 사르트르에게는 나의 세계 안에 타인이 의식적 존재로 출현하는 순간, 나는 수챗구멍으로 빠져 달아나 버린다. 그러나 타인이 있더라도 나의 세계는 사라지는 것이 아니다. 왜냐면 그 세계는 나의 신체와 타인의 신체가 관계하는 공동의 세계, 지각의 세계이기 때문이다고 한다.(정지은, "몸과 살, 그리고 세계의 철학자, 모리스 메를로-퐁티," 67-68)

나. '나'들의 관계맺음으로서의 'on'

메를로-퐁티는 "세계는 나의 신체와 타인의 신체가 관계하는 공동의 세계, 지각의 세계이다"고 말한다. 나라고 하는 어떤 것들이 모여서 'on'이 되는데, 여기서의 'on'을 이루는 '나'들은 원자들이 아니다. 이들 사이에는 관계맺음이 있으며, 이 관계 맺음을 통해서 무엇인가가 출현한다. 예컨대, 언어나 종교가 그것이다. 그리고 이러한 'on' 안에서 무엇인가가 발생하는데 그것을 설명할 수 없는 어떤 것이며 그것이 곧 형이상학이다고 하였다.

> 세계는 나의 신체와 타인의 신체가 관계하는 공동의 세계, 지각의 세계이다. 인간이 개와 같은 동물의 몸짓이나 울부짖음은 이해하지 못하지만, 다른 인간의 행동이나 말은 이해하는 것이 가능하다. 그러한 이해 가능성의 나가 'on'[73]이라는 것이다. 나라고 하는 어떤 것들이 모여서 'on'이 된다는 것이다. 이것이 마치 요즘에 많이 쓰이는 '다중(multitude)'처럼 들릴 수도 있겠지만 다르다. 다중은 원자와 같은 주체들이 갑자기 모여서 큰 힘을 발휘했다가 다시 흩어지곤 한다. 그런데 여기서의 'on'을 이루는 '나'들은 원자들이 아니다. 이들 사이에는 관계 맺음이 있다. 단적으로 말해 관계를 맺어서 무엇인가가 출현한다는 것이다. 왜 두 사람 이상이 있어야 언어가 되는가? 종교가 되는가? 언어와 종교는 'on' 차원에서 등장하는 것이지 누가 발명하는 것이 아니다. 서로 모르는 사이에 관계 맺음을 통해서 출현한 것이다. 그것을 가능하게 하는 'on'인 것이다. (정지은, "몸과 살, 그리고 세계의 철학자, 모리스 메를로-퐁티," 68-69)

다. 타인들과 공존한다는 조건에서만 가능한 자유

메를로-퐁티는 「의미와 무의미」에서 자유는 타인들과 공존한다는 조건에서만 가능하다고 말한다. 이것은 동일한 지각적 세계 속에서 나의 실존의 형식이 타인의 실존의 형식에 촉발되어 나를 넘어섬으로써 공통의 세계로 수렴되기 때문이다. 그리고, 인간 안에서 무엇인가가 발생하는데 그것을 설명할 수 없는 것이 곧 형이상학이다고 한다.

> 자유는 타인들과 공존한다는 조건에서만 가능하다. 이것은 타인을 압제하고 타인을 나의 세계에 포함시키기 때문이 아니라, 동일한 지각적 세계 속에서 나의 실존의 형식이 타인의 실존의 형식에 촉발되어 나를 넘어섬으로써 공통의 세계로 수렴되기 때문이다. "각 의식은 다른 의식과의 관계 속에서 자신을 재발견하거나 자신을 상실하며", "사회적인 것의 완성은 상호주체성, 개인들 간의 생생한 관계와 긴장" 속에서 발생한다. 우리는 우리의 특수성을 포기함으로써 보편적인

73) 프랑스어로 'on'은 '사람들'이라는 의미의 '부정칭 대명사'이다.

> 것에 도달하는 것이 아니라, 특수성을 타자들에 도달하는 수단으로 만들면서, 상황들이 생생한 긴장 상태 속에서 서로 이해되게 하는 저 신비한 친화성 덕분에 보편적인 것에 도달한다.
> … 인간 안에서 무엇인가가 발생하는데 그것을 설명할 수 없는 것이 곧 형이상학이다.(정지은, "몸과 살, 그리고 세계의 철학자, 모리스 메를로-퐁티," 72)

6절 '봄'의 예술론

메를로-퐁티는 『눈과 정신』에서 '봄의 예술'을 전개한다. 이 내용도 또한 정지은, "몸과 살, 그리고 세계의 철학자, 모리스 메를로-퐁티"의 정리를 고스란히 참조하고자 한다.

1. 감각에 있는 신비

가. 과학주의 비판

메를로-퐁티는 감각적인 세계는 신비를 만들어낸다고 말한다. 우리가 다 파헤쳐도 그 사실을 못 파헤치는 어떤 요소가 감각에 있기 때문이다. 그리고 감각에 있는 그 신비가 있는 곳에 신앙이 생성된다고 말한다. 그것을 정지은은 다음과 같이 정리한다.

> 메를로-퐁티가 자신의 저서인 『눈과 정신』에서 제인 먼저 비판하는 것은 과학주의이다. 감각적인 세계의 신비는 동시에 세계에 대한 신앙을 만들어낸다. 신비가 있는 곳에 신앙이 있다. 내가 다 파헤쳐도 사실은 못 파헤친다는 어떤 수수께끼가 있다. 그렇다면 과학주의를 왜 비판하는 것일까? 과학주의는 세계에 대한 신비를 없애버렸다는 것이다. 예를 들어 우리의 감각조차 과학은 조작할 수 있다. 가만히 보면 요즘에는 종교가 사라지고, 과학이 종교를 대체하고 있는 것 같다.…(정지은, "몸과 살, 그리고 세계의 철학자, 모리스 메를로-퐁티," 73)

나. 감각 이면에 있는 신비

『눈과 정신』은 주로 세잔(1839-1906)을 다루고 있는데, 여기서 주제는 "보이는 것(가시적인 것)과 보이지 않는 것(비가시적인 것)"이다. 메를로-퐁티는 보이는 것은 굉장히 많은 신비를 감추고 있으며, 그것들을 화가들만 알고 있다고 본다. 우리가 흔히 비가시적인 것을 머릿속에 있는 관념이라고 이야기하는데, 사실은 이것을 굉장히 좁은 비가시적인 것이다. 메를로-퐁티는 보이는 것 안에 숨겨져 있는 관념보다 더 깊은 비가시적인 것에 대해 이야기를 한다. 우리는 '색깔'이나 '운동성'을 다른 사물들을 통해서 바라본다. 이에 대해 화가는 그곳에서 '존재의 뿌리'를 본다. 세잔은 "그것은 존재의 뿌리 자체와, 감각들의 만져질 수 없는 원천과 뒤엉켜 있다"고 말한다.

또한 『눈과 정신』에서는 주로 세잔(1839-1906)도 다루고 있다. 여기서 주제는 "보이는 것(가시적인 것)과 보이지 않는 것(비가시적인 것)"이다. 우리가 보이는 것은 대개 다 안다고 생각하고 쉽게 믿는다. 그런데 메를로-퐁티는 보이는 것은 굉장히 많은 신비를 감추고 있으며, 그것들을 화가들만 알고 있다고 본다. 우리가 흔히 비가시적인 것을 머릿속에 있는 관념이라고 이야기하는데, 사실은 이것을 굉장히 좁은 비가시적인 것이다. 메를로-퐁티는 보이는 것 안에 숨겨져 있는 비가시적인 것에 대해 이야기를 한다. 보이는데 보이지 않는 것에는 어떤 것이 있을까? 우선 "빛, 그림자(음영)"가 있다. 이것들은 다른 것에 의존해서 자신을 보이기 때문이다. 또 '색깔'이 있다. 색깔은 못 본다. 물질 안에 있는 것으로 보는 것뿐이다. 여기에 하나 추가하면 "나의 몸의 운동성"이 있다. 이것은 자발적인 표현성을 말한다. 내가 움직여야만 보일 수 있는 것이다. 이것들이 비가시적인 것들인데 화가들은 이러한 수수께끼들을 어떻게 배치해서 마치 여기에 어떤 로고스가 있는 것처럼 보여줄 수 있을지 고민을 한다. 『눈과 정신』의 제사(題詞)는 세잔의 말로 시작한다.
"내가 여러분에게 번역해 내려고 하는 것은 가장 신비한 것이다. (그것은) 존재의 뿌리 자체와, 감각들의 만져질 수 없는 원천과 뒤엉켜 있다."
세잔의 이 말이 의미하는 것을 무엇일까? 세계는 눈앞에 보이는 게 전부가 아니라는 것이다. '신비'하고 '존재의 뿌리'라고 보는 것이다. 세계는 그것을 제대로 바라볼 수 있는 자에게는 언제나 수수께끼이며, 그 수수께끼 속에는 나와 세계의 존재의 뿌리가 함께 공존하기 때문에 세계의 수수께끼를 푼다는 것은 곧 나의 존재의 뿌리를 표현한다는 말과 동일하다. 그 뿌리는 바로 감각적인 것의 깊이이며, 나의 몸은 그 무엇보다도 먼저 그 깊이를 간파하고 그것을 표현과 몸짓으로 풀어낸다.(정지은, "몸과 살, 그리고 세계의 철학자, 모리스 메를로-퐁티,"

74-75)

다. 세잔의 일화

세잔은 생트 빅투와르산을 관조하면서, 시간이 지나면서 빛과 그림자가 변하는 양상을 관조했다. 그리고 이것이 바로 그 세계의 깊이라는 것이었다. 따라서, 이것이 나에게 알려지는 것은 나의 신체를 통해서이지, 정신을 통해서가 아니었다. 정신으로 안다면 영원하고 불변적인 하나의 공식으로 세계의 모든 모습을 표현할 수 있었을 것이다. 그러나 감각으로 이해된 그 신비는 그렇게 과학처럼 획일화되지 않는다.

> 저 산이 내게 현상하고 출현한다고 보는 것으로 시작한다. 그런데 화가들은 그런 현상들을 그냥 보고 넘어가는 것이 아니라 고민하기 시작한다. 세잔의 일화는 다음과 같다. 그가 늘 즐겨 그렸던 산이 생트 빅투와르산인데, 그 산을 아침부터 저녁까지 앉아서 관조를 했다. 관조했다는 것은 산이 내게 보이는데 어떻게 보이는 것인가 라고 질문을 던지고 가시성의 수수께끼를 풀려고 했다는 것이다. 시간이 지나면서 빛과 그림자가 변하는 양상을 관조했다. 이것이 바로 세계의 깊이라는 것이다. 이것은 나의 신체를 통해서 아는 것이지, 정신을 통해서가 아니다. 정신으로 안다면 영원하고 불변적인 하나의 공식으로 세계의 모든 모습을 표현할 수 있었을 것이다. 화가에게 세계는 경이였고, 그러한 경이를 표현하는 것이 시대를 초월할 뿐만 아니라 화가에게는 가장 다급한 과제이기도 했다. (정지은, "몸과 살, 그리고 세계의 철학자, 모리스 메를로-퐁티," 75-76)

2. 세계를 향해 열리는 '몸'

가. '나의 몸짓'을 불러내는 '가시적인 것의 힘'

발레리는 화가의 몸이 세계를 향해 열리고, 이때 세계는 자신의 비밀을 내보인다고 말한다. 나의 몸이 세계를 관조할 때, 세계가 그 앞에서 열린다는 것이다. 정신을 함유한 우리의 몸이 세계에 거주하기 때문이다. 그래서 화가는 감각적 세계를 표현한다. 이것은 세계 속의 가시적인 것의 어떤 힘이 나의 몸짓을 불러낸 것이라고 말한다. 그러면 그 몸짓은 이제 저절로 표현되기 시작한다.

발레리(1871-1945)는 "화가가 자신의 몸을 가져온다"라고 말한다. 이것을 어떻게 이해해야 할까? 그것은 화가의 몸이 세계를 향해 열리고, 그럼으로써 세계는 자신의 비밀을 내보인다는 것을 의미한다. 나의 몸은 세계를 관조할 때, 사물에 거주하고, 사물에 붙잡히고, 세계에 붙잡히고, 세계에 거주한다. 화가의 몸짓, 화가의 표현이 보여주는 것은 화가라는 주체 내부에서 오는 게 아니라, 감각적 세계를 표현한 것이다. 메를로-퐁티는 가시적인 것의 어떤 역능(힘)이 나의 몸짓을 불러낸다고 본다. 보이는 것이 어떤 힘을 갖고 있어서 나의 몸짓을 불러내면 내가 저절로 표현되기 시작한다는 것이다.(정지은, "몸과 살, 그리고 세계의 철학자, 모리스 메를로-퐁티," 76)

나. '나의 눈'과 연결된 가시적인 세계

메를로-퐁티는 사물에는 우리의 몸을 움직이게 하는 가시적인 힘이 있다고 말한다. 나의 눈과 가시적인 세계가 끈처럼 연결되어 있다는 것이다. 이렇게 그림은 우리를 불러내고, 우리가 다시 그림 속으로 들어가 화가들이 그려낸 가시적인 것의 수수께끼를 우리의 몸의 느낌과 함께 감상하게 한다.

첫 번째 역능이 가시적인 것에서 나온다면 가시적인 것의 두 번째 역능은 그림이다. 표현된 가시적인 것은 관객의 눈을 불러서 끌어당기고 관객이 그림 안에 머물게 한다. 실제로 세잔이나 피카소 등의 화가들이 같은 장면이나 광경을 반복해서 그리는 이유가 무엇일까? 마치 그것들이 충동질을 하듯이. 그것이 바로 가시적인 것이 갖는 역능(힘)이다. 우리도 그림을 보면서 가까이 가게 된다. 우리의 몸을 움직이게 하는 가시적인 힘이 있다는 것이다. 나의 눈과 가시적인 세계가 끈처럼 연결되어 있다는 것이다. 이렇게 그림은 우리를 불러내고, 우리가 다시 그림 속으로 들어가 화가들이 그려낸 가시적인 것의 수수께끼를 우리의 몸의 느낌과 함께 감상하게 한다. (정지은, "몸과 살, 그리고 세계의 철학자, 모리스 메를로-퐁티," 76)

다. 가시성의 원리와 화가의 눈

메를로-퐁티는 우리의 눈이 가진 '가시성의 원리'을 말하는데, 그것은 우리의 몸과 세계가 유사하기 때문이라고 말한다. 즉 세계는 우리 몸의 확장이다. 그리고 몸과 그 확장 사이에는 무엇인가의 끈이 존재한다. 메를로-퐁티는 화가들의 '광기'가 이것을 확증시켜준다고 말한다.

> 화가의 눈은 감각적인 것의 뼈대, 가시성의 원리를 발견하도록 유도된다. 그렇게 어떤 원리에 의해 만들어진 작품은 처음에는 낯설게 보이지만 이내 우리에게 친숙한 모습으로 바뀐다. 메를로-퐁티는 자코메티(1901-1966)의 말을 인용하는데, 그는 이렇게 말한다. "모든 회화에서 내가 관심을 가지는 것은 유사성, 즉 나에 대해 유사한 것이다: 그것은 내가 외부 세계를 약간은 발견하도록 만든다." 자코메티에 대해 잠깐 설명하면 다음과 같다. 그는 인간만한 조각상을 만든 사람이다. 그는 자신이 실제 모습과 유사하게 보이는 것을 표현했다고 말한다. 자코메티에게는 그렇게 보였던 것이다. 자코메티의 조각상을 보고 관객들은 처음에 저것이 사람이야? 라고 묻는다. 그런데 재미 있는 것은 얼마 지나지 않아 그것을 사람으로 볼 뿐만 아니라 사람을 바라보던 시각의 방식이 다라지게 된다는 것이다. 이것은 바로 화가가 비밀을 알고, 우리가 못 봤던 것들 알려줬기 때문에 가능한 것이다.
>
> 모딜리아니(1884-1920)의 여자도 같다. 우리는 한 번도 그런 식으로 여자를 알아보지 않았다. 모딜리아니 이후에 여자를 그렇게 보는 방식을 수용할 수 있게 된 것이다. 이것이 바로 화가들이 세계를 확장시켜 준 것이라고 할 수 있다. 그리고 이것은 유사성이 있기 때문에 가능한 것이다. 앞에서 시선을 일종의 광기라고 이야기하는데, 보이는 것에 집착하는 것도 일종의 광기이다. 가시적인 것 속에 매혹 당해서 그 속에서 수수께끼를 탐문하는 화가의 시선을 광기라고 표현한다. 내가 숲을 그리려고 하는데 거꾸로 숲이 나를 보면서 "나를 그려봐"라고 느낀다는 상태가 바로 사로잡힘과 같은 광기의 경험인 것이다.(정지은, "몸과 살, 그리고 세계의 철학자, 모리스 메를로-퐁티," 77-78)

라. 거울의 심리

메를로-퐁티에 의하면, 거울은 세계를 광경으로 바꾸는 하나의 도구라고 한다. 특히 '세계-에로-존재'까지 포함된 세계를 그곳에서는 묘사될 수가 있다. 그래서, 이러한 거울을 이용하여 화가 그 자신과 세계가 한 꺼번에 그려지는 그림을 곧잘

그렸던 것이다.

또한 거울은 내가 타인이 되고, 타인이 내가 되는 방식이다. 세계가 광경이 되고, 광경이 세계가 되고, 내가 타인이 되고 타인이 내가 되는 시각의 수수께끼가 있는데, 화가들은 이에 대해 거울을 바탕으로 이해했던 것이다. 메를로-퐁티는 나와 세계 사이에서도 일종의 거울 관계가 있다고 봤다. 세계가 내게 비춰지면서 나는 가시적인 세계를 만든다. 서로 교차하는 것이다. 즉 거울 두 개가 나란히 있으면 계속 비춰지면서 계속 중첩이 되는 것처럼, 세계가 나를 비추고 내가 세계를 비추는 관계가 계속된다.

> 이러한 세계의 경험은 화가에게 다른 한편으로 거울의 경험을 통해 확인된다. 화가들은 거울을 바라보면서 자신의 반영된 모습을 통해서 자신의 봄(sight)이 완성된다고 생각한다. 특히 회화사에서 보면 거울이 중요한 위치를 차지한다. 화가 렘브란트(1606-1669)는 거울을 이용하여 그림을 그리거나 그림을 그리고 있는 자신을 그리기를 즐겨했다. 네덜란드 화가들은 거울만이 아니라 양동이나 철판 등과 같이 반사되는 물건들을 그림 안에 넣어서 반사된 영상을 동시에 보여준다. 거울의 심리는 무엇일까? 거울은 세계를 광경으로 바꾸는 하나의 도구인 것이다. 세계는 아직 하나로 통합이 되어서 내게 보이지 않지만. 거울은 갖다 대면 그 안에 세계가 다 들어간다.
> 또한 거울은 내가 타인이 되고, 타인이 내가 되는 방식이다. 거울은 한 마디로 옛날 화가들에게는 시각의 비밀을 간직하고 있는 것 같은 느낌을 준다. 화가들은 내가 그림을 그리는데 정작 내가 광경 속에 포함이 안 된다는 것에 찜찜한 것이 있었던 것 같다. 그래서 나를 그림 속에 포함시키고 싶었던 것이다. 세계가 광경이 되고, 광경이 세계가 되고, 내가 타인이 되고 타인이 내가 되는 시각의 수수께끼를 간직한 거울이라는 것을 바탕으로 메를로-퐁티는 나와 세계 사이에서도 일종의 거울 관계가 있다고 봤다. 세계가 내게 비춰지면서 나는 가시적인 세계를 만든다. 서로 교차하는 것이다. 나와 세계가, 즉 거울 두 개가 나란히 있으면 계속 비춰지면서 계속 중첩이 되기 때문에 세계가 나를 비추고, 내가 세계를 비추는 관계가 계속된다.(정지은, “몸과 살, 그리고 세계의 철학자, 모리스 메를로-퐁티,” 78-79)

3. 색깔

『눈과 정신』 3장에서, 메를로-퐁티는 색깔을 중요하게 이야기 한다. 그림은 두 가지로 구분되는데, 하나는 '색깔'이고 또 하나는 '선'이다. 이때 선은 기하학적인 개념을 갖는다면, 색깔은 비가시적인 것의 하나이다. 이것은 사물에 대한 표현이라기 보다는 감각적인 것들의 요소를 표현하는 것이다. 색깔은 원자와 같은 결정체가 아니라 중첩과 겹침에 의해서 무궁무진하게 다양한 감각적 느낌들을 불러일으킨다. 따라서 색깔은 다층적인 다양성을 보여준다. 그것은 한 마디로 얽힘, 교차이다. 감각적인 요소들은 서로 얽히는 가운데 무언가를 생성해 낸다.

> 그림을 우리는 흔히 두 가지로 구분한다. '색깔'이냐, '선'이냐로. 메를로-퐁티는 이 두 가지 중에서 색깔이 좀더 우리 체험에 가까운 것이라고 본다. 데카르트의 데생은 기하학적인 방식에서의 데생을 말한다. 가령 저기 있는 원을 이차원적으로 표현하려면 타원형으로 그려야 한다고. 정신의 사유에 의해서 왜곡을 시켜야 원이 원으로, 사각형이 마름모로 보인다는 것이다. 데생의 중요성을 강조하며 정신의 눈으로 본 것이다.
> 색깔은 비가시적인 것의 하나로 본다. 따라서 색깔은 사물을 표현한다기보다는 감각적인 것들의 요소를 표현하는 것이라고 할 수 있다. 가령 세잔이 그린 <발리에의 초상>을 보면, 색깔들이 원래 알고 있는 대상들의 성질을 보여주기 위해 쓰인 것이 아니라, 갑자기 사물에서 다른 느낌으로 솟아나오도록 표현한다고 한다. 사람 얼굴에 녹색도 들어가고, 흰색도 들어가고 다양한 색이 겹쳐지는데, 이 사소한 색깔들이 얼굴의 표정을 만들어낸다. 색깔은 원자와 같은 결정체가 아니라 중첩과 겹침에 의해서 무궁무진하게 다양한 감각적 느낌들을 불러일으킨다. 따라서 색깔은 관념이라는 사물의 껍데기로부터 사물을 해방시켜 준다. 다층적인 다양성을 보여줄 수 있는 것이 색깔이며, 이것을 가장 잘 활용한 화가가 세잔이라고 말하고 있다.
> 다시 가시적인 것의 비가시적인 것, 가시적인 것의 로고스로 돌아와 보면, 그것은 한 마디로 얽힘, 교차이다. 감각적인 요소들은 서로 얽히는 가운데 무언가를 생성해 낸다.(정지은, "몸과 살, 그리고 세계의 철학자, 모리스 메를로-퐁티," 79-80)

7절 평 가

메를로-퐁티는 정신의 존재를 인정한다. 그런데 그 정신은 몸과 완전한 일체를 이룬 것으로 파악하고자 한다. 그는 마치 몸 속에 정신이 있는 것으로 바라본다. 따라서 몸이 곧 대자의 역할을 한다. 그 몸 속에는 실존적 세계도 감각으로 들어와 있다. 이것은 곧 즉자의 역할이다. 그리고 몸 속에 있는 대자로서의 정신은 이 즉자로서의 감각을 변화시킨다. 이 감각으로서의 대상은 또한 실제의 대상과 연결되어 있다. 몸이 세계와 하나이기 때문이다. 궁극적으로 우리의 몸은 세계에 변화를 초래한다. 이것은 우리로 다음의 사항들을 한번 더 생각하게 한다.

먼저, 메를로-퐁티는 사물에 대한 '감각'을 통해서 '형이상학'을 추구하자고 말한다. 이것은 획기적인 사고이다. 정신과 몸을 구분하여 생각했을 때, 우리는 형이상학의 세계를 정신 이면에서 발견하고자 하였다. 그 정신으로 더욱 깊이 들어가서 무의식의 심연으로 나아가고자 했다. 그리고 그 무의식 속에서 우리는 역사를 만나고, 더 나아가서는 신화를 만나게 된다. 우리는 플라톤의 예지계, 기독교의 영적인 세계, 성경 속의 모세를 비롯한 중세 신비가들의 그 신비체험의 장소를 이렇게 접하고자 하였다.

이때, 메를로-퐁티는 이 무의식의 기억들도 모두 현재의 공간 위에 세운다. 그는 신비의 장소를 사물로 잡음을 통해서 사물 위에 빛나는 로고스와 신비를 발견한다. 그는 이 신비가 종교의 탄생을 불러왔다고 말한다. 우리 인간도 그 사물과 함께 이 세계 속에 있다. 그의 사유방식에 의하면, 우리가 영적인 세계로 진입하고자 할 때, 무의식의 어둠 속으로 들어가는 것이 아니라, 지금의 우리 인간과 사물들 위로 나아가야 한다. 그의 형이상학적 세계가 사물들에 대한 감각의 이면이라면, 예지계 혹은 영적인 세계는 곧 우리 머리 위에 있다. 하늘은 이 공간 위의 3층천에 있게 된다.

우리는 기억 속에서 우리의 과거를 만난다. 그리고 그곳에서 우리 모두의 과거인 역사를 만난다. 그리고 그 역사 중에서도 구속사를 만나며, 그 안에서 예수 그리스도의 십자가 사건을 만난다. 더 앞으로 나아가면 우리는 그 기억 속에서 창세기 1장의 그 신화적 세계를 만난다. 이 창세기 1장의 신화에는 엘로힘이 모든 천사들을 동원하여 만물을 창조하고 있다. 이 모든 역사가 바로 우리의 현재 위에 머물러 있으며, 오늘날 우리의 현재에 영향을 미치고 있다. 이것이 현대 철학을 이해한 사람들의 의식체계이다. 이때 만일 메를로-퐁티의 견해를 여기에 접목시키자면, 그는 이 모든 무의식의 체계를 현재의 우리 머리 위의 공간에 놓게 한다. 이럴 경우, 그리스도인들은 기도를 할 때, 눈을 뜨고 하늘을 곧바로 응시하며 기도해도

된다는 이야기가 되어 진다. 과연 우리가 예지계와 무의식의 세계를 우리의 의식 안에서 어떻게 위치시켜야 할지, 우리는 분별해 보아야 할 것이다. 왜냐면, 성경을 통해서 전해지는 역사에 의하면, 하나님은 분명히 존재하고, 그는 분명히 계신 곳이 있기 때문이다. 메를로-퐁티에 의하면, 언어나 종교는 상호주체들의 집합인 'on' 속에서 발생한다. 즉 사람들 속에서 발생된다. 즉, 사람들이 모여서 하늘을 바라볼 때, 종교적 신비가 탄생한다는 것이다.

〈저자소개〉 **최 환 열 (崔 煥 烈)**

백석대학교대학원 철학박사(구약학)
횃불트리니티대학원 목회학석사
아세아연합신학대학원 선교문학석사 수료
한양대학교 회계학과 졸업
현) 공인회계사, 삼지회계법인 대표
현) 국제지역개발협력협회 대표
현) 자유시장경제포럼 대표
저서 : 『아브라함의 언약』, 『모세오경의 언약』, 『국민연금과 사모펀드의 반란』, 『실존주의 철학』
유투브 : "나라사랑TV(신앙)"
"나라사랑TV(인문학) 최환열 & 철학자 이름"으로 검색

『생철학과 현상학』

2023년 12월 15일 초판 발행

지 은 이 : 최 환 열
펴 낸 이 : 김 동 명
펴 낸 곳 : 도서출판 창조와지식
주 소 : 서울시 강북구 덕릉로 144
전 화 : 1644-1814
메 일 : gvmart@hanmail.net
I S B N : 979-11-6003-674-9(93100)
가 격 : 25,000원